DEF
GŴYL Y NADOLIG

CASGLIAD O FYFYRDODAU AR GYFER DATHLU CYFNOD YR ADFENT A'R NADOLIG

GOLYGYDD
ALED DAVIES

Cyflwynedig
i aelodau'r ofalaeth
yma yn Eifionydd

Casglwyd gan: Aled Davies
Golygydd Iaith: Mair Jones Parry
Clawr: Rhys Llwyd
Diolch i Gymdeithas y Beibl am bob cydweithrediad
wrth ddyfynnu o'r Beibl Cymraeg Newydd a beibl.net.

Dymuna'r cyhoeddwyr gydnabod cymorth
Adran Grantiau Cyngor Llyfrau Cymru.

Argraffwyd gan Melita Press

Cyhoeddwyd gan
Cyhoeddiadau'r Gair, Cyngor Ysgolion Sul Cymru,
Ael y Bryn, Chwilog, Pwllheli, Gwynedd LL53 6SH.
www.ysgolsul.com

CYNNWYS

RHAGAIR

Does dim amheuaeth bod mwy o ddathlu ar ŵyl y Nadolig na'r un ŵyl arall yn ystod y flwyddyn. Yn ystod tymor yr Adfent cynhelir nifer helaeth o oedfaon mewn capeli ac eglwysi, gwasanaethau a chyflwyniadau mewn ysgolion cynradd ac uwchradd, heb anghofio am wasanaethau cymunedol o dan nawdd nifer o fudiadau megis Merched y Wawr, y Ffermwyr Ifanc ayyb. Bob blwyddyn fe fydd yna chwilio am ddeunydd newydd, boed yn ddarlleniad, cerdd, carol, myfyrdod neu weddi, wrth wynebu'r her o gyflwyno'r *hen hen stori* mewn ffordd wahanol a ffres. Wrth gyfarfod pobl ar ein stondin lyfrau yn yr Eisteddfod Genedlaethol bob blwyddyn fe fydd y cais am ddeunydd Nadolig newydd yn cael ei gyflwyno'n gyson iawn. Roedd amryw o athrawon Ysgol Sul yn gofyn yr un cwestiwn, a gobeithio i ni ateb hynny rai blynyddoedd yn ôl wrth gyhoeddi dwy gyfrol *Be wnawn ni'r Nadolig hwn? 1* a *2*, lle euthum ati i gasglu deunydd addas ar gyfer plant ac ieuenctid. Wedi cwblhau'r dasg honno, y peth naturiol i'w wneud oedd parhau i gasglu, ond y tro yma, gan ganolbwyntio ar ddeunydd ar gyfer oedolion.

Roeddwn yn ymwybodol bod llawer o ddeunydd newydd yn gweld golau dydd yn flynyddol ar dudalennau'r papurau enwadol, ac oni bai am y bobl drefnus hynny a fyddai yn torri'r darnau hynny allan a'u cadw'n daclus mewn ffeil, roedd y rhan fwyaf o'r deunydd hwnnw yn mynd yn angof. Aed ati felly i chwilota trwy ôl-rifynnau, a hefyd gwneud apêl drwy'r papurau hynny i ofyn am ddeunydd newydd. Diolch i bawb a ymatebodd i'r cais, ac am gydsyniad eraill i gael cynnwys deunydd o'u heiddo. Yn anffodus roedd llawer o'r deunydd yn y papurau enwadol heb enw awdur wrtho, ac ni fu'n bosib nodi awduraeth y gwaith hwnnw. Os gall rhywun ein goleuo, byddem yn falch iawn o glywed gennych. Casglwyd deunydd o gyfrolau eraill hefyd, a mawr obeithiwn y bydd y gyfrol hon yn cynnig syniadau i bobl ddathlu'r Nadolig gan gadw neges yr Efengyl yn ganolog i'r holl drefniadau. Rwy'n ddyledus iawn i Mair Jones Parry am ei gwaith gofalus a graenus hi ar y gyfrol, yn teipio a golygu'r deunydd yn barod ar gyfer y wasg. Diolch o galon Mair!

Ceir amrywiaeth mawr o ddeunydd yma, ond does dim gwasanaethau parod yma - cyfrol i ddewis a dethol yw hon, er mwyn creu gwasanaethau a fydd yn gweddu i bob sefyllfa unigol. Bendith ar y paratoi, y dathlu a'r addoli.

Aled Davies

Darlleniadau o beibl.net

❖ Heddwch o'r Diwedd

Eseia 11:1–10

Ond bydd brigyn newydd yn tyfu o foncyff Jesse,
a changen ffrwythlon yn tyfu o'i wreiddiau.
Bydd ysbryd yr ARGLWYDD yn gorffwys arno:
ysbryd doethineb rhyfeddol,
ysbryd strategaeth sicr,
ysbryd defosiwn a pharch at yr ARGLWYDD.
Bydd wrth ei fodd yn ufuddhau i'r ARGLWYDD:
fydd e ddim yn barnu ar sail yr olwg gyntaf,
nac yn gwneud penderfyniad ar sail rhyw si.
Bydd yn barnu achos pobl dlawd yn deg
ac yn rhoi dyfarniad cyfiawn i'r rhai sy'n cael eu cam-drin yn y tir.
Bydd ei eiriau fel gwialen yn taro'r ddaear
a bydd yn lladd y rhai drwg gyda'i anadl.
Bydd cyfiawnder a ffyddlondeb
fel belt am ei ganol.
Bydd y blaidd yn cyd-fyw gyda'r oen,
a'r llewpard yn gorwedd i lawr gyda'r myn gafr.
Bydd y llo a'r llew ifanc yn pori gyda'i gilydd,
a bachgen bach yn gofalu amdanyn nhw.
Bydd y fuwch a'r arth yn pori gyda'i gilydd,
a'u rhai ifanc yn cydorwedd;
a bydd y llew yn bwyta gwellt fel ych.
Bydd babi bach yn chwarae wrth nyth y cobra
a phlentyn bach yn rhoi ei law ar dwll y wiber.
Fydd neb yn gwneud drwg
nac yn dinistrio dim
ar y mynydd sydd wedi ei gysegru i mi.
Fel mae'r môr yn llawn dop o ddŵr,
bydd y ddaear yn llawn pobl sy'n nabod yr ARGLWYDD.

Duw yn rhyddhau ei bobl
Bryd hynny,
bydd y ffaith fod boncyff Jesse yn dal i sefyll
yn arwydd clir i bobloedd —
bydd cenhedloedd yn dod ato am gyngor,
a bydd ei le yn ysblennydd.

❖ Golau Llachar

Eseia 9:1–7

Ond fydd y tywyllwch ddim yn para
i'r tir aeth drwy'r fath argyfwng!
Y tro cyntaf, cafodd tir Sabulon
a thir Nafftali eu cywilyddio
ond yn y dyfodol bydd Duw
yn dod ag anrhydedd i Galilea'r Cenhedloedd,
ar Ffordd y Môr,
a'r ardal yr ochr arall i'r Afon Iorddonen.

Y rhyfel drosodd
Mae'r bobl oedd yn byw yn y tywyllwch
wedi gweld golau llachar.
Mae golau wedi gwawrio
ar y rhai oedd yn byw dan gysgod marwolaeth.
Ti wedi lluosogi'r genedl,
a'i gwneud yn hapus iawn;
Maen nhw'n dathlu o dy flaen di
fel ffermwyr adeg y cynhaeaf,
neu filwyr yn cael sbri wrth rannu'r ysbail.
Achos rwyt ti wedi torri'r iau
oedd yn faich arnyn nhw,
a'r ffon oedd yn curo eu cefnau nhw
— sef gwialen y meistr gwaith —
fel y gwnest ti bryd hynny yn Midian.
Bydd yr esgidiau fu'n sathru maes y gâd,
a'r gwisgoedd gafodd eu rholio mewn gwaed,
yn cael eu taflu i'r fflamau i'w llosgi.

Achos mae plentyn wedi cael ei eni i ni;
mab wedi cael ei roi i ni.
Bydd e'n cael y cyfrifoldeb o lywodraethu.
A bydd yn cael ei alw yn
Strategydd rhyfeddol, y Duw arwrol,
Tad yr oesoedd, Tywysog heddwch.
Fydd ei lywodraeth ddim yn stopio tyfu,
a bydd yn dod â llwyddiant di-ben-draw
i orsedd Dafydd a'i deyrnas.
Bydd yn ei sefydlu a'i chryfhau
a teyrnasu'n gyfiawn ac yn deg
o hyn allan, ac am byth.
Mae'r ARGLWYDD holl-bwerus yn benderfynol
o wneud hyn i gyd.

❖ Y Brenin Sydd i Ddod

Micha 5:2–4

Ond wedyn ti, Bethlehem Effrata,
rwyt ti'n un o'r pentrefi
lleiaf pwysig yn Jwda.
Ond ohonot ti y daw un
fydd yn teyrnasu yn Israel —
Un sydd â'i wreiddiau yn mynd yn ôl
i'r dechrau yn y gorffennol pell.
Felly bydd yr ARGLWYDD
yn rhoi pobl Israel i'r gelyn,
hyd nes bydd yr un sy'n cael y babi
wedi geni'r plentyn.
Wedyn bydd gweddill ei deulu yn dod adre
at blant Israel.
Bydd yn codi i arwain ei bobl
fel bugail yn gofalu am ei braidd.
Bydd yn gwneud hyn yn nerth yr ARGLWYDD
a gydag awdurdod yr ARGLWYDD ei Dduw.
Byddan nhw yno i aros,
achos bydd e'n cael ei anrhydeddu
gan bawb i ben draw'r byd.

❖ Salm o Ddiolch

Salm 100

Gwaeddwch yn uchel i'r ARGLWYDD
holl bobl y byd!
Addolwch yr ARGLWYDD yn llawen;
a dod o'i flaen gan ddathlu!
Cyffeswch mai'r ARGLWYDD sydd Dduw;
Fe ydy'r un a'n gwnaeth ni,
a ni ydy ei bobl e —
y defaid mae'n gofalu amdanyn nhw.
Ewch drwy'r giatiau gan ddiolch iddo,
ac i mewn i'w deml yn ei foli!
Rhowch ddiolch iddo!
A bendithio ei enw!
Achos mae'r ARGLWYDD mor dda!
Mae ei haelioni yn ddiddiwedd;
ac mae'n aros yn ffyddlon o un genhedlaeth i'r llall.

❖ Dweud Ymlaen Llaw am Eni Iesu

Luc 1:26–55

Pan oedd Elisabeth chwe mis yn feichiog, anfonodd Duw yr angel Gabriel i Nasareth, un o drefi Galilea, at ferch ifanc o'r enw Mair. Roedd Mair yn wyryf (heb erioed gael rhyw), ac wedi ei haddo'n wraig i ddyn o'r enw Joseff. Roedd e'n perthyn i deulu y Brenin Dafydd. Dyma'r angel yn mynd ati a'i chyfarch, "Mair, mae Duw wedi dangos ffafr atat ti! Mae'r Arglwydd gyda thi!"
Ond gwnaeth yr angel i Mair deimlo'n ddryslyd iawn. Doedd hi ddim yn deall o gwbl beth roedd yn ei feddwl. Felly dyma'r angel yn dweud wrthi, "Paid bod ofn, Mair. Mae Duw wedi dewis dy fendithio di'n fawr. Rwyt ti'n mynd i fod yn feichiog, a byddi di'n cael mab. Iesu ydy'r enw rwyt i'w roi iddo. Bydd yn ddyn pwysig iawn, a bydd yn cael ei alw'n Fab y Duw Goruchaf. Bydd yr Arglwydd Dduw yn ei osod i eistedd ar

orsedd y Brenin Dafydd, a bydd yn teyrnasu dros bobl Jacob am byth. Fydd ei deyrnasiad byth yn dod i ben!"
Ond meddai Mair, "Sut mae'r fath beth yn bosib? Dw i erioed wedi cael rhyw gyda neb."
Dyma'r angel yn esbonio iddi, "Bydd yr Ysbryd Glân yn dod arnat ti, a nerth y Duw Goruchaf yn gofalu amdanat ti. Felly bydd y plentyn fydd yn cael ei eni yn berson sanctaidd — bydd yn cael ei alw yn Fab Duw. Meddylia! Mae hyd yn oed Elisabeth, sy'n perthyn i ti, yn mynd i gael plentyn er ei bod hi mor hen. Roedd pawb yn gwybod ei bod hi'n methu cael plant, ond mae hi chwe mis yn feichiog! Rwyt ti'n gweld, does dim byd sy'n amhosib i Dduw ei wneud."
A dyma Mair yn dweud, "Dw i eisiau gwasanaethu'r Arglwydd Dduw. Felly gad i beth rwyt wedi ei ddweud ddod yn wir." Wedyn dyma'r angel yn ei gadael hi.

❖ Cân Mair

A dyma Mair yn ymateb:
"O, dw i'n moli'r Arglwydd!
Mae Duw, fy Achubwr, wedi fy ngwneud i mor hapus!
Roedd yn gwybod bod ei forwyn yn ferch gyffredin iawn,
ond o hyn ymlaen bydd pobl o bob oes
yn dweud fy mod wedi fy mendithio,
Mae Duw, yr Un Cryf, wedi gwneud pethau mawr i mi —
Mae ei enw mor sanctaidd!
Mae bob amser yn trugarhau wrth y rhai sy'n ymostwng iddo.
Mae wedi defnyddio ei rym i wneud pethau rhyfeddol! —
Mae wedi gyrru y rhai balch ar chwâl.
Mae wedi cymryd eu hawdurdod oddi ar lywodraethwyr,
ac anrhydeddu'r bobl hynny sy'n 'neb'.
Mae wedi rhoi digonedd o fwyd da i'r newynog,
ac anfon y bobl gyfoethog i ffwrdd heb ddim!
Mae wedi helpu ei was Israel,
a dangos trugaredd at ei bobl.
Dyma addawodd ei wneud i'n cyndeidiau ni —
dangos trugaredd at Abraham a'i ddisgynyddion am byth."

❖ Geni Iesu y Meseia

Mathew 1:18–25

Dyma ddigwyddodd pan gafodd Iesu y Meseia ei eni: Roedd ei fam, Mair, wedi cael ei haddo i fod yn wraig i Joseff. Ond cyn iddyn nhw briodi a chael rhyw, dyma nhw'n darganfod fod yr Ysbryd Glân wedi ei gwneud hi'n feichiog. Roedd Joseff, oedd yn mynd i'w phriodi, yn ddyn da a charedig. Doedd e ddim eisiau gwneud esiampl ohoni a'i chyhuddo hi'n gyhoeddus, felly roedd yn ystyried yn dawel fach i ganslo'r briodas. Roedd wedi bod yn meddwl am hyn pan gafodd freuddwyd: gwelodd angel Duw yn dod ato a dweud wrtho, "Joseff fab Dafydd, paid petruso mynd â Mair adre i fod yn wraig i ti, am mai'r Ysbryd Glân sydd wedi gwneud iddi feichiogi. Bachgen fydd hi'n ei gael. Rwyt i roi'r enw Iesu iddo, am mai fe fydd yn achub ei bobl o'u pechodau."
Digwyddodd hyn er mwyn i beth ddwedodd Duw drwy ei broffwyd ddod yn wir: "Edrychwch! Bydd merch ifanc sy'n wyryf yn feichiog ac yn cael mab. Bydd y plentyn yn cael ei alw yn Emaniwel" (Ystyr Emaniwel ydy "Mae Duw gyda ni.")
Pan ddeffrodd Joseff, gwnaeth beth roedd angel Duw wedi ei ddweud wrtho. Priododd Mair, ond chafodd e ddim rhyw hefo hi nes i'w mab gael ei eni. A rhoddodd yr enw Iesu iddo.

❖ Y Bugeiliaid a'r Angylion

Luc 2:8–20

Yn ardal Bethlehem roedd bugeiliaid allan drwy'r nos yn yr awyr agored yn gofalu am eu defaid. Yn sydyn dyma nhw'n gweld un o angylion yr Arglwydd, ac roedd ysblander yr Arglwydd fel golau llachar o'u cwmpas nhw. Roedden nhw wedi dychryn am eu bywydau. Ond dyma'r angel yn dweud wrthyn nhw, "Peidiwch bod ofn. Mae gen i newyddion da i chi! Newyddion fydd yn gwneud pobl ym mhobman yn llawen iawn. Mae eich Achubwr wedi cael ei eni heddiw, yn Bethlehem (tref y Brenin Dafydd). Ie, y Meseia! Yr Arglwydd! Dyma sut byddwch chi'n ei nabod e: Dewch o hyd iddo yn fabi bach wedi ei lapio mewn cadachau ac yn gorwedd mewn cafn bwydo anifeiliaid."

Yn sydyn dyma filoedd o angylion eraill yn dod i'r golwg, roedd fel petai holl angylion y nefoedd yno yn addoli Duw!
"Gogoniant i Dduw yn y nefoedd uchaf,
heddwch ar y ddaear islaw,
a bendith Duw ar bobl."
Pan aeth yr angylion i ffwrdd yn ôl i'r nefoedd, dyma'r bugeiliaid yn dweud wrth ei gilydd, "Dewch! Gadewch i ni fynd i Bethlehem, i weld beth mae'r Arglwydd wedi ei ddweud wrthon ni sydd wedi digwydd." Felly i ffwrdd â nhw, a dyma nhw'n dod o hyd i Mair a Joseff a'r babi bach yn gorwedd mewn cafn bwydo anifeiliaid. Ar ôl ei weld, dyma'r bugeiliaid yn mynd ati i ddweud wrth bawb beth oedd wedi digwydd, a beth ddwedodd yr angel wrthyn nhw am y plentyn yma. Roedd pawb glywodd am y peth yn rhyfeddu at yr hyn roedd y bugeiliaid yn ei ddweud. Ond roedd Mair yn cofio pob manylyn ac yn meddwl yn aml am y cwbl oedd wedi cael ei ddweud am ei phlentyn. Aeth y bugeiliaid yn ôl i'w gwaith gan ganmol a moli Duw am bopeth roedden nhw wedi ei weld a'i glywed. Roedd y cwbl yn union fel roedd yr angel wedi dweud.

❖ CYFLWYNO IESU YN Y DEML

Luc 2:21–40

Pan oedd y plentyn yn wythnos oed cafodd ei enwaedu, a'i alw yn Iesu. Dyna oedd yr enw roddodd yr angel iddo hyd yn oed cyn iddo gael ei genhedlu yng nghroth Mair.
Pan oedd pedwar deg diwrnod wedi mynd heibio ers i'r bachgen gael ei eni, roedd y cyfnod o buro mae Cyfraith Moses yn sôn amdano wedi dod i ben. Felly aeth Joseff a Mair i Jerwsalem i gyflwyno eu mab cyntaf i'r Arglwydd (Mae Cyfraith Duw yn dweud: "Os bachgen ydy'r plentyn cyntaf i gael ei eni, rhaid iddo gael ei gysegru i'r Arglwydd" a hefyd fod rhaid offrymu aberth i'r Arglwydd — "pâr o durturod neu ddwy golomen").
Roedd dyn o'r enw Simeon yn byw yn Jerwsalem — dyn da a duwiol. Roedd dylanwad yr Ysbryd Glân yn drwm ar ei fywyd, ac roedd yn disgwyl yn frwd i'r Meseia ddod i helpu Israel. Roedd yr Ysbryd Glân wedi dweud wrtho y byddai'n gweld y Meseia cyn iddo fe farw. A'r diwrnod hwnnw dyma'r Ysbryd yn dweud wrtho i fynd i'r deml. Felly

pan ddaeth rhieni Iesu yno gyda'u plentyn i wneud yr hyn roedd y Gyfraith yn ei ofyn, dyma Simeon yn cymryd y plentyn yn ei freichiau a dechrau moli Duw fel hyn:
"O Feistr Sofran! Gad i mi, dy was,
bellach farw mewn heddwch!
Dyma wnest ti ei addo i mi —
dw i wedi gweld yr Achubwr gyda fy llygaid fy hun.
Rwyt wedi ei roi i'r bobl i gyd;
yn olau er mwyn i genhedloedd eraill allu gweld,
ac yn rheswm i bobl Israel dy foli di."
Roedd Mair a Joseff yn rhyfeddu at y pethau oedd yn cael eu dweud am Iesu. Yna dyma Simeon yn eu bendithio nhw, a dweud wrth Mair, y fam: "Bydd y plentyn yma yn achos cwymp i lawer yn Israel ac yn fendith i eraill. Bydd yn rhybudd sy'n cael ei wrthod, a bydd yr hyn mae pobl yn ei feddwl go iawn yn dod i'r golwg. A byddi di'n dioddef hefyd, fel petai cleddyf yn trywanu dy enaid di."
Roedd gwraig o'r enw Anna, oedd yn broffwydes, yn y deml yr un pryd. Roedd yn ferch i Phanuel o lwyth Aser, ac yn hen iawn. Roedd hi wedi bod yn weddw ers i'w gŵr farw dim ond saith mlynedd ar ôl iddyn nhw briodi. Erbyn hyn roedd hi'n wyth deg pedair mlwydd oed. Fyddai hi byth yn gadael y deml — roedd hi yno ddydd a nos yn addoli Duw, ac yn ymprydio a gweddïo. Daeth at Mair a Joseff pan oedd Simeon gyda nhw a dechrau moli Duw a diolch iddo. Roedd yn siarad am Iesu gyda phawb oedd yn edrych ymlaen at ryddid i Jerwsalem.
Pan oedd Joseff a Mair wedi gwneud popeth roedd Cyfraith yr Arglwydd yn ei ofyn, dyma nhw'n mynd yn ôl adre i Nasareth yn Galilea. Tyfodd y plentyn yn fachgen cryf a doeth iawn, ac roedd hi'n amlwg bod ffafr Duw arno.

❖ Geni Iesu

Mathew 2:1–23

Cafodd Iesu ei eni yn Bethlehem yn Jwdea, yn y cyfnod pan oedd Herod yn frenin. Ar ôl hynny daeth gwŷr doeth o wledydd y dwyrain i Jerwsalem i ofyn, "Ble mae'r un sydd newydd gael ei eni yn frenin yr Iddewon? Gwelon ni ei seren yn codi yn y dwyrain, a dŷn ni yma i dalu teyrnged iddo."

Pan glywodd y Brenin Herod hyn roedd wedi cynhyrfu'n lân. Roedd cynnwrf yn Jerwsalem hefyd. Felly galwodd Herod y prif offeiriaid a'r arbenigwyr yn y Gyfraith Iddewig i'w gyfarfod. Gofynnodd iddyn nhw, "Ble mae'r Meseia i fod i gael ei eni?" "Yn Bethlehem Jwdea," medden nhw. "Dyna ysgrifennodd y proffwyd:
'Bethlehem, yn nhir Jwda —
Nid rhyw bentref dibwys yn Jwda wyt ti;
achos ohonot ti daw un i deyrnasu,
un fydd yn fugail i arwain fy mhobl Israel.'"
Ar ôl cael gwybod hyn, dyma Herod yn galw'r gwŷr doeth i gyfarfod preifat. Cafodd wybod ganddyn nhw pryd yn union oedd y seren wedi ymddangos. Yna dwedodd, "Ewch i Bethlehem i chwilio am y plentyn. Yna gadewch i mi wybod pan ddowch o hyd iddo, er mwyn i mi gael mynd i dalu teyrnged iddo hefyd."
Ar ôl gwrando beth oedd gan y brenin i'w ddweud, i ffwrdd â nhw. Dyma'r seren yn mynd o'u blaen, nes iddi aros uwchben yr union fan lle roedd y plentyn. Roedden nhw wrth eu bodd! Pan aethon nhw i mewn i'r tŷ, dyna lle roedd y plentyn gyda'i fam, Mair, a dyma nhw'n disgyn ar eu gliniau o'i flaen a'i addoli. Yna dyma nhw'n agor eu paciau a rhoi anrhegion gwerthfawr iddo — aur a thus a myrr. Rhybuddiodd Duw nhw mewn breuddwyd i beidio mynd yn ôl at Herod, felly dyma'r gwŷr doeth yn teithio yn ôl i'w gwlad eu hunain ar hyd ffordd wahanol.

Dianc i'r Aifft

Ar ôl iddyn nhw fynd, cafodd Joseff freuddwyd arall. Gwelodd angel Duw yn dweud wrtho, "Rhaid i chi ddianc ar unwaith! Dos â'r plentyn a'i fam i'r Aifft, ac aros yno nes i mi ddweud ei bod yn saff i chi ddod yn ôl. Mae Herod yn ceisio dod o hyd i'r plentyn er mwyn ei ladd."
Felly cododd Joseff ganol nos a gadael am yr Aifft gyda'r plentyn a'i fam. Buon nhw yn yr Aifft nes oedd Herod wedi marw. Felly daeth beth ddwedodd yr Arglwydd drwy'r proffwyd yn wir: "Gelwais fy mab allan o'r Aifft."
Aeth Herod yn wyllt gynddeiriog pan sylweddolodd fod y gwŷr doeth wedi ei dwyllo. Anfonodd filwyr i Bethlehem a'r cylch i ladd pob bachgen bach dan ddwyflwydd oed — hynny ar sail beth oedd y gwŷr doeth wedi ei ddweud wrtho am y dyddiad y daeth y seren i'r golwg. A dyna sut daeth geiriau y proffwyd Jeremeia yn wir:

"Mae cri i'w chlywed yn Rama,
sŵn wylo chwerw a galaru mawr —
Rachel yn crïo am ei phlant.
Mae'n gwrthod cael ei chysuro,
am eu bod nhw wedi mynd."

Mynd i fyw i Nasareth

Pan fuodd Herod farw, cafodd Joseff freuddwyd arall yn yr Aifft. Gwelodd angel yr Arglwydd yn dweud wrtho, "Dos â'r plentyn a'i fam yn ôl i wlad Israel. Mae'r bobl oedd am ei ladd wedi marw."
Felly dyma nhw'n mynd yn ôl i wlad Israel.Ond pan glywodd Joseff mai Archelaus, mab Herod, oedd llywodraethwr newydd Jwdea, roedd ganddo ofn mynd yno. Cafodd ei rybuddio mewn breuddwyd eto, a throdd i gyfeiriad Galilea, a mynd i fyw i dref Nasareth. Felly daeth yr hyn ddwedodd y proffwydi am y Meseia yn wir unwaith eto: "Bydd yn cael ei alw yn Nasaread."

❖ DAETH Y GAIR

Ioan 1:1–14

Y Gair oedd yn bod ar y dechrau cyntaf.
Roedd y Gair gyda Duw,
a Duw oedd y Gair.
Roedd gyda Duw o'r dechrau cyntaf un.
Trwyddo y crëwyd popeth sy'n bod.
Does dim yn bodoli ond beth greodd e.
Ynddo fe roedd bywyd,
a'r bywyd hwnnw'n rhoi golau i bobl.
Mae'r golau yn dal i ddisgleirio yn y tywyllwch,
a'r tywyllwch wedi methu ei ddiffodd.
Daeth dyn o'r enw Ioan i'r golwg. Duw oedd wedi anfon Ioan i roi tystiolaeth — ac i ddweud wrth bawb am y golau, er mwyn i bawb ddod i gredu drwy'r hyn oedd yn ei ddweud. Dim Ioan ei hun oedd y golau; dim ond dweud wrth bobl am y golau roedd e'n wneud. Roedd y golau go iawn, sy'n rhoi golau i bawb, ar fin dod i'r byd.
Roedd y Gair yn y byd,
ac er mai fe greodd y byd,

wnaeth pobl y byd mo'i nabod.
Daeth i'w wlad ei hun,
a chael ei wrthod
gan ei bobl ei hun.
Ond cafodd pawb wnaeth ei dderbyn,
(sef y rhai sy'n credu ynddo)
hawl i ddod yn blant Duw.
Dim am fod ganddyn nhw waed Iddewig;
Duw sydd wedi eu gwneud nhw'n blant iddo'i hun!
Daeth y Gair yn berson o gig a gwaed;
daeth i fyw yn ein plith ni.
Gwelon ni ei ysblander dwyfol,
ei ysblander fel Mab unigryw
wedi dod oddi wrth y Tad
yn llawn haelioni a gwirionedd.

❖ DIOLCH A GWEDDI

Colosiaid 1:3–23

Dŷn ni bob amser yn diolch i Dduw, Tad ein Harglwydd Iesu Grist, pan dŷn ni'n gweddïo drosoch chi. Dŷn ni wedi clywed am eich ffyddlondeb chi i'r Meseia Iesu ac am y cariad sydd gynnoch chi at bawb arall sy'n credu. Mae'r ffydd a'r cariad hwnnw'n tarddu o'r gobaith hyderus y byddwch chi'n derbyn y cwbl sydd wedi ei storio yn y nefoedd i chi. Dych chi wedi clywed am hyn o'r blaen, pan gafodd y gwir (sef y newyddion da) ei rannu gyda chi am y tro cyntaf. Mae'r newyddion da yn mynd ar led ac yn dwyn ffrwyth drwy'r byd i gyd, a dyna'n union sydd wedi digwydd yn eich plith chi ers y diwrnod cyntaf i chi glywed am haelioni rhyfeddol Duw, a dod i'w ddeall yn iawn. Epaffras, ein cydweithiwr annwyl ni, ddysgodd hyn i gyd i chi, ac mae wedi bod yn gwasanaethu'r Meseia yn ffyddlon ar ein rhan ni. Mae wedi dweud wrthon ni am y cariad mae'r Ysbryd wedi ei blannu ynoch chi.

Ac felly dŷn ni wedi bod yn dal ati i weddïo drosoch chi ers y diwrnod y clywon ni hynny. Dŷn ni'n gofyn i Dduw ddangos i chi yn union beth mae eisiau, a'ch gwneud chi'n ddoeth i allu deall pethau ysbrydol. Pwrpas hynny yn y pen draw ydy i chi fyw fel mae Duw am i chi fyw, a'i blesio fe ym mhob ffordd: trwy fyw bywydau sy'n llawn o weithredoedd da o bob math, a dod i nabod Duw yn well. Dŷn ni'n gweddïo y bydd Duw yn defnyddio'r holl rym anhygoel sydd ganddo i'ch gwneud chi'n gryfach ac yn gryfach. Wedyn byddwch chi'n gallu dal ati yn amyneddgar, a diolch yn llawen i'r Tad. Fe sydd wedi'ch gwneud chi'n deilwng i dderbyn eich cyfran o beth mae wedi ei gadw i'w bobl ei hun yn nheyrnas y goleuni. Mae e wedi'n hachub ni o'r tywyllwch oedd yn ein gormesu ni. Ac mae wedi dod â ni dan deyrnasiad y Mab mae'n ei garu. Ei Fab sydd wedi'n gollwng ni'n rhydd! Mae wedi maddau'n pechodau ni!

Y Meseia Iesu yn ben

Mae'n dangos yn union sut un ydy'r Duw anweledig —
y 'mab hynaf' wnaeth roi ei hun dros y greadigaeth gyfan.
Cafodd popeth ei greu ganddo fe:
popeth yn y nefoedd ac ar y ddaear,
popeth sydd i'w weld,
a phopeth sy'n anweledig —
y grymoedd a'r pwerau sy'n llywodraethu a rheoli.
Cafodd popeth ei greu ganddo fe,
i'w anrhydeddu e.
Roedd yn bodoli o flaen popeth arall,
a fe sy'n dal y cwbl gyda'i gilydd.
Fe hefyd ydy'r pen ar y corff, sef yr eglwys;
Fe ydy ei ffynhonnell hi,
a'r cyntaf i ddod yn ôl yn fyw.
Felly mae e'n ben ar y cwbl i gyd.
Achos roedd Duw yn ei gyflawnder yn byw ynddo,
ac yn cymodi popeth ag e'i hun trwyddo
— pethau ar y ddaear ac yn y nefoedd.
Daeth â heddwch drwy farw ar y groes.

Ydy, mae wedi'ch cymodi chi hefyd! Chi oedd mor bell oddi wrth Dduw ar un adeg. Roeddech yn elynion iddo ac yn gwneud pob math o bethau drwg. Mae wedi eich gwneud chi'n ffrindiau iddo'i hun trwy ddod yn ddyn o gig a gwaed, a marw ar y groes. Mae'n dod â chi at Dduw yn lân, yn ddi-fai, a heb unrhyw gyhuddiad yn eich erbyn. Ond rhaid i chi ddal i gredu, a bod yn gryf ac yn gadarn, a pheidio gollwng gafael yn y gobaith sicr mae'r newyddion da yn ei gynnig i chi. Dyma'r newyddion da glywoch chi, ac sydd wedi ei gyhoeddi drwy'r byd i gyd.

❖ Y bywyd newydd

Effesiaid 4:17–32

Felly gyda'r awdurdod mae'r Arglwydd ei hun wedi ei roi i mi, dw i'n dweud wrthoch chi, ac yn mynnu hyn: peidiwch byw fel mae'r paganiaid di-gred yn byw. Dyn nhw'n deall dim — maen nhw yn y tywyllwch! Maen nhw wedi eu gwahanu oddi wrth y bywyd sydd gan Dduw i'w gynnig am eu bod nhw'n gwrthod gwrando. Maen nhw'n ystyfnig! Does dim byd yn codi cywilydd arnyn nhw. Dyn nhw'n gwneud dim byd ond byw'n anfoesol a gadael i'w chwantau mochaidd gael penrhyddid llwyr. Ac maen nhw eisiau mwy a mwy drwy'r adeg.

Dim felly dych chi wedi dysgu byw wrth edrych ar y Meseia — os mai fe ydy'r un dych chi wedi eich dysgu i'w ddilyn. Yn Iesu mae dod o hyd i'r gwir. Felly rhaid i chi gael gwared â'r hen ffordd o wneud pethau — y bywyd sydd wedi ei lygru gan chwantau twyllodrus. Rhaid i chi feithrin ffordd newydd o feddwl. Mae fel gwisgo natur o fath newydd — natur sydd wedi ei fodelu ar gymeriad Duw ei hun, yn gyfiawn a glân.

Felly dim mwy o gelwydd! "Dwedwch y gwir wrth eich gilydd", am ein bod ni'n perthyn i'r un corff. "Peidiwch pechu pan dych chi wedi digio" — gwnewch yn siŵr eich bod chi ddim yn dal yn ddig ar ddiwedd y dydd. Peidiwch rhoi cyfle i'r diafol a'i driciau! Rhaid i'r person oedd yn arfer bod yn lleidr stopio dwyn. Dylai weithio, ac ennill bywoliaeth, fel bod ganddo rywbeth i'w rannu gyda phobl mewn angen.

Peidiwch defnyddio iaith aflan. Dylech ddweud pethau sy'n helpu pobl eraill — pethau sy'n bendithio'r rhai sy'n eich clywed chi. Peidiwch brifo teimladau Ysbryd Glân Duw. Yr Ysbryd ydy'r sêl sy'n eich marcio chi fel rhai fydd yn cael rhyddid llwyr ar y diwrnod hwnnw pan fydd y Meseia Iesu yn dod yn ôl. Rhaid i chi beidio bod yn chwerw, peidio colli tymer a gwylltio, codi twrw, hel straeon cas, a bod yn faleisus. Eich lle chi ydy bod yn garedig, yn dyner gyda'ch gilydd, a maddau i'ch gilydd fel mae Duw wedi maddau i chi drwy beth wnaeth y Meseia.

❖ YR ADFENT - DECHRAU BLWYDDYN NEWYDD

Darllen: Rhufeiniaid 13:12

Yng nghalendr y Cristion mae hi'n ddechrau blwyddyn newydd – y pedwar Sul cyn Gŵyl y Nadolig. Ond nid paratoad ar gyfer Gŵyl y Geni ydi'r Adfent yn unig. Mae i'r cyfnod hwn ei nodweddion arbennig ei hun, gyda phlethwaith cyfoethog o wahanol themâu. Fel tymor y Grawys, mae'n gyfnod o edifeirwch, sef cyfnod o baratoad mewnol ar gyfer Gŵyl yr Ymgnawdoliad a chyfnod o holi'n hunain am ein camau dros y flwyddyn a aeth heibio. Prin y cawn gyfle i bwyso a mesur ein camau a chymryd golwg fanwl ar ein bywydau. Felly dyma gyfle o'r newydd. Mae'n gyfle, fel ar ddechrau blwyddyn, i edrych yn ôl ac edrych ymlaen. Ond y mae themâu'r Adfent yn rhoi cyfle i ni ganolbwyntio ar benawdau penodol. Penawdau'r wythnosau sy'n arwain at y Nadolig yw: marwolaeth, barn, nefoedd ac uffern. Pa bryd y buoch chi'n myfyrio ar y rhain o'r blaen, tybed?

Mae themâu a darlleniadau tymor yr Adfent yn baratoad ar gyfer yr Ail Ddyfodiad wrth gofio hefyd am ddyfodiad cyntaf Iesu ar y Nadolig. Mae'r darlleniadau yn ein hatgoffa o ddyfodiad cyntaf Iesu fel Gwaredwr, ond maent hefyd yn cyfeirio at ei ail ddyfodiad fel barnwr. Mae llawer o draddodiadau wedi datblygu yn sgil tymor yr Adfent. Mewn rhannau o Loegr byddai merched tlawd yn cerdded o gwmpas gyda 'delweddau'r Adfent', sef dwy ddol wedi'u gwisgo, un i gynrychioli Iesu a'r llall i gynrychioli'r Forwyn Fair. Byddai disgwyl i'r bobl a ddeuai i gyswllt â'r gwragedd oedd yn cario'r doliau roi dimai iddynt, a byddai anlwc yn dod ar yr aelwydydd lle nad oedd croeso i'r gwragedd hyn. Yn Normandi yn ystod tymor yr Adfent, byddai ffermwyr yn llogi bechgyn dan ddeuddeg oed i redeg trwy'r caeau a'r perllannau gyda ffaglau i losgi'r gwellt er mwyn diddymu'r creaduriaid gwyllt fyddai'n gwneud niwed i'r cnydau.

Yn ein dyddiau ni, daeth calendr yr Adfent yn boblogaidd, gyda'i ffenestri i'w hagor cyn Gŵyl y Nadolig. Mae'n siŵr fod hyn yn cadw'r plant yn ddiddig wrth iddyn nhw baratoi ar gyfer yr ŵyl. Mae canhwyllau i'w goleuo – pedair i gynrychioli'r pedwar Sul cyn y Nadolig, a'r gannwyll ganol i'w goleuo ar y diwrnod mawr, dydd Nadolig ei hun. Mewn rhai eglwysi rhoddir enwau penodol ar y canhwyllau. Mae'r darlleniadau ar gyfer y Sul cyntaf yn cyfeirio at hynafiaid yr Hen

Destament, ac felly gelwir cannwyll y Sul hwnnw yn Gannwyll Gobaith. Cyfeirir yn narlleniadau'r ail Sul at ddatganiadau'r proffwydi am ddyfodiad Iesu, ac felly dyma Gannwyll y Proffwydi. Mae darlleniadau'r trydydd Sul yn cyfeirio at ddyfodiad Ioan Fedyddiwr, ac felly dyma Gannwyll Llawenydd. Ar y pedwerydd Sul, y Sul cyn y Nadolig, mae'r darlleniadau'n cyfeirio at gyfarchiad yr angel Gabriel a'i neges i Fair. Gelwir y gannwyll hon yn Gannwyll yr Angel. Y bumed gannwyll, a gyneuir fel arfer Noswyl y Nadolig, yw Cannwyll Crist.

Un o emynau'r Adfent yw emyn Lladin o'r ddeunawfed ganrif a gyfieithwyd i'r Gymraeg gan J. D. Vernon Lewis (1879–1970), '*Veni Immanuel*', 'O tyred di, Emanŵel, a datod rwymau Isräel', gyda'r byrdwn 'O cân, O cân: Emanŵel ddaw atat ti, O Isräel' (rhif 432 yn *Caneuon Ffydd*). Un arall o emynau'r Adfent yn emyniadur yr Eglwys Esgobol yw 'Wele'n dyfod ar gymylau / Farnwr dyn a brenin nef', sy'n cyfleu neges yr Adfent o farn ac ailddyfodiad Iesu. (*Emynau'r Llan*, rhif 24). Cenir hwn fel arfer ar y dôn fawreddog 'Helmsley'.

Myfyrdod pellach:
Pa mor bwysig ydi paratoi ein hunain ar gyfer y Nadolig?

Pa mor aml fyddwch chi'n trin a thrafod pynciau mawr yr Adfent – marwolaeth, barn, nefoedd ac uffern?

❖ YR ADFENT - 'PAM YDYN NI YMA?'

Darllen: Ioan 14:27

Mae tymor yr Adfent a'i amrywiol themâu yn rhoi cyfle i ni ymgodymu â gwerthoedd dyfnaf a dyrys bywyd – goleuni a thywyllwch, barn a chyfiawnhad, disgwyliad, gobaith a chyflawniad. Mae'n gyfle i ni geisio datrys y cwestiwn oesol, 'Pam ydyn ni yma?' Mae'n gyfle i chwilio am y Duw sy'n ein caru ac yn chwilio amdanom. Cofiwn ein bod mewn cwmni da, gan fod myrddiynau ar hyd yr oesoedd wedi ceisio mynd i'r afael â'r cwestiynau hyn.

Yn nhymor yr Adfent mae'r tywydd yn dirywio - mae'n oeri, mae stormydd yn codi, mae'r nosweithiau'n hir a thywyllwch o'n cwmpas ym mhob man. Mae hi'n dywydd i godi'r felan ar unrhyw un. Yng nghanol cysgodion fel hyn, cawn ein gorfodi i ddisgwyl wrth Dduw ac i ystyried a meddwl am ei ddyfodiad i'r byd. Mae angen i ni wybod y bydd Duw yn 'barnu rhwng cenhedloedd, a thorri'r ddadl i bobloedd lawer' (Eseia 2:4). Efallai y bydd rhaid i ni gael ein hargyhoeddi ar y pwynt, gan ein bod o'r farn fod y drwg yn ffynnu a llwyddo yn aml. Wrth i ni ddyheu am heddwch a chytgord mewn bywyd, mae'r proffwyd Eseia yn ein hannog, 'Tŷ Jacob, dewch, rhodiwn yng ngoleuni'r Arglwydd' (2:5). Ychydig adnodau cyn hyn gofynnwyd i'r bobl fynd i fynydd yr Arglwydd, i deml Duw Jacob a hynny er mwyn 'dysgu i ni ei ffyrdd' (2:3). Golyga hyn fod yna ddrws ymwared bob amser, rhywbeth y gallwn ni weithredu arno. Efallai fod y sefyllfa'n argyfyngus ac yn edrych yn dywyll – gallai olygu rhyfel, ymrafael rhwng pobl rydyn ni'n eu caru, neu hyd yn oed densiynau yn ein bywydau personol. Ond dywed y Beibl y bydd Duw yn barnu ac yn creu heddwch a thangnefedd. Ac fe allwn ni chwarae ein rhan: 'curant eu cleddyfau'n geibiau, a'u gwaywffyn yn grymanau', sy'n golygu y bydd yr adnoddau oedd unwaith yn arfau yn dod yn eu tro yn adnoddau fydd yn cael eu defnyddio i'n maethu ac i feithrin gobeithion. Bydd yr holl egni a ddefnyddiwn i ymladd yn cael ei ail gyfeirio at adeiladu, datblygu a meithrin cyfanrwydd. Gallwn, bob un ohonom, er cyn lleied yw, gerdded cam bychan yng ngoleuni Duw, trwy ymddiried ynddo mewn gweddi, addoliad a gweithred. Yng nghanol mwrllwch a thywyllwch cyfnod yr Adfent mae goleuni'n treiddio i ddyfnderoedd ein bywydau. Dyma'r tangnefedd yr oedd Iesu'n cyfeirio ato yn ystod ei weinidogaeth. Meddai wrth ei ddisgyblion ar drothwy ei ymadawiad ac artaith y Groes, 'Yr wyf yn gadael i chwi dangnefedd; yr wyf yn rhoi i chwi fy nhangnefedd i fy hun. Nid fel y mae'r byd yn rhoi yr wyf fi'n rhoi i chwi' (Ioan 14:27). Mae llawer mwy nag optimistiaeth arwynebol ynghlwm wrth y geiriau hyn y bydd pethau'n disgyn i'w lle yn y man: mae yna obaith cadarn a di-syfl sut y bydd y byd dan deyrnasiad Duw.

Gwelwyd y trobwynt hwn yn nhaith y seryddion o'r dwyrain i Jerwsalem i holi am yr hwn a anwyd yn frenin yr Iddewon. Ar ôl darganfod y mab bychan gyda'i rieni, nid dychwelyd at Herod Fawr wnaethant ond yn hytrach dychwelyd i'w gwlad eu hunain ar hyd ffordd arall. Cawsant bersbectif newydd ar yr hyn oedd yn bwysig. Buont feirw i'w hen syniadau, a ganed gobaith newydd yn eu bywydau. Dyma sy'n ein cymell i fynd ar hyd ffordd arall.

Myfyrdod pellach:

Dychmygwch y gwahaniaeth fyddai petai mwy ohonom yn meddwl yn bositif.

Oes yna rywbeth sy'n eich poeni heddiw y gallwch ei gyflwyno i Dduw yn y gobaith y bydd ef yn barnu'n deg?

❖ Yr Adfent - Y Pethau Olaf

Darllen: Mathew 24:32–35

Dyma droi heddiw at air dieithr – eschatoleg! Beth ar wyneb y ddaear ydi ystyr hwn meddwch chi? Mewn gair, ei ystyr yw – dysgeidiaeth ar y pethau olaf. 'Eschata' – yn yr iaith Roeg – yn golygu 'pethau olaf', a'r 'oleg' ar ddiwedd y gair yn golygu 'dysgeidiaeth'. Ond, meddwch chi, 'dydyn ni fawr nes i'r lan.' A dyma'r meddwl yn dechrau crwydro i ystyried y bobl sy'n darogan fod diwedd y byd i ddigwydd ar amser penodol, neu'r bobl welwch chi yn ein dinasoedd mawr yn cario poster ac arno'r geiriau, 'Mae diwedd y byd yn agos'. Bob mis o'r bron, mae rhywun yn darogan fod y diwedd yn mynd i ddigwydd ar amser arbennig, ar ddiwrnod arbennig a mis arbennig. Ond rydyn ni yma o hyd!

Mae'r Beibl yn llawn o gyfeiriadau at eschatoleg, ac yn ystod tymor yr Adfent mae'n anodd iawn anwybyddu'r pwnc. Gofynnodd y disgyblion i Iesu, 'Dywed wrthym pa bryd y bydd hyn, a beth fydd yr arwydd o'th ddyfodiad ac o ddiwedd amser?' (Mathew 24:3). Mae'n mynd ymlaen i'w hateb trwy ddweud y bydd cenedl yn codi yn erbyn cenedl, y 'tywyllir yr haul, ni rydd y lloer ei llewyrch, syrth y sêr o'r nef, ac ysgydwir nerthoedd y nefoedd' (Mathew 24:29). Digon i godi braw ar unrhyw un! Trown at ddysgeidiaeth Iesu i'n helpu i ddeall y cysyniad.

Geiriau Iesu ar ddechrau ei weinidogaeth oedd, 'Y mae'r amser wedi ei gyflawni ac y mae teyrnas Dduw wedi dod yn agos. Edifarhewch a chredwch yr Efengyl' (Marc 1:15). Yng ngweinidogaeth Iesu rhagwelir yn y presennol deyrnas Dduw yn y dyfodol. Mae'r deyrnas eschatolegol eisoes wedi dod ym mywyd Iesu. Hyn oedd prif destun ei genhadaeth a'i genadwri. Dyma bregethu grymus a chwyldroadol, yn enwedig i'r gwrandawyr cyntaf. Doedd dim rhyfedd eu bod yn heidio o bob cyfeiriad i wrando ar ei genadwri a'i neges. Chwilio am deyrnas ar ddiwedd amser oedden nhw, y tu hwnt i hanes a thu hwnt i amser. Teyrnas y byddai ewyllys Duw yn cael ei weithredu ynddi yn y nefoedd, ac felly ar y ddaear hefyd. Dyna'r adeg y byddai pechod yn cael ei faddau, tangnefedd Duw yn cael ei gyflawni, a bywyd newydd ar ddechrau. A dyna lle mae Iesu'n cyhoeddi i'r byd a'r betws fod y deyrnas hon eisoes ymhlith y bobl, 'Y mae'r amser wedi ei gyflawni'. Hynny yw, mae nerthoedd yr oes oedd i ddod yn bresennol yn awr, ym mherson Iesu.

Wrth gwrs, yn nyddiau Iesu roedd pobl yn gallu gweld hyn yn digwydd o ddydd i ddydd. Roedd y cloff yn cerdded, y gwahangleifion yn cael eu glanhau, y dall yn gweld, a'r meirw yn cael eu hadfer hyd yn oed. Roedd pwerau'r oes i ddod yn fyw yng Ngalilea. Roedd teyrnas Dduw yn bresennol, a Duw yn Iesu yn teyrnasu. Wedi'r atgyfodiad, llifodd y pwerau hyn i fywydau'r apostolion. Yn Llyfr yr Actau mae digwyddiad ar ôl digwyddiad yn cael ei ddatgelu o weithredoedd deinamig yr apostolion cynnar. Ond hyd yn hyn dydi'r stori i gyd ddim wedi digwydd, a fydd hi byth hyd nes y bydd teyrnas Dduw yn dod yn ei chyfanrwydd.

Myfyrdod pellach:
Ydych chi'n credu fod y pŵer i orchfygu casineb, chwerwder a phechod yn eiddo i ni yn y presennol?

Beth sy'n ein rhwystro rhag caru ein gilydd?

❖ YR ADFENT - GOLEUNI A GOBAITH

Darlleniad 1: Luc 12: 35–48
Darlleniad 2: Salm 67

Duw hollalluog, sanctaidd a thrugarog wyt ti, yr hwn sy'n ymweld â'th blant mewn goleuni a gobaith. Llewyrcha dy wyneb arnom a thrugarha wrthym, dyrchafa dy wyneb tuag atom a rho i ni dy dangnefedd. Tywys ni unwaith yn rhagor drwy'r wythnosau sydd yn arwain at ŵyl y Geni. Gad inni ddeall neges yr Adfent er mwyn inni adnabod y ffordd sy'n arwain at waredigaeth dy holl blant. Boed i ni, yng ngeiriau'r Salmydd, arwain ein myfyrdodau at ddeall cyflawn ohonot ti:

'Bydded i'r bobloedd dy foli, O Dduw,
bydded i'r holl bobloedd dy foli di.
Bydded i'r cenhedloedd lawenhau a gorfoleddu,
oherwydd yr wyt ti'n barnu pobloedd yn gywir,
ac yn arwain cenhedloedd ar y ddaear.'

Diolch felly am dy arweiniad i ni heddiw yng Nghymru. Er mai cenedl fechan ydym mae yma dystiolaeth i waith a chenadwri dy seintiau fel y daethost gynt i ddwyn gobaith a goleuni i'n byd. Tyrd heddiw at bawb sydd mewn angen am dy ras a'th gariad, dy gwmni a'th gysur; gwna dy eglwysi'n fyw ac yn effro i anghenion dy bobl ymhob man; helpa ni i gyflawni dy waith ac i faddau pob diffyg a bai drwy gariad Iesu Grist. Cyfnod o ddisgwyl a pharatoi yw'r Adfent. Trwy gyfrwng y Beibl, arwain ni i ddeall drwy ddarllen dy fwriad a'th ewyllys ar gyfer ein cenedl.

Trwy weledigaeth y proffwyd yn cyhoeddi dyfodiad yr Arglwydd, wele ninnau hefyd yn llawn gobaith a ffydd y bydd yr holl baratoi yn ystod yr Adfent yn dwyn ffrwyth a bendith. Y mae gobaith yr Adfent yn dod â ni'n nes mewn ysbryd a gwaredigaeth yn nyfodiad ein Harglwydd Iesu Grist, yr hwn a orchfygodd bechod ac angau. Cytunwn yn llwyr â'r Pêr Ganiedydd pan ddywedodd,

'Ymhlith holl ryfeddodau'r nef,
hwn yw y mwyaf un –
gweld yr anfeidrol, ddwyfol Fod
yn gwisgo natur dyn.'

Clyw gri ein calonnau wrth i ni yn wylaidd ofyn i ti ein harwain yng ngrym yr Ysbryd Glân i fod â'n calonnau'n agored i dderbyn Iesu Grist i'n bywyd.

Diolchwn i ti, ein Tad nefol, am dy gariad tuag atom yn danfon Iesu Grist i'n byd. Boed inni deimlo llawenydd ei ddyfodiad ef i'n byd. Boed inni deimlo effaith ei gyfeillgarwch a'i arweiniad ar ein bywyd fel y gallwn ddweud:

'Pan allan awn i'r byd,
I waith a'i flinder croes,
Bydd di, O Dduw, gerllaw bob pryd
I'n nerthu drwy ein hoes.'

Diolchwn i ti am dy rodd fwyaf i'n byd yn dy uniganedig Fab, Iesu Grist. Diolchwn am y cwbl a gyflawnaist trwyddo. Cofiwn am dy anrheg werthfawrocaf i'n byd, y baban a aned mewn preseb ym Methlehem Jwda. Wrth i ni ganu carolau yn yr wythnosau nesaf, caniatâ i bob un yn y byd ganu cân o foliant i ti. Cynorthwya ni ynghanol yr Adfent i roddi ein calonnau iddo ef, a gofynnwn i ti ein helpu i fyw'n llwyr i'n Harglwydd Iesu Grist. Credwn dy fod yn falch ein bod yn dy geisio a gwyddom yn dda dy fod yn chwennych gwneud dy gartref yn ein calon. Pa anawsterau a phroblemau bynnag sy'n ein hwynebu yr awr hon, credwn nad edrych ar ein corff a wnei, oherwydd er dy fod yn bwriadu i bawb gael corff glân a di-nam, nid pawb a gaiff. 'Trig o fewn ein calon, Frenin nef a llawr', fel y byddo ein hysbryd a'n teimladau, ein bwriadau a'n gweithredoedd yn iach a di-nam.

Diolchwn i ti, ein Tad tirion, am bob daioni ac yn bennaf am y daioni pennaf a roddwyd inni, sef Iesu Grist. Diolchwn i ti am yr esiampl brydferth a dderbyniasom ganddo; cynorthwya ninnau i garu ei ddysgeidiaeth a dilyn esiampl ei ddaioni ef yn ein bywyd ac yn ein heglwysi. Llawenychwn fod dy Eglwys yn uno pobl yn un teulu mawr i ti dros y byd. Gweddïwn ar i'r byd roi cyfle i'th Eglwys di ddangos y cariad sydd yn Iesu Grist, a boed i ninnau ein rhoddi ein hunain yn dy law fel y gallwn dy wasanaethu'n well. Amen.

Carys Ann

❖ Yr Adfent - Disgwyl yn dawel

Darlleniad: Eseia 52

Da yw'r Arglwydd i'r rhai sy'n gobeithio ynddo, i'r rhai sy'n ei geisio. Y mae'n dda disgwyl yn dawel am iachawdwriaeth yr Arglwydd.

'Ceisiwch yr Arglwydd tra gellir ei gael,
galwch arno tra bydd yn agos.'

Arglwydd, plygwn ger dy fron gan dy gydnabod yn Arglwydd yr holl ddaear, yn Dduw goruwch y duwiau.

'Pa dduw ymhlith y duwiau
Sydd debyg i'n Duw ni?
Mae'n hoffi maddau'n beiau,
Mae'n hoffi gwrando cri;'

Diolchwn i ti, O Arglwydd, ein bod yn cael mynediad i'th bresenoldeb am dy fod yn hoffi maddau beiau ac yn trugarhau wrthym er maint ein pechu i'th erbyn. Cyfaddefwn ger dy fron, Arglwydd, ein bod wedi pechu i'th erbyn mewn meddwl, gair a gweithred, ein bod wedi coleddu meddyliau annheilwng, wedi yngan geiriau heb ystyried y gofid a'r poen oedd yn eu dilyn, wedi gwneud pethau oedd yn dod ag anfri ar dy enw sanctaidd. Trugarha wrthym, O! Arglwydd.

'O'th flaen, O! Dduw, rwy'n dyfod
gan sefyll o hir-bell;
pechadur yw fy enw,
ni feddaf enw gwell;
trugaredd rwy'n ei cheisio,
a'i cheisio eto wnaf,
trugaredd imi dyro,
rwy'n marw onis caf.'

Yn nhymor yr Adfent, cofiwn dy fod, O! Dduw, wedi dod i'r byd yn dy Fab, Iesu Grist, gan roi bywyd newydd i'th blant. Daethost â gobaith ac iachawdwriaeth gan eu cynnig yn rhad i bob un oedd yn barod i'w derbyn.

Cofiwn dy eni tlawd ym Methlehem i deulu cyffredin; rwyt yn gallu uniaethu â'r tlawd a'r cyffredin heddiw oherwydd i ti fod yn un ohonynt. Cynorthwya ni i allu cydymdeimlo â hwy a'u cynorthwyo yn dy enw.

Cofiwn i Iesu Grist gael ei demtio fel ninnau tra oedd ar y ddaear, ond iddo ef orchfygu pob temtasiwn gan fyw bywyd glân a pherffaith. Cynorthwya ni i bwyso arnat ti am nerth i orchfygu'r temtasiynau a ddaw i'n rhan.

Cofiwn gariad a thosturi Iesu tuag at yr anghenus a'r trallodus. Cynorthwya ni i fod yn gyfryngau yn dy law er mwyn i'th gariad a'th dosturi di lifo at bawb sydd mewn unrhyw angen, er mwyn iddynt dy weld ynom ni a rhoddi clod i ti. Cofiwn am dy aberth ar y Groes dros bob un ohonom. Cynorthwya ni i dderbyn yr aberth ac i gysegru ein bywyd i ti o'r newydd.

Tymor yr ymbaratoi at dy ailddyfodiad yw'r Adfent, yr ymbaratoi at yr amser pryd y byddi'n dyfod i'r byd i'w farnu. O wybod hyn, O! Dduw, gwna ni'n barod i blygu ger dy fron i geisio dy faddeuant a gofyn am dy ras i edifarhau. Cynorthwya ni i astudio dy Air ac i neilltuo amser i weddïo, fel y gallwn ddod i adnabyddiaeth well ohonot fel unigolion.

Arglwydd, rydym yn disgwyl yn dawel am dy iachawdwriaeth fel y cawn fynediad i'th bresenoldeb pan fyddi'n dychwelyd i'r ddaear i gasglu dy blant ynghyd.

'O tyred i'm calon Iesu,
Mae lle yn fy nghalon i.'

Cyflwynwn ein gweddïau yn enw ac yn haeddiant ein Gwaredwr, yr Arglwydd Iesu Grist. Amen.

Menna Green

❖ Ar Drothwy'r Nadolig

Darlleniad: Eseia 52

Ein Tad, dyma ni unwaith eto ar drothwy'r Nadolig, ac yn edrych ymlaen yn eiddgar at holl lawenydd a dathlu'r ŵyl. Fe fydd y rhan fwyaf ohonom yn hapusach ac yn anwylach oherwydd ei bod yn ŵyl o ewyllys da, a phawb yn gwneud rhywfaint o ymdrech i adlewyrchu hynny wrth gyfnewid cardiau ac anrhegion. Mae'r paratoadau mewn llaw ers misoedd yn rhai o'r siopau, a phobl yn sôn eu bod wedi hen ddechrau siopa am yr anrhegion a'r holl bethau eraill sydd yn rhan bellach o Nadolig ein hoes ni. Dros yr wythnosau nesaf fe fydd y prysurdeb a'r paratoi'n cynyddu i ryw uchafbwynt o ruthro, ac yn gadael llawer ohonom yn rhy flinedig i feddwl am wir ystyr y Nadolig, ac i fwynhau'r fendith sydd gennyt ar ein cyfer yn nathliad geni dy Fab. Pryderwn y gallwn anghofio Iesu yng nghanol y prysurdeb a'r paratoi o hyn i'r ŵyl. Ni chafodd le yn y llety pan gafodd ei eni, ac y mae perygl y byddwn ninnau yn anghofio rhoi ei le iddo yn y paratoi a'r dathlu unwaith eto eleni. Wrth inni ymbwyllo a myfyrio ger dy fron yn awr mewn gweddi, daw geiriau'r pennill i'n cof:

> 'Sut Nadolig fydd eleni yn dy gartre di?
> A fydd dathlu Gŵyl y Geni yn dy gartre di?
> Wrth y bwrdd ymysg y teulu a fydd stŵr y tŷ yn boddi
> Llais y baban yn y beudy, yn dy gartre di?'

Gweddïwn am dy nerth a'th arweiniad, O! Dad, i allu gwneud ein paratoadau a'n dathliadau'n ystyrlon eleni, a maddau i ni na chafodd Iesu fawr o groeso i ddathliadau ei ben blwydd ei hun sawl blwyddyn yn y gorffennol.

Gweddïwn y byddi, drwy dy Ysbryd, yn paratoi ein calonnau i glywed a gwrando fel y bugeiliaid gynt, y newyddion da o lawenydd mawr. Dyro i ni hefyd fel hwythau galonnau i gredu bod Iesu wedi dod i'n byd yn Waredwr. Un i wneud pobl a byd newydd a gwell.

'Y bobl oedd yn rhodio mewn tywyllwch a welodd oleuni mawr; y rhai a fu'n byw mewn gwlad o gaddug dudew a gafodd lewyrch golau.'

Fel y rhagwelodd y proffwyd Eseia y byddai'r Meseia'n dod â goleuni a gobaith i'r byd, cynorthwya ni i gyhoeddi bod hyn wedi ei wireddu yng ngenedigaeth, ym mywyd, gweinidogaeth, ac yn aberth ac atgyfodiad Iesu. Boed i'n ffydd a'n tystiolaeth ni gyhoeddi, i fyd sy'n dal yn llawn tywyllwch, fod goleuni, gobaith, rhyddid, llawenydd a bywyd i bechaduriaid yn Iesu. Gofynnwn am i ti baratoi ein byd a'n cymdeithas i dderbyn dy Fab, a ddaeth i fyw yn ein plith. Diolch ei fod wedi dod i rannu ein bywyd a'n hamgylchiadau. Daeth i wynebu'r un profiadau ag a gawn ni – rhai melys a chwerw, bendithion a threialon. Fel pawb ohonom ni, fe wynebodd demtasiynau ond heb ildio a phechu. Trwy'r cyfan bu'n berffaith a dibechod. A diolch i ti, O! Dad, ei fod wedi dod i roi ei fywyd yn aberth dros ein pechod ni. Daeth i'n byd er mwyn mynd i Galfaria i goncro a dileu ein pechod ac i'n cymodi â thi a'n gwneud yn blant i ti. Diolch am y tangnefedd a'r sicrwydd sydd yn ein calonnau yn awr o wybod hynny, ac am y fendith o fedru edrych ymlaen at ddathlu gwir ystyr y Nadolig.

Wrth i'r holl filiynau ddathlu'r Nadolig yn eu hanwybodaeth a'u diffyg adnabyddiaeth o Iesu, ein gweddi, O! Dad, yw iddynt weld beth yw gwir ystyr a phwrpas y Nadolig ac iddynt baratoi i'w dathlu fel Gŵyl Gristnogol, nid fel gŵyl baganaidd a seciwlar. Pan anwyd Iesu yr oedd disgwyl mawr amdano, er na fu i lawer o bobl ei adnabod am ei fod yn wahanol iawn i'w disgwyliadau. Disgwyliadau go wahanol i'r rhai Cristnogol sydd gan y rhan fwyaf o bobl ein gwlad y dyddiau yma ar drothwy'r Nadolig. Mae llawer eleni eto'n edrych ymlaen at y Nadolig, ond heb wybod dim am Iesu na'r gwir reswm dros ei groesawu a dathlu ei ddyfodiad. Gweddïwn am nerth dy Ysbryd, O! Dad, i allu paratoi a chyhoeddi'r Nadolig hwn bod Gwaredwr wedi ei eni i'r byd – un sy'n ein caru; un fedr ein hachub; un sy'n gyfaill i'n cynorthwyo bob amser; un sy'n deilwng i ni ei groesawu y Nadolig hwn a phob Nadolig arall, gan blygu glin a chyffesu â'n tafodau 'bod Iesu Grist yn Arglwydd er gogoniant Duw Dad'. Amen.

Dafydd Roberts

❖ Yr Adfent a'r Ymgnawdoliad

Gweddi Agoriadol:

Diolchwn i ti, O Dduw, am y cyfle newydd hwn i gofio a diolch am y newyddion da am y Gair a wnaethpwyd yn gnawd. Gofynnwn am dy fendith ar y gwasanaeth hwn a fydd yn ein hatgoffa o wir ystyr y Nadolig ac yn ein cynorthwyo i adnabod y Duw a ddaeth mewn baban i'r byd. Amen.

Darllen: Ioan 1:1–14

Neges:

Mae'n siŵr y bydd nifer yn dweud unwaith eto eleni mai amser i'r plant yw'r Nadolig. Nid oes amheuaeth fod plant yn mwynhau edrych ymlaen a pharatoi at y Nadolig. Unwaith eto, bydd y plant yn gwisgo fel Herod a'r doethion a'r bugeiliaid a'r angylion, ac wrth gwrs fel Mair a Joseff. Cawn ein hatgoffa ganddynt o neges fawr y Nadolig, sef Duwdod yn dyfod mewn baban i'r byd. Y cwestiwn mawr yw, a ydym yn gadael i stori fawr y Nadolig fod yn stori i blant yn unig, neu a ydym yn edrych arni fel rhywbeth sydd yn fyw ac yn rhan annatod o wir ystyr y Nadolig?

Ar ddechrau Efengyl Ioan ceir cyfeiriad at yr Arglwydd Iesu Grist fel y Gair a oedd yn y dechreuad, ac yna, yn adnod 14 gwelwn y Gair a wnaethpwyd yn gnawd ac a drigodd yn ein plith. Mae hyn yn cael sylw yn yr emyn 'Mawr oedd Crist yn nhragwyddoldeb, mawr yn gwisgo natur dyn'. Onid yw'n anhygoel fod Duw wedi ystyried ei ddatguddio ei hun ar wedd ddynol? Nid oes rhyfedd fod yr angylion wedi canu eu clod i'r goruchaf wrth weld y Gair tragwyddol yn gorwedd ar wely o wair. Oherwydd gwyddai'r angylion pwy oedd y baban bach yr oeddent yn rhyfeddu ato. Mae'r Pêr Ganiedydd yn mynegi ei ryfeddod yntau wrth iddo feddwl am hyn:

> Ymhlith holl ryfeddodau'r nef
> hwn yw y mwyaf un –
> gweld yr anfeidrol, ddwyfol Fod
> yn gwisgo natur dyn.

Fel y bydd goleuni yn llewyrchu trwy lusern, mae gogoniant y Duwdod yn disgleirio trwy gnawd yr Iesu fel y tystiolaetha'r rhai a oedd agosaf ato, a ninnau a welodd ei ogoniant. Ni allwn ddeall yr ymgnawdoliad yn llawn, ond nid yw hyn yn golygu na allwn ryfeddu ato.

Gweddi:

Ein Tad, yr hwn wyt yn y nefoedd, diolchwn unwaith eto am dymor yr Adfent. Cofiwn amdano fel cyfnod o ddisgwyl ac o obaith, ac o baratoi am yr Un yr oedd y proffwydi gynt wedi cyhoeddi ei fod yn dyfod i'r byd. Boed i dymor yr Adfent i ninnau heddiw fod yn amser o ddisgwyl, o obaith ac o baratoi ar gyfer y Nadolig, yn yr ymwybyddiaeth dy fod wedi anfon dy Fab i'r byd i'n gwaredu. O Dduw ein Tad, cynorthwya ni yn ystod yr wythnosau sy'n arwain at ŵyl y Geni i baratoi i ddathlu'r ffaith dy fod wedi dyfod i lawr ar lwyfan hanes yn dy Fab, ein Harglwydd Iesu Grist.

Diolchwn dy fod wedi bod yn barod i ddyfod i ganol dy greadigaeth ac i ganol hanes dyn i gynnig gobaith a goleuni i bechaduriaid gan droi ein nos yn ddydd. Unwn gyda W. Rhys Nicholas, a dweud...

> Tyrd atom ni, O Grëwr pob goleuni,
>   tro di ein nos yn ddydd;
> pâr inni weld holl lwybrau'r daith yn gloywi
>   dan lewyrch gras a ffydd.

❖ YR YMGNAWDOLIAD

Darllen: Eseia 9:2, 6–7

Ni theithiodd neb erioed mor bell
â'n hannwyl Iesu ni –
o'r nef i breseb Bethlehem,
i groesbren Calfarî.
Ac ni bu taith erioed mor llawn
o bob gweithredoedd da.

Elfed

Gweddi:

Diolch am yr Immanuel:
'Daeth Iesu Grist i'n byd i fyw.' Diolch iti, O Dad. Nid yn unig y daeth i fyw gyda ni ond daeth hefyd 'yn frawd i ddyn ac yn Fab i Dduw', yn pontio'r pellter a agorwyd gennym ni, ac yn Fendigeidfran mwy a mwynach i ni Gymry.
'Daeth Iesu Grist i siarad â ni.'
Diolch am yr Hen Destament, lle y mae Duw yn llefaru lawer gwaith ac mewn llawer modd wrth y tadau drwy'r proffwydi.
Daeth y Gair yn Gnawd ac y mae'r defaid yn adnabod llais y Bugail.

'A'm llais i a wrandawant a bydd un gorlan ac un bugail.' Y mae'r Bugail Da yn aros gyda'i braidd gydol y dydd ac yn drysor ym mwlch y gorlan gydol y nos. Ar awr perygl y mae'n dweud,

'Gadewch i'r rhain fyned, cymerwch chwi fi.'

Nid fel gwas cyflog sy'n gadael y defaid ac yn ffoi.
Felly, gwrando'n llef. Ie, gwrando'n llef yn awr.
'O gwrando'n llef ein Iesu da
a gwared y byd rhag rhyfel a phla.' Amen.

Neges:

Rydym yn byw yng nghanol rhyfeddodau. Gwelodd ail hanner yr ugeinfed ganrif fwy o ryfeddodau nag a welodd dyn mewn mileniwm. Y mae'r ganrif hon am ddatgelu rhagor eto.

Y rhyfeddod mwyaf, fodd bynnag, yw rhyfeddod y Duwdod, a rhyfeddod Trefn y Cadw. John Edwards a ddywedodd...

Duw ryfeddir, iddo cenir
   gan drigolion nef a llawr,
tra bydd Iesu, fu mewn gwaeledd,
   'n eistedd ar yr orsedd fawr.

A ydym ninnau'n rhyfeddu? A gollwyd y ddawn? Mae'n anodd i ni synnu gan gymaint rhyfeddodau technolegol yr oes fodern. A gollwyd hefyd ein haddoliad syn?

Gŵyl y plant yw'r Nadolig, ond collant hwythau hefyd y ddawn i ryfeddu weithiau. Na fydded i hynny ddigwydd byth! Fel y mynegodd y bardd Rhydwen Williams:

Yn nheyrnas diniweidrwydd
gwyn fyd pob plentyn bach
sy'n berchen llygaid llawen
a phâr o fochau iach!
Yn nheyrnas diniweidrwydd
gwae hwnnw, wrth y pyrth:
rhy hen i brofi'r syndod,
rhy gall i weld y wyrth!

Mae emyn John Edwards yn gorffen gyda'r cwpled:

Am ei haeddiant sy'n ogoniant
   bydded moliant mwy, Amen.

❖ Gweddi'r Adfent

Tyrd, ddirgelwch cuddiedig.
Tyrd, berson tu hwnt i bob deall.
Tyrd, lawenydd diddarfod.
Tyrd, fy anadl a'm heinioes.
Tyrd, gysur fy enaid gwan.
Tyrd, fy niddanwch tragwyddol.

Simeon y Diwinydd Newydd

❖ Myfyrdod Emynau'r Adfent

Cyfieithiad o emyn Lladin o'r ddeunawfed ganrif yw hwn sy'n disgwyl dyfodiad Iesu i'r byd:

O tyred di, Emanŵel,
a datod rwymau Isräel
sydd yma'n alltud unig, trist
hyd ddydd datguddiad Iesu Grist:
O cân, O cân: Emanŵel
ddaw atat ti, O Isräel.

O tyred, olau'r Seren Ddydd,
diddana ein calonnau prudd;
gwasgara ddu gymylau braw
a chysgod angau gilia draw:
O cân, O cân: Emanŵel
ddaw atat ti, o Isräel.

J. D. Vernon Lewis, *Caneuon Ffydd* 432

Mae'r emyn hwn yn cyfleu neges ganolog yr Adfent o farn ac ailddyfodiad Iesu:

Wele'n dyfod ar gymylau
Farnwr dyn a brenin nef;
Myrdd myrddiynau sydd o'i seintiau
Yn ei amgylchynu ef;
Haleliwia,
Iesu a deyrnasa byth.

***Emynau'r Llan*, 24**

Mae'r cysyniad o ddyfodiad Iesu i'r galon unigol yn amlwg yn emyn Ieuan o Lŷn:

Wele wrth y drws yn curo,
Iesu, tegwch nef a llawr;
clyw ei lais ac agor iddo,
paid ag ofni funud awr;
agor iddo,
mae ei ruddiau fel y wawr.

Ieuan o leyn, *Caneuon Ffydd* 317

Mae adlais o eiriau Paul yn ei lythyr at y Rhufeiniaid yn yr emyn hwn, 'Y mae'r nos ar ddod i ben, a'r dydd ar wawrio. Gadewch inni, felly, roi heibio weithredoedd y tywyllwch, a gwisgo arfau'r goleuni' (Rhufeiniaid 13:12):

Clywch yr eglur lais yn galw,
"Crist," medd ef, "gerllaw y sydd";
Holl freuddwydion y tywyllwch
Bwriwch ymaith, blant y dydd.

Wele'r Oen a hir ddisgwyliwyd,
Gyda phardwn daw o'r nef,
Awn ar frys gan wylo dagrau
Am faddeuant ato ef.

***Emynau'r Llan*, 23**

Fel llawer o garolau'r plygain mae'r emyn hwn yn cwmpasu bywyd Iesu o Fethlehem i Galfaria:

Wele, cawsom y Meseia,
cyfaill gwerthfawroca' 'rioed;
darfu i Moses a'r proffwydi
ddweud amdano cyn ei ddod:
Iesu yw, gwir Fab Duw,
Ffrind a Phrynwr dynol-ryw.

Hwn yw'r Oen, ar ben Calfaria
  aeth i'r lladdfa yn ein lle,
swm ein dyled fawr a dalodd
  ac fe groesodd filiau'r ne';
trwy ei waed, inni caed
bythol heddwch a rhyddhad.

Dafydd Jones, *Caneuon Ffydd* 441

Nid aros gyda'r geni'n unig mae Ann Griffiths ond crynhoi bywyd Iesu yn ystod ei weinidogaeth:

Rhyfedd, rhyfedd gan angylion,
  rhyfeddod mawr yng ngolwg ffydd,
gweld Rhoddwr bod, Cynhaliwr helaeth
  a Rheolwr popeth sydd

Efe yw'r Iawn fu rhwng y lladron,
  efe ddioddefodd angau loes,
nerthodd freichiau'i ddienyddwyr
  i'w hoelio yno ar y groes;

Ann Griffiths, *Caneuon Ffydd* 446

❖ Gweddïau'r Adfent

Hiraethwn am gael dy gyfarfod, a thyrd i'n bywydau i'n hysgwyd a'n herio:

Dduw y tlodion,
hiraethwn am dy gyfarfod,
ond bron â'th golli wnawn;
ymdrechwn i roi cymorth i ti,
ond darganfod ein hangen a wnawn.
Tarfa ar ein cysur
â'th noethni;
cyffwrdd ein hunanoldeb
â'th dlodi,
tor ar draws ein heuogrwydd
â gras dy groeso,
yn Iesu Grist. Amen.

Janet Morley

Cwestiwn ac ateb i Mair y forwyn:

Dywed, Fair, pa bryd i'n llesu
Y derbyniaist i'th fru Iesu?
'Gwelais gennad Duw yn canu
Ger fy mron a'm syfrdanu.'
Dywed, Fair, pa nefol riniau
Ganodd Gabriel ar ei liniau?
'Afe, ffiol trugareddau
i druenus hil camweddau.'
Dywed, Fair, pa orfod fu
Iti dderbyn Duw i'th fru?
'Rhydd y creodd Duw bob oed,
Ni thresbasodd ef erioed.'
Henffych well, O ufudd eiddgar,
Syndod y seraffiaid treiddgar,
Mam a morwyn, dôr a ffynnon
Y Goleuni a ddaeth i ddynion. Amen.

Saunders Lewis

Paratown ein hunain ar gyfer dyfodiad Iesu:

Diolchwn i ti, O Arglwydd, am roi i ni dy Fab Iesu Grist,
a ddaeth atom yn ostyngedig yn nhlodi Bethlehem.
Wrth i ni baratoi i ddathlu ei eni,
glanha ein calonnau a'n bywydau
er mwyn i ni allu ei groesawu'n llawen
yn Waredwr ein bywyd,
a phan ddaw mewn gogoniant
y byddwn yn bobl barod iddo ef,
sy'n byw ac yn teyrnasu gyda thi a'r Ysbryd Glân
byth heb ddiwedd. Amen.

Frank Colquhoun

Boed i wawr ei bresenoldeb dorri ar ein byd:

Dihuna
dy fyd cysglyd,
Dduw'r Adfent,
i gyfarch
gwawr dy bresenoldeb
â llawenydd llygad agored.
Cyhoedda eto
mewn gair a chân
dy fwriad tragwyddol
i gau'r llwybr
sy'n arwain i ddisberod
a gwneud y ffordd sy'n arwain i'r uchelder
yn ddiogel. Amen.

David Jenkins

Daethost i'r byd yn gyflawniad o broffwydoliaeth, yn wireddiad o bwrpas Duw ac yn fynegiant o'i gariad:

Ein Harglwydd Iesu Grist,
rydym yn cofio heddiw
sut y bu i nifer edrych ymlaen at dy ddyfodiad,
ond cofiwn hefyd

fod parhau i gredu wedi mynd yn fwy anodd
wrth i'r blynyddoedd lithro heibio;
sut y bu i obaith gychwyn cloffi a breuddwydion ddechrau marw,
nes, yn y diwedd, fe ddaethost –
yn gyflawniad o'r broffwydoliaeth,
yn wireddiad o bwrpas Duw,
yn fynegiant pendant o'i gariad. Amen.

Eirian a Gwilym Dafydd

Gweddi ar Ddechrau'r Adfent:

Erbyn hyn, ein Tad, yr ydym yn dechrau meddwl am y Nadolig. Anrhegion a chardiau, addurniadau a dramâu'r geni, paratoadau yn y cartref, y capel, yr eglwys a'r ysgol: edrychwn ymlaen oherwydd y mae hyn i gyd yn dwyn hapusrwydd arbennig. Wrth i ni gael ein hatgoffa am enedigaeth Iesu, cymorth ni i ddeall yr hyn a wnawn, ac i weld pwysigrwydd yr hyn sydd y tu ôl i'n gweithgareddau a'n paratoadau. Boed i ni fod yn barod i groesawu'r Nadolig pan ddaw, fel y cofiwn enedigaeth Iesu gyda diolchgarwch mawr, gan glywed eto neges dy gariad; Haleliwia! Amen.

R. Chapman a D. Hilton

❖ Adnodau'r Adfent

Mae'r paratoadau ar gyfer y Nadolig yn dechrau gyda Duw yn dewis merch ifanc gyffredin:

Yn y chweched mis anfonwyd yr angel Gabriel gan Dduw i dref yng Ngalilea o'r enw Nasareth, at wyryf oedd wedi ei dyweddïo i ŵr o'r enw Joseff, o dŷ Dafydd; Mair oedd enw'r wyryf.

Luc 1:26–27

Grym ysbryd Duw ei hun oedd yn gyfrifol am y wyrth:

Atebodd yr angel hi, "Daw'r Ysbryd Glân arnat, a bydd nerth y Goruchaf yn dy gysgodi; am hynny, gelwir y plentyn a genhedlir yn sanctaidd, Mab Duw."

Luc 1:35

Mae'r proffwyd yn disgwyl yn eiddgar am 'ein Duw ni':

Yn y dydd hwnnw fe ddywedir,
"Wele, dyma ein Duw ni.
Buom yn disgwyl amdano i'n gwaredu;
dyma'r ARGLWYDD y buom yn disgwyl amdano,
gorfoleddwn a llawenychwn yn ei iachawdwriaeth."

Eseia 25:9

Gweledigaeth fawr yr Ail Eseia yw paratoi'r genedl ar gyfer dyfodiad y Meseia:

Llais un yn galw,
"Paratowch yn yr anialwch ffordd yr ARGLWYDD,
unionwch yn y diffeithwch briffordd i'n Duw ni."

Eseia 40:3

Mae dyddiau digofaint yn mynd heibio a bydd y dyfodol yn llaw bachgen a bydd yr awdurdod ar ei ysgwydd ef:

Canys bachgen a aned i ni,
mab a roed i ni,
a bydd yr awdurdod ar ei ysgwydd.
Fe'i gelwir, "Cynghorwr rhyfeddol, Duw cadarn,
Tad bythol, Tywysog heddychlon".

Eseia 9:6

Mae'r proffwyd yn gweld dydd barn yn agosáu pan fydd yn anfon ei gennad i baratoi'r ffordd:

"Wele fi'n anfon fy nghennad i baratoi fy ffordd o'm blaen; ac yn sydyn fe ddaw'r Arglwydd yr ydych yn ei geisio i mewn i'w deml; y mae cennad y cyfamod yr ydych yn hoff ohono yn dod," medd ARGLWYDD y Lluoedd.

Malachi 3:1

❖ Dywediadau a Thraddodiadau'r Adfent

Cyfnod o ymprydio cyn y Nadolig oedd tymor yr Adfent yn wreiddiol. Roedd yn dechrau ar Sul y Dyfodiad, sef y pedwerydd Sul cyn y Nadolig. Yn ôl pob tebyg arferiad ddaeth o'r Almaen ganol yr ugeinfed ganrif yw Calendr yr Adfent.

Yn ystod tymor yr Adfent dethlir Gŵyl Sant Niclas ar 6 Rhagfyr. Dyma Sinfer Klaus yn yr Iseldiroedd, ac o'r enw hwn y cawsom Santa Clos. Fe'i ganed yn Lycia yn Asia Leiaf o gwmpas OC 270 ac yn ddwy ar bymtheg oed fe'i hordeiniwyd yn offeiriad. Er ei fod yn ŵr cyfoethog, ei ddymuniad oedd rhannu ei ffortiwn efo pobl dlawd a hynny yn y dirgel heb i neb wybod pwy oedd yn dosbarthu'r anrhegion. Sant Niclas ydi nawddsant gwlad Groeg a Rwsia.

Mae ail Sul yr Adfent yn Sul y Beibl. Sul i gofio am orchestion William Morgan, William Salesbury a Thomas Charles o'r Bala a oedd i raddau helaeth iawn yn gyfrifol am sefydlu'r Feibl Gymdeithas ym 1804.

Fel mae tymor yr Adfent yn dirwyn i ben dathlwn Droad y Rhod neu Alban Arthen, y dydd byrraf ar 21 Rhagfyr. Yn ôl hen arferiad rhoddwyd torch o ganghennau bytholwyrdd i warchod y beudy. Hen goel arall oedd y byddai'r gwartheg am hanner nos yn penlinio i gydnabod geni Iesu Grist.

Roedd 21 Rhagfyr hefyd yn Ddydd Gŵyl Tomos ac o pa le bynnag y byddai'r gwynt yn chwythu ar y diwrnod hwn yno y byddai am weddill y gaeaf.

❖ CERDDI'R ADFENT

Gwyrth y geni; Duw'n gwisgo cnawd:

Ni wyddom am ddim rhyfeddach, – Crëwr
Yn crio mewn cadach,
Yn Faban heb ei wannach,
Duw yn y byd fel Dyn Bach.

J. Eirian Davies

Trefn yr iachawdwriaeth yw fod Duw yn mynnu gwisgo cnawd a cherdded ein daear:

Duw mewn cnawd yn dlawd ei lun, – rhin y Gair
Yn y gwellt yn blentyn,
Trefn ffraeth iachawdwriaeth dyn
Yn y Mab mwy na mebyn.

Derwyn Jones

Rhoi'r cyfan mae Duw a'i roi mewn creadur o ddyn:

Nid yw yn Ei arbed Ei hun, – o'i ras
Ymroi'n ddiwarafun
Mae Duw i broblemau dyn
A rhoi'i ateb mewn crwtyn.

Alan Wyn Roberts

Gwyliwn rhag ofn i ni gadw Iesu, y Duw ymgnawdoledig, yng nghrud y gorffennol:

Myth oedd hanes Gabriel yn llefaru wrth y Forwyn
Mai beichiog ydoedd heb hedyn yr Ysbryd Glân:
A ffansïo mai gwraig brydferth ydoedd, nid gwraig gyffredin,
Gwraig blaen ac ar ei gruddiau wrid y sosialaidd dân.

Gwenallt

Tymor y paratoad ydi tymor Adfent – paratoi ar gyfer dyfodiad Mab Duw i'r byd:

Pnawn Sadwrn glawog
a'r ceiniogau
yn disgyn yn isel a gwag
i'r blwch casglu
yn y wal.

Yna'n sydyn sŵn y drws pren yn crafu'n agored
a dwy o wragedd oedrannus y llan
yn dod i weini'r Adfent
bnawn Sadwrn.
Dod i drawsnewid blaen Eglwys
yn barod at y Sul.
'Mae 'na rywun yma,'
meddent yn ddrwgdybus
cyn 'nabod stamp fy nhylwyth.

Mae rhai yn dal i baratoi
at ei ddyfod Ef.

Aled Lewis Evans

❖ GŴYL Y DISGWYL

Gŵyl y disgwyl yw'r Adfent.

Mae Iesu **wedi dod** ac edrychwn ymlaen i ddathlu'r geni rhyfeddol. Mor bwysig yw rhyfeddu, a dal i ryfeddu. Yng ngeiriau y Pêr Ganiedydd:

Ymhlith holl ryfeddodau'r nef
hwn yw y mwyaf un –
gweld yr anfeidrol, ddwyfol Fod
yn gwisgo natur dyn.

Dyma 'Frenhines y gwyrthiau', chwedl Lewis Valentine.

Mae Iesu **yn dod**. Fel y daeth at y disgyblion yng nghyfnod yr Atgyfodiad, ac yn ei Ysbryd ar y Pentecost ac yna, â nerth a goleuni, i fywydau ei ganlynwyr ymhob oes, gobeithiwn y daw eleni i'n bywydau ni i'n codi oll

O fedd ein camweddau a'n bai
a'n cyscadrwydd.

Mae Iesu **i ddod**. Dyna paham y gweddïwn yn gyson: 'Deled dy Deyrnas'. Fel y dywedodd T. Elfyn Jones:

O doed dy deyrnas drwy ein gwaith
a'n gweddi beunydd ar y daith;
a rho in ras i seinio clod
yr hwn a wna i'r deyrnas ddod.

Yn wir, tyred Arglwydd Iesu.

Mae Duw ar waith yn ei fyd a'i fydysawd ac yn ei eglwys a thrwyddi yn fyd-eang ac yn lleol. Carwn yn garedig a diffuant, felly, eich annog i gofio a dathlu Gŵyl yr Adfent eleni.

Emynau arbennig o addas yw, 'O tyred di, Emanŵel', 'Tyrd atom ni, O Grëwr pob goleuni' a 'Tyred, Iesu, i'r anialwch'.

Darlleniadau addas yw: Eseia 11:1–9; Luc 1:68–79 – Y Benedictws; Luc 2:22–38 – Nunc Dimittis a Datguddiad 22:20–21.

Gweddi'r Adfent, sydd wedi dod inni dros ysgwydd y canrifoedd, yw: 'Hollalluog Dduw, dyro inni ras i ymwrthod â gweithredoedd y tywyllwch, ac i wisgo arfau'r goleuni, yn awr yn y bywyd marwol hwn, a brofwyd gan dy Fab Iesu Grist pan ymwelodd â ni mewn gostyngeiddrwydd mawr; fel y bo i ni yn y dydd diwethaf, pan ddaw drachefn yn ei ogoneddus fawredd i farnu'r byw a'r meirw, gyfodi i'r bywyd anfarwol; trwyddo ef sy'n byw ac yn teyrnasu gyda thi a'r Ysbryd Glân, yr awr hon ac yn dragywydd, Amen.'

Oswald Davies

❖ Homili'r Adfent

Anfon Gair

Anfon gair a wnawn ni.
Anfon Gair a wnaeth Duw.

Mae'r Nadolig yn gyfle arbennig i ni gyfarch ein gilydd fel teuluoedd a ffrindiau mewn gwahanol ffyrdd, ac un o'r rhai amlycaf ohonynt, wrth gwrs, yw mewn cerdyn Nadolig. 'Anfon gair' mewn geiriau eraill.

Y peth pwysig amdano yw ei fod yn ein cadw mewn perthynas ac mewn cysylltiad â'n gilydd a hynny mewn ffordd gyfeillgar-gynnes, garedig a gwâr.

Nid oes dim mewn bywyd yn bwysicach na chadw mewn perthynas. Dyma sylfaen pob cymdeithas wâr. A dyma sy'n gwneud pob rhyfel yn bechod gan ei fod yn chwalu perthynas gwlad a gwlad, pobl a phobl, dyn a dyn. Dilëir perthynas. Torrir cysylltiad. Ac mae gwagle.

Gellir anfon gair hefyd trwy lythyr.

Un peth sy'n well gennyf nag ysgrifennu llythyr (ac nid yw'r dasg honno'n faich o gwbl fel i ambell un) yw derbyn llythyr. Yn ein hoes ffonio ffwrdd-â-hi ni, aeth y llythyr yn llai pwysig – gyda'r canlyniadau anochel.

Weithiau collir cynnwys y sgwrs ar y ffôn bron yn syth wedi ei chynnal ond gellir darllen y llythyr droeon a thro. A mwynhau wrth gwrs.

O bob llythyr, mae'n debyg mai un o'r rhai pwysicaf yw'r llythyr caru. Ni cheir llythyr mwy personol, annwyl nac unigryw ag ef. Mae pob gair a phob meddwl ynddo'n bwysig i'r derbynnydd. Llythyr caru yw.

Erys rhai o lythyrau caru enwogion mewn hanes ar gael i'w mwynhau o hyd.

Dywedir bod 573 o lythyrau felly yn stori garu fawr Elizabeth Barrett a Robert Browning.

Yn y byd cyfnewidiol hwn fe bery'r llythyr caru ar gael 'tra bo dau' mewn unrhyw wlad, mewn unrhyw dref, mewn unrhyw bentref.

Anfon gair o Gariad yw stori'r Nadolig cyntaf. 'Canys felly carodd Duw y byd…' Gyda llaw, pe bai gan bregethwr un bregeth yn unig i'w phregethu yn ei fywyd a dewis un adnod yn destun, pa bregeth a pha destun fyddai'r rheini? Dewiswn yr adnod hon yn Ioan 3:16: 'Do, carodd Duw y byd gymaint nes iddo roi ei unig Fab, er mwyn i bob un sy'n credu ynddo ef beidio â mynd i ddistryw ond cael bywyd tragwyddol.'

Dyna'r Efengyl ryfeddol mewn brawddeg. Cariad yw ei hanfod, ei dechrau a'i diwedd.

'… y Gair a wnaethpwyd yn gnawd.'

Yr unig beth gwell na derbyn llythyr yw cael cwmni'r llythyrwr.

Dyna ddigwyddodd yn stori'r Nadolig – Y Gair yn dod yn gnawd, ac ni all y Gair ddod yn agosach. Bryd hynny daw'r Gair yn fyw mewn gwirionedd.

Y Nadolig hwn eto, mae'r Gair mor fyw ag erioed.

Huw Ethall

❖ Tymor i Baratoi

Tymor i baratoi at y Nadolig yw'r Adfent. Mae'n dechrau ar y Sul cyntaf wedi Tachwedd 30, yn parhau dros bedwar Sul ac, yn draddodiadol, dyma ddechrau blwyddyn yr Eglwys. Gan na ddywed y Beibl pa ddiwrnod y ganed Iesu, ni fyddai'n teidiau Piwritanaidd yn cadw'r Nadolig. Ond yn hyn, fel gyda phethau eraill, megis ffenestri lliw, yr ydym wedi ymdebygu i weddill byd cred, ac mae eglwysi Annibynnol nawr sy'n cadw, nid y Nadolig yn unig, ond yr Adfent hefyd.

Bydd siopau'n chwarae carolau cyn y Nadolig, ond gwrthodai arweinydd y gân yn yr eglwys olaf a wasanaethais eu canu tan ddydd Nadolig ac wedyn, gan ganu dim ond emynau'r Adfent cyn hynny. Credai na ddylid dynesu at y Nadolig fel pe bai'n ŵyl y Banc, credai ei bod yn ŵyl i baratoi ar ei chyfer, a bod dathlu'r Nadolig ar gân yn gyfoethocach o ddal y llawenydd yn ôl tan yr amser priodol.

Dywedodd capten llong wrthyf fod morwyr yn y llynges yn rhoi dwy saliwt wrth adael llong neu fynd arni. Gŵyr pawb meddai mai cydnabod awdurdod y capten wna'r saliwt i'r *bridge*, y saliwt gyntaf, saliwt seciwlar. Ond ychydig hyd yn oed o forwyr meddai a ŵyr fod y saliwt i'r *poop deck*, yr ail saliwt, yn mynd 'nôl i ddyddiau'r llongau hwyliau, pan gynhelid offeren ddyddiol ar allor yng nghefn y llong. Saliwt i bresenoldeb Crist yn yr elfennau yw'r ail saliwt yn y gwraidd, saliwt sanctaidd.

Prin fod angen i neb ofidio ynghylch rhoi saliwt seciwlar ddigonol i'r Nadolig, ond oherwydd gwasgfa drom y byd arnom bryd hynny, nid yw mor sicr y rhown saliwt sanctaidd ddigonol iddo. Dylai saliwt sanctaidd i'r Nadolig yn gyntaf olygu paratoi ar ei gyfer. Gall hynny olygu meddwl ymlaen llaw am ffyrdd ymarferol o'i ddathlu'n ystyrlon. Dyma ambell awgrym.

1. Anfon cardiau i gymdogion y tybiwn na chânt lawer o gardiau, neu i bobl y bydd y Nadolig hwn yn galed iddynt am eu bod newydd golli gwaith neu anwylyd.

2. Rhoi anrhegion i rywrai anghenus na fyddant yn debyg o roi i ni. Wedi marw 'nhad, dysgais fod fy rhieni bob Nadolig ers blynyddoedd, ar ôl neilltuo arian i'w roi at anrhegion, wedi gwario ei hanner ar anrhegion i'r teulu, a'r hanner arall ar anrhegion i bobl dost neu unig yn

eu heglwys a'u cylch. Aent â'r anrhegion eu hunain. Ond odid nad yr ymweliad oedd yr anrheg orau.

3. Anfon arian at Cymorth Cristnogol, neu at sefydliad sy'n ymwneud â phlant yn unig, neu at un sy'n ymateb i argyfwng arbennig – neu at fwy nag un achos da. A rhoi'n hael! Pan ofynnodd trysorydd Eglwys Riverside, Efrog Newydd, i Bill Coffin, y gweinidog, faint oedd e'n bwriadu ei roi i'r eglwys y flwyddyn ganlynol, ei ateb oedd, 'Degfed rhan o 'nghyflog.' 'Atebais yn syth,' meddai, 'oherwydd mae rhoi arian fel paffio, os arhoswch i feddwl, byddwch yn colli'r dydd.' Aeth ymlaen, 'Er bod Duw'n hoffi rhoddwr llawen, ni theimlais yn llawen wrth addo cymaint, *but I expected cheer to come upon me.*'

4. Ceisio dewis anrhegion yn ddigon cynnar fel bo mwy o obaith dewis yn ôl ystyr na phris. Nid amser yw'r Nadolig i fod yn grintachlyd, ond nid amser yw chwaith i adael i fyd masnach beri i ni wario mor ddi-sens nes ein bod yn teimlo'n euog a bod ysbryd y Nadolig yn mynd ar goll i ni.

5. Trefnu noson deuluol, i gynnwys plant os yn bosibl, yn yr arddegau'n arbennig, cael swper ynghyd, a gofyn i bawb – yr arddegwyr hefyd – ddod â rhywbeth. Dweud bod y teledu wedi torri, peidio â chodi'n syth i glirio'r ford ar ôl bwyta, ond aros, i siarad, a siarad. Nid yw'r ifanc yn clywed digon o drafod a rhannu atgofion gan oedolion. Nid digwyddiad yn ymwneud â phlentyn yn unig oedd y Nadolig cyntaf, yr oedd yn ymwneud â theulu bychan hefyd.

6. Gwahodd rhywun unig i ginio ddydd Nadolig. Neu geisio trefnu cinio Nadolig yn festri'r capel i rai sy'n byw wrthynt eu hunain.

7. Gwneud nodyn o unrhyw beth y byddem o edrych yn ôl wedi ei wneud yn wahanol, er mwyn gwneud yn well y Nadolig nesaf. A gall pob un, mae'n siŵr, ychwanegu syniadau eraill at y rhestr uchod.

Wrth gwrs, mae hefyd yn bwysig i ni baratoi'n hysbryd drwy ymwneud yn ystod yr Adfent â rhai o'r themâu a'r cymeriadau Beiblaidd a fu'n rhan o'r paratoi ar gyfer y Nadolig cyntaf.

Vivian Jones

❖ ANGYLION YN RHAGFYNEGI

Luc 1:5–38

Yn yr Hen Destament mae angylion yn rhagfynegi geni ambell un – Ishmael, Isaac, Samson. Yr un yw'r patrwm bob tro, pum elfen – angel yn ymddangos, y person sy'n ei weld yn cael braw, yr angel yn rhagfynegi'r geni, y person yn methu deall, a'r angel yn rhoi arwydd. Dyma ffordd ffurfiol yr Hen Destament o ddweud bod rhai personau mor bwysig yn hanes pobl Dduw fel bo'u bywydau, mae'n rhaid, wedi eu rhagarfaethu gan Dduw.

Roedd Ioan Fedyddiwr yn ei ddydd, ac wedyn, yn berson o bwys mawr ym Mhalestina. Er na chododd proffwyd yn y wlad ers oesoedd, nid amheuodd neb nad oedd Ioan yn un. Roedd yn ffigwr carismataidd a ddenodd ddisgyblion ato – gall fod rhai o ddisgyblion Iesu wedi ei ddilyn ef yn gyntaf. Ef a fedyddiodd Iesu, a bu farw'n ferthyr. Daeth dilynwyr Ioan yn fudiad, ac weithiau, ar ôl ei ddydd ef, deuai pregethwyr cyntaf yr efengyl ar draws cymunedau ohonynt.

Nid oedd modd i'r Eglwys Fore, hyd yn oed pe mynnai, beidio ag arddel mawredd Ioan. Ond roedd eisiau esbonio'i berthynas â Iesu hefyd, mai rhagflaenydd Iesu oedd ef, a bod Iesu'n fwy nag ef.

Yn ei efengyl ef, mae Luc yn cydnabod mawredd Ioan trwy roi hanes am angel, yr un angel ag a fyddai'n ymddangos i fam Iesu (Gabriel), yn ymddangos i'w fam ef, Elisabeth, i ragfynegi ei eni. Ac mae Luc yn pwysleisio mawredd Ioan, nid yn unig trwy wneud yr hanes yna yn rhan o'r efengyl, ond trwy ei roi ar ddechrau'r efengyl. Yna'n union ar ôl yr hanes yna, mae Luc yn rhoi'r hanes am Gabriel yn ymddangos hefyd i Mair i ragfynegi geni Iesu, a thrwy wahaniaethau rhwng y ddau hanes, mae'n dangos bod Iesu'n fwy nag Ioan. Nid yw bod Iesu'n fwy nag Ioan o bwys tragwyddol i Gristnogion heddiw, ond yn y gwahaniaethau rhwng yr hanes am ymddangosiad Gabriel i Mair a'i hanes am ymddangosiad Gabriel i Elisabeth, dywed Luc bethau am Iesu sy'n neges i Gristnogion ym mhob oes.

Y gwahaniaeth mwyaf oedd modd eu cenhedlu. Roedd Elisabeth 'yn ddiffrwyth', ac 'wedi cyrraedd oedran mawr'. Ond roedd mam Samson hefyd yn ddiffrwyth, a Sara gwraig Abraham nid yn unig yn ddiffrwyth ond 'mewn gwth o oedran', ac 'arfer gwragedd wedi peidio iddi'. Pa anawsterau bynnag oedd rhaid eu goresgyn cyn i Elisabeth gael plentyn, roedd Duw eisoes wedi goresgyn yr anawsterau hynny yn y gorffennol. Ond nid oes unrhyw awgrym yn yr hanesion am y genedigaethau hynny nad yn ôl y broses naturiol y digwyddodd y cenhedlu. Eithr byddai Mair yn cenhedlu a hithau heb gael 'cyfathrach â gŵr'. (Nid geni gwyrthiol sydd yma, a bod yn fanwl, ond cenhedlu gwyrthiol.) Nid oes cenhedlu arall fel'na yn hanes Israel. Bydd y baban a ddaw, medd Luc, yn unigryw.

Gwahaniaeth arall yw fod yr angel, yn achos geni Ioan, wedi ymddangos i'w dad Sachareias. Offeiriad oedd Sachareias, ac yn y deml, yn Jerwsalem, yr ymddangosodd Gabriel iddo. Offeiriad, teml, Jerwsalem – cysylltiadau â'r gorffennol. Wrth ymddangos i Mair, ymddangosodd Gabriel i forwyn, ac ymddangosodd iddi yn Nasareth, tref nad oedd yr un disgwyliad ynghlwm wrthi yn yr Hen Destament. Bydd y baban a ddaw, medd Luc, yn ddechrau newydd.

Ac un gwahaniaeth arall. Dywedodd yr angel wrth Sachareias, '… y mae dy ddeisyfiad wedi ei wrando; bydd dy wraig Elisabeth yn esgor ar fab i ti.' I ŵr – a gwraig? – a oedd wedi dymuno ac erfyn am blentyn y ganed Ioan, ond roedd Iesu i'w eni i ferch ddibriod nad oedd hi ddim eisiau plentyn, eto beth bynnag. Dweud y mae Luc nad oedd dyheadau dynol yn ddim rhan o gwbl o genhedlu Iesu. Rhodd bur, ddigymysg ewyllys Duw ei hun fydd y baban a ddaw, medd Luc, ac yn llef y baban hwn, medd y diweddar, annwyl Pennar, bydd y…

… dragwyddol lef i'w chlywed,
llef y Chwythwr, y Deffrowr, y Bywhawr,
yn mynnu ein bod ni oll yn clywed yr Enw,
Enw'r holl enwau, 'Ydwyf yr hwn ydwyf'.

❖ Gair Duw a Ddaeth i'n Byd

Ioan 1:1–5, 14

Darlleniad olaf y Gwasanaeth Naw Llith a Charol a ddarlledir bob Nadolig o Goleg King's, Caergrawnt, yw adnodau o bennod gyntaf efengyl Ioan. Dywedant mai Gair Duw a ddaeth i'n byd ni yn Iesu. Os mai Duw yn ein cyfarch yw'r Nadolig, pa baratoad gwell yn ystod yr Adfent nag ystyried ein gallu ni i wrando.

Mae'n syndod gwrandawyr mor wael ydym ni weithiau. Dyna neges drama N. F. Simpson *Resounding Tinkle*, a gyfieithiwyd gan T. James Jones (a'i chyhoeddi gan Wasg John Penri) dan y teitl *Hollti Blew*. Pobl yn clywed pethau dwl, ac yn ymateb drwy ddweud pethau dwl eu hunain, nid yn unig am nad ydynt yn gwrando ar ei gilydd, ond am nad ydynt yn gwrando arnynt eu hunain chwaith.

Bûm yn aelod un tro o bwyllgor nad oedd neb arno'n cael siarad tan i'r siaradwr blaenorol godi llaw i ddweud ei fod wedi gorffen. Pe bai'r siaradwr nesaf yn ymateb i'r un blaenorol, rhaid oedd iddo'n gyntaf ddweud beth oedd e'n feddwl a ddywedodd hwnnw, a châi hwnnw gyfle i'w gywiro. Roedd y straen o ddal yn ôl yn drech na rhai, a'r camddeall o siaradwyr blaenorol yn fynych a sylweddol.

Mae ambell wrando'n rhwydd, gwrando ar stori ddigrif, gwrando ar rywbeth sy'n ein diddori, gwrando ar rywbeth ymarferol y mae arnom angen ei wybod. Nid yw'r gwrando yna'n para'n hir, nid yw'n hawlio llawer oddi wrthym, ac nid yw'n ein herio. Ar y llaw arall mae yna wrando sy'n golygu ymdrech a disgyblaeth, ac os nad ymarferwn y math yna ar wrando, bydd ein gallu i wrando yn crebachu.

Anhawster i wrando weithiau yw ein hoffter o syniad neu fwriad o'n heiddo ni ein hunain. Ar raglen deledu, *Y Gwir Am Gelwydd*, dywedwyd fod J. F. Kennedy wedi gofyn iddo'i hun wedi trychineb The Bay of Pigs sut y gallai fod wedi ymgymryd â menter mor anghyfrifol, a digon o wybodaeth ganddo ymlaen llaw yn dweud yn hollol glir nad oedd llwyddiant yn bosibl. Roedd wedi bod mor daer i gredu y gallai gyrraedd ei nod fel nad oedd wedi bod yn rhydd i wrando ar ddim arall.

Gall gwrando olygu hunanymwadu, yn yr ystyr o geisio gweld sefyllfa drwy lygaid rhywun arall. Gall cydnabod bod ffordd arall i weld pethau heblaw ein ffordd ni fod yn anodd i rai ohonom. Ar ben hynny, efallai y bydd yr hyn a glywn yn wasgfa arnom i newid meddwl, a does dim gwybod ble y gallai hynny arwain!

Anodd i'w deall fydd rhai pethau a glywn wrth gwrs. Rwy'n cofio dweud wrth fy ngwraig un tro, 'Rwy'n gwybod eich bod chi'n ceisio dweud rhywbeth sy'n bwysig i chi, ac rwy'n clywed y geiriau, ond dwy i ddim yn deall. Allwn ni ei adael tan yfory a rhoi cynnig arni eto?'

Hyd yn oed pan fyddwn yn gwrando'n dda ac yn deall, gall fod yn anodd adnabod yr hyn sy'n wir. Hyrddir negeseuon atom, ar y sgrîn fach, ar bosteri, wedi eu hanelu at ein hisymwybod, er mwyn osgoi ein cyneddfau beirniadol.

Mae'r ddwy ferch rwy'n dad iddynt yn gerddorol. Eiddigeddaf wrth eu gallu i wrando ar gerddorfa a dweud pethau fel 'Gwrandewch ar y basŵn yna'n y cefndir.' Gobeithio y gallant wahaniaethu hefyd rhwng yr holl negeseuau y mae'r byd yn ceisio'u gwasgu arnynt. Golyga adnabod y natur ddynol, golyga fesur iach o siniciaeth, a golyga adnabod tinc y gwirionedd.

A beth am bethau anodd i'w deall a ddywedir wrthym gan rywun sy'n byw'n wahanol i ni, neu rywun o genhedlaeth arall, neu rywun o ffydd neu wlad neu ddiwylliant neu gyfnod arall?

Daw'r efengyl atom o gyfnod arall. Ond dywed yr efengyl am realiti a oedd yn ddieithr i'w gyfnod ei hun ac sy'n ddieithr ym mhob cyfnod, realiti y mae popeth ynddo wedi ei droi wyneb i waered, fel y canodd Mair yn y Magnificat – 'tynnodd dywysogion oddi ar eu gorseddau, a dyrchafodd y rhai distadl' (Luc 1:46–55).

Mae'n gallu ni i wrando yn aruthrol bwysig mewn cymaint o gylchoedd. Y gallu hwn yw'n drws ni i eangfrydedd a dyfnder, ac mae'n fesur o'n gallu i fod yn ddoeth ac i gymdeithasu. Ond mae'r Adfent, uwchlaw popeth, yn dymor i sylweddoli, pa mor dda bynnag y bydd Duw'n cyfathrebu â ni drwy'r baban Iesu, bydd yr hyn a glywn yn dibynnu ar ein gallu i wrando.

Vivian Jones

❖ Hanesion y Nadolig

Mathew 2:1–18

Mae hanesion y Nadolig yn efengyl Mathew yn atgofus. Mae breuddwydion Joseff 'tad' Iesu yn dwyn i gof freuddwydiwr arall, Joseff mab Jacob. Mae ffoi 'tad' Iesu a'i deulu i'r Aifft oddi wrth Herod yn dwyn i gof guddio'r baban Moses yn yr Aifft rhag Pharo, teyrn arall. Mae Iesu'n ail-fyw hanes ei bobl.

Ond mae'r hanesion yn edrych ymlaen hefyd. Mae bwriad Herod i ladd y baban Iesu yn argoeli dioddefaint Iesu y gŵr, a stori'r Doethion yn argoeli perthynas y Cenhedloedd â'r Efengyl. Yn ôl Raymond Brown yn *The Birth of the Messiah*, mae hanesion y Geni yn rhagflas o'r holl efengyl, a geilw hwynt yn *mini-gospels*.

Rydym ninnau'n byw, fel awduron yr efengylau, yr ochr yma i'r Geni. Oherwydd y gwyddom pa fath berson y tyfodd y baban Iesu i fod, a beth a ddigwyddodd iddo, y cofiwn y Geni. Tymor i baratoi ar gyfer dathlu'r efengyl gyfan sydd ymhlyg yn y Geni yw'r Adfent. Sut mae gwneud hynny?

Efallai y gallwn ddysgu rhywbeth wrth sylwi ar y person a oedd, yn ôl efengyl Mathew, lleiaf parod i ddathlu'r newydd am y Geni – Herod, brenin yr Iddewon. Gelwid ef Herod Fawr, i'w wahaniaethu oddi wrth ei feibion, ac i ddisgrifio'i amlygrwydd yn ei ddydd. Roedd yn ffrind i Augustus Cesar, a bu mewn cynghrair â Marc Anthony mewn rhyfel. Ymwelodd â Cleopatra yn yr Aifft, a daeth hithau i Jwdea, a syrthio mewn cariad ag ef yn ôl yr hanesydd Josephus.

Ond roedd yn deyrn caled. Gyrrai ysbïwyr i bob man, poenydid ei bobl a'u lladd ar gam. Daeth drwgdybio ac erchylltra'n rhan o'i fywyd teuluol. Llofruddiwyd ei wraig Marianne, a chrogwyd ei feibion, Alexander ac Aristobulus.

Gellid cynnig esboniadau am hyn oll. Trigai mewn byd trahaus, ac roedd ystryw yn rhan anochel o fywyd palas. Roedd Rhufain, a newidiai deyrn byth a hefyd, yn wasgfa arno. Ac yntau heb fod nac yn Iddew nac wedi ei eni i'w orsedd, roedd ganddo achos i fod yn ofnus. Ond wedi dweud hynny, dyn oedd a laddai pan nad oedd galw an hynny. Ei wendid oedd ei fod yn ansicr. Ynysodd hynny ef, ei wneud yn ddicllon a byrbwyll, ac uwchlaw popeth, yn greulon. Ei enw am hynny a'i gwnaeth yn bosibl i Mathew ei ddefnyddio'n ymgorfforiad o anallu i brofi'r rhyfeddod a'r llawenydd o eni Iesu.

Efallai, y Nadolig hwn, y gall Herod wneud â ni y gymwynas y bwriadodd Mathew iddo ei gwneud o bosibl, sef ein hatgoffa y gall fod pris i'w dalu am osgoi delio â gwendidau personol, yn enwedig rhai sy'n niweidio pobl, ac mai'r pris yw methu croesawu a dathlu'r hyn sy'n ganmoladwy, sy'n lân a sanctaidd.

Bydd unrhyw ddiffyg ynom ni yn llawer llai ei ganlyniadau gweledig na diffyg Herod, ond rhaid peidio â gadael i hynny ein twyllo. Yn ein bydoedd ni, gallwn ninnau niweidio eraill drwy fod yn ddi-weld, yn gyfyng, yn angharedig, yn arwahanol. Dylai bywyd eglwys ein gwneud yn effro i weld hynny ynom ein hunain, ac i'n holi'n hunain ynghylch beth sydd wrth wraidd hynny yn ein hachos ni.

Ond mae bod yn berson da yn fater mwy na gwybod am y creigiau sydd o dan y don. Mae'n golygu gwybod hefyd ble mae'r dyfroedd dyfnion. Golyga barodrwydd i wybod ac wynebu fel mae eraill yn ein gweld ni. Golyga ddewrder i ddweud y gwir a ymddiriedwyd i ni, a gras i'w ddweud mor garedig ac adeiladol ag y mae modd. Golyga ryddid i roi rheolau o'r neilltu mewn ambell amgylchiad, a dilyn yr ysbryd. Golyga'r aeddfedrwydd i gael ein cyffroi i'r byw, gan y cread, gan gelfyddyd, gan y cyflwr dynol ar ei orau a'i waethaf, a chan olion bysedd Duw mewn bywyd bob dydd, oherwydd dim ond pobl sy'n gallu cael eu cyffroi felly sy'n gwybod beth sy'n cyfrif mewn gwirionedd. Golyga ddigon o ddychymyg i weld fel mae pobl eraill yn gweld pethau. Golyga'r cryfder a'r ystwythder i barchu pobl eraill eu barn a'u hewyllys, pwy bynnag y bônt. Golyga ffyddlondeb i anrhydeddu ymrwymiadau pan fydd hynny'n costio. Golyga fod yn ddigon diymhongar i adnabod rhai sy'n well na ni, ac yn ddigon doeth i dreulio amser yn eu cwmni.

Mae'r Adfent yn dymor i'n hatgoffa'n hunain mai ein galwad ni yw bod, ys dywed Waldo, yn bobl sy'n 'un â'r rhuddin yng ngwreiddyn Bod.' Neu yn iaith y Nadolig, yn bersonau y bydd ein calonnau'n gallu bod yn breseb i'r Baban a dyfodd i fod yn Oen Di-fai.

❖ Darluniau Byw

Eseia 65

Mewn cyfnod sy'n rhoi'r pwys a'r gwerth mwyaf ar y gallu i werthu cynnyrch, syniad neu weledigaeth mewn ffordd syml, bwerus a llawn dychymyg, cyfnod lle mae'r crëwr delweddau yn frenin, mae'n dda cael ein hatgoffa bod eraill ar draws y canrifoedd wedi bod yr un mor dalentog yn y busnes o greu delweddau. Rhai na chafodd fanteision technolegol yr unfed ganrif ar hugain, na derbyn arian mawr am eu sgiliau ac am wneud mwy na jyst diddanu'r cyhoedd.

Un ohonynt oedd y proffwyd Eseia 2,500 o flynyddoedd yn ôl. Ef, yn sicr, oedd Bob Dylan neu Steven Spielberg ei ddydd. Darllenwch benodau olaf ei broffwydoliaeth ac fe gewch eich cyfareddu gan bŵer, disgleirdeb a chyfoeth ei ddelweddau. Dro ar ôl tro mae'n troi geiriau cyffredin yn ddarluniau byw, gan ddangos Duw yn lliwiau ysblennydd yr enfys.

Ym mhennod 65 mae'n cyrraedd yr uchafbwynt, er i ni gael sawl awgrym o'r peth yn y penodau blaenorol, gyda gweledigaeth am ddiwedd yr hen drefn a dechrau rhywbeth cwbl newydd – 'Yr wyf fi'n creu nefoedd newydd a daear newydd.' A dyma i chi weledigaeth aruthrol – diwedd ar boen, tristwch ac afiechyd, pobl yn cael mwynhau bywyd hir, diogelwch, sefydlogrwydd, cyfiawnder, heddwch a chyfanrwydd. Pa ryfedd ei fod yn dweud wrth y bobl, 'Byddwch lawen, gorfoleddwch yn ddi-baid.' Dyma obaith yr Adfent yn wir. Hyn sydd i fod ac mae ar ei ffordd.

'Ond,' medd dyn yr unfed ganrif ar hugain, 'pryd?'

Mae cymaint o ddelweddu heddiw yn ymwneud â nawr, y funud 'ma! Cymaint ohono yn creu galw ar gyfer y foment hon, ac yn addo ei wireddu'n syth.

'I want it all, I want it all, I want it all, and I want it now,' chwedl y diweddar Freddie Mercury!

'Pam aros tan yfory, pan ellir ei gael heddiw?' 'Byw i'r foment.'

'Taking the waiting out of wanting,' fel dwedodd rhywun.

Pwyslais gwahanol iawn sydd i'r Adfent. Aros sydd wrth wraidd ei neges. Ein gwahodd i ddysgu aros mae'r Adfent; aros yn amyneddgar.

Mae unrhyw un sydd wedi teithio yn y byd datblygol yn gwybod rhywbeth am amynedd rhyfeddol y tlawd. Pobl ydynt sydd wedi dysgu sut i aros, sut i fod yn amyneddgar.

Mewn cymunedau amaethyddol rhaid aros am y glawogydd, aros am y tymhorau hau a phlannu ac aros i'r tir ddwyn ffrwyth.

Aros i brynu beth sydd ar gael, ac yn aml aros yn ofer am fod prinder. Aros wrth y ffynnon i dynnu dŵr; yn y farchnad i werthu cynnyrch; wrth y checkpoint a'r ffin i groesi; aros am waith, am feddyginiaethau, i wrthdaro ddod i ben er mwyn cael mynd adref, ac wrth gwrs uwchlaw popeth arall aros am gyfiawnder.

Pan ofynnwyd i Oliver Tambo beth oedd yn ei gynnal ef drwy'r blynyddoedd a dreuliodd yn y carchar yn Robben Island am wrthwynebu apartheid, ei ateb oedd, 'Amynedd a ffydd.' Mae'r Adfent yn ein dysgu ni bod yn rhaid rhannu yn aros amyneddgar y tlawd, wrth iddynt ddisgwyl am fyd mwy cyfiawn ac wrth iddynt ymdrechu i'w ddwyn i fod.

Wrth gwrs mae hynny'n anodd, a'n tueddiad yw gofyn y cwestiynau: Pam fod Duw yn oedi? Pam fod yn rhaid i'r tlawd barhau i waedu am gyfiawnder 2,500 o flynyddoedd wedi addewid Eseia a 2,000 o flynyddoedd ar ôl dyfodiad Iesu? Pam nad yw Duw yn dwyn i fod y byd y mae Eseia yn sôn amdano, nawr? Pam na chaiff dynoliaeth gyfan ffynnu heddiw? Pam fod rhaid i filiynau ddal i farw o newyn, ffoi i wersylloedd ffoaduriaid, byw gyda HIV, dioddef effeithiau newid hinsawdd a masnach anghyfiawn a chario baich dyledion na ellir mo'u had-dalu, a Duw fel petai yn oedi?

Does gen i ddim atebion, ac rwyf eto i gael fy argyhoeddi gan unrhyw un arall fod ganddynt atebion, ond o leiaf rhaid byw gyda'r cwestiynau a'u cymryd o ddifrif.

Ond mae rhannu disgwyliad y tlawd yn golygu rhannu hefyd yn eu hawydd am fyd gwell a mwy cyfiawn, a gwneud popeth a allwn i frysio ei ddyfodiad.

Yn sicr, nid peth goddefol yw aros, oherwydd ymhlŷg yn y disgwyl y mae'r alwad i weithio i wireddu gweledigaeth Eseia.

Un peth mae disgwyl yn ei wneud yw rhoi'r amser i ni feddwl a dyfnhau ein dealltwriaeth ynglŷn â sut mae Duw yn dod yn hytrach na gofyn pryd.

Beth ŷn ni'n disgwyl amdano? Ai rhyw 'super-hero' dwyfol yn hedfan i mewn o'r tu allan i ddelio â'n llanast ni? Os felly, druan ohonom – dydyn ni ddim yn haeddu byd tamaid gwell nag sydd gennym nawr!

Mae Duw wedi dangos yn glir yn yr ymgnawdoliad sut mae e'n dod – wrth ddod atom ar ffurf dynoliaeth – 'gwedd dynion', chwedl Paul. Onid dyna'r allwedd i ddeall yr Adfent, dyfodiad Duw eto? Yn a thrwy ddynoliaeth y mae Duw yn parhau i ddod atom.

Daw atom trwy Cymorth Cristnogol: ein cefnogwyr a'n partneriaid, daw trwy Tearfund, Cafod, Oxfam ac unrhyw fudiad neu unigolyn sy'n gweithio i wireddu gweledigaeth Eseia. Mae Duw yn dod trwoch chi a fi pan ydym ni'n byw'r hyn mae'n ei olygu i fod yn wir ddynol, pan ein bod ni'n byw bywyd Iesu.

Wrth i ni weithredu'r weledigaeth yn ein bywyd bob dydd yr ydym yn cyhoeddi bod Duw wedi dod, ac yn ei alluogi Ef i ddweud o'r newydd, 'Yr wyf fi wedi creu nefoedd newydd a daear newydd… byddwch lawen, gorfoleddwch yn ddi-baid am fy mod i wedi creu.'

Robin Samuel

❖ Gair yr Adfent

Dyma ni, unwaith eto, yng nghyfnod yr Adfent, y cyfnod o bedair wythnos pan fydd yr Eglwys Gristnogol yn troi ei meddwl at y Nadolig a dathlu'r 'baban bach mewn preseb drosom ni'.

Mae'n gyfnod cyffrous ac eneiniedig i Gristnogion. Yng ngwledydd y Gorllewin, y mae'n ganol gaeaf, a dyma gyfnod y goleuni 'sy'n disgleirio yn y tywyllwch'. Yng ngeiriau Paul: 'Y mae'r nos ar ddod i ben, a'r dydd ar wawrio' (Rhufeiniaid 13:12). Dyna pam y byddwn yn cynnau canhwyllau, arwyddion o oleuni cyn bod 'y goleuni', sef Iesu, yn dod i'r byd.

Dyma gyfnod rhyddhad, cyfle i gofio eto am un a ddaeth a fyddai'n gosod y ddynolryw yn rhydd o bob peth sy'n ein caethiwo. 'O tyred di, Emanŵel, a datod rwymau Isräel.' Mewn byd lle mae cymaint mewn caethiwed – yn garcharorion cydwybod, wedi eu herwgipio, yn byw mewn braw a dychryn oherwydd rhyfel a thrais, yn cael eu poenydio, yn gaeth i newyn, tlodi a gorthrwm, yn gaeth i gyffuriau ac alcohol, i iselder meddwl ac ysbryd – y mae Duw'r Adfent yn cynnig posibilrwydd rhyddid mewn byd cyfiawn a theg a di-drais, yn cynnig ein gosod ni'n rhydd drwy Iesu, yr unig ddyn rhydd, chwedl Pennar.

Yn bennaf oll, dyma gyfnod y disgwyl mewn gobaith. Neges fawr Adfent yw bod byd gwahanol yn bosibl, a'i bod yn bosibl i ni hefyd fod yn bobl newydd, wedi'n creu o'r newydd, yn Iesu Grist.

A'r sail sydd gennym am gredu hyn i gyd? Y Beibl: y Gair dwyfol a bywiol, sy'n ffynhonnell ffydd ac yn sylfaen gobaith. Y Gair sy'n cyhoeddi addewidion Duw yn Iesu Grist. Y Gair sy'n medru bywhau a goleuo a gosod yn rhydd ym mhob oes a chyfnod a chyflwr. Y Gair sy'n dal i fedru trawsnewid bywydau a herio grymoedd ac awdurdodau'r byd hwn mewn gwledydd sydd ynghanol terfysg ac anawsterau. Y Gair sydd ar gael i ni yn ein hiaith heddiw yng Nghymru. Y Gair y mae miloedd o Gristnogion o hyd yn dyheu am gael copi eu hunain ohono – yn China a mannau eraill. Y Gair y byddwn mor aml yn ei anghofio a'i anwybyddu. Dyma Air grymus yr Adfent!

Mae stori am ddisgybl yn gofyn i Rabbi Iddewig, 'Pryd y dylen ni wneud heddwch â Duw?' Ei ateb oedd, 'Un funud cyn iti farw.' Ond gofynnodd ei ddisgybl ifanc iddo, 'Sut fydda i'n gwybod fy mod i funud i ffwrdd o farw?' Ateb y Rabbi oedd, 'Fyddi di ddim YN gwybod; felly, gwna fe nawr!'

'Gwna fe nawr.' Yr Adfent, yn anad unrhyw adeg, yw'r amser i ni wneud heddwch â Duw, i roi'n hunain yn nwylo Duw, i ymddiried ynddo a chredu'i addewidion, fel y gallwn fod yn barod i ddathlu'r Nadolig ac wynebu her a chyfle a chyffro blwyddyn newydd.

Ar fore'r Nadolig fe fydd rhai ohonom yn mynd i oedfaon plygain (neu o leiaf oedfaon mwy plygeiniol nag arfer!). Y bore hwnnw efallai y bydd yn dywyll pan gyrhaeddwn ni'r oedfa a dim ond cannwyll yno i'n goleuo. Pan awn allan fe fydd y dydd wedi gwawrio. Bydd 'haul cyfiawnder' Duw yn Iesu'n disgleirio. Fe fydd yn Nadolig eto. A chawn ddathlu o newydd 'y Gair a wnaethpwyd yn gnawd', y Gair y 'gwelsom ei oleuni' – 'ar awr annisgwyl o'r dydd' (James Nicholas). Goleuni na all y tywyllwch byth 'ei drechu ef'.

Noel A. Davies

❖ Croesawn y Goleuni na Ellir mo'i Ddiffodd

Mae cannwyll gynta'r Adfent wedi'i chynnau. Mae'n symbol o obaith a heddwch. Dyna mae'r efengyl yn ei gynnig i'r byd, byd sydd yn aml yn helbulus a thywyll.

Gobeithio y cawn dros dymor y Nadolig eleni glywed Duw yn ein tawelu o wybod bod popeth yn dda, ganwyd Imanuel. Syfrdanwyd pawb gan enedigaeth Iesu. Dyw hynny ddim yn syndod; mae'r digwyddiad yn ysgubol. Dyma'r Duw tragwyddol yn dod yn un ohonom mewn baban bach. Gan bwyll y daeth cymeriadau'r ddrama fawr i sylweddoli mai dyna oedd yn digwydd. Fu dim byd fel hyn o'r blaen. Mae'r cwbl yn newydd. Peth cyffredin yw ofni'r gwahanol.

Dro ar ôl tro yn y stori mae Duw yn rhoi neges i bobl beidio â dychryn:

Paid ag ofni, Mair – oherwydd cefaist ffafr gyda Duw.

Paid ag ofni, Joseff – paid â rhoi Mair heibio, cymer di ei hochr hi a'r baban.

Paid ag ofni, Sachareias – cei di ac Elisabeth fab, Ioan.

Peidiwch ag ofni, fugeiliaid – yr wyf yn cyhoeddi i chwi newyddion da.

Gwahanol iawn oedd hi yn y palas. Pan glywodd Herod a'r awdurdodau fod doethion yn chwilio am frenin newydd yn Jerwsalem, roeddent mewn panic, ac yn fuan iawn wedi troi'n dreisgar a chreulon. Mae gofid a straen a chreulondeb yn gryf o hyd, ond nid nhw sydd â'r gair ola. Daeth y goleuni na ellir ei ddiffodd.

Boed i dangnefedd a heddwch a gobaith y Nadolig feddiannu ein calon, ein cartref, ein heglwys, ein byd.

Dewi Myrddin Hughes

❖ Myfyrdod ar gyfer yr Adfent

Prin iawn, ar y gorau, yw'r sylw a'r pwyslais a roddwn fel anghydffurfwyr i'r Tymhorau Eglwysig a 'dyw'r Adfent ddim yn eithriad.

Cyfnod ac adeg i baratoi ar gyfer dathlu'r Nadolig yw hwn a cheir digon o baratoi allanol fisoedd, wir, cyn yr ŵyl, ond fel y cyfeiriodd y diweddar Edwin Davies (mewn myfyrdod yn y *Western Mail*), 'Cyfle a chyfnod i gymryd stoc fewnol yw'r adfent a'n galw i baratoi.'

Un a'n cynorthwya i baratoi yw Ioan Fedyddiwr wrth floeddio geiriau'r proffwyd Eseia, i groesawu dyfodiad yr Iesu: "Llais un yn galw yn yr anialwch, 'Paratowch ffordd yr Arglwydd, unionwch y llwybrau iddo. Caiff pob ceulan ei llenwi, a phob mynydd a bryn ei lefelu; gwneir y llwybrau troellog yn union, a'r ffyrdd garw yn llyfn; a bydd y ddynolryw oll yn gweld iachawdwriaeth Duw.'"

Mae'r geiriau dramatig hyn yn darlunio teyrnas newydd yn llawn chwyldro! Gyda'r fath ddisgrifiad, rhydd Ioan bedwar darlun o'r deyrnas oedd ar ddod: ceulannau wedi eu llenwi, mynyddoedd wedi eu lefelu, llwybrau troellog wedi eu hunioni a ffyrdd garw wedi eu llyfnhau. Ysgytwad radical a newidiadau syfrdanol yn ôl y gŵr unigryw hwn, fyddai'n nodweddu Teyrnas Iesu Grist.

Nid oes amheuaeth bod ei neges yn glir, gyda'r 'hen ffyrdd' yn cael eu newid am 'ffyrdd newydd' Brenhiniaeth Iesu o'i chymharu â'r hen drefn Iddewig a syniadau crefyddwyr traddodiadol gwlad Iesu. Nid ar chwarae bach y daw'r newid ac y gwireddir y fath weledigaeth. Rhaid paratoi ar gyfer pob chwyldro. Rhaid i ninnau hefyd o fewn cyfundrefn grefyddol ein dydd sylweddoli bod mawr angen arnom baratoi ein hunain i groesawu Chwyldro'r Crist am fod Ei ddyfodiad yn ein herio i newid ein syniadau fel yr heriodd grefyddwyr Palesteina. Paratoi ar gyfer y fath Chwyldro a wna Ioan i alluogi pobl i 'weld iachawdwriaeth Duw'.

Gweddi: Cynorthwya ni i sylweddoli'r angen i baratoi yn ysbrydol cyn y medrwn iawn werthfawrogi a gweithredu Ffordd yr Arglwydd am fod Ei Neges yn chwyldroadol. Amen.

Darllen: 'Plentyn y Ddaear' – Waldo Williams, gan fyfyrio:

'... Daw dydd y bydd mawr y rhai bychain,
Daw dydd ni bydd mwy y rhai mawr,
Daw'r bore ni wêl ond brawdoliaeth
Yn casglu teuluoedd y llawr...'

Wynn Vittle

❖ LLE AMLWG I MAIR

Rhaid rhoi lle amlwg yn nhymor yr Adfent i Mair, mam Iesu, yn enwedig wrth inni atgoffa'n gilydd am Emyn Mawl y ferch ifanc pan ymwelodd â chartref Sachareias ac Elisabeth, ychydig cyn geni ei mab.

Mae'r fam ddisgwylgar hon yn naturiol yn edrych ymlaen at yr enedigaeth gan y byddai ei fywyd yn achosi rhyfeddod a syndod i lawer! Cofiwn ei geiriau yn y Magnificat:

'...Oherwydd gwnaeth yr hwn sydd nerthol bethau mawr i mi, a sanctaidd yw ei enw ef; y mae ei drugaredd o genhedlaeth i genhedlaeth i'r rhai sydd yn ei ofni ef. Gwnaeth rymuster â'i fraich, gwasgarodd y rhai **balch** eu calon; tynnodd **dywysogion** oddi ar eu gorseddau, a dyrchafodd y rhai distadl; llwythodd y newynog â rhoddion, ac anfonodd y **cyfoethogion** ymaith yn waglaw.'

Yn ôl Cân Mair, mae teip arbennig o bobl i gael sioc eu bywyd! Caiff y rhai i bob golwg sydd ar 'y brig' mewn cymdeithas sef y 'balch', y 'cyfoethog' a'r 'tywysogion' eu gwastatáu. Yn hytrach na chael mwynhau breintiau a statws cânt eu gwasgaru, eu tynnu i lawr a'u hanfon ymaith yn waglaw.

Gwelwn yng ngeiriau'r Magnificat fod newid ar ddigwydd yn nyfodiad Teyrnasiad y Crist a bod y newid mewn dwy ffordd! Bydd y sawl sydd ar waelod rhengoedd cymdeithas, y tlawd a'r newynog yn cael eu dyrchafu i'r brif reng, gan gyfnewid lle â'r balch, y cyfoethog a'r tywysogion.

Gobaith a barn felly yw geiriau Mair. Gobaith i'r rhai iselradd, gan ei chynnwys hi ei hunan ar ddechrau ei chân, 'am iddo ystyried distadledd ei lawforwyn', ond barn a ddaw ar bawb sydd wedi gwasgu ar eraill.

Daw'r Adfent felly â'i newydd da, ond daw hefyd â'i newydd drwg am fod dyfodiad Crist yr Arglwydd a'i Neges Newydd yn newid syniadau arferol a disgwyliadau traddodiadol pobl Palesteina.

Gwireddwyd Cân Mair ym mywyd a gweinidogaeth ei mab – daeth Iesu Grist â phatrwm newydd i'n byd. Oni ddylem ni sydd wedi ein trwytho a'n hyfforddi yn Ei eiriau sylweddoli bod derbyn Crist Iesu a'i safonau yn golygu newid ein syniadau am safle a statws mewn cymdeithas? Wrth baratoi i ddathlu Ei ddyfodiad y Nadolig hwn, byddwn barod efallai i gael ein darostwng, ond gobeithio hefyd ein dyrchafu ar lefel ysbrydol.

Gweddi: Mawrygwn Di O Grist am i Ti, drwy dy ddyfodiad i'n byd, newid ein syniadau a'n safonau. Mawrygwn Di am roi gobaith i'r rhai a ormeswyd ac sy'n dioddef caledi yn ein cymunedau lleol a chenedlaethol gan roi hyder a gorfoledd i bawb sy'n gweddïo a gweithredu rhyddid cydwybod a hawliau cyfiawn i ddynoliaeth. Derbyn ni, yn enw Gwaredwr y byd. Amen.

Wynn Vittle

❖ Barod am y Nadolig?

Credwch neu beidio, cyn Sul cyntaf yr Adfent roedd pobl wedi dechrau gofyn i mi, 'Ydych chi'n barod am y Nadolig?' Un o'r ystrydebau hynny, mae'n rhaid i mi gyfaddef, sy'n mynd o dan fy nghroen. A ninnau bellach ar drothwy'r ŵyl, dewch inni ystyried ymateb un wraig arbennig iawn i'r holl bethau oedd yn digwydd o'i chwmpas y Nadolig cyntaf hwnnw.

Yn sydyn ymddangosodd gyda'r angel dyrfa o'r llu nefol, yn moli Duw gan ddweud:

"Gogoniant yn y goruchaf i Dduw,
ac ar y ddaear tangnefedd ymhlith y
rhai sydd wrth ei fodd."

Wedi i'r angylion fynd ymaith oddi wrthynt i'r nef, dechreuodd y bugeiliaid ddweud wrth ei gilydd, "Gadewch inni fynd i Fethlehem a gweld yr hyn sydd wedi digwydd, y peth yr hysbysodd yr Arglwydd ni amdano." Aethant ar frys, a chawsant hyd i Fair a Joseff, a'r baban yn gorwedd yn y preseb; ac wedi ei weld mynegasant yr hyn oedd wedi ei lefaru wrthynt am y plentyn hwn. Rhyfeddodd pawb a'u clywodd at y pethau a ddywedodd y bugeiliaid wrthynt; ond yr oedd Mair yn cadw'r holl bethau hyn yn ddiogel yn ei chalon ac yn myfyrio arnynt. (Luc 2:13–19)

Do, yng nghanol y berw a'r syndod a'r rhyfeddod; yng nghanol y comosiwn, y canu a'r dathlu, roedd Mair yn *cadw'r holl bethau hyn yn ddiogel yn ei chalon ac yn myfyrio arnynt*. Mae'n taith ninnau i gyfeiriad Bethlehem wedi cychwyn, ac ar un ystyr fe fydd hi'n daith dipyn anos na thaith y sawl a'i teithiodd flynyddoedd maith yn ôl. Mae yna fwy a mwy o bethau'n tynnu sylw; mwy o rwystrau ar lwybr gwir addoliad. Mwy o achos siniciaeth, amheuaeth a dadrithiad.

Cawsom ni ein dal gan brysurdeb y paratoadau, y pererindodau siopa, yr ysgrifennu, y postio, y glanhau. Ac mi allwn fynd ymlaen ac ymlaen.

Cyn i bethau fynd allan o bob rheolaeth, carwn ofyn a ydyw hi mewn gwirionedd mor amhosibl i ni rannu rhyw gymaint o ysbryd myfyrdodol Mair yng nghanol y cynnwrf sydd o'n cwmpas? Mae tawelwch Mair yn llefaru cyfolau am y pwysigrwydd o adael i'r digwyddiad droi'n brofiad personol dwfn. O, ie, prynwch, rhowch a

derbyniwch ar bob cyfrif, ond peidiwch da chi â chredu eich bod o wneud hynny yn barod ar gyfer y Nadolig. Gadewch i'r Gwir oleuni sy'n dod i'r byd gael cyfle yn eich bywyd chi i droi pob nos yn ddydd…
Yng ngeiriau W. Rhys Nicholas...

Tyrd atom ni, O Grëwr pob goleuni,
tro di ein nos yn ddydd.

Olaf Davies

❖ OS NAD EDRYCH AR IESU, EDRYCH AR BWY?

Rydym eto eleni wedi cyrraedd tymor yr Adfent, pan yw'r eglwys yn draddodiadol yn dechrau paratoi ar gyfer dathlu geni Iesu, sef dyfodiad Duw yn ddyn. Bydd yr wythnosau nesaf yn rhai prysur, gyda phob math o ddigwyddiadau'n cael eu cynnal – oedfaon, cyngherddau, partïon, a dathliadau amrywiol. Bydd hefyd lawer o ewyllys da, wrth i bobl gael eu llenwi ag 'ysbryd y 'Dolig'. Bydd yr wythnosau hyn yn gyfle gwych i dystio i Iesu Grist, gan fod y rhan fwyaf o bobl, yn uniongyrchol neu'n anuniongyrchol, yn gorfod cydnabod bod a wnelo'r dathlu â Iesu. Mae'n gyfle i ddweud eto nad *peth* ond *person* yw'r Nadolig, nid *traddodiad* ond *bywyd*, nid *hanes* ond *cychwyn newydd*, nid *lle* ond *perthynas*.

Craidd Cristnogaeth yw'r sylweddoliad na ddaeth Iesu Grist i wneud cyfraniad at ryw storws fawr grefyddol, ond yn hytrach bod Duw yn Iesu Grist 'yn cymodi'r byd ag ef ei hun' (2 Corinthiaid 5:19). A'r alwad i ddynolryw eleni, fel pob blwyddyn, yw 'cymoder chwi â Duw' (2 Corinthiaid 5:20).

Cafodd y cyfriniwr (*mystic*) o India, Sadhu Sundar Singh, ei fagu ar aelwyd Sikh, ond yn ei arddegau daeth i adnabod Iesu Grist fel Gwaredwr ac Arglwydd. Ymhen amser, daeth yn bregethwr teithiol grymus iawn, gan fyw yn syml a thystio i allu Iesu fel y 'ffordd a'r gwirionedd a'r bywyd' (Ioan 14:6) – yr unig ffordd, yr unig wirionedd a'r unig fywyd.

Un diwrnod, wrth i Sundar Singh ymweld â Choleg Hindŵaidd, gofynnodd un o'r athrawon iddo, 'Beth wyt ti wedi ei ddarganfod mewn Cristnogaeth nad oedd yn dy hen grefydd di?'

'Dwi wedi darganfod Crist,' meddai Sundar.

'Dwi'n deall hynny,' meddai'r athro, 'ond beth yn union sydd gen ti rŵan nad oedd gen ti cynt?'

Atebodd Sundar Singh, 'Yr union beth sydd gen i rŵan nad oedd gen i cynt ydy Crist.'

I'r Cristion, nid un ymhlith llawer ydy Iesu Grist. Nid un arweinydd ymhlith llawer. Nid sylfaenu Cristnogaeth wnaeth Iesu – Ef yw'r sylfaen. Nid y Cristion cyntaf ydoedd, ond yn hytrach Ef yw Cristnogaeth. Nid oes neb tebyg Iddo; nid oes yr un a fedr gystadlu ag Ef; nid oes ganddo ragflaenydd nac olynydd. Mae William Williams, Pantycelyn, yn egluro hyn trwy ddweud:

Ymhlith holl ryfeddodau'r nef
hwn yw y mwyaf un –
gweld yr anfeidrol, ddwyfol Fod
yn gwisgo natur dyn.

Ac mae awdur y Llythyr at yr Hebreaid yn dweud wrthym am 'gadw ein golwg ar Iesu, awdur a pherffeithydd ffydd' (Hebreaid 12:2). Dyma sialens 'Dolig eleni i ni fel aelodau – 'edrych ar Iesu'.

W. Bryn Williams

❖ GWEDDI'R ADFENT

Malachi 3:1–18

Ein Duw a'n Barnwr cyfiawn a thrugarog, caniatâ inni nesáu atat yn wylaidd a gostyngedig. Gwyddom mai felly y mae'n weddus inni ddyfod at dy Orsedd lân. Yn nhymor yr Adfent unwaith eto, gad inni ofyn 'wrth dy draed', a chael gwybod 'beth ŷm ni a phwy wyt Ti'. Cawn ein hatgoffa yn dy Air bod dy lygaid manwl yn treiddio i eigion calon dyn, ac nad oes dim a feddyliwn nac a wnawn yn anhysbys i Ti. 'Gwyddost gudd feddyliau'r galon a chrwydriadau mynych hon.' Ac oherwydd hynny yr ymbiliwn am dosturi dy galon ac ymgeledd dy ras.

Pan ystyriwn neges y tymor arbennig hwn a meddwl am ddyfodiad Crist eilwaith i farnu'r byd, ni allwn fod yn ddibris o'n cyflwr ysbrydol. Sonia'r emynydd am feiau mawr a mân, ond Ti yn unig fedd y gallu a'r awdurdod i fesur ein beiau, ac eiddot Ti y glorian i'w pwyso. Ein tuedd ni, Arglwydd, yw ceisio lleihau ein pechodau a mwynhau ein rhinweddau. Ond yng ngoleuni dy Orsedd y cawn olwg lawn arnom ein hunain. Yn ymyl dy sancteiddrwydd y gwelwn faint ein hannheilyngdod. Yn llewyrch dy wynepryd, datguddir inni feiau lle nad oedd feiau yn amlwg i ni, ac â yn fwy bechodau a gyfrifasom megis dim.

Pâr inni gofio bod pob dydd, ymhob tymor, yn ddydd barn, ac yn ddydd trugaredd hefyd. Dylai cofio hyn beri inni geisio dy faddeuant, a gofyn am ras i edifarhau.

Cyffeswn ger dy fron ein bod yn euog yn aml o roddi mwy o bwys ar ennill ffafr ddynol na cheisio rhyngu dy fodd di. Meddwl mwy am y farn gyhoeddus nag am wrando ar lef cydwybod. Bodloni ar rodd o barchusrwydd mewn cymdeithas yn hytrach na bod yn deyrngar i'r gwirionedd. Dewis clustog yn lle croes, a llonyddwch yn lle aberth. Bod yn barod i dderbyn safonau is na'r gorau.

Argraffa ar ein meddwl yn awr nad dedfryd dynion ond dy farn Di sydd o dragwyddol bwys i bawb ohonom, oherwydd dywed dy Air y bydd yn rhaid inni oll ymddangos gerbron brawdle Crist. Boed i hyn ddeffro ynom awydd i fyfyrio mwy ar dy Air. O wneud hyn, diau y cawn glywed sŵn traed ein Barnwr a'n Ceidwad yn dychwelyd, oherwydd 'rhaid iddo Ef deyrnasu hyd oni osodo ei holl elynion dan ei draed,' ac 'ni ddiffydd mo'i olau Ef, a'i Ysbryd nis dryllir hyd oni sefydlo drefn ar y ddaear.'

Anhrefn a welir heddiw, Arglwydd, a'r gelynion ar eu traed. Yr ydym yn llygru'r amgylchedd, yn difwyno dy ddaear, yn llychwino dy greadigaeth. Haeddwn wialen dy gosbedigaeth. Pan fyddwn yn arswydo wrth glywed neu ddarllen am ein cyd-ddynion yn dioddef gormes a thrais, cofiwn ein bod yn rhan o'r ddynolryw a gollodd y ffordd i'th Ddinas Sanctaidd. Pan dristawn wrth glywed am y miloedd a mwy yn wynebu newyn oherwydd fod dyn yn codi cledd i ladd ei frawd, sylweddolwn nad dieuog neb ohonom, a'n bod yn perthyn i wareiddiad llygredig a gwywedig. Ni allwn ddianc rhag ein cyfrifoldeb personol.

Arwain ni drwy'r ystyriaethau hyn oll i weddïo fel dy bobl gynt, 'Marana tha: O Arglwydd, tyred.' Amen.

❖ Y NADOLIG CYNTAF

Darllen: Luc 2:10–11; Mathew 2:3, 12

Fel bydd mis Rhagfyr yn ymddangos ar y calendr bydd ein meddyliau'n troi at ddiwedd y mis – y pumed ar hugain i fod yn fanwl gywir. Dydd Nadolig. Mi fydd yna hen baratoi – ysgrifennu'r cardiau a'u postio cyn rhyw ddyddiad arbennig. Cael digon o fwydydd a diodydd i'r tŷ rhag ofn y bydd yr archfarchnadoedd yn cau am byth. Y teganau wedyn, mae'n rhaid cael y rheiny'n barod er mwyn bod o ryw gymorth i Siôn Corn. Yr addurniadau, y tu mewn a'r tu allan erbyn hyn. A dyna ni'n weddol barod ar gyfer yr ŵyl. Wel, mor barod ag y medrwn ni fod. A chofio wrth gwrs ddymuno 'Nadolig Llawen' i bawb.

Ar ôl i brysurdeb mawr y paratoi fynd heibio, bydd cyfle i ymlacio ryw gymaint ar y diwrnod mawr ei hun. Bwyta, gwag-symera, gwylio ffilm a diogi cyffredinol. A'r cwestiwn ar ôl i'r Nadolig fynd heibio fydd, 'Sut Nadolig gawsoch chi?' A'r ateb yn ddi-feth, 'Distaw, tawel, hepian a chysgu a gormod i'w fwyta.' Dim llawer o gyffro, dim llawer o 'ddigwydd'. Ewch yn ôl yn eich dychymyg i'r Nadolig cyntaf. Pa mor ddistaw fu'r diwrnod hwnnw tybed? 'Dawel nos, ddwyfol nos', meddai'r hen garol. Ond ai felly roedd hi?

Dowch i ni ofyn y cwestiwn i gymeriadau'r Nadolig cyntaf hwnnw. Sut ddiwrnod oedd hi i'r bugeiliaid ar fryniau Bethlehem? Styrbans mawr â hwythau'n cael rhyw nap bach ar y llethrau. Goleuni llachar a chôr o angylion yn arwain y gân. A'r goleuni a'r canu rhyfeddol hwn yn eu gorfodi i fynd o ddiogelwch eu cynefin i weld beth oedd yn digwydd. A darganfod yr olygfa ryfeddaf erioed: babi bach mewn preseb.

Yna, beth am y seryddion oedd wedi teithio o bellafoedd Mesopotamia gan ddilyn y seren? Dechrau digon tawel gafwyd i'w Nadolig hwythau nes iddyn nhw gyrraedd pen eu taith yn llety'r anifail. Ond ar ôl darganfod y mab bychan, dychwelyd i'w gwlad 'ar hyd ffordd arall' fu eu hanes. Y dechrau tawel, distaw yn troi'n orfoledd a chyffro. Mae'r 'mab bychan' a welson nhw yn eu gorfodi i droedio llwybr arall, gwahanol. Y ffordd arall ydi hi wedyn.

Beth am Herod Frenin? Digon distaw fu hi ar hwn ar y dechrau, ond pan glywodd fod babi wedi ei eni dyma'i gynddaredd yn berwi drosodd. Nid cynhyrfu ei hun yn unig a wnaeth hwn ond yr ardal i gyd. Strancio fu ei hanes, holi'r seryddion, yr ysgrifenyddion a'r gwybodusion ym mhle roedd y babi bach wedi'i eni. Na, chafodd hwn ddim Nadolig tawel, digynnwrf. Cynddeiriogwyd hwn ac aeth ei orffwylledd yn drech nag o, nes peri iddo orchymyn i'w filwyr ladd pob plentyn gwryw dan ddwyflwydd oed.

Sut Nadolig gawsoch chi eleni? Os cawsoch chi'r profiad o weld y Mab bychan yna rydych wedi dod wyneb yn wyneb â chwyldro, a bydd rhaid i chwithau ddilyn y seryddion a throedio 'ar hyd ffordd arall'.

Myfyrdod pellach:
Sut allwn ni brofi cyffro'r Nadolig?

Sut mae'r babi bach yn y preseb yn cyfathrebu â ni heddiw?

❖ Chwilio am Iesu

Darllen: Luc 2:33–35

Prin iawn ydi'r hanesion am Iesu'n tyfu i fyny. Yn wir, dim ond un stori sydd amdano. Yn fachgen deuddeg oed aeth gyda'i rieni i'r deml yn Jerwsalem, a mynd ar goll. Bu Mair a Joseff mewn cryn helbul yn chwilio amdano, ac yntau wedi aros i drin a thrafod efo'r gwybodusion yn y deml a hwythau wedi rhyfeddu ato. Ond mae dwy adnod yn ail bennod Efengyl Luc yn sôn amdano'n tyfu, y naill yn cyfeirio at ei gryfder a'i ddoethineb a'r llall yn dweud bron yr un peth ond mewn ffordd arall. Mae'r ddwy adnod yn sôn am ei berthynas â Duw; 'ac yr oedd ffafr Duw arno' (adnod 40), 'ac yr oedd Iesu yn cynyddu mewn … ffafr gyda Duw a'r holl bobl' (adnod 52). Pwysleisio a wna Luc fod y plentyn yn tyfu a datblygu. Ac onid ydyn ni'n amharod i weld ein plant yn tyfu. Onid y sylwadau a glywn heddiw yw 'Dydyn nhw ddim yn cael bod yn blant y dyddiau hyn', a'r perygl mawr yw y byddwn yn eu trin fel plant ar ôl iddyn nhw dyfu'n oedolion.

Ond dowch yn ôl at y baban yn y preseb ym Methlehem. Onid oes yna ddyhead ynom i'w weld yn aros yn faban yn y preseb? Onid ydym yn teimlo rheidrwydd i'w gadw yn y preseb – yn faban bach 'ciwt' a thyner yn y preseb gwair? Ac wrth gwrs, tra bydd o yno'n swp diymadferth fydd o ddim yn ein herio â'i ddysgeidiaeth chwyldroadol nac yn poeni ein cydwybod. A dweud y gwir, yno yr ydyn ni am ei adael gan wrthod iddo dyfu a datblygu a dod yn Waredwr ein bywydau. Dyna'r unig Iesu mae'r rhan fwyaf ohonom yn ei adnabod – Iesu'r preseb a'r bugeiliaid, y seryddion a Herod Fawr. Ac mae teip Herod bob amser yn awyddus i'w adael yn faban diymadferth yn y preseb.

Ond y mae bendith i'w chael o gyrchu at y preseb bob Nadolig. Ond bendith dros dro yw hi, bendith sy'n ein galw i waith. Mae'n bur debyg mai felly oedd hi'r Nadolig cyntaf hwnnw. Dyna ddigwyddodd i'r bugeiliaid ar fryniau Bethlehem – côr o angylion yn cyhoeddi'r newyddion da, a'r bugeiliaid yn mynd ar frys i weld beth oedd wedi digwydd a chanfod gobaith yr oesoedd yn y preseb. Ond nid lle i aros yno oedd y preseb, ond lle i brofi'r wefr cyn mynd yn ôl at eu gwaith i wylio'r praidd liw nos. Profiad tebyg gafodd y seryddion oedd wedi teithio o bell i Jwdea gan ddilyn seren wahanol. Ond wedi'r profiad o weld y Mab bychan, yn ôl yr aethant hwythau ar eu taith i'w gwlad eu hunain. A beth am ei rieni wedyn? Profiad tawel, annealladwy oedd eu profiad hwy, 'ond yr oedd Mair yn cadw'r holl bethau hyn yn ddiogel yn ei chalon ac yn myfyrio arnynt' (Luc 2:19). Cadw'r profiad yn ei chalon wnaeth hi er mwyn cael myfyrio arno ymhellach ymlaen. Doedd hi ddim yn barod i blymio i ddyfnderoedd gwyrth Bethlehem dref. Ond mynd ymlaen fu raid iddynt hwythau hefyd, a hynny ar frys i'r Aifft. Beth oedd ar ôl ym Methlehem? Dim ond preseb gwag. Mae o wedi tyfu a phrifio, a dyna drefn natur. Peidiwn ag aros wrth y preseb. Awn gydag ef ar antur, a bydd y bendithion yn llifo wrth i ni fod yn ei gwmni.

Myfyrdod pellach:
Ydyn ni'n rhoi gormod o bwyslais ar Iesu'r baban yn y preseb?

Sut mae gwneud y Nadolig yn berthnasol i'n cyfnod ni?

❖ ADREF DROS Y NADOLIG

Darllen: Mathew 2:7–8

'Does gen i ddim awydd mynd i unman dros y Nadolig; mae'n well gen i fod adref.' Pa mor aml fyddwch chi'n clywed hyn? 'Methu deall pam fod pobl eisiau mynd i ffwrdd dros yr ŵyl. Meddyliwch amdanyn nhw'n mynd i wlad boeth! Fedrwn i ddim dathlu'r Nadolig wrth dorheulo ar lan y môr. Na, gartref ar yr aelwyd mae'n lle ni.' Dowch i ni droi at stori'r Nadolig, ac mae pethau'n bur wahanol. Chafodd Mair a Joseff ddim bod adref yn Nasareth. Na, roedden nhw ar daith go hir, wyth deg a mwy o filltiroedd i Fethlehem Jwdea, dinas Dafydd. Roedd gofynion y cyfrifiad wedi'u galw nhw yno, yn ôl Luc. Taith hir iawn oedd hi, a Mair yn feichiog. Ac wedi cyrraedd yno, doedd dim llawer o groeso a dim lle yn y llety. Roedd y ddau wedi cael eu galw o'u cynefin i fynd ar daith.

Ac felly roedd hi yn hanes y seryddion. Pobl ar grwydr oeddent hwythau hefyd – o bellteroedd Mesopotamia. Y seren, beth bynnag oedd honno, oedd wedi eu harwain ar y daith. Mae cryn drafod ynglŷn â'r seren. Pa seren? Roedd dau ddigwyddiad o bwys yn y cyfnod hwn. Y cyntaf oedd ymddangosiad comed Halley (rhwng 12 ac 11 CC) a oedd yn weladwy o'r ddaear yn ystod tymor y gaeaf. Yn y cyfnod hwnnw roedd dyfodiad comed i'r ffurfafen yn arwydd o ddigwyddiad anarferol a chwyldroadol. Yn ôl pob tystiolaeth teithiai'r gomed o gyfeiriad y dwyrain gan wanhau pan oedd uwchben ac yna cryfhau unwaith yn rhagor cyn machlud yn y gorllewin. A'r ail ddigwyddiad hynod oedd cyfosodiad tair planed, sef Iau, Sadwrn a Mawrth, a oedd yn edrych o'r ddaear fel petaent gyda'i gilydd ac felly'n sicr o greu goleuni llachar. Digwyddodd hyn oddeutu'r flwyddyn 8 CC. Hyd y gwyddom, nid oes cofnod gwyddonol o ddigwyddiad cyffelyb y flwyddyn y ganed Iesu. Beth bynnag oedd y goleuni llachar hwn, fe arweiniodd y seryddion at grud y baban Iesu.

Cael eu tynnu o sicrwydd eu cynefin wnaeth y bugeiliaid hefyd. Yn ôl eu harfer roedden nhw'n gwylio eu praidd ar y llethrau uwch Bethlehem pan ymddangosodd angylion i'w hysbysu fod gwaredwr y byd wedi'i eni. Fe adawson nhw eu cynefin a mynd ar frys, 'a chawsant hyd i Fair a Joseff, a'r baban yn gorwedd yn y preseb' (Luc 2:16). Mae'n amlwg eu bod wedi mynd oddi yno i ddweud wrth eraill; hwy oedd y cenhadon cyntaf i rannu'r newyddion da, 'Rhyfeddodd pawb a'u clywodd at y pethau a ddywedodd y bugeiliaid wrthynt' (Luc 2:18).

Chafodd Mair a Joseff ddim aros gartref, na'r seryddion na'r bugeiliaid chwaith. Ond gartref yr oedd y brenin, Herod Fawr. Yn ei balas yr oedd ef pan ddaeth y seryddion heibio, ac ef oedd yr unig un na chafodd weld y baban. Er iddo ofyn i'r seryddion ddychwelyd ato, 'rhowch wybod i mi er mwyn i minnau hefyd fynd a'i addoli' (Mathew 2:8) dychwelyd i'w gwlad ar hyd ffordd arall oedd eu hanes.

Pererinion ydyn ni, ac ar y daith y mae canfod Iesu. Tybed ydyn ni'n rhy statig a llonydd?

Myfyrdod pellach:
Tybed ydi stori'r Nadolig yn rhy gyfarwydd i ni?

Sut mae goddiweddyd yr elfennau seciwlar a materol sydd o amgylch yr ŵyl? Tybed oes angen ail enwi'r ŵyl – Gŵyl yr Ymgnawdoliad?

❖ Gweddi Nadolig

Darllen: Luc 2:1–7 neu Luc 2:1–20

Dduw Hollalluog,
ffynhonnell bywyd a chariad,
addolwn di'r Nadolig hwn,
am i ti ddod atom yn Iesu yn blentyn diymadferth
fel y gallem dy weld a'th adnabod.

Diolchwn, Dduw Hael,
am gynnig i ni fywyd yn ei gyflawnder
drwy enedigaeth, gweinidogaeth,
marwolaeth ac atgyfodiad Crist.

Mewn gweddi cyflwynwn i ti
ein teimladau cymysg y Nadolig hwn:
ein hapusrwydd a'n tristwch,
ein cyffro blinedig,
a'n hymchwil am lawenydd y Nadolig.

Maddau i ni am golli golwg
ar haelioni cariad y Nadolig,
a chymorth ni i'w dderbyn yn rasol
fel y gallwn ailddarganfod gwir heddwch.

Gweddïwn arnat, Emaniwel, Duw gyda ni,
am i ti ddod atom fel plentyn mewn angen
ac am dy fod yn parhau i'n cyfarfod yn anghenion eraill.

Cyflwynwn ger dy fron
y bobl sy'n dioddef yn ein byd.

Gweddïwn dros...
a thros ddioddefaint y rhai y gwyddom amdanynt
sy'n glaf...
neu mewn profedigaeth...

Cofiwn am y rhai sy'n unig ac yn bryderus,
ac am bawb sy'n cael y Nadolig yn anodd.
Cymorth ni i ddangos cariad dy Nadolig i'th fyd,
ac i gyhoeddi'r newyddion da o lawenydd mawr.

Olaf Davies

❖ Duw Gyda Ni

Mae'n anodd gwybod pam na chafodd mwy o gapeli Cymru eu henwi yn 'Immanuel', yn arbennig o gofio mai ei ystyr yw 'Duw gyda ni'. Y mae adegau pryd rydym yn fwy ymwybodol fod Duw yn Dduw Immanuel – yn 'Dduw gyda ni' yn Iesu Grist, ac un o'r adegau hynny yw gŵyl y Nadolig. Yn wir, mae'r disgrifiad o 'Dduw gyda ni' yn ein dwyn ar unwaith i awyrgylch gŵyl y Geni.

Yn Efengyl Iesu Grist yn ôl Mathew yn unig y cawn y gair 'Immanuel'. Yn wir, mae Mathew yn dechrau ac yn cloi ei Efengyl trwy bwysleisio'r gwirionedd mawr hwn am Dduw. Yn y bennod gyntaf mae'n dyfynnu neges un o broffwydi'r Hen Destament, *'Wele, bydd y wyryf yn beichiogi, ac yn esgor ar fab, a gelwir ef Immanuel,'* hynny yw, o'i gyfieithu, *'Y mae Duw gyda ni'.* Ac yn y bennod olaf, mae'n dyfynnu addewid yr Arglwydd Iesu Grist i'w ddilynwyr, *'Ac yn awr, yr wyf fi gyda chwi yn wastad hyd ddiwedd amser.'*

Duw gyda ni yn Iesu Grist yw newyddion da'r Efengyl. Felly, wrth ddathlu genedigaeth Iesu Grist, mae'n bwysig nodi nad cofio digwyddiad hanesyddol yn unig a wnawn y Nadolig hwn, ond cyhoeddi gwirionedd sy'n fythol gyfoes, sef fod Duw yn Dduw gyda ni yn awr, a phob amser. Gan gofio hyn, fe wrandawn ar hanes yr angel yn cyhoeddi'r newyddion da i Joseff.

Darlleniad: Mathew 1:18–25

Duw Immanuel, Duw gyda ni mewn gostyngeiddrwydd.
Safai bachgen bach o flaen llun ei dad, a syllai yn hir ac yn boenus arno. Nid oedd wedi gweld ei dad ers misoedd lawer, a chyda hiraeth lond ei galon a dagrau yn ei lygaid, trodd at ei fam gan ddweud wrthi, '*Mam, mi liciwn i petasai Dad yn dod allan o'r llun 'ma.'*

Onid hynny, ar un ystyr, a wnaeth ein Tad Nefol yn Iesu Grist? Fe gamodd allan o lun yr Hen Destament, a chamu i mewn i hanes ein byd. A mwy na hynny hefyd, fe gamodd i mewn i'n bywyd, a'i uniaethu ei hunan â ni o'r crud i'r bedd:

> 'Wele Dduwdod yn y cnawd,
> Dwyfol Fab i ddyn yn Frawd.'

Mae'r digwyddiad hwn yn peri inni ryfeddu at ostyngeiddrwydd Duw. Yn ei fab Iesu Grist, dangosodd Duw nad oedd am i'w anfeidroldeb lethu ein meidroldeb ni, na'i hollalluogrwydd lethu ein gwendid ni. Am hynny, fel y dywed yr Apostol Paul yn ei lythyr at Gristnogion Philipi: *'Er ei fod ef ar ffurf Duw, ni chyfrifodd fod cydraddoldeb â Duw yn beth i ddal gafael ynddo, ond fe'i gwacaodd ei hun, gan gymryd ffurf caethwas a dyfod ar wedd ddynol.'*

Y mae'r dirgelwch hwn wedi peri rhyfeddod mawr yng nghalonnau Cristnogion i lawr ar hyd yr oesau, a chyda'r emynydd y dywedwn ninnau,

'Ymhlith holl ryfeddodau'r nef
hwn yw y mwyaf un–
gweld yr anfeidrol, ddwyfol Fod
yn gwisgo natur dyn.'

Fel Cristnogion, credwn mai'r digwyddiad hwn yw'r dirgelwch mwyaf a welodd ein byd erioed. Y mae'r Ymgnawdoliad yn ddirgelwch na allwn byth ei ddirnad yn llawn ond, er hynny, fe wyddom mai dirgelwch cariad Duw ydyw, a bod ei gariad ef yn Iesu Grist yn destun cân o ddiolchgarwch am byth. Do, daeth Duwdod mewn Baban i'r byd, a heddiw, ni allwn ond ymateb mewn gorfoledd a llawenydd mawr. Gwrandawn yn awr ar hanes genedigaeth Iesu Grist.

Darlleniad: Luc 2:1–7

Immanuel – Duw gyda ni mewn goleuni.

Y mae'r Nadolig wedi cael ei ystyried erioed yn ŵyl y Goleuni. Tystiodd Ioan yn ei Efengyl fod lesu Grist yn 'oleuni dynion', a'i fod yn oleuni sy'n '*llewyrchu yn y tywyllwch, ac nid yw'r tywyllwch wedi ei drechu ef*'.

Nid yw'n rhyfedd felly fod goleuadau a chanhwyllau yn cael lle amlwg yn ein dathliadau. Mae'r arfer o oleuo canhwyllau ac addurno tai yn mynd yn ôl o leiaf i gyfnod yr Ymerodraeth Rufeinig. Ar yr adeg hon o'r flwyddyn, arferai'r Rhufeiniaid gynnal gŵyl i ddathlu dyfodiad y gwanwyn wedi nosweithiau tywyll a hir y gaeaf. Yn eu dathliadau, goleuent ganhwyllau a choelcerthi, a rhoddent anrhegion i'w gilydd, ac edrychent ymlaen at weld goleuni cynnes y gwanwyn yn trechu tywyllwch oer y gaeaf.

Yn gynnar yn ei hanes, fe fabwysiadodd yr Eglwys Gristnogol yr hen ŵyl baganaidd hon i gyhoeddi mai Iesu Grist yw Goleuni'r byd, a bod goleuni ei gariad yn gryfach na holl alluoedd y tywyllwch, fel y gwelwyd mor ogoneddus ar fore Sul y Pasg:

'Cans llosgi wnaeth dy gariad pur bob cam,
Ni allodd angau'i hun ddiffoddi'r fflam.'

Dywed yr Arglwydd Iesu Grist wrthym heddiw, *'Myfi yw Goleuni'r byd. Ni fydd neb sy'n fy nghanlyn i byth yn rhodio yn y tywyllwch, ond bydd ganddo oleuni'r bywyd.'*

Yn ein dathliadau eleni, gadewch, felly, i addurniadau ein cartrefi a goleuni'r goeden Nadolig ein hatgoffa, nid am ddyfodiad Siôn Corn, ond am ddyfodiad Arglwydd y goleuni i'n byd. Y mae canlyn yr Arglwydd lesu Grist yn golygu rhodio yn ei oleuni ef, a llewyrchu ei gariad i ganol tywyllwch ein hoes.

Duw Immanuel, Duw gyda ni mewn gorfoledd.

Rydym wedi meddwl am y Nadolig erioed fel gŵyl o orfoledd mawr, ac unwaith eto, fe roddir cyfle i ni brofi o orfoledd Efengyl ein Harglwydd lesu Grist.

Am ryw reswm, tueddwn i anghofio'r ffaith fod y pedair Efengyl yn portreadu Iesu Grist fel person ifanc bywiog a llawen. Yn hytrach, mae darlun y proffwyd Eseia ohono fel gŵr gofidus a chynefin â dolur wedi cael llawer mwy o sylw. Y mae hyn, o gofio'r hyn a ddigwyddodd i Iesu ar Galfaria, wrth gwrs, yn ddealladwy, ond mae'n bwysig cofio tystiolaeth yr Efengylau fod Iesu Grist yn berson llawen ei ysbryd, ac iddo ddwyn gorfoledd mawr i fywydau llawer iawn o bobl. Yn wir, fe barodd orfoledd i lawer pan oedd yn faban bach ar lin ei fam Mair. Gadewch inni wrando ar nifer o adnodau sy'n tystio i'r llawenydd hwn.

'Y mae fy enaid yn mawrygu'r Arglwydd, a gorfoleddodd fy ysbryd yn Nuw, fy Ngwaredwr.'

'Pan glywais dy lais yn fy nghyfarch, dyma'r plentyn yn fy nghroth yn llamu o orfoledd.'

'Dychwelodd y bugeiliaid gan foli a gogoneddu Duw am yr holl bethau a glywsant ac a welsant, yn union fel y llefarwyd wrthynt.'

'A phan welsant y seren, yr oeddent yn llawen dros ben.'

Yn ddiamau, mae gorfoledd yn un o nodweddion amlycaf y bywyd Cristnogol, ac onid felly y dylai fod, gan ei fod yn tarddu o galon Duw ei hun, ac yn ffrydio yng nghalonnau'r rhai sy'n credu yn ei fab Iesu Grist? Sail ein gorfoledd yw bod Duw gyda ni yn ei Fab, ac fe rydd hynny sicrwydd inni y bydd popeth yn iawn. Nid oes gan y dyn seciwlar y cysur hwn ar daith bywyd, a thra cefna ar Dduw, fe fydd rhaid iddo ymgodymu â'r ymdeimlad poenus o unigrwydd llethol. Ond y newydd da o lawenydd mawr yw nad ydym ar ein pennau ein hunain. Mae Duw gyda ni, ac mae credu hyn ar daith bywyd yn esgor ar orfoledd yn ein calonnau.

Fe ddywedodd yr Arglwyddes Grey am ei gŵr enwog, Syr Edward Grey, *'He lit so many fires in cold rooms.'* Pa faint mwy felly yr Arglwydd Iesu Grist. Onid hynny a wnaeth yng nghalonnau'r rhai a aeth i'w weld yn faban bach yn ei grud? Yn y gwasanaeth hwn, estynnir cyfle i ni hefyd fynd yn ein dychymyg i Fethlehem i weld achos y llawenydd mawr. Awn ar ein taith, ac ymatebwn i alwad y bardd Cynan:

'Am hynny, llawenhewch yn yr Arglwydd, fy nghyd-Gristionogion,
Llawenhewch am na ellwch ddim ohonoch eich hunain,
Llawenhewch am mai eithaf dyn yw cyfle Duw,
Llawenhewch am mai lesu Grist yw'n hunig Iachawdwr,
lachawdwr y byd, a minnau, – a thithau, – a thithau.
Llawenhewch na ddiffoddir byth mo'i Seren Ef.
Llawenhewch gyda Mair a Joseff,
Llawenhewch gyda'r Bugeiliaid a'r Doethion,
Llawenhewch gyda'r Gwirioniaid a'r Merthyri.
Gyda holl lu'r nef, llawenhewch.'

Duw Immanuel – Duw gyda ni mewn dioddefaint.
Os yw goleuni yn amlwg yn hanesion genedigaeth Crist, mae'n bwysig cofio mai llewyrchu a wnaeth y goleuni yng nghanol y tywyllwch.

Yr un modd llawenydd. Rydym yn dathlu gŵyl y Geni mewn llawenydd yng nghanol byd digroeso a chreulon iawn. Yn wir, mae'r nos, a naws y nos, yn amlwg iawn yn hanes y doethion a'r bugeiliaid. Cofiwn hefyd mai yn hwyr y nos y cymerodd Joseff ei gymar Mair a'i blentyn Iesu allan o Fethlehem, gan ffoi i'r Aifft rhag llid a dicter y brenin Herod. Am hynny, yn ein llawenydd, ni allwn anghofio'r wedd dywyll a dioddefus sy'n perthyn i ŵyl y Geni. Do, fe gafodd Iesu Grist groeso calon gan yr ychydig, ond croeso digon oeraidd a gafodd gan eraill. Bu raid i'w rieni chwilio am lety, medd Luc, '*am nad oedd lle iddynt yn y gwesty*', a phan glywodd Herod am eni Iesu Grist, fe'i cythruddwyd gymaint nes '*rhoddodd orchymyn i ladd pob bachgen ym Methlehem a'r holl gyffiniau oedd yn ddwyflwydd oed neu lai.*'

Felly, dod i fyd digroeso a chreulon a wnaeth Iesu Grist, byd y llety llwm a chynllwynion twyllodrus Herod, byd rhoi trethi trymion ar werin dlawd Israel, a thywallt gwaed bechgyn bach ym Methlehem, a byd lle clywyd wylofain a galar y gwragedd na fynnent eu cysuro.

Mae problem dioddefaint yn ein byd wedi peri dryswch meddwl i ddyn erioed, a'i arwain i ofyn cwestiynau megis, pam y mae cymaint o ddioddefaint, a beth y mae Duw yn ei wneud i'w helpu?

Nid yw'n hawdd rhoi atebion boddhaol ond, fel Cristnogion, rydym yn cyhoeddi eto'r Nadolig hwn fod Duw gyda ni yng nghanol dioddefaint ein byd, ac yn ei uniaethu ei hun yn llwyr â thrallodion a holl ofidiau dynol-ryw. Gwyddom iddo wneud hynny yn llwyr ym mherson ei fab Iesu Grist. Nid aros yn faban bach yn niogelwch ei grud a wnaeth Iesu Grist, and tyfu yn ŵr ifanc a brofodd fywyd yn ei amrywiaeth mawr – yn ei lawenydd a'i ddedwyddwch, ac yn ei galedi a'i chwerwder. Mae hyn yn cysylltu'r crud ym Methlehem â chroes Calfaria, lle yr uniaethodd Iesu Grist ei hun yn llwyr â ni, '*gan fod yn ufudd hyd angau, ie, angau ar groes*'.

Am hynny, nid ydym fel Cristnogion yn aros yn ormodol gyda'r darlun o'r baban Iesu yn ei grud, ond gyda'r baban a dyfodd yn ŵr ifanc, ac a ddioddefodd waradwydd y groes, a thrwy'r groes orchfygu pechod, angau a'r bedd. Y mae Duw yn Iesu Grist yn Dduw Immanuel – yn Dduw gyda ni heddiw. Ynddo ef y mae sicrwydd ein hiachawdwriaeth, a gobaith ein byd. Gadewch inni ddangos ein gorfoledd yn ein haddoliad iddo, ac yna, wedi'r oedfa hon, mynd allan i'r byd mawr i ganmol ei enw, ac i wasanaethu ein hoes. Amen.

John Lewis Jones

❖ Gŵyl y Goleuni

'Y bobl oedd yn rhodio mewn tywyllwch a welodd oleuni mawr; y rhai a fu'n byw mewn gwlad o gaddug dudew a gafodd lewyrch golau.'

'Ynddo ef yr oedd bywyd, a'r bywyd, goleuni dynion ydoedd. Y mae'r goleuni yn llewyrchu yn y tywyllwch, ac nid yw'r tywyllwch wedi ei drechu ef.'

'Yr Arglwydd yw fy ngoleuni a'm gwaredigaeth, rhag pwy yr ofnaf?'

Ie, Gŵyl y Goleuni yw'r Nadolig. Yn ein cartrefi, rhoddwn oleuadau ar ein coeden Nadolig, a'i gosod yn y ffenestr. Yn ein pentrefi a'n trefi, rhoddir goleuadau llachar ar hyd y strydoedd, a choeden enfawr wedi ei goleuo'n lliwgar yn y sgwâr. Ers talwm, arferai pobl ar ddiwrnod Nadolig gerdded yn blygeiniol i'r eglwys i ganu carolau. Yn y dyddiau hynny, nid oedd trydan na nwy i oleuo'r eglwysi, ac felly, deuai'r addolwyr â'u canhwyllau eu hunain, a pho fwyaf o bobl a fynychai'r plygain gyda'u canhwyllau, mwyaf llachar fyddai'r goleuni.

Yn y capel hwn, mae gennym oleuni trydan, ond nid yw hynny yn ein rhwystro rhag goleuo cannwyll i ddathlu geni pen blwydd Iesu Grist. Gadewch inni wneud hynny, a chanu carol sy'n sôn am y goleuni a lewyrchodd ym Methlehem Jwdea.

Yn y Testament Newydd, Mathew a Luc sy'n adrodd hanes geni Iesu Grist, ac y maent yn sôn am ddyfodiad y goleuni nefol i'r byd. Dyma ddywed Mathew wrth dystio i'r digwyddiad rhyfedd hwn:

Darlleniad: Mathew 2:1–12

Seren ddisglair yn goleuo'r awyr a welodd y doethion, ac wrth ei dilyn, fe ddaethant i Fethlehem, a chael hyd i'r baban Iesu gyda Mair ei fam. Pobl oeddynt yn chwilio yn y tywyllwch, ond chwilio a wnaethant gan edrych i fyny ar seren ddisglair. Wrth barhau i edrych arni, sylwasant, fel y dywed Mathew, ei bod yn teithio i le arbennig: *'A dyma'r seren a welsent ar ei chyfodiad yn mynd o'u blaen hyd nes iddi ddod ac aros uwchlaw'r man lle'r oedd y plentyn.'* Cyfrinach llwyddiant y daith i'r doethion oedd iddynt gadw eu golygon ar y seren. Er hynny, bu bron iddynt syrthio i brofedigaeth un adeg ar y daith, drwy ostwng eu golygon i holi'r brenin annuwiol hwnnw, Herod. Mynegir hyn mewn englyn gan y bardd Gwilym Herber Williams:

'Y rhain o'r Dwyrain sy'n dod – i siarad
Am seren wrth Herod:
Ymholi ar gamelod
Am Un bach, y mwya'n bod!'

Ond fel gwir ddoethion, fe ddysgodd y rhain oddi wrth eu camgymeriadau. Codasant eu golygon eilwaith at y seren, a'r tro hwn, arweiniwyd hwy yn ddiogel i Fethlehem Jwdea lle ganwyd y baban Iesu. Yn y cyswllt hwn, daw cyngor Emerson i'r cof: *'Hitch your wagon to a star, and that star must be the star of Bethlehem'.* Boed i ninnau hefyd godi ein golygon i'r nefoedd, a dyheu gyda'r bardd O. M. Lloyd:

'O na welem ni olau – ei seren
A phrysuro'n camau
I Fethlem, i roi'n gemau
O'i flaen Ef i'w lawenhau.'

Y mae Luc hefyd yn sôn am oleuni yng nghanol nos. Fel yn hanes y doethion, mae'r nos yn amlwg yn hanes y bugeiliaid hefyd, ac i ganol nos eu bywydau y daeth angylion, gan ddisgleirio golau Duw o'u hamgylch. Gwrandawn ar yr hanes.

Darlleniad: Luc 2:8–20

'A disgleiriodd gogoniant yr Arglwydd o'u hamgylch.' Fe ddigwyddodd hyn ganol nos pan oedd hi dywylla'. Mae hyn yn ein hatgoffa o frawddeg y proffwyd Eseia, *'Y bobl oedd yn rhodio mewn tywyllwch, ac mewn gwlad o gaddug dudew.'*

Mae lle i ofni ei bod yn nos arnom yn ysbrydol yng Nghymru heddiw, ac mae'n well gan lawer aros yn nhywyllwch anghrediniaeth a phechod ein hoes nag ymateb i oleuni'r Efengyl.

Ond nid felly'r bugeiliaid, ac aethant ar frys i weld yr hyn oedd wedi digwydd. Mae'n rhaid bod yr ymweliad nefol hwn wedi effeithio'n fawr ar y bugeiliaid, oherwydd nid yn aml y mae'n bosibl eu tynnu oddi wrth eu gwaith, fel yr awgryma'r bardd:

> 'Fugeiliaid garw, pa gerdd a faidd
> Liw nos eich denu oddi wrth y praidd?
> Pe gwrandawech chwithau, aech mewn hoen
> I syllu ar y Dwyfol Oen.'

Mae yn hanes y bugeiliaid neges arbennig i ninnau hefyd. Yng nghlyw'r newyddion da, boed inni gyda'r Ficer Prichard brysuro ein camau i Fethlehem.

> 'Mae'r bugeiliaid wedi blaenu
> tua Bethlem dan lonyddu,
> i gael gweld y grasol Frenin;
> ceisiwn ninnau bawb eu dilyn.'

Dywed Luc wrthym i'r bugeiliaid ddychwelyd *'gan ogoneddu a moli Duw am yr holl bethau a glywsant ac a welsant'.* Onid felly y dylai fod yn ein hanes ninnau hefyd? Fe ddaw'r oedfa hon i ben, ond gobeithiwn y byddwn yn parhau, ar ôl yr oedfa, i ganmol y baban Iesu a ddaeth yn Geidwad ein bywyd ac yn obaith i'n byd.

Mae ein darlleniad olaf yn yr Efengyl yn ôl Ioan. Ni chawn hanes geni lesu Grist gan Ioan. Yn hytrach, mae'n egluro pwy yw lesu Grist mewn gwirionedd, ac yn niwedd ei lyfr, mae'n egluro iddo gofnodi'r hanes, '*er mwyn i chwi gredu mai Iesu yw'r Meseia, Mab Duw, ac er mwyn i chwi trwy gredu gael bywyd yn ei enw ef'.* Gwrandawn yn awr ar dystiolaeth Ioan yn y bennod gyntaf.

Darlleniad: Ioan 1:1–18

Mae'r bennod gyfoethog hon yn tystio fod lesu Grist yn fwy ac yn well na phawb. Yn wir, fe â Ioan ymhellach trwy ddweud fod lesu Grist yn unig wir Fab Duw, ac iddo ddod i'r byd i roi goleuni a bywyd i bwy bynnag sy'n credu.

Gŵr a bortreadodd Iesu Grist fel goleuni oedd Holman Hunt, yr arlunydd enwog. Yn y darlun, '*Goleuni'r Byd',* mae Crist yn sefyll y tu allan i'r drws yn curo, gyda llusern olau yn ei law. Onid yw neges y darlun yn un gysurlawn? Mae lesu'n curo wrth ddrws calon pob un ohonom, ac os caiff dderbyniad gennym, fe dry nos ein bywyd yn ddydd.

Un o nodweddion goleuni yw ei fod yn dileu'r tywyllwch. Onid hynny a wnaeth yr Arglwydd lesu Grist wrth ddod i'n byd? Llewyrchodd haul ei gariad lle bynnag yr âi, a thrwy angau'r Groes, fe'n sicrhaodd na all holl alluoedd y tywyllwch ddiffodd fflam ei gariad. Fe fynegir hyn yn rymus gan yr emynydd George Rees:

'Cans llosgi wnaeth dy gariad pur bob cam,
ni allodd angau'i hun ddiffoddi'r fflam.'

Credwn fod fflam cariad Iesu Grist yn dal i gynhesu calonnau ei ddilynwyr, ac yn eu galluogi i orchfygu holl alluoedd y tywyllwch.

Mae hyn wrth gwrs, yn fraint fawr ac yn gyfrifoldeb arbennig. Plant y Goleuni yw Cristnogion, a chymdeithas y wawr yw'r Eglwys Gristnogol. Mae goleuni yn llewyrchu orau pan fo'r tywyllwch dduaf. Fe ddylai hyn fod yn gysur inni, ac yn sbardun i ni ddal ati. Meddai Paul, *'Y mae'r nos ar ddod i ben, a'r dydd ar wawrio. Nid ydym yn perthyn i'r nos nac i'r tywyllwch.'* Gadewch inni, felly, roi heibio weithredoedd y tywyllwch, a byw yng ngoleuni'r Efengyl gan gredu yn Iesu Grist.

'Mi glywais lais yr Iesu'n dweud,
"Goleuni'r byd wyf fi,
tro arnaf d'olwg, tyr y wawr,
a dydd a fydd i ti."
At Iesu deuthum, ac efe
fy haul a'm seren yw;
yng ngolau'r bywyd rhodio wnaf
nes dod i gartre 'Nuw.'

Dymunwn i chwi, deuluoedd, fendith y Nadolig, bendith Gŵyl y Goleuni, a'r llawenydd o wybod fod Iesu Grist yn Oleuni'r byd, ac yn Oleuni i bwy bynnag sy'n credu ynddo Ef. Er mwyn ei enw. Amen.

John Lewis Jones

❖ DATHLU'R NADOLIG

'Disgwyliaf wrth yr Arglwydd; y mae fy enaid yn disgwyl, a gobeithiaf yn ei air; y mae fy enaid yn disgwyl wrth yr Arglwydd yn fwy nag y mae'r gwylwyr am y bore.'
'Ganwyd i chwi heddiw yn nhref Dafydd, Waredwr, yr hwn yw'r Meseia, yr Arglwydd.'
'Y mae fy enaid yn mawrygu yr Arglwydd.'

Disgwyl yr addewid, derbyn yr addewid, a dathlu'r addewid. Dyma yw byrdwn y tair adnod a glywsom yn awr, a dyma y ceisiwn ei wneud yn yr oedfa hon, sef disgwyl yn eiddgar yr addewid am y Meseia, derbyn yn ddiolchgar yr addewid am y Meseia, a dathlu yn llawen fod y Meseia yn Waredwr ein bywyd.

Yn gyntaf, disgwyl yr addewid

Darfu i Moses a'r proffwydi
ddweud amdano cyn ei ddod.

Do, bu disgwyl mawr am ganrifoedd yn Israel am y Meseia, ac mae'r proffwydi yn mynegi hyn yn glir iawn, fel y gwelwn, er enghraifft, yn llyfr y proffwyd Eseia.

Darlleniad: Eseia 11:1–10

Mae'n anodd i ni heddiw amgyffred dyfnder disgwyliad pobl Israel am y Meseia, a'r modd y parhaodd yr ysbryd hwn mor ddisglair am ganrifoedd lawer. Cenedl dan ormes cenhedloedd eraill fu Israel am y rhan fwyaf o'i hanes. Gormeswyd hi gan yr Eifftiaid, y Babiloniaid, y Groegiaid a'r Rhufeiniaid ond, er hynny, ni ddiffoddwyd gobaith y genedl fechan hon, ac fe adlewyrchwyd hynny yn ei ffydd yn Nuw y byddai ryw ddydd yn anfon y Meseia i'w gwaredu o afael y gelynion.

Erbyn cyfnod Iesu Grist, roedd y gobaith hwn wedi gwanhau yn fawr iawn yn Israel, a bellach, ychydig oedd yn dal i ddisgwyl yn weddigar am y Meseia. Dyddiau tywyll yn hanes Israel oedd y rhain. Gafaelai ymerodraeth Rhufain yn dynn amdani, gan ormesu ei phobl â threthi trymion a gorchfygu pob mudiad gwladgarol a feiddiai herio ei hawdurdod. Yn wyneb hyn, roedd y gobaith Meseianaidd yn wan iawn yn y tir ond, er hynny, roedd gweddill ffyddlon i'w cael o hyd. Pobl yn gwrthod rhoi'r gorau i'r ysbryd oeddynt, ac a ddaliodd straen y disgwyl hir. Eneidiau prin a gwerthfawr oeddynt, ac yn eu plith yr oedd Mair a Joseff, a hen ŵr o'r enw Simeon ac Anna'r broffwydes.

Mae swyn neilltuol yn hanes Simeon ac Anna yn disgwyl cyflawniad yr addewid. Collodd Anna ei gŵr yn ifanc iawn, ond ni adawodd i'r brofedigaeth chwerw hon suro ei bywyd. Ar hyd ei hoes faith, fe lynodd yn ffyddlon wrth ei ffydd yn Nuw, gan ddisgwyl yn weddigar obeithiol am y Meseia. Roedd gan Simeon hefyd ddisgwyliadau crefyddol tebyg iawn i Anna. Fe wrandawn yn awr ar ei hanes yn Efengyl Luc.

Darlleniad: Luc 2:25–32

Yn ail, derbyn yr addewid

'Wele, cawsom y Meseia,
  cyfaill gwerthfawroca' 'rioed.'

Ond nid fel cyfaill y derbyniwyd y baban Iesu gan nifer o bobl. Pan gyrhaeddodd ei rieni yn flinedig ym Methlehem, nid oedd lle iddynt yn y gwesty, a bu'n rhaid i Mair, ar ôl geni'r baban Iesu, ei roi ym mhreseb yr anifail. Ond os oedd y croeso yn oeraidd ym Methlehem, nid oedd croeso o gwbl yn Jerwsalem, ac ar unwaith gorchmynnodd y brenin Herod i'w filwyr ladd y baban Iesu a anwyd ym Methlehem.

Yn yr Efengyl yn ôl Ioan cyfeirir at ymateb amrywiol pobl i enedigaeth Iesu Grist. Y mae rhai yn gwrthod credu, gan ddewis llwybr unig anghrediniaeth, tra y mae eraill yn credu, ac yn mwynhau perthynas newydd â Duw. Dywed Ioan:

Daeth i'w gynefin ei hun, ac ni dderbyniodd ei bobl ei hun mohono. Ond cynifer ag a'i derbyniodd, rhoes iddynt hwy, y rhai sy'n credu yn ei enw, hawl i ddod yn blant Duw.

Mae'n dda dweud i nifer fawr o Iddewon hefyd, fel y cenhedloedd, dderbyn Iesu Grist yn llawen ac yn ddiolchgar. Pobl felly oedd y bugeiliaid a'r doethion ac, yn eu brwdfrydedd, aethant i Fethlehem i weld yr hyn oedd wedi digwydd. Gadewch i ninnau yn awr fynd gyda hwy ar y daith yn llawen ein calon ac yn ddiolchgar ein hysbryd.

Darlleniad: Luc 2:1–5

Yn drydydd, dathlu'r addewid

Rydym wedi cyfeirio heddiw at ddisgwyl hir yr Iddewon am y Meseia, a'r derbyniad cynnes ac addolgar a gafodd gan y 'gweddill ffyddlon' yn Israel. Symudwn ymlaen yn awr at ddathlu'r addewid. Rydym eisoes wedi canu mawl i Dduw am ddyfodiad ei fab Iesu Grist, a gwyddom am y perygl o ganu geiriau heb ganu mawl i Dduw. Mae'n hawdd iawn gyda threiglad y blynyddoedd golli rhin y Nadolig a rhyfeddod Gŵyl y Geni. Yn ei gerdd hyfryd i 'Deyrnas Diniweidrwydd' mae gan Rhydwen Williams rybudd dwys iawn i bawb ohonom:

'Yn nheyrnas diniweidrwydd
  Gwyn fyd pob plentyn bach
Sy'n berchen llygaid llawen
  A phâr o fochau iach!
Yn nheyrnas diniweidrwydd
  Gwae hwnnw, wrth y pyrth:
Rhy hen i brofi'r syndod,
  Rhy gall i weld y wyrth!'

Yn hanes y geni, gwelsom wŷr doeth yn addoli, a bugeiliaid cyffredin yn gogoneddu enw Duw. Mae'r Nadolig hwn unwaith eto yn estyn cyfle i bawb ohonom uno yn y moliant, a chyhoeddi, '*Daeth Duwdod mewn baban i'n byd'*.

I ni gredinwyr, mae i'r Nadolig ei naws a'i awyrgylch unigryw sy'n peri inni sylweddoli fod rhai pethau i'w derbyn yn hytrach na'u deall. Ni olyga hyn ein bod yn dilorni'r wedd ddeallusol i neges fawr Gŵyl y Geni, ond ein bod yn cydnabod bod ein meddyliau meidrol ni yn rhy gyfyng i ddatrys dirgelwch yr Ymgnawdoliad. Yn hytrach, rhoddir cyfle inni, fel mynegodd Pantycelyn, drwy ffydd, amgyffred a rhyfeddu.

'Ymhlith holl ryfeddodau'r nef
  hwn yw y mwyaf un –
gweld yr anfeidrol, ddwyfol Fod
  yn gwisgo natur dyn.'

Dyma yn wir yw neges syfrdanol yr Efengyl, a heddiw daethom ynghyd i dderbyn ac i ddathlu yn llawen y newyddion da am Iesu Grist, ac i glodfori ei enw. Amen.

❖ Aur, Thus a Myrr

'Canys bachgen a aned i ni, mab a roed i ni, a bydd yr awdurdod ar ei ysgwydd. Fe'i gelwir, "Cynghorwr rhyfeddol, Duw cadarn, Tad bythol, Tywysog heddychlon".'

Mae'r Nadolig yn amser o lawenydd am fod Duw wedi dod i ganol bywyd dyn yn ei Fab Iesu Grist, ac wedi datguddio'i hun i ni yn ei gariad a'i ras. Yn y gwasanaeth hwn, byddwn yn dathlu'r digwyddiad rhyfeddol hwn mewn mawl a chân.

Darlleniad: Mathew 1:18–25

Unwaith eto y Nadolig hwn byddwn fel teuluoedd a chyfeillion yn rhoi a derbyn anrhegion. Y mae'r arferiad hwn yn gydnaws ag ysbryd y Nadolig oherwydd gŵyl y rhoddi mawr yw Gŵyl y Geni, ac yn y gwasanaeth hwn, byddwn yn cofio ac yn dathlu y rhoddi mwyaf a welodd ein byd erioed.

'Wrth dderbyn ein hanrhegion
Ar fore dydd Nadolig,
O cofiwn anrheg Duw i'r byd,
Y baban bendigedig.'

Gŵyl y derbyn hefyd yw Gŵyl y Nadolig. Nid oes ystyr i roddi os nad oes rhywun i dderbyn. Byddwn yn anfon eto eleni nifer fawr o gardiau a pharseli yn y gobaith y byddant yn cael eu derbyn yn llawen. Yn yr un modd, anfonodd Duw ei rodd anhraethadwy i'r byd, a gwnaeth hynny yn y gobaith y byddwn yn ei derbyn yn llawen.

Yn yr efengylau, cawn hanes dau ddosbarth gwahanol iawn i'w gilydd yn derbyn y baban Iesu, sef y bugeiliaid gwerinol a syml eu bywyd, a'r doethion dysgedig a ddaeth o'r dwyrain i Fethlehem. Yn ein gwasanaeth heddiw, fe ganolbwyntiwn ar hanes y doethion yn dilyn y seren nes canfod trysor y nefoedd ar liniau Mair. Gadewch inni wrando ar yr hanes yn Efengyl Mathew.

Darlleniad: Mathew 2:1–12

Mae hanes y doethion yn ymweld â'r baban Iesu ym Methlehem Jwdea wedi rhoi cyfle i lawer bardd ac arlunydd ddefnyddio ei ddychymyg a llunio stori. Gŵr a wnaeth hyn oedd Beda, mynach o Sais o'r wythfed ganrif. Yn ôl Beda, brenhinoedd gwahanol iawn i'w gilydd o ran oedran, gwedd a phersonoliaeth oedd y tri gŵr doeth. Brenin ifanc, di-farf oedd Caspar, o deulu Cham. Brenin canol oed a thywyll ei groen oedd Balthasar, yn hanu o deulu Japheth, a hen frenin â barf wen oedd Melchior, o deulu Shem. Yn y stori, dywed Beda fod y tri brenin yn cynrychioli holl genhedloedd y byd, a phob oedran o bobl, ac yn eu hymweliad â'r baban Iesu, gwelai addewid am gyflawni'r gobaith a geir yn neges y proffwyd Eseia, sef:

'Fe ddaw'r cenhedloedd at dy oleuni, a brenhinoedd at ddisgleirdeb dy wawr.'

Mae eraill hefyd wedi tynnu ar eu dychymyg wrth fyfyrio ar hanes y doethion. Gwelodd Origen o Alexandria yn yr Aifft, diwinydd o'r ail ganrif, arwyddocâd arbennig yn rhoddion y doethion i'r baban Iesu, a chyhoeddodd fod aur yn arwydd o *frenhinaeth* Crist, thus yn arwydd o *offeiriadaeth* Crist, a myrr yn arwydd o *farwolaeth* Crist.

Yn ein gwasanaeth heddiw, fe arhoswn gyda'r tair rhodd a'u harwyddocâd i ni heddiw.

Fel y dywedwyd, mae sawl stori wedi eu gwau o gwmpas y doethion. Yn ôl un stori, y brenin ifanc Caspar a roddodd aur yn anrheg i'r baban Iesu, y brenin canol oed Balthasar a roddodd thus, a'r brenin Melchior, yr hen ŵr, a roddodd fyrr.

Dechreuwn gyda'r rhodd o 'aur'. Aur yw brenin y metelau, ac yn chwedlau llawer o wledydd, pwysleisir mai aur yw'r rhodd sy'n weddus i frenin. Os felly, mae'n weddus iawn i'r brenin Iesu yn ei grud.

Un o rinweddau aur yw ei fod yn parhau yn ei werth. Mae llawer iawn o fetelau, gan gynnwys hyd yn oed fetelau caled fel haearn, yn rhydu ac yn darfod ymhen amser, ond mae aur yn eu goroesi i gyd. Wel, onid felly y brenin a anwyd ym Methlehem Jwdea? Dywed yr emynydd:

'Mae mwynder cnawd a byd yn myned heibio,
Diflanna oes fel breuddwyd gwael ei lun;
Ond er pob peth sy'n newid ac yn cilio,
Tydi, O Grist, y sydd o hyd yr un.'

Cyfeiriwn yn aml at aur wrth drafod cyfoeth, ond y gwir yw mai fel addurn y defnyddir ef fwyaf, i harddu a mireinio pethau. Yn yr Hen Destament, er enghraifft, darllenwn am y brenin Solomon yn anrhydeddu Duw trwy brydferthu dodrefn a llestri'r deml ag aur, sef y metel puraf a'r disgleiriaf y gwyddai amdano.

Wel, onid aur ein ffydd yw'r Arglwydd Iesu Grist, ac onid ef yw'r puraf a'r disgleiriaf a welodd ein byd erioed? Yn wir, cymaint oedd ei ddisgleirdeb fel y bu i'w ddilynwyr, yn ôl Ioan, weld ynddo ogoniant Duw:

'A daeth y Gair yn gnawd a phreswylio yn ein plith, yn llawn gras a gwirionedd; gwelsom ei ogoniant ef, ei ogoniant fel unig Fab yn dod oddi wrth y Tad.'

Yn y baban Iesu gwelodd y doethion frenin yr holl fyd. Y mae potensial rhyfeddol i'w gael ymhob bywyd, onid oes? Pwy, er enghraifft, fyddai'n meddwl mai o'r fesen fach y daeth y dderwen fawr? Wel, pwy feddyliai wrth edrych ar y plentyn di-nerth ar liniau Mair mai ef oedd brenin mawr yr holl fyd! Mynegir y rhyfeddod hwn yng ngeiriau'r hen bennill:

'Mair ei fam yn gwenu arno
A'i gadw rhag y dŵr a'r tân;
Yntau'n dal yr haul mewn pellter
Rhag llosgi'r byd ar dân.

Mae yn Iesu greadigaeth
Sydd tu hwnt i'n deall ni,
Ymorwedd arno, credu ynddo
Ydyw'r cwbl a fedraf fi.'

Ail rodd y doethion oedd thus, ac fe'i rhoddwyd i arwyddo offeiriadaeth Iesu Grist. Perarogl gwerthfawr iawn yw thus, ac fe'i defnyddir yng ngwasanaethau'r deml Iddewig. Mae'r archoffeiriad yn y deml yn cynrychioli'r bobl mewn addoliad ac aberth, a'i swyddogaeth yw agor ffordd iddynt at orsedd gras, a chreu awyrgylch heddychlon a dymunol rhwng Duw a'i bobl. Y gred yw y gwna hyn trwy aberthu a gwasgaru perarogl gwerthfawr.

Onid ein harchoffeiriad ni yw Iesu Grist? I'r Cristion, Ef yw'r Archoffeiriad Mawr sydd wedi'i uniaethu ei hun â'n gwendid ni, a'n cymodi â Duw drwy aberth y groes. Dyma yn wir yw byrdwn y llythyr at yr Hebreaid, fel y gwelwn yn y ddwy adnod ganlynol:

'Canys nid archoffeiriad heb allu cyd-ddioddef â'n gwendidau sydd gennym, ond un sydd wedi ei demtio ym mhob peth, yn yr un modd â ni, ac eto heb bechod. Felly, gadewch inni nesáu mewn hyder at orsedd gras, er mwyn derbyn trugaredd a chael gras yn gymorth yn ei bryd.'

Un o nodweddion thus yw ei arogl hyfryd. Y mae hefyd yn barhaol ei effaith, ac yn gadael ei arogl peraidd ar bawb sy'n dod i gysylltiad ag ef. Onid hyn hefyd oedd profiad y disgyblion yng nghwmni Iesu Grist? Yn hyfrydwch ei gwmni, daethant i ymwybyddiaeth o'i brydferthwch dwyfol, ac wrth arogli persawr ei gariad, cawsant feddyginiaeth sy'n gwella pob clwyf. Onid hyn yw ein braint ninnau hefyd mewn oedfa ar drothwy'r Nadolig? Yng ngŵyl fawr y Geni, cyhoeddwn fod Duw yn Dduw Immanuel – yn Dduw gyda ni yn Iesu Grist, a bod perarogl ei gariad yn glynu ac yn pereiddio ysbryd pwy bynnag sy'n credu ynddo. Dymunwn fendith iachusol Iesu Grist arnoch dros ŵyl y Geni.

Nesâ at fy enaid, Waredwr y tlawd;
Datguddia dy Hunan, dy fod imi'n Frawd;
Prydferthwch fy mywyd a'i nerth ydwyt Ti,
A phrofi o'th gariad sy'n nefoedd i mi.'

Gorffennwn ein myfyrdod gyda thrydedd rodd y doethion, sef myrr. Yng ngwledydd y Dwyrain hyd heddiw, defnyddir myrr i eneinio'r meirw ar gyfer eu claddu, ac oherwydd hynny mae myrr yn arwydd i ni o farwolaeth Iesu Grist.

Mae'n hawdd iawn inni gredu, wrth glywed carolau swynol ac yn awyrgylch hyfryd addoliad, mai i fyd o dlysni tangnefeddus y ganwyd Iesu Grist. Pan fo'r angylion yn canu clod i Dduw, y doethion yn plygu mewn addoliad, y bugeiliaid yn syllu mewn syndod, a Mair a Joseff yn dotio ar yr un bach yn ei grud, mae'n chwithig iawn sôn am farwolaeth y baban Iesu. Ond y gwir yw nad i fyd o dlysni tangnefeddus y ganwyd ein Ceidwad, ond i fyd digroeso a chreulon. Daw hyn yn ofnadwy o wir yn hanes gweithredoedd dieflig Herod a'i filwyr yn lladd plant bach Bethlehem, a'u mamau yn torri'u calonnau.

'Clywyd llef yn Rama, wylofain a galaru dwys; Rachel yn wylo am ei phlant, ac ni fynnai ei chysuro, am nad oeddent mwy.'

Onid yr un yw'r stori o hyd? Yn gymysg â sŵn clychau'r Nadolig, clywir heddiw lef ddioddefus y diniwed, a chri anobaith pobl o dan iau caethiwed. Y mae'r cryf o hyd yn sathru ac yn gormesu, a thra bydd hyn yn parhau, bydd yr addfwyn yn dioddef a'r diniwed yn gwaedu.

Na, ni pheidiodd rhaib a chasineb Herod, ac nid stori dylwyth teg i'n suo i gysgu yw hanes geni Iesu Grist. Fe'i ganwyd i fyd digroeso ac oer, ond er gwaethaf creulondeb Herod a'i filwyr, ni rwystrwyd bwriadau cariad Duw. Diymadferth oedd y baban ar ei wely gwellt, a diymadferth oedd yr un a arweiniwyd i'r lladdfa, ond y diymadferth hwn a orchfygodd y byd ar groesbren Calfaria. Ac ar fore Sul y Pasg, cyhoeddwyd y newyddion syfrdanol nad gorffen mewn bedd a wnaeth y baban a anwyd gynt ym Methlem, ond gorffen mewn buddugoliaeth ar bechod, angau a'r bedd.

Ar hyd yr oesau, mae teyrnasoedd y byd wedi mynd a dod, ond mae teyrnas Iesu yn aros. Daeth teyrnasoedd y byd i fodolaeth trwy drais a gormes, ond trwy ras a chariad y daeth teyrnas Iesu Grist.

'Er danfon o'r Herod ynfyd – neges
I'w farchogion gwaedlyd,
Dwyfol dywysog deufyd
Sydd ben ar deyrnasoedd byd.'

Am hynny, peidiwn â digalonni mewn unrhyw fodd. Mae Iesu yn teyrnasu yn ein byd, a'n braint ni y Nadolig hwn yw cyhoeddi'r newyddion da o lawenydd mawr, a byw i'r Hwn sy'n deilwng o'r clod a'r gogoniant, yn awr ac yn oesoedd. Amen.

❖ Gwarth, Gwerth a Gwyrth y Nadolig

Darlleniad: Eseia 11:1–10

Yn yr iaith Gymraeg, fe geir tri gair sy'n debyg iawn i'w gilydd o ran llythrennau a sain, ond yn wahanol iawn i'w gilydd o ran ystyr, a'r tri gair yw, **'gwarth'**, **'gwerth'** a **'gwyrth'**. Yr hyn a wnawn heddiw yw defnyddio'r tri gair fel canllawiau i'n myfyrdod.

Yn gyntaf: gwarth y Nadolig
Rydym wedi dwyn cywilydd a gwarth arnom ein hunain drwy nifer o ffyrdd, ond y gwarth mwyaf yr ydym fel dynoliaeth wedi ei gyflawni yw gwrthod y trysor mwyaf a roddwyd inni. Mynegir hyn yn glir iawn yn Efengyl Ioan: *'Daeth i'w gynefin ei hun, ac ni dderbyniodd ei bobl ei hun mohono.'* Do yn wir, cafodd ei wrthod hyd yn oed yn faban bach, a hynny gan Herod, y brenin creulon hwnnw. Dyma'r adnodau:
'Yna, pan ddeallodd Herod iddo gael ei dwyllo gan y seryddion, aeth yn gynddeiriog, a rhoddodd orchymyn i ladd pob bachgen ym Methlehem a'r holl gyffiniau oedd yn ddwyflwydd oed neu lai.'

Canlyniad y weithred ddieflig hon oedd llef ingol y mamau ym Methlehem, a theimlir yr ing a'r dioddef yn y geiriau, '*Clywyd llef yn Rama, wylofain a galaru dwys; Rachel yn wylo am ei phlant, ac ni fynnai ei chysuro, am nad oeddent mwy.'*

Mae hanes plant bach yn cael eu lladd gan filwyr Herod yn ein hatgoffa nad i fyd perffaith a thlysni tangnefeddus y ganwyd Iesu, ond i fyd creulon a didostur. Ceisiwn anghofio hyn yn aml, drwy feddalu neges y Nadolig, a gwneud hanes geni Iesu Grist yn ddim mwy na stori dylwyth teg. Dyma beth yw rhamantu'r Nadolig, a rhoi'r argraff fod pawb yn derbyn y baban Iesu gyda breichiau agored a chalon gynnes. Ond nid yw'r Efengylau yn gwneud hynny o gwbl. Wrth gwrs, mae'r Efengylau yn tystio i'r croeso a gafodd y baban Iesu – y gorfoledd a brofodd Mair a Joseff, a'r llawenydd a lifodd o galonnau'r doethion a'r bugeiliaid wrth ei weld yn y preseb, ond mae Herod y brenin creulon hefyd yn rhan annatod o'r stori, ac yn ein hatgoffa mai i fyd creulon a didostur y ganwyd Iesu Grist.

Mae lladdfa'r diniwed a ddigwyddodd ym Methlehem Jwdea yn codi cwestiynau dwys iawn, megis, pam fod sawl teyrn wedi cael llaw rydd ar hyd yr oesau i ddifrodi a lladd y diniwed? Fe ddigwyddodd hynny ym Methlehem ddwy fil o flynyddoedd yn ôl, ac mae'n dal i ddigwydd yn ein byd heddiw. Yn wir, fe gyfyd y cwestiwn pam mai'r diniwed gan amlaf sy'n dioddef, a pham y caiff y teyrn bob rhyddid i gyflawni ei weithredoedd dieflig?

Mae'n gwestiwn anodd ei ateb, ac yn ein gwneud yn ymwybodol o'r grym dieflig sy'n gallu meddiannu pobl, a'u harwain i gyflawni troseddau arswydus. Cawn ein hatgoffa o hyn yn ddyddiol ar y cyfryngau ond, fel Cristnogion, daliwn i gredu fod gallu arall ar waith yn y byd ac ym mywydau pobl, a'r gallu hwnnw yw cariad achubol Duw yn Iesu Grist. Wrth gyflawni ei anfadwaith ar fechgyn bach ym Methlehem Jwdea, ychydig a feddyliodd Herod ei fod yn ymladd yn erbyn Mab Duw. Roedd y baban bach i'w weld yn gwbl ddiymadferth, ac eto yn y baban hwn yr oedd holl allu'r Duwdod yn bodoli. Fe fynegir hyn yn effeithiol iawn yn yr englyn canlynol:

'Er danfon o'r Herod ynfyd – neges
I'w farchogion gwaedlyd,
Dwyfol Dywysog deufyd
Sydd ben ar deyrnasoedd byd.'

Gorffennwn y rhan hon o'r neges gyda chwpled:
'Llwyddo'n iawn ni allodd neb
A ddibrisiodd ei breseb.'

Dibrisio Iesu Grist: gwareded ni rhag hynny, Gwarth y Nadolig.

Yn ail: gwerth y Nadolig

I ni Gristnogion, mae gwerth y Nadolig ynghlwm wrth y baban Iesu yn ei grud: ' ... *ganwyd i chwi heddiw yn nhref Dafydd, Waredwr, yr hwn yw'r Meseia, yr Arglwydd.'* Mae'r gwerth mae pobl yn ei roi ar y Nadolig yn amrywio'n fawr. Gwerth masnachol yw'r Nadolig i berchenogion y siopau mawr, ond i eraill, mae'n gyfle i wario pres a phrynu'n ddiddiwedd. Mae gan Alice Evans yn ei llyfr, *Gyda'r Ifanc,* gerdd dan y teitl, 'Sut Nadolig gei di 'leni?', a dyma'r pennill cyntaf:

'Bydd rhai, ar ddydd Nadolig, â'u meddwl ar gael gwledd,
Ond wedi'r holl loddesta, ceir tristwch ar eu gwedd;
Fe ddathlant ŵyl y Geni, ond 'phrofant hwy mo'i hedd;
A brofi di? O! dwed i mi, a brofi di?'

Beth yw gwerth cynnal yr ŵyl hon? Gallwn gynnig nifer o atebion. Y mae i'r ŵyl hon ei gwerth dyngarol, pan gawn gyfle i agor ein calon a chyfrannu i achosion da.

'Cofia'r gân, cofia'r geni – cofia Dduw
Lle bynnag fyddi;
Ac wrth gofio, dyro di
Yn haelionus eleni.'

Y mae i'r ŵyl hon hefyd ei gwerth teuluol, pan fyddwn fel aelodau'r teulu yn ymgynnull ar ein haelwydydd. Daw'r plant adref dros y Nadolig i fwynhau cwmni'r teulu a mwynhau egwyl cyn ailafael yn eu gwaith ddechrau'r flwyddyn newydd. Mae'r uned deuluol a fframwaith cymdeithas dan fygythiad heddiw yn fwy nag erioed, ac mae pob math o broblemau trist yn brigo i'r wyneb. Felly, yn ddi-os, y mae gwerth teuluol i'r Nadolig, ond yr hyn sy'n rhoi gwir werth i'r cyfan yw'r ffaith ryfeddol fod Duw wedi gweld yn dda i ddod i'n byd ac i'n bywyd yn faban bach. Yn y gwasanaeth hwn, cawn gyfle i feddwl am hynny mewn gwirionedd ac i lawenhau cymaint a wnaeth Duw i ddyn. Elfed a ddywedodd:

'Caed baban bach mewn preseb
drosom ni,
a golau Duw'n ei wyneb
drosom ni.'

Darlleniad: Luc 2:1–7

Mae hyn yn ein harwain at y trydydd pwynt, sef gwyrth y Nadolig. Mae genedigaeth pob baban yn wyrth, ac mae presenoldeb baban bach ar yr aelwyd yn cynhesu'n calon, ac yn ein llenwi â rhyfeddod a diolchgarwch. Yn ddi-os teimlai Mair a Joseff felly wrth syllu ar eu baban newydd-anedig. Fel pob genedigaeth, roedd y geni hwn ym Methlehem

Jwdea yn naturiol iawn. Fe ddaeth Iesu i'r byd fel y daethom ninnau yn union.

'Wele, yn y preseb tlawd
Un a anwyd inni'n Frawd.'

Fe gafodd Iesu ei eni i deulu cyffredin o Nasareth ond, i ni Gristnogion, roedd y geni hwn yn anghyffredin, oherwydd mai yng ngeni Iesu Grist y gwelwyd gwyrth yr oesau yn digwydd: *'A daeth y Gair yn gnawd a phreswylio yn ein plith, yn llawn gras a gwirionedd.'*

Mynegir hyn yn hyfryd yn y llinell, *'Daeth Duwdod mewn baban i'n byd',* ond tybed ai geiriau yn unig ydynt i ni? Yng nghanol anghrediniaeth ddifaol ein hoes, mae'n haws gofyn cwestiynau a bwrw amheuaeth na rhyfeddu mewn diolchgarwch. Dywedodd John Ruskin, *'I would rather live in a tiny cottage and wonder at everything than live in Warwick castle and wonder at nothing!'* Gadewch inni ddyheu o waelod calon gydag Ieuan Wyn, y bardd o Fethesda:

'O na welem y golud – a'i weled
Gyda'r galon hefyd;
Gweld y bach ac ildio byd
Am aur y mawr Ymyrryd.'

Dyma ryfeddod yn wir – Crëwr y byd i gyd – Crëwr Mair Forwyn ei hun yn gorwedd yn ei breichiau'n faban bach. Y mae'r Hollalluog, nad oes arno eisiau dim, yn gofyn am nodded dyn. Mae'r Gair yn gnawd ac mae Duw yn ddyn: '*Daeth Duwdod mewn baban i'n byd.*' Dyma wyrth sydd y tu hwnt i'n deall, ac eto, dyma ddylanwad sy'n abl i chwyldroi bywyd pwy bynnag ohonom sy'n ymateb i'r cariad mwyaf rhyfedd fu erioed.

Gair i gloi. Yn ystod tymor yr Adfent, rydym wedi cael blas a bendith wrth ganu nifer o garolau. Ynddynt, fe'n harweinir i Fethlem Jwdea i ddathlu geni Mab Duw yn faban bach, ond y mae nifer ohonynt yn ein hatgoffa na allwn, hyd yn oed yng nghanol llawenydd Gŵyl y Geni, anghofio'r hyn a wnaeth Iesu Grist drosom ar Galfaria. Daw hyn yn glir yn emyn Eifion Wyn. Yn y pennill cyntaf, cyfeiria at ryfeddod y geni ym Methlehem:

'Cofir mwy am Fethlem Jwda,
testun cân pechadur yw;
cofir am y preseb hwnnw
fu'n hyfrydwch cariad Duw.'

Ond yn y trydydd pennill, mae'r emynydd yn ein tywys o Fethlem i Galfaria:

'Cofir am y croesbren garw
lle y cuddiwyd wyneb Duw,
lle gorffennodd Iesu farw,
lle dechreuais innau fyw;
dwed o hyd pa mor ddrud
iddo Ef oedd cadw'r byd.'

Wel, boed inni gofio hyn yng nghanol bwrlwm a llawenydd y Nadolig, ac ymateb i gariad anfeidrol Duw tuag atom yn Iesu Grist. Boed inni gofio hefyd nad digon oedd geni Iesu Grist i'r byd. Y mae'n rhaid ei eni heddiw yng nghalonnau pobl, ac mae'n rhaid ei eni o'r newydd yn ein calonnau ni. Gadewch inni felly ddisgwyl yn eiddgar amdano yn nhymor yr Adfent, gyda drysau'n calonnau yn llydan agored, ein genau'n barod i glodfori ei enw, a'n dwylo'n awyddus i estyn iddo rodd ein bywyd. Yng ngeiriau John Morris-Jones:

'Cymer, Arglwydd, cymer fi,
byth, yn unig, oll i ti.'

Bendith y nef arnoch, a Nadolig Llawen ichi i gyd. Amen.

John Lewis Jones

❖ Prysurdeb, Peryglon a Phwrpas Gŵyl y Nadolig

(Sul cyntaf yr Adfent)

Mae heddiw yn Sul arbennig – Sul cyntaf yr Adfent, a golyga hyn fod Gŵyl dathlu geni ein Gwaredwr Iesu Grist yn ein hymyl unwaith eto. Wrth gwrs, mae tymor y Nadolig wedi dechrau ers wythnosau yn y siopau, ac mae trefi a dinasoedd Cymru yn mynd yn brysurach bob dydd. Ond, yng nghalendr yr Eglwys Gristnogol, heddiw yw Sul cyntaf tymor y Nadolig. Diben yr 'Adfent' yw rhoi cyfle i bawb ohonom baratoi ein hunain yn feddyliol ac yn ysbrydol ar gyfer dydd pen blwydd geni ein Harglwydd Iesu Grist.

Llefarydd (dyn):
Gŵyl i'w dathlu mewn llawenydd yw'r Nadolig, ond cyn y gallwn ddathlu, mae'n rhaid paratoi, ac eleni eto, byddwn yn paratoi anrhegion a bwyd o bob math, a hefyd, gobeithio, yn ein paratoi'n hunain yn feddyliol ac yn ysbrydol. Mae nifer fawr o bobl yn paratoi drwy ymroi i brysurdeb masnachol yr ŵyl, ond y mae i'r math hwn o brysurdeb ei beryglon, a'r perygl mwyaf y gallwn syrthio iddo yw colli golwg ar wir ystyr yr ŵyl. Mae gan Dr Pennar Davies gerdd ddychanol am ein hoffter ni, Gymry, o ganu emynau:

> 'Mae'n gas gennym feddwl am gyflwr y byd;
> Mae'n well gennym ganu a chanu o hyd.'

Wel, onid yw'r addasiad hwn hefyd yn wir?

> 'Mae'n gas gennym feddwl am gyflwr y byd,
> Mae'n well gennym siopa a siopa o hyd,
> Cans dyna yw 'Dolig – cael prynu'n ddi-stop
> Ac yfed a bwyta nes bod yn llawn dop.
> Mae'n gas gennym feddwl am gyflwr y byd,
> Mae'n well gennym siopa a siopa o hyd!'

Dywedir yn Llyfr y Pregethwr fod amser i bob peth, gan gynnwys siopa! Yn sicr, mae i siopa ei apêl, a phwy ydym ni, ddynion, i ddadlau yn wahanol! Yn wir, pe byddai ein teuluoedd yn dibynnu arnom ni, ddynion, i siopa, byddai'r Nadolig yn llwm iawn, ond rwy'n siŵr y cytuna pawb ohonom fod mwy i'r Nadolig na rhuthro o un siop i'r llall a gwario'n ffôl. Os hyn yn unig y mae'r ŵyl yn ei olygu inni, yna, mae'n hen bryd inni holi ein hunain. Mae mor hawdd i'n prysurdeb droi'n brysurdeb paganaidd a llowcio hunanol. Roedd hi'n gyfnod prysur ym Methlem hefyd pan anwyd Iesu Grist, pan gyrchai pobl o bob rhan o'r wlad i gofrestru. Yn eu mysg, yr oedd Joseff a Mair, fel y clywn yn adroddiad Luc.

Darlleniad: Luc 2:1–7

Darlleniad: Ioan 1:1–12

Fe symudwn ymlaen o brysurdeb yr ŵyl i **beryglon** yr ŵyl. Mae Ioan yn ein hatgoffa o'r perygl mawr:

'A dyma'r condemniad, i'r goleuni ddod i'r byd ond i ddynion garu'r tywyllwch yn hytrach na'r goleuni.'

'Daeth i'w gynefin ei hun, ac ni dderbyniodd ei bobl ei hun mohono.'

Mae'n hawdd iawn i ni heddiw feirniadu'r Iddewon gynt am wrthod Iesu Grist. Y gwir yw bod Iesu yn cael ei wrthod ymhob oes. Mae'n bosibl i ni hefyd wrthod Iesu mewn llawer o ffyrdd. Fe allwn ei wrthod drwy ei anwybyddu, neu ei gymryd yn ysgafn, neu ymateb iddo ambell dro, neu ei gasáu, hyd yn oed, fel y gwnaeth y brenin drwg hwnnw Herod. Gadewch inni wrando ar yr hanes.

Darlleniad: Mathew 2:16–18

Mae'r adnodau a glywsom yn tanlinellu'r ffaith nad i fyd o dlysni tangnefeddus y ganwyd Iesu Grist, ond i fyd creulon a didostur. Brenin creulon a didostur oedd Herod, a thrwy ei weithredoedd dieflig, fe welwyd y groes yn bwrw ei chysgod ar Iesu, ac yntau ond yn faban bach yn ei grud. Onid yw'n arwyddocaol fod yr Eglwys Gristnogol wedi neilltuo diwrnod ar ôl y Nadolig i gofio marwolaeth Steffan, i'n hatgoffa o elyniaeth y byd tuag at Iesu a'i ddilynwyr? Mae gan Eirian Davies gerdd am y geni ym Methlehem. Ynddi, ar ôl diolch fod Iesu wedi ei eni yn nyddiau Herod frenin, mae'r bardd yn gofyn cwcstiwn rhyfedd:

'Beth pe byddai wedi disgyn wrth ein drws
Adeg teyrnasiad Elisabeth yr ail?'

Dyna i chi gwestiwn crafog sy'n awgrymu na fyddai ein croeso ni ddim blewyn gwell. Yn wir, mae'r bardd cystal â dweud ei bod yn well fod Iesu wedi ei eni yn nyddiau Herod, y brenin creulon hwnnw, nag yn ein dyddiau ni.

'Petai'r Iesu wedi ei eni yn ein hoes ni
Byddai Mair wedi esgor
Ymhlith gwehilion dinasoedd mawr ein daear.
Ac yn lle nythu'n gynnes mewn preseb a gwair,
Fe gâi'r baban orwedd mewn bocs carbod.'

Mae ambell fardd yn euog o feddalu neges y Nadolig, a'i gwneud yn ddim amgen na stori dylwyth teg, ond nid yw'r bardd Eirian Davies yn gwneud hynny. Yn hytrach, mae'n ein hatgoffa o wir gyflwr ein cymdeithas a'n byd heddiw. Yn ein carol nesaf, mae'r emynydd yn ein hatgoffa mai i fyd creulon iawn y ganwyd y baban Iesu:

'Cwsg cyn daw Herod â'i gledd ar ei glun,
cwsg, fe gei ddigon o fod ar ddi-hun,
cwsg cyn daw'r groes i'th ran.'

Rydym eisoes wedi sôn am brysurdeb a pheryglon y Nadolig. Symudwn ymlaen i gloi ein myfyrdod wrth sôn am **bwrpas** y Nadolig. Dro'n ôl, fe lansiwyd ffilm animeiddio arbennig, sef *Gŵr y Gwyrthiau*. Yn y ffilm, fe gyflwynir nifer o ddarluniau o Iesu yn cyflawni gwyrthiau drwy iacháu'r cleifion a bwydo'r newynog, ac ynddynt, daeth un peth yn amlwg iawn, sef mai'r wyrth fwyaf yw person Iesu ei hun. Gadewch inni wrando ar ddechrau llythyr Ioan.

Darlleniad: 1 Ioan 1:1–4

Beth yw pwrpas y Nadolig? Fe allwn gynnig nifer o atebion, megis ymlacio'n braf gyda'r teulu, codi'n hwyr a darllen llyfr yn hamddenol, gwahodd y teulu atom a sgwrsio heb orfod edrych ar y cloc, a chyda'r nos, mynd allan gyda ffrindiau am bryd o fwyd a diod bach o win, neu

ymuno â dathliadau amrywiol gymdeithasau. Fe allwn ddathlu'r Nadolig hefyd drwy ymweld â chyfeillion, ac yn arbennig y rhai sy'n unig yn eu cartref neu'n wael yn yr ysbyty. Y mae llawer o'r awgrymiadau hyn yn ardderchog, ond yr hyn sy'n rhoi gwir bwrpas i'r Nadolig yw cyflawni'r cyfan yn ysbryd ac yn enw Iesu Grist, a'n bod yn rhoi
y lle canol iddo yn ein bywyd o ddydd i ddydd,
y lle canol iddo wrth fynd allan gyda'n ffrindiau,
y lle canol iddo wrth ymweld â chyfeillion a chymdogion,
y lle canol iddo wrth estyn cymorth i'r newynog, a'r
lle canol iddo yn ein haddoliad.

Mae'r gair NADOLIG yn anghyflawn heb y ddwy lythyren olaf, sef 'I' a 'G' – Iesu Grist. Iesu Grist sy'n rhoi'r ystyr llawn i'r Nadolig, ac ef yw gwrthrych ein ffydd a thestun ein cân. Fel y dywedodd D. Hughes Jones:

'Rhodder gogoniant fyth i'r Tad
am eni'r Ceidwad cun,
seinier ei neges drwy bob gwlad,
"Ewyllys da i ddyn."'

Gorffennwn ein myfyrdod ym Methlehem Jwdea drwy ddarllen detholiad o adnodau:

'Daethant i'r tŷ a gweld y plentyn gyda Mair ei fam; syrthiasant i lawr a'i addoli, ac wedi agor eu trysorau offrymasant iddo anrhegion, aur a thus a myrr.'

'Dychwelodd y bugeiliaid gan ogoneddu a moli Duw am yr holl bethau a glywsant ac a welsant, yn union fel y llefarwyd wrthynt.'

'Cymerodd Simeon ef i'w freichiau a bendithiodd Dduw gan ddweud: "Yn awr yr wyt yn gollwng dy was yn rhydd, O Arglwydd, mewn tangnefedd yn unol â'th air." '

'A'r awr honno, safodd hi [Anna'r broffwydes] gerllaw a moli Duw, a llefaru am y plentyn hwn wrth bawb oedd yn disgwyl rhyddhad Jerwsalem.'

'Ac meddai Mair, "Y mae fy enaid yn mawrygu yr Arglwydd, a gorfoleddodd fy ysbryd yn Nuw, fy Ngwaredwr." '

Mae ugain canrif wedi mynd heibio ers geni Mab Duw yn faban bach, ac ar hyd yr oesau, mae Cristnogion wedi gorfoleddu yn y digwyddiad rhyfedd hwn. Gadewch i ninnau eto eleni ymuno yn y moliant a'r llawenydd,

> 'Dewch, addolwn, cydaddolwn
> Faban Mair sy'n wir Fab Duw,
> Dewch, addolwn, cydaddolwn
> Iesu, Ceidwad dynol ryw.' Amen.

John Lewis Jones

❖ GENI IESU

Mae'n fore dydd Nadolig
a ninnau i gyd yn blant
mewn hwyliau bendigedig,
mewn cân o lawen dant;
wrth agor ein hanrhegion
a chofio'r cariad mawr
dywalltodd caredigion
dros rai fel ni yn awr.

Mae'n fore dydd Nadolig,
ymunaf gyda'r plant
i gofio'r Dirmygedig
droes un fel fi yn sant;
trwy fynd i Ben Calfaria
a'i roi ei Hun yn rhodd
dros fyd mor ysgafala
sy'n pechu wrth eu bodd.

Mae'n fore dydd Nadolig,
mae pawb yn dathlu hwn,
mae pob un yn garedig
wrth dlotyn dan ei bwn;
pan wawria bore fory
daw'r byd yn ôl i'w le,
y moethus wedi sobri
a'r tlawd ar stryd y dre'.

Darllen: Luc 2:8–16

Gweddi:
Diolch am yr asyn bychan a gariodd Mair hyd Fethlehem ac a rannodd ei lety â'r pâr a'u baban.
Diolch i'r asyn am wynebu'r anialwch maith ac am gario Mair a'i baban bob cam i'r Aifft o afael Herod.

Y mae 'na ryw Herod o hyd am ladd plant bach. Ac mae rhyw asyn bach yn helpu rhywrai i ffoi heno. Mae'r anifeiliaid mud yn gwneud eu rhan i gario beichiau. A wnawn ni ein rhan?
Helpa ni i gofio am y rhai 'heb le yn y llety, heb aelwyd, heb wely' ar noson oer fel heno.

Gwefusau yr afon wedi'u cloi yn dynn,
pibonwy dan fargod a rhew ar y llyn,
yr eira yn gorwedd yn gwrlid mawr gwyn
ar noson Ei eni Ef.

Diolch am y bugeiliaid oedd yn 'gwylio'u praidd liw nos'.
Bydd rhywrai yn gweithio y Nadolig hwn i gadw pawb arall yn ddiogel a chlyd. Gobeithio y gallant hwythau deithio i Fethlehem ar ôl gwaith a gweld y Gwaredwr.

Diolch am y Doethion a adawodd gartrefi moethus i geisio gwirionedd am Oleuni y Byd. Rho oleuni yn yr holl addysg a gyfrennir inni a gad inni oll ddeall gwerthoedd. Gad inni ddeall yn iawn a bod yn barod i adael aur mewn ystabl, thus mewn preseb a myrr mewn hofel.
Amen.

Neges:
Gwisgo agwedd gwas:
Gall pob un ohonom wasanaethu.

Dywedir i'r pry copyn, sydd mor atgas gennym, wneud ei gyfraniad y noson honno wrth i Mair a Joseff ffoi gyda'u baban. Daethant y noson gyntaf i ogof yn yr anialwch ac wrth iddi oeri, a hwythau wedi blino'n lân, aethant i mewn iddi i gysgu'r noson honno. Wrth fynd i orffwys yr oeddent yn ofni bod milwyr Herod yn eu herlid ac y byddent yn siŵr o weld ôl carnau'r asyn. Daeth y milwyr wedi dilyn yr olion a phan welsant yr ogof roeddent yn siŵr eu bod wedi eu dal; er syndod iddynt, gwelsant fod gwe pry cop dros enau'r ogof a'r gwlith yn berlau arni dan haul cynta'r dydd. Aethant yn eu blaenau gan dybio na fu neb yn yr ogof am fod y we yn gyfan. Rhowch y tinsel arian ar y goeden i gofio cyfraniad y pry cop.

Efallai mai di-nod a di-glod ydym ninnau, ond gallwn trwy ddiwydrwydd wasanaethu Iesu.

Am dros ugain mlynedd bûm yn arwain pererindodau i Fethlehem. Y mae yng Ngwlad y Beibl fil a mwy o ryfeddodau sy'n bregethau bob un. Nid oes un darlun yn fwy huawdl na drws bach isel Eglwys y Geni. Lawer gwaith, sefais yno yn gwylio mawrion byd ac eglwys yn gorfod gwyro'n wylaidd i wasgu i mewn i fan geni'r Gwaredwr; ar yr un pryd, yr oedd plant bach yn rhedeg i mewn ac allan heb drafferth. Beth bynnag yw'r eglurhad am y drws (rhwystro anghredinwyr rhag defnyddio'r eglwys yn stabl i'w camelod, medd rhai), y mae'r drws yn wers i ni: 'Oddieithr eich gwneuthur fel plant bychain nid ewch chwi ddim i mewn i deyrnas Dduw.'

Wedi mynd i mewn teimlwn fod geiriau yn annigonol a gofynnwn am gael disgyn i'r ogof fechan a phenlinio'n dawel yno o flaen y seren bres sy'n nodi'r man geni. Penlinio'n ddirwgnach ar y llawr pridd. Wedi bod yn fud am dipyn, byddai rhywun yn siŵr o ddechrau canu'n dawel, 'I orwedd mewn preseb ...'

Bendithia ni y Nadolig hwn trwy gael calon lawn a llawen beth bynnag ein hamgylchiadau.
Amen.

❖ GENI IESU

Gweddi Agoriadol:
Diolch i ti, ein Tad, am y cyfle newydd hwn i gael ein hatgoffa o'r newydd am y cariad dwyfol yn y rhodd fwyaf i'r byd yn nyfodiad yr Arglwydd Iesu Grist. Diolch am gael cyfle i weld y cariad hwnnw mewn preseb a chofio ei fod wedi dod i fod yn gariad yn hongian ar groes. Wrth inni ddod at ein gilydd i ddathlu'r ŵyl, erfyniwn am dy fendith ar ein hoedfa yn enw Iesu Grist, Amen.

Darllen: Luc 2:8–20

Neges:
Pan fyddwn yn deffro ac yn codi yn y bore, ni fyddwn yn gwybod beth fydd o'n blaenau yn ystod y dydd, gan fod yna bethau cwbl annisgwyl yn gallu digwydd a fydd yn newid ein cynlluniau i gyd. Dyma brofiad nifer o bobl yn hanes y Nadolig cyntaf, e.e. Mair, a oedd wrthi'n brysur gyda'i dyletswyddau dyddiol; ni feddyliodd byth y byddai angel yn ymweld â hi. Ni fyddai Mair erioed wedi disgwyl clywed y fath newyddion ag a dderbyniodd gan yr angel, sef ei bod hi wedi'i dewis i fod yn fam i Fab Duw, Gwaredwr y byd. Ni fyddai chwaith wedi disgwyl i'r peth ddigwydd mewn ffordd mor rhyfeddol.

A beth am Joseff wedyn? Ni fyddai ef wedi disgwyl gweld ei ddyweddi'n feichiog, ac yn sicr ni fyddai wedi disgwyl esboniad o'r cyfan gan angel. Prin fod Mair a Joseff wedi disgwyl i Fab Duw gael ei eni mewn stabl. Ni allwn anghofio'r bugeiliaid yn gwylio eu praidd liw nos. Rhywsut, ni allwn gredu y byddent yn disgwyl gweld angylion gyda'r nos ar y meysydd. Dyna'n union a ddigwyddodd un noson, angel gyda chôr o angylion yn cyhoeddi bod y Meseia wedi ei eni. Ni fyddai'r bugeiliaid byth wedi disgwyl y byddent hwy, y noson honno, yn syllu ar Waredwr y byd mewn gwely o wair ac yn dweud wrth eraill amdano.

Wrth feddwl am stori'r Nadolig cyntaf, sylweddolwn mor allweddol oedd gweinidogaeth yr angylion i esbonio'n union beth a ddigwyddodd a pham, fel bod pobl yr adeg honno ac ar hyd y canrifoedd yn gallu deall pam fod Iesu Grist wedi dyfod i'r byd.

Gweddi:

O Dduw ein Tad, diolchwn i ti am y cyfle newydd hwn i gael ein hatgoffa o ryfeddod y Nadolig cyntaf ac am gael sylweddoli mor allweddol i'r cyfan oedd gweinidogaeth yr angylion. Ni fyddai Mair, na Joseff, na'r bugeiliaid yn gwybod beth oedd ymgnawdoliad, nac ychwaith ei bwrpas, oni bai dy fod ti wedi anfon angylion i esbonio'r cyfan. Ni fyddai Mair wedi gallu deall sut y byddai'n beichiogi a hithau'n forwyn, a byddai Joseff yn sicr o feddwl bod Mair wedi bod yn anffyddlon iddo oni bai am esboniad yr angel. Ni fyddai'r bugeiliaid wedi clywed bod ceidwad wedi ei eni ac yn gorwedd ar wely o wair oni bai am ymddangosiad yr angel a'r côr nefolaidd. O Arglwydd ein Duw, oni bai am ddatguddiad yr angylion o wirionedd y Nadolig cyntaf hwnnw, byddai ei ystyr yn parhau yn ddirgelwch i ni heddiw. Gwyddom, ein Tad, na wnaiff y byd ganiatáu i ni anghofio'r Nadolig fel cyfnod o wyliau a dathlu, ond erfyniwn arnat i'n cynorthwyo ni fel eglwys i gyhoeddi'r newyddion da am eni Iesu Grist, fel bod pobl heddiw yn gallu deall a llawenhau yng ngwir ystyr y Nadolig.

Daeth eto ŵyl y geni -
  ond holl rialtwch byd
sy'n boddi sain yr engyl
  a drysu ffordd y crud;
na foed ein clustiau'n fyddar
  i gri'r bachgennyn mad:
O Dduw, rho olwg newydd
  ar wyrth yr ymwacâd. Amen.

Darllen: Mathew 1:18–25

Neges:

Un o'r pethau cyntaf a wna rhieni yw dewis enw i'w plentyn. Mae rhai yn dewis enw am ei fod yn enw teuluol neu am ei fod yr un enw â thaid neu nain. I eraill, ystyr yr enw sydd yn bwysig. Gwyddom am rai sydd wedi enwi eu plant ar ôl tîm pêl-droed cyfan neu ar ôl arwr mawr neu rywun enwog. Mae dewis enw yn gallu achosi tipyn o benbleth. Ni fu'n rhaid i Mair a Joseff bendroni dros enw i'w plentyn cyntaf, gan fod enw wedi ei ddewis iddo eisoes. Wrth sylwi ar fersiwn Mathew a Luc o stori'r Geni, gwelwn i'r un neges gael ei rhoi i Joseff a Mair, sef eu bod i alw'r plentyn yn Iesu, fel y dywedodd yr angel wrth Joseff, 'ef a wareda ei bobl oddi wrth eu pechodau'.

Wrth ddarllen y Beibl gwelwn fod nifer helaeth o enwau eraill i Iesu, megis 'Oen Duw', 'Meseia', 'Goleuni'r Byd', 'Bara'r Bywyd', 'Atgyfodiad a Bywyd', 'Bugail Da', 'Gwir Winwydden', 'Ffordd', 'Gwirionedd a Bywyd', 'Drws y Defaid', 'Mab Duw' a'r 'Eneiniedig'. Yn ddi-os y pwysicaf yw 'Iesu', oherwydd efe a wared ei bobl oddi wrth eu pechodau.

Mae'r Nadolig mor wahanol i'r Cristion, oherwydd ei fod yn dathlu dyfodiad ei Waredwr i'r byd yn yr ymwybyddiaeth ei fod wedi dod i farw drosom ar y groes. Y ddau beth pwysig yng ngeiriau'r angel yw pwy yw Iesu Grist a'r hyn y mae am ei wneud. Yn ei emyn mawr, mae Dafydd Jones yn dweud wrthym pwy yw Iesu Grist, sef y Meseia yr oedd Moses a'r proffwydi wedi sôn amdano cyn ei ddod. Yna yn yr ail bennill, mae'n dweud wrthym pam ei fod wedi dod:

Hwn yw'r Oen, ar ben Calfaria
aeth i'r lladdfa yn ein lle,
swm ein dyled fawr a dalodd
ac fe groesodd filiau'r ne';
trwy ei waed, inni caed
bythol heddwch a rhyddhad.

Fel y dywed Pedr, 'Canys nid oes enw arall dan y nef, wedi ei roddi ymhlith dynion, trwy yr hwn y mae'n rhaid i ni fod yn gadwedig.'

Gweddi:

Arglwydd ein Duw, diolch i ti am enw Iesu, yr enw goruwch pob enw. Yn ei enw ef y plygai pob glin o'r nefolion a'r daearolion a'r tanddaearolion bethau ac y cyffesai pob tafod fod Iesu Grist yn Arglwydd, er gogoniant Duw Dad. Dyro inni y gallu i ganu gyda'r Pêr Ganiedydd:

Ymgrymed pawb i lawr
i enw'r addfwyn Oen,
yr enw mwyaf mawr
erioed a glywyd sôn:
y clod, y mawl, y parch a'r bri
fo byth i enw'n Harglwydd ni.

O Dad, mae enw Iesu i ninnau dy blant yn amhrisiadwy; yn wir, nid oes enw gwell na Iesu, oherwydd:

I wael bechadur dan ei bwn
mae cymorth yn yr enw hwn.

Diolchwn iti, ein Tad, am enedigaeth yr Arglwydd Iesu Grist yn Waredwr y byd, ond hyd yn oed pe bai Iesu wedi ei eni fil o weithiau ym Methlehem ond heb ei eni ynom ni, byddem ar goll o hyd. Diolchwn am y rhai sy'n gallu dweud:

Enw'r Iesu sydd yn werthfawr,
ynddo mae rhyw drysor im;
enw'r Iesu yw fy mywyd,
yn ei enw mae fy ngrym:
yn ei enw mi anturiaf
trwy bob rhwystrau maith ymlaen;
yn ei enw mae fy noddfa,
am ei enw bydd fy nghân.

Diolch am y gwerthfawr drysor yn Iesu Grist, ac i'w enw ef y byddo'r clod, y gogoniant, yr anrhydedd a'r mawl. Amen.

Y Fendith:
Wrth inni fynd i'n gwahanol ffyrdd, boed inni hefyd fynd yr un ffordd, sef ffordd Iesu Grist, yr hwn yw'r Ffordd, y Gwirionedd a'r Bywyd. Amen.

❖ Emyn Mawl Mair: Mair yn Moli

Luc 1:46–55

Emyn Mawl Mair – Daw geiriau'r emyn o enau merch ifanc, feichiog, ddibwys a distadl a aeth i ymweld â'i chyfnither, Elisabeth, a oedd hefyd yn feichiog. Ar ôl i Elisabeth gyhoeddi bendith, offrymodd Mair ei chân: 'Y mae fy enaid yn mawrygu yr Arglwydd, a gorfoleddodd fy ysbryd yn Nuw, fy Ngwaredwr... sanctaidd yw ei enw ef' (Luc 1:46–49). Yna newid cywair: 'Gwnaeth rymuster â'i fraich, gwasgarodd y rhai balch eu calon; tynnodd dywysogion oddi ar eu gorseddau, a dyrchafodd y rhai distadl...' (Luc 1:51, 52). I Mair a'i phobl, roedd y geiriau hyn yn finiog o berthnasol. Roeddent, gyda'i gilydd, yn dyheu am gael gweld Duw yn tynnu un tywysog penodol oddi ar ei orsedd: Herod!

Trwy ganiatâd Rhufain, Herod Fawr oedd Brenin yr Iddewon. Roedd yn wleidydd craff! Roedd yn deyrn; igam-ogamodd ei ffordd, yn ysgafndroed, trwy holl helyntion a thrafferthion gwleidyddol ei gyfnod. Bu Herod yn gefnogol i'r Ymerawdwr Julius Cesar, hyd nes i hwnnw gael ei lofruddio, yna bu'n gefnogol i Mark Anthony hyd nes i Gesar Awgwstws ei oddiweddyd, ac o hynny ymlaen bu'n gefnogol i'r Cesar hwnnw. Ceiliog y gwynt o ddyn oedd Herod! Bu'n byw ei fywyd gan gredu mai gwell troi gyda'r gwynt na chael ei ddymchwel ganddo! Roedd Herod yn hoff iawn o adeiladu, yn arbennig codi adeiladau a fyddai'n gofnod o'i fodolaeth. Y mwyaf o'i adeiladau oedd Teml Jerwsalem. Adeilad ysblennydd a noddwyd gan Herod wrth iddo wasgu arian o'r tlawd, y dibwys a'r distadl. Mynnodd nawdd gan bobl debyg i bobl Mair. Gallwn felly ddeall ymateb Iesu i'r Deml yn Jerwsalem. Gwyddai Iesu, fel ei gyfoeswyr, i'r Deml hon gael ei hadeiladu, nid er clod i Dduw, ond er mwyn i Herod gael bod yn Herod Fawr a hynny ar draul pobl fel Mair, ei rhieni a, maes o law, ei phlant. Gwyddai Herod fod pobl yn ei gasáu ac, o'r herwydd, trefnodd fod 70 o wleidyddion, arweinwyr cymuned a chrefydd amlycaf dinas Jerwsalem, ar ddydd ei farwolaeth, yn cael eu lladd, er mwyn sicrhau bod Jerwsalem gyfan yn wylo ar ddydd marw Herod Fawr! Er gwaethaf natur ei gymeriad roedd gan Herod ddawn i oroesi. Goroesodd bob bygythiad, amlwg a thawel, a daliodd ei afael yn dynn ac yn hir ar awenau grym mewn cyfnod, ac ardal, anodd iawn. Yna, daeth Seryddion o'r Dwyrain i Jerwsalem a gofyn: 'Ble mae'r hwn a anwyd yn frenin yr Iddewon?' (Mathew 2:2). Golchodd ton sydyn o fraw dros Herod; gwyddai fod hyn yn fygythiad arall, cwbl newydd i'w orsedd! Yn y cyfamser, roedd Mair yn canu ei chân. 'Gwnaeth rymuster â'i fraich, gwasgarodd y rhai balch eu calon; tynnodd dywysogion oddi ar eu gorseddau, a dyrchafodd y rhai distadl...' – aeth y dôn yn angof, ond erys y geiriau. Canodd Mair ei chân, ac fe ddysgodd ei phlant i'w chanu, a'r plant eu plant hwythau. Maes o law, cofnodwyd y geiriau gan Luc. Dim ond dau berson oedd yn llwyr sylweddoli gwir fygythiad geni Iesu Grist! Herod Fawr a Mair Fach. I Mair, roedd Iesu'n obaith newydd, ffrwydrol ei oblygiadau. I Herod, roedd yn fygythiad o'r radd flaenaf; rhaid oedd diffodd y bywyd newydd hwn!

'Gwnaeth rymuster â'i fraich,... tynnodd dywysogion oddi ar eu gorseddau, a dyrchafodd y rhai distadl; llwythodd y newynog â rhoddion, ac anfonodd y cyfoethogion ymaith yn waglaw' (Luc 1:51–53). Try Duw'r cyfan a'i ben i waered: daw pobl y gwaelod i'r top... a syrth pobl y top i'r gwaelod; daw pobl yr ymylon i'r canol... a symudir pobl y canol i'r ymylon; daw'r olaf yn flaenaf... a'r blaenaf yn olaf. Datgan Emyn Mawl Mair mai dyma fwriad ac ewyllys Duw i'w bobl a'i fyd. Ond Mair Fach ddywedodd hyn! Pwy a wrendy arni? Nid tywysoges mohoni, nid merch ddisglair ei thalentau nac aeres tiroedd a chyfoeth. Tlawd, dibwys a distadl ydoedd! 30 mlynedd yn ddiweddarach oni fu i fab Mair Fach ganu cân syndod o debyg? 'Gwyn eu byd y rhai sy'n dlodion yn yr ysbryd... Gwyn eu byd y rhai sy'n galaru... Gwyn eu byd y rhai addfwyn... Gwyn eu byd y rhai sy'n newynu a sychedu am gyfiawnder... Gwyn eu byd y rhai trugarog... Gwyn eu byd y rhai pur eu calon... Gwyn eu byd y tangnefeddwyr...' (Mathew 5:3–10). O ble cafodd Iesu'r gân hon? Oddi wrth Mair, ei fam? Dysgodd y Mab wirionedd oesol cyfoes gan Ei fam: nid oes a wnelo trais, gorthrwm ac anghyfiawnder ag Ewyllys Duw. Mab Mair Fach a dynnodd Herod Fawr oddi ar ei orsedd, a hynny nid trwy rym arf a dwrn, ond trwy rym cariad. Methodd Herod igam-ogamu heibio i Iesu!

Onid dyna neges Emyn Mawl Mair yn yr Adfent? Dros 2,000 mlynedd yn ôl, trodd Duw hanes y byd a'i ben i waered gan ddefnyddio Mair Fach a'i bychan Iesu. Heddiw, ynom, trwom ac er ein gwaethaf, mae Duw wrth ei waith yn troi'r drefn a'i phen i waered, gan ddefnyddio'r bychan, y dibwys, y tlawd a'r distadl.

'Daw dydd y bydd mawr y rhai bychain...
Daw dydd ni bydd mwy y rhai mawr.'

Waldo Williams

Owain Llyr Evans

❖ EMYN MAWL MAIR: BWRDD YR ARGLWYDD

Luc 1:46–55

Sut mae cysylltu Emyn Mawl Mair â Bwrdd yr Arglwydd? Anodd iawn yw cael llawenydd, didwyll a ffug, mawl a meddwi'r ŵyl i asio â Bwrdd y bwyta, yfed a chredu. Mae bwrlwm y naill yn taro yn erbyn tawelwch y llall. Luc yw'r unig Efengylwr sy'n cofnodi Emyn Mawl Mair; cwyd un thema fel cywair i'r Efengyl gyfan: 'Gwnaeth rymuster â'i fraich, gwasgarodd y rhai balch eu calon; tynnodd dywysogion oddi ar eu gorseddau, a dyrchafodd y rhai distadl...' (Luc 1:51–52). Yn Efengyl Luc, mae Ioan, y Bedyddiwr miniog, yn newid ychydig ar eiriau mawr Eseia, i sôn am bob mynydd a bryn wedi ei lefelu (Luc 3:5). Sôn am ostwng mynydd a bryn mae Eseia (Eseia 40:4), ond myn Ioan y bydd Duw yn lefelu popeth! Mae'r syniad o Dduw yng Nghrist yn lefelu popeth yn allweddol bwysig i Luc. Awdur peryglus ydoedd!

'Pan welodd Iesu y tyrfaoedd, aeth i fyny'r mynydd... daeth ei ddisgyblion ato. Dechreuodd eu hannerch a'u dysgu fel hyn: Gwyn eu byd y rhai sy'n dlodion yn yr ysbryd...' (Mathew 5:1–3). Gallwn gymharu Mathew â Luc: 'Aeth i lawr gyda hwy... gyda thyrfa fawr o'i ddisgyblion, a llu niferus o bobl...Yna cododd ef ei lygaid ar ei ddisgyblion a dweud: "Gwyn eich byd chwi'r tlodion ..."' (Luc 6:17–20). Roedd Luc yn awdur peryglus oherwydd ei ddiddordeb mawr yn y gorthrymedig, y diamddiffyn, y tlodion, yr ymylol a'r ysgymun. Mynnodd Luc i ni weld gofal Iesu am y gorthrymedig, y diamddiffyn, y tlodion, yr ymylol a'r ysgymun fel y peth pwysicaf a godidocaf amdano. Nid pregethu brawdoliaeth yn unig a wnaeth Iesu, meddai Luc, ond dod yn Frawd – dod i berthynas barhaol â ni. Yn Efengyl Luc mae Duw, yng Nghrist, yn brysur wrth ei waith yn lefelu pob mynydd a bryn, yn tynnu tywysogion oddi ar eu gorseddau ac yn dyrchafu'r rhai distadl.

Mae'r sefydliad crefyddol yn Jerwsalem, y sefydliad gwleidyddol yn Rhufain a'r sefydliad academaidd yn Athen dan warchae gan fab bychan y ferch ifanc hon o Nasareth. Ynddo, a thrwyddo, ac o'i herwydd dymchwelir y rhai sy'n dal awenau grym a thrais yn eu dwylo: 'gwasgarodd y rhai balch eu calon; tynnodd dywysogion oddi ar eu gorseddau' (Luc 1:51–52). Awdur peryglus oedd Luc am ei fod yn credu mewn Duw peryglus! Duw peryglus sydd yn mynnu cael bod yn agos atom ni: 'fe'i gwacaodd ei hun, gan gymryd ffurf caethwas a dyfod ar wedd ddynol... Am hynny, tra-dyrchafodd Duw ef' (Philipiaid 2:7–9).

Hanfodion y Nadolig yw dathlu a llawenydd. Hanfodion y Bwrdd yw edifeirwch ac aberth. Tra bod edifeirwch ac aberth yn gyfryngau i ddod â ni yn ôl at Dduw, maent hefyd yn gyfryngau i ddod â phobl at ei gilydd, gan ein hatgoffa bod ein bywyd ni wedi ei blethu â bywyd ein brodyr a'n chwiorydd drwy'r byd. Mae gwir edifeirwch ac aberth yn lefelu bywyd. Myn Mair ein bod yn mawrygu'r Arglwydd oherwydd iddo, ym mhob oes a chyfnod '(d)ynnu yma i lawr... codi draw' (David Charles, 1762–1834; *C.Ff.* 114). Wrth ganu Emyn Mawl Mair ac wrth y Bwrdd rhaid i ni ofyn i ba raddau yr ydym yn hybu'r lefelu hwn, yn cyfrannu iddo... ac i ba raddau yr ydym yn ei rwystro ac yn gweithio yn ei erbyn? Mae ein crefydda yn dueddol o droi ar echel fyfïol iawn; naturiol yw ei ogwyddo tuag at ein hanghenion personol ac unigol. Gwir a diogel echel crefydd yw nyni nid myfi – os yw'r Testament Newydd yn dweud rhywbeth o gwbl, mae'n dweud ar bob tudalen na fedra i gael Duw i mi fy hunan yn annibynnol ar fy mrodyr a'm chwiorydd. 'Mae rhwydwaith dirgel Duw, yn cydio pob dyn byw, cymod a chyflawn we Myfi, Tydi, Efe.' (Waldo Williams).

Wrth y Bwrdd, wrth rannu'r bara a'r gwin, cawn ein hatgoffa bod ffydd pob un ohonom yn cynnal ffydd pob un arall. Calon yr Efengyl yw nid Duw, dyn a chyd-ddyn, ond Tad, mab a brawd. Wrth ganu Emyn Mawl Mair wrth y Bwrdd, gofynnir i ni gydnabod ein bod, yn ein ffordd o fyw, yn anfwriadol a bwriadol, yn dyrchafu'r tywysogion ac yn gwthio'r distadl i'r llwch. Gofynnir i ni hefyd ystyried pa fynydd a bryn sydd angen i ni lefelu yn ein perthynas ag eraill. Gwahodda Emyn Mawl Mair ni i ddefnyddio'r Adfent fel cyfle i lefelu! Fe'n gwahoddir i wneud hynny yn yr wybodaeth bod ein hymdrech ninnau i lefelu mynydd a bryn ein byw yn cyfrannu'n fawr i ymdrech oesol Duw i wasgaru'r rhai balch eu calon. Wrth ganu Emyn Mawl Mair gofynnir i ni ystyried pa fynydd a bryn sydd angen i ni lefelu yn ein perthynas â ni ein hunain. Gwahodda Emyn Mawl Mair ni i ddefnyddio'r Adfent i ddyrchafu'r distadl – y fi tawel a swil hwnnw yn ein byw a'n perthynas ag eraill. Mae'r Emyn hwn yn wahoddiad i ddarostwng y fi fawr hwnnw sy'n mynnu esgus bod yn fwy, gwell, uwch nag ydyw. Ar ddechrau'r Adfent, o amgylch y

Bwrdd, mewn edifeirwch, boed i ni gofio ac atgoffa'n gilydd ein bod yn rhan o'r broses o dynnu'r balch oddi ar eu gorseddau ac o ddyrchafu'r rhai distadl. Heb i ni ymroi i hynny byddwn yn rhan o'r broses o gynnal a chadw'r balch ar eu gorseddau, a darostwng y rhai distadl. Ac ni wna hynny'r tro!

Owain Llyr Evans

❖ Emyn Mawl Mair: Breuddwyd Duw

Luc 1:46–55

'... the treetops glisten, the children listen to hear sleigh bells in the snow.' ('White Christmas' gan Irving Berlin). Breuddwydio am Nadolig dan drwch o eira wnaeth Irving Berlin ym 1942; beth yw gwrthrych ein breuddwydion ni y Nadolig hwn? Beth ddywed ein breuddwyd Nadolig amdanom tybed? Beth ddywed ein breuddwyd Nadolig am beth sydd, a beth sydd ddim, yn bwysig i ni dros yr ŵyl? Oni aethom yn ddilornus o'r freuddwyd, yn ddrwgdybus o'r breuddwydiwr? Mae'r Beibl yn drwch o freuddwydion: Jacob (Genesis 28:10–22), Joseff (Genesis 40:1–8), Pharo (Genesis 41:14–24), Job (Job 4:15–17, 7:13–14 a 42:7–9), Nebuchadnesar (Daniel 4), Solomon (1 Brenhinoedd 3:3–10), Seryddion Mathew (Mathew 2:12) a Joseff, gŵr Mair (Mathew 2:19). Yr un neges sydd i'r breuddwydion hyn i gyd: mae Duw gyda'i bobl! 'Gwyddom,' meddai Paul, 'fod Duw, ym mhob peth, yn gweithio er daioni gyda'r rhai sy'n ei garu...' (Rhufeiniaid 8:28a).

Breuddwyd Jacob:
'Breuddwydiodd ei fod yn gweld ysgol wedi ei gosod ar y ddaear, a'i phen yn cyrraedd i'r nefoedd, ac angylion Duw yn dringo a disgyn ar hyd-ddi.' (Genesis 28:12). Os mai yn y nefoedd gyda Duw y mae'r angylion, onid disgyn a dringo ddylai'r angylion fod yn eu gwneud? Neges awdur Genesis yw bod Duw gyda ni, ar waith yn ein plith, ac, felly, 'dringo a disgyn' a wna'r angylion. I gadarnhau hynny, meddai Duw wrth Jacob: 'Wele, yr wyf fi gyda thi, a chadwaf di ple bynnag yr ei...' (Genesis 28:15a). Ym mhob un o freuddwydion y Beibl, cawn gipolwg ar freuddwyd Duw – Ef gyda ni, a ni gyda'n gilydd.

Mair a Joseff:
Yn Efengyl Mathew cawn gofnod o ymateb Joseff i feichiogrwydd ei ddyweddi Mair, ac ymateb Duw i'r ymateb hwnnw: 'Ond wedi iddo gynllunio felly, dyma angel yr Arglwydd yn ymddangos iddo mewn breuddwyd, a dweud, "Joseff fab Dafydd, paid ag ofni cymryd Mair yn wraig i ti, oherwydd y mae'r hyn a genhedlwyd ynddi yn deillio o'r Ysbryd Glân. Bydd yn esgor ar fab, a gelwi ef Iesu... Immanuel... Y mae Duw gyda ni."' (Mathew 1:20–23). Cymerodd Joseff Mair yn wraig

iddo. Ildiodd i rym a thynfa breuddwyd fawr Duw. Yn Efengyl Luc cawn gofnod o ymateb Mair i gais Gabriel. Meddai'r angel, 'Paid ag ofni, Mair, oherwydd cefaist ffafr gyda Duw; ac wele, byddi'n beichiogi yn dy groth ac yn esgor ar fab, a gelwi ef Iesu' (Immanuel) (Luc 1:30–31). 'Dywedodd Mair, "... bydded i mi yn ôl dy air di."' (Luc 1:38).

Beth sydd a wnelo hyn ag Emyn Mawl Mair?

Emyn Mawl Mair yw breuddwyd Duw ar gân. Ef gyda ni, a ni gyda'n gilydd. Dysgu person o dalent a wneir ond deffro person o athrylith. Cafodd Mair y deffroad hwnnw, a dihunwyd ei hathrylith ynddi! Dihunwyd athrylith y ferch ifanc hon, ac ym merw a thrafferth bywyd ei chyfnod canodd Mair freuddwyd fawr Duw. Cyn y gellir gwneud argraff ddofn ar y byd, rhaid wrth y person iawn a'r adeg iawn. Er mwyn newid y byd, nid digon y person a'r lleoliad, rhaid hefyd wrth y tragwyddol. Yn Mair, fe gyferfydd y tri: Mair fach, dlawd, ddibwys, ddistadl; Bethlehem Effrata bychan, dibwys, distadl a breuddwyd anferthol Duw! 'Y mae fy enaid yn mawrygu yr Arglwydd, a gorfoleddodd fy ysbryd yn Nuw, fy Ngwaredwr... Gwnaeth rymuster â'i fraich, gwasgarodd y rhai balch eu calon; tynnodd dywysogion oddi ar eu gorseddau, a dyrchafodd y rhai distadl...' (Luc 1:46–47, 51–52). Ond bu i ni osod gofynnod yn lle'r ebychnod!... gwasgaru'r rhai balch eu calon?... tynnu tywysogion oddi ar eu gorseddau? ...dyrchafu'r rhai distadl? Aethom ymhellach: Fe drig y blaidd gyda'r oen?... Fe orwedd y llewpard gyda'r myn? (seiliedig ar Eseia 11:6). 'Pa feddwl, pa 'madrodd, pa ddawn, pa dafod all osod i maes' (John Williams 1728–1806; *C.Ff.* 347). Faint y trychineb a ddaw pan mae pobl Dduw yn llacio'u gafael ar freuddwyd Duw.

Nid oes dim y medrwn ni ei wneud i newid y byd!... Fel pob chwedl, nid yw hyn yn wir. Mae gennym freuddwyd ac ymhlyg yn y freuddwyd hon mae pob un breuddwyd o'n heiddo – Breuddwyd Duw. Llwyddodd Mair fach i droi'r freuddwyd hon yn gân. Un o anhepgorion ffydd yw ymuno yn y gân hon, a chanu mewn ffydd, gobaith a chariad Emyn Mawl Mair. Er ei lladd a'i chladdu mae Breuddwyd Duw yn mynnu codi a chodi fyth yn gymorth, yn gysur, yn gynhaliaeth ac yn her i ni a'n tebyg. Beth yw gwrthrych ein breuddwyd y Nadolig hwn? Plethwn ein breuddwydion i freuddwyd Duw a gwau breuddwyd Duw i batrwm ein byw a'n bod, fel ein bod ni, pobl Dduw yn... gwasgaru'r rhai balch eu calon... a thynnu

tywysogion oddi ar eu gorseddau... a... dyrchafu'r rhai distadl (addasiad o Luc 1:51–52). Ynom, a thrwom, ac er ein gwaethaf...
'Daw dydd y bydd mawr y rhai bychain...
Daw dydd ni bydd mwy y rhai mawr.' *(Waldo Williams)*

Owain Llyr Evans

❖ Emyn Mawl Mair: Ein Hemyn Mawl

Luc 1:46–55

Yn ôl hen goel Wyddeleg, bu i'r haul, y lloer ysblennydd a holl sêr y nefoedd sefyll yn stond a thawel wrth i Gabriel gyfarch Mair: 'Paid ag ofni, Mair, oherwydd cefaist ffafr gyda Duw; ac wele, byddi'n beichiogi yn dy groth ac yn esgor ar fab, a gelwi ef Iesu...' (Luc 1:30–31). Y greadigaeth gyfan wedi fferru mewn braw! Beth os na fyddai Mair yn fodlon derbyn cyfrifoldeb mor fawr? Pob peth yn stond, syfrdan... aros i glywed beth ddywed Mair? Daeth yr ateb: '... bydded i mi yn ôl dy air di' (Luc 1:38a). Derbyniodd Mair ddwy neges gan Gabriel. Y gyntaf i ddweud y byddai'n esgor, a'r ail, bod yr amhosibl yn bosibl i Dduw: 'Ac wele, y mae Elisabeth dy berthynas hithau wedi beichiogi ar fab yn ei henaint... oherwydd ni bydd dim yn amhosibl gyda Duw' (Luc 1:36, 37). Ildiodd Mair ei hunan i Ewyllys Duw: '... bydded i mi yn ôl dy air di...'; cafodd Duw gyfle i achub y byd! Gydag ochenaid o ryddhad, aeth Gabriel i ffwrdd oddi wrth Mair, ac 'ar hynny cychwynnodd Mair ac aeth ar frys i'r mynydd-dir, i un o drefi Jwda; aeth i dŷ Sachareias a chyfarch Elisabeth' (Luc 1:39–40). Bwriada Luc i ni ddarllen yr adnodau hyn gyda'i gilydd: 'Dywedodd Mair, "Dyma lawforwyn yr Arglwydd; bydded i mi yn ôl dy air di." Ac aeth yr angel i ffwrdd oddi wrthi. Ar hynny cychwynnodd Mair ac aeth ar frys i'r mynydd-dir, i un o drefi Jwda; aeth i dŷ Sachareias a chyfarch Elisabeth.'

Cafodd Mair gynnig anhygoel ond brawychus o fawr gan Dduw! Mair fydd y llong 'a ddug i dir y cargo druta' 'rioed – y Mawr a wnaeth y moroedd.' (o: 'Y Dyfod' gan Gwilym R Jones, 1903–1993 yn *Nadolig y Beirdd* Gol. Alan Llwyd Cyhoeddiadau Barddas 1988). Trowyd ei byd ben i waered ond: 'Ar hynny cychwynnodd Mair ac aeth ar frys i'r mynydd-dir.' Gwelwn ruddin, cryfder cymeriad a dyfnder enaid; nid Morwyn Fair, lled-wan a llwyd ei gwedd, ond Mair, merch ifanc dyner, cryf a phenderfynol, yn cytuno i rywbeth syfrdanol o fawr. Gwyddai Mair mai'r un peth oedd ei angen arni oedd cwmni rhywun oedd yn deall; roedd gan Dafydd, Jonathan; gan Iesu, deulu bach Bethania... dim ond un person allai gydymdeimlo â sefyllfa Mair: 'Ar hynny... aeth ar frys'... i weld Elisabeth, un arall y trodd Duw ei byd ben i waered! Elisabeth a Mair: roedd gobeithion y naill yn rhan o'r llall, dioddef ac ofnau un yn eiddo i'r llall; mae byd y naill yn well oherwydd bodolaeth y llall. Mynnwn gyfle'r Nadolig hwn i fynegi'n diolch i'r rheini sydd yn ein cynnal, y bobl sydd yn deffro'r gorau ynom, ac sydd yn dod o hyd i ni bob tro y gadawn ein hunain ar ôl yn rhywle.

A ddywedodd Mair wrth Joseff ei bod hi'n mynd? A oedd yn fwriad gan Mair i aros am gyfnod mor hir? Ai cilio oedd hi rhag si, sôn a sibrwd ei chymuned yn Nasareth? Ofer dyfalu, ond gwyddom iddi gael croeso. Cawn awgrym gan Luc bod Mair yn gyfarwydd â'r daith ac yn gyfarwydd â'r tŷ. Cofnoda hefyd ymateb Elisabeth i gyfarchiad Mair '... llefodd â llais uchel, "Bendigedig wyt ti ymhlith gwragedd, a bendigedig yw ffrwyth dy groth..."' (Luc 1:42). Gofyn Elisabeth: 'Sut y daeth i'm rhan i fod mam fy Arglwydd yn dod ataf?' (Luc 1:43). Pa ryfedd i Elisabeth gynhyrfu... ac mae Mair yn dal yr hwyl! Cydia'r cynnwrf ynddi ac, o'r herwydd, cân ei chân. Cafodd Mair ddeffroad yng nghegin Elisabeth; yno, dihunwyd ei hathrylith a chân: 'Y mae fy enaid yn mawrygu yr Arglwydd, a gorfoleddodd fy ysbryd yn Nuw, fy Ngwaredwr... sanctaidd yw ei enw... Gwnaeth rymuster â'i fraich, gwasgarodd y rhai balch eu calon; tynnodd dywysogion oddi ar eu gorseddau, a dyrchafodd y rhai distadl.' (Luc 1:46–49, 51, 52). Mae cynnwrf Elisabeth yn deffro Mair o'r pensyfrdandod a ddaeth yn sgil ymweliad yr angel. Try'r syndod mudan yn gân, yn fwrlwm o ffydd, yn wefr o obaith ac yn ffrwydrad o gariad. Mae Mair yn canu a dawnsio, oherwydd i Dduw wneud pethau mawr iddi, ynddi a thrwyddi. Yn reddfol, oni ddymunwn rannu newyddion da? Onid dyna ddiben Emyn Mawl Mair? Cyhoeddi a rhannu newyddion syfrdanol o dda am ymgnawdoliad Cariad Mawr Duw.

Emyn Mawl Mair. Mae angen i bawb ohonom ddysgu canu ein hemyn mawl ein hunain! Mewn oedfa down i gwrdd â'n gilydd, i gwrdd â Duw gyda'n gilydd ac i blethu'n breuddwydion i Freuddwyd Duw. Eleni eto, ar Noswyl Nadolig byddwn yn dod at ein gilydd yn llonydd, yn stond ac yn dawel aros am y newyddion da o lawenydd mawr: 'ganwyd i chwi heddiw... Waredwr, yr hwn yw'r Meseia, yr Arglwydd' (Luc 2:11). Sut y daeth i'n rhan bod yr Arglwydd yn dod atom? Am fod Duw yn ein caru, yn ymhyfrydu ynom, ac am ein harwain at y bywyd sydd yn fywyd go iawn. Unwn yng nghân yr angylion: 'Gogoniant yn y goruchaf i Dduw, ac ar y ddaear tangnefedd ymhlith y rhai sydd wrth ei fodd' (Luc 2:14).

Dyna pam, yr Adfent hwn, y dylem, bawb ohonom, lunio ein hemyn mawl ein hunain a'i ganu nes bod 'sanau'n traed' yn cwympo! Canu'n llawen, oherwydd bod gennym ni, pawb ohonom, reswm i fawrygu'r Arglwydd; gorfoledded ein hysbryd yn Nuw, ein Gwaredwr. Ystyriodd ein distadledd... gwnaeth yr hwn sydd nerthol bethau mawr i ni, a sanctaidd yw Ei enw!

Owain Llyr Evans

❖ EMYN MAWL MAIR: PWY SYDD EISIAU BOD YN MAIR?

Luc 1:46–55

A oedd Mair, tybed, am fod yn Mair? Cwestiwn allweddol i'n deall o Emyn Mawl Mair. 'Ond cythryblwyd hi drwyddi gan ei (Gabriel) eiriau, a cheisiodd ddirnad pa fath gyfarchiad a allai hwn fod' (Luc 1:29). Mae'n gwbl amlwg nad oedd Mair am fod yn Mair yn nrama fawr achub byd! Roedd y rôl honno'n ormod iddi! Wedi ymweliad Gabriel: 'cythryblwyd hi drwyddi!' Roedd Mair yn 'much perplexed' (*New Revised Standard Version*), 'greatly troubled' (*New International Version*), 'thoroughly shaken' (*The Message*) a 'confused and disturbed' (*New Living Translation*). Pwy sydd eisiau bod yn Mair? Neb? Yn sicr, nid oedd Mair yn dymuno bod yn Mair! Nid peth bach yw bod ar lwyfan hanes dan gyfarwyddyd Duw! Dymunodd sawl un o gymeriadau mawr y ddrama ffoi o'r llwyfan: Moses, Jeremeia, Eseia ac, hyd yn oed, Iesu ei hun. Gellid dweud ein bod mewn cwmni da os ydym weithiau'n dymuno cael cefnu ar waith Duw, a chamu, nid i'r adwy, ond yn dawel o'r neilltu gan adael i arall osod ysgwydd ac enaid o dan y pwysau.

Ond nid 'cythryblwyd hi drwyddi!' yw diwedd Stori Mair. Arswydodd a bu'n amau ond wedyn, mae'n hawlio, gydag argyhoeddiad, y rôl yn eiddo iddi hi. Hi piau'r cyfrifoldeb hwn! Does neb arall yn cael bod yn Llawforwyn yr Arglwydd, neb ond Mair o Nasareth! A gyda'r dycnwch hwn mae'n dechrau canu, nid cytgan dof, penchwiban ond emyn! Emyn mawl â min iddo, emyn oesol cyfoes: 'Y mae fy enaid yn mawrygu yr Arglwydd, a gorfoleddodd fy ysbryd yn Nuw, fy Ngwaredwr... sanctaidd yw ei enw... Gwnaeth rymuster â'i fraich, gwasgarodd y rhai balch eu calon; tynnodd dywysogion oddi ar eu gorseddau, a dyrchafodd y rhai distadl' (Luc 1:46–49, 51, 52).

Onid oes angen i bob un ohonom, o'r ieuengaf i'r hynaf, dyfu i fod yn fwyfwy tebyg i Mair? Boed i ninnau, fel Mair, ganiatáu i fawredd Duw ein goddiweddyd... a'i gariad Ef dreiddio hyd at ein gwreiddyn. Byddwn fentrus a medrus, a beiddgar a chall; yn glynu wrth faddeuant, trugaredd a sancteiddrwydd Duw, yn llawn, llawn llawenydd. Boed i ni yn sŵn Emyn Mawl Mair ddeall, a chael eraill i ddeall mai tynerwch, tosturi, cariad, caredigrwydd yw'r egnïon sy'n peri newidiadau mwyaf y byd.

Boed i'n bywyd ni fel eglwys esgor ar y Gair. Byddwn ddewr dros y Ffydd, a theyrngar i'n Harglwydd '... oherwydd gwnaeth yr hwn sydd nerthol bethau mawr i ni, a sanctaidd yw ei enw ef; y mae ei drugaredd o genhedlaeth i genhedlaeth i'r rhai sydd yn ei ofni ef.'

Owain Llyr Evans

❖ EMYN MAWL MAIR: NID HAPUS OND LLAWEN ...

Luc 1:46–55

Un o bennaf fendithion ffydd yw'r gallu i ymlawenhau er gwaethaf pob trafferth, gofid a phoen. Mae llawenydd ein ffydd yn lletach a dyfnach, yn uwch a gwell na phob hapusrwydd. Dibynna hapusrwydd ar amgylchiadau; mae llawenydd yn annibynnol o amgylchiadau. Ffrydia llawenydd ffydd o'r argyhoeddiad fod Duw wedi dod atom yn Iesu Grist, a'i fod '... yn llond pob lle, presennol ymhob man;' (David Jones, 1805–68; *C.Ff.* 76). Dywedodd Gabriel wrth Mair: 'Henffych well, tydi, yr un y rhoddodd Duw ei ffafr iddi! Y mae'r Arglwydd gyda thi.' (Luc 1:28b). Cythryblwyd Mair! Merch ifanc a'i byd eisoes a'i ben i waered! Roedd ar fin priodi. Roedd ei dyweddi – Joseff – lawer yn hŷn na hi. Roedd ei theulu, un ac oll, yn brysur yn ceisio cael y cyfan oll i drefn. Rhaid fyddai iddi adael ei chartref a symud i fyw at Joseff a'i deulu estynedig. Roedd bywyd Mair eisoes a'i ben i waered ac i ganol y cyfan daeth angel, a chreu o sefyllfa anodd, sefyllfa newydd a oedd ganwaith anoddach! Oddi mewn i'w chorff mae bywyd na welodd y byd ei debyg. Mae'r Gair ynddi'n ymgnawdoli! Pa ryfedd iddi gythryblu?! Roedd arni ofn bod yn fam, ac roedd ofn ei mam arni! Roedd ofn Duw arni, ac ofn ei chymuned arni hefyd. Roedd Duw a Gabriel yn gwybod bod Mair yn wyrth o fam, ond gwyddai Mair mai i bawb yn Nasareth, gwarth o fam a fyddai!

Yr un peth, yn anad dim byd arall, oedd ei angen ar Mair oedd cwmni rhywun oedd yn deall. Dim ond un person allai ddeall Mair... Elisabeth, un arall y trodd Duw ei byd ben i waered! Wrth groesi rhiniog drws Sachareias ac Elisabeth, cyfarch Mair Elisabeth a mynna llawenydd Elisabeth fynegiant: 'Pan glywodd hi gyfarchiad Mair, llamodd y plentyn yn ei chroth a llanwyd Elisabeth â'r Ysbryd Glân; a llefodd â llais uchel, "Bendigedig wyt ti ymhlith gwragedd, a bendigedig yw ffrwyth dy groth..."' (Luc 1:41–42). Bendigedig? Nid oedd Mair wedi meddwl rhyw lawer am y darn hwnnw o'i phrofiad! Lletchwithdod a gofid ei sefyllfa oedd wedi mynnu sylw hyd yn hyn; ond mae geiriau Elisabeth yn cydio ynddi ac yn ei deffro. Hyd yn hyn, roedd Mair wedi llwyr anghofio cyfarchiad yr angel: 'Henffych well, tydi, yr un y rhoddodd Duw ei ffafr iddi! Y mae'r Arglwydd gyda thi.' Roedd Mair yn Fendigedig! Aeth hynny'n angof ganddi! A hithau bellach yng nghegin Elisabeth, mae'r ffaith honno yn cydio ynddi ac wrth syllu i lygaid llon Elisabeth, mae Mair yn gweld y gwir. Bendigedig yw Mair o Nasareth! Bendigedig yw'r bywyd sydd yn ymffurfio ynddi. O sylweddoli hyn â Mair ati i ganu: 'Y mae fy enaid yn mawrygu yr Arglwydd, a gorfoleddodd fy ysbryd yn Nuw... am iddo ystyried distadledd ei lawforwyn... o hyn allan fe'm gelwir yn wynfydedig gan yr holl genedlaethau, oherwydd gwnaeth yr hwn sydd nerthol bethau mawr i mi, a sanctaidd yw ei enw ...' (Luc 1:46–49). Wrth ganu, mae ei chalon yn curo o gariad, a llawenydd yn llifo yn ei gwythiennau: 'Y mae fy enaid yn mawrygu yr Arglwydd... sanctaidd yw ei enw!' Testun Cân Mair yw'r cyfan oll y mae Duw wedi'i gyflawni, yn ei gyflawni, ac yn bwriadu ei gyflawni! I Mair, nid gwrthrych yw Duw bellach, ond profiad. Cam, er hynny, â Mair yw dweud mai dim ond canu'i phrofiad hi ei hun a wna. Wrth ganu'r emyn, mae Mair yn mynd y tu hwnt ac uwchlaw i'w phrofiad ei hun a phrofiad pawb arall y gwyddai amdanynt, at brofiad pob oes a chenhedlaeth o bobl Dduw. Mae Mair yn canu gyda, a thros y tlawd, dibwys, distadl; yr unig, galarus, gofidus ym mhob man, ac ym mhob oes! Atgoffa Emyn Mawl Mair mai Bendigedig ydym ninnau bob un. Mae Duw yn ymhyfrydu ynom ni ac mae Duw ar waith ynom a thrwom; ei drysor ef ydym.

'Santa Claus is coming to town. You better watch out, You better not cry... Santa Claus is coming to town'(allan o 'Santa Claus is Coming to Town' gan John Frederick Coots, 1897–1985, a Haven Gillespie, 1888–1975, ac a ganwyd gyntaf yn 1934). Cân llawer mwy poblogaidd nag Emyn Mawl Mair ond, os yw'r gân yn boblogaidd, yr emyn sydd llesol! Mae Mair yn canu dros, a gyda'r bobl sydd yn wylo'r Nadolig hwn. Mae'r gân yn cynnig hapusrwydd, mae'r Emyn yn estyn llawenydd. Nid digon Happy Christmas eleni, Nadolig Llawen sydd ei angen. Un o bennaf fendithion ffydd yw'r gallu i ymlawenhau er gwaethaf pob trafferth, gofid a phoen. Nid gwadu realiti miniog tristwch a gofid a wna llawenydd ein ffydd, ond eu goresgyn a'u llorio! Er mor heini a chryf ein tristwch, mae llawenydd ein ffydd bob amser yn ei ddal, bob amser yn ei lorio.

Boed i'r Nadolig hwn fod yn Nadolig Llawen i ni. Sut bynnag mae arnom, boed i lawenydd yr ŵyl hon ein cofleidio, ein cynnal a'n cadw. Llawenydd yw neges y Nadolig. Ei neges, nid ei ddymuniad! Mae Duw yn gwneud llawer mwy na dymuno'n dda inni. Am mai oddi wrth Dduw y daw'r llawenydd, fe all fod yn brofiad byw, personol i bob un ohonom, a phawb ym mhob man. Gwyddai Mair hynny... diolch ganwaith iddi am ein hatgoffa ni o hynny.

Owain Llyr Evans

❖ Myfyrdod y Bugeiliaid

Luc 2:8–20

Dydw i ddim eisiau bod yn gas, ond ydych chi wedi sefyll wrth ymyl rhywun sy'n dioddef o B.O.? Dydy hynny ddim yn beth braf iawn.

Alla i ddychmygu bod y bugeiliaid oedd allan yn y caeau uwchben Bethlehem yn dioddef o B.O. Os ydych chi'n gofalu am anifeiliaid yna mae ogla'r anifeiliaid yn siŵr o fynd arnoch chi wrth i chi eu trin. A doedd dim ystafell ymolchi allan yn y caeau! Ar ben hynny, roedd pobl yn edrych i lawr eu trwynau ar fugeiliaid. Nhw oedd baw isa'r domen yn y dyddiau hynny. Doedden nhw ddim hyd yn oed yn gallu rhoi tystiolaeth mewn llys barn – doedd neb yn barod i'w credu nhw!

Roedd y bugeiliaid allan yn y caeau wrth eu gwaith o edrych ar ôl y defaid. Pwy ŵyr, falla eu bod nhw'n edrych ar ôl y defaid oedd yn cael eu defnyddio fel aberth yn y Deml yn Jerwsalem. Ond yn sydyn dyma nhw'n gweld angylion ac yn clywed neges gan Dduw. Sioc! Mae'r bobl fudr, ddirmygedig yma yn clywed y newyddion gorau posib – mae Duw wedi anfon yr Achubydd i'r byd ac mae wedi cael ei eni ym Methlehem. Maen nhw'n clywed côr o angylion yn moli Duw ac maen nhw'n penderfynu mynd i Fethlehem i weld os ydy hyn i gyd yn wir. Chwarae teg – rydw i'n siŵr y byddwn i'n meddwl fy mod i'n breuddwydio! Ond ar ôl gweld y babi maen nhw'n dechrau dweud wrth eraill beth sy wedi digwydd a pha mor dda ydy Duw. Y bobl oedd yn methu rhoi tystiolaeth mewn llys barn – yn dweud wrth bawb am eni'r Achubydd!

Meddyliwch am hyn:

Pwy gafodd wybod gyntaf bod yr Achubydd wedi ei eni?
Pobl oedd yn dda i ddim yng ngolwg pawb arall, ond pobl roedd Duw yn eu caru ac am eu hachub. Daeth Iesu i'r byd i achub pobl mewn angen, nid pobl sydd angen dim.

Aeth y bugeiliaid fel roedden nhw at Iesu – dim newid i siwt, a shafio. Mae Duw, yn Iesu, yn ein derbyn ni fel rydyn ni. Mae'n dy garu DI fel rwyt ti. Darllena Rhufeiniaid 5:8.

Siaradodd Duw hefo'r bugeiliaid allan yn y caeau – dim mewn capel neu eglwys.
Mae Duw yn gallu siarad gyda ni rywle. Ac rwyt ti'n gallu siarad gyda Duw lle bynnag wyt ti.

Roedd y bugeiliaid wedi clywed am yr Achubydd, ond roedd yn rhaid iddyn nhw fynd i'w weld er mwyn bod yn hollol siŵr bod popeth yn wir.
Falla dy fod di wedi clywed llawer am Iesu, ond rhaid i ti fynd ato mewn gweddi a thrwy'r Beibl cyn y byddi di'n sylweddoli go iawn bod popeth sy'n cael ei ddweud amdano yn wir. Byddi di'n ei nabod wedyn fel yr Iesu byw.

Ar ôl gweld y gwir am Iesu, aeth y bugeiliaid ati i rannu eu profiad gydag eraill.
Dyna ein gwaith ni yn y byd wedi i ni roi ein ffydd yn Iesu a'i dderbyn yn Arglwydd ein bywyd.

Catrin Roberts

❖ Coeden Deuluol Iesu

Mathew 1:1-17

Fyddi di'n sgipio dros ddarnau *boring* mewn llyfr? Neu'n darllen y darnau hynny yn frysiog? Dw i'n cofio gwneud hynny unwaith hefo llyfr gosod pan o'n i yn y coleg, a sylweddoli bod y darn *boring* hwnnw yn bwysig iawn – pan ddechreuodd y darlithydd ofyn cwestiynau amdano!

Wrth ddarllen Efengyl Mathew, mae yna demtasiwn i sgipio dros yr 16 adnod cyntaf – coeden deuluol Iesu. Rydyn ni eisiau cyrraedd hanes geni Iesu Grist, a hanes Bethlehem, yr angylion a'r dynion doeth, nid darllen pwy oedd yn dad i bwy! Ond roedd gan yr Iddewon yn amser Iesu ddiddordeb mawr mewn llinach (hanes y teulu), a pwy oedd yn perthyn i bwy. Mae Mathew yn rhannu'r enwau yn dri grŵp o un deg pedwar. Ffordd dda o'i gwneud hi'n haws cofio'r enwau (os wyt ti'n llwyddo i ddweud yr enwau – mae rhai ohonyn nhw mor anodd i'w dweud!)

Oes rhywun enwog yn perthyn i ti? Mae Mathew am i bawb wybod bod Iesu yn dod o deulu Dafydd, brenin enwog ar Israel tua 1000 C.C. ac awdur llawer o'r Salmau. Roedd Dafydd yn frenin pwysig. Gelli di ddarllen amdano yn Llyfr Samuel 1 a 2 yn yr Hen Destament. Llwyddodd i uno'r Israeliaid yn un genedl nerthol. Ar ôl i Dafydd farw aeth popeth yn *pear shaped*, ond roedd y bobl yn credu ac yn gobeithio y byddai Duw yn anfon rhywun arall tebyg i Dafydd i'w harwain. Mae llawer o broffwydoliaethau yn yr Hen Destament yn addo hyn, e.e. Eseia 11:1, Eseciel 34:23,24. Mae Mathew am brofi bod y proffwydoliaethau hyn wedi dod yn wir gyda Iesu. Mae'n dangos i ni hefyd bod Iesu yn berson hanesyddol, dim rhyw ffigwr dychmygol ym meddwl rhai pobl.

Mae coeden deuluol Iesu yn llawn o bobl enwog eraill – rhai yn enwog am fod yn ddrwg iawn! Ac mae Mathew yn gwneud rhywbeth anarferol wrth gyfeirio at bedair merch yn y rhestr, hyn pan oedd dynion i gyd yn chauvenistiaid rhonc a merched yn cyfri dim! A doedd un o'r merched yma (Ruth) ddim hyd yn oed yn Iddewes! Ond defnyddiodd Duw y bobl yma i baratoi'r ffordd i Iesu ddod i'r byd.

Fyddi di'n teimlo weithiau – 'Dydw i ddim digon da i wneud gwaith Duw,' neu 'Dydw i ddim digon clyfar' neu 'Sut mae Duw yn gallu defnyddio rhywun fel fi – un funud rydw i'n byw fel Cristion a'r funud nesa rydw i'n gwneud pethau ddylwn i ddim.'

Mae Duw yn gallu defnyddio pawb sy wedi rhoi eu ffydd yn Iesu – dim ots pwy ydyn nhw – i gyflawni ei waith. Doedd disgyblion Iesu Grist ddim yn bobl berffaith, ond cawson nhw eu defnyddio i rannu'r Newyddion Da am Iesu. Os nad ydyn ni'n byw fel y dylen ni, yna rhaid i ni ddweud sori wrth Dduw a dechrau eto. Dyna sy mor ffantastig am Iesu – daeth i'r byd er mwyn i ni gael cyfle i ddechrau eto!

Catrin Roberts

❖ PYTIAU NADOLIG

Yr unig Iesu mae'r rhan fwyaf ohonom yn ei adnabod yw Iesu'r preseb a'r bugeiliaid, y seryddion a Herod Fawr. Ac mae teip Herod bob amser yn awyddus i'w adael yn faban diymadferth yn y preseb.

❖ MYFYRDOD Y CAROLAU

Emyn yw hwn sy'n mynegi'r llawenydd a'r gorfoledd sydd ynghlwm wrth y Nadolig:

Awn i Fethlem, bawb dan ganu,
neidio, dawnsio a difyrru,
i gael gweld ein Prynwr c'redig
aned heddiw, Ddydd Nadolig.

Rhys Pritchard, *Caneuon Ffydd* 436

Crynhoir yn yr emyn hwn holl rychwant bywyd a phwrpas gweinidogaeth a marwolaeth Iesu Grist:

Peraidd ganodd sêr y bore
ar enedigaeth Brenin nef;
doethion a bugeiliaid hwythau
deithient i'w addoli ef:
gwerthfawr drysor,
yn y preseb Iesu gaed.

Morgan Rhys, *Caneuon Ffydd* 439

Emyn sy'n gyforiog o gyfeiriadau Beiblaidd sy'n arwain i uchafbwynt o lawenydd:

Haleliwia! Haleliwia!
Aeth i'r lladdfa yn ein lle;
Haleliwia! Haleliwia!
Duw sy'n fodlon ynddo fe:
sain Hosanna i Fab Dafydd,
Iesu beunydd fyddo'n ben;

am ei haeddiant sy'n ogoniant
bydded moliant mwy, Amen.
John Edwards, *Caneuon Ffydd* 448

Fydd hi ddim yn Nadolig heb eiriau Joseph Mohr a thôn Franz Grüber:

Dawel nos, sanctaidd yw'r nos,
cwsg a gerdd waun a rhos,
eto'n effro mae Joseff a Mair;
faban annwyl ynghwsg yn y gwair,
cwsg mewn gwynfyd a hedd,
cwsg mewn gwynfyd a hedd.
T. H. Parry-Williams, *Caneuon Ffydd* 467

Hanes y geni yn ôl Mathew fu'n symbyliad i W. R. P. George fynd ati i gyfansoddi'r emyn hwn:

Ganwyd Iesu'n nyddiau Herod,
ganwyd Iesu'n Frenin nef,
gwelwyd seren yn y dwyrain
oedd yn arwain ato ef.

Rhown ein moliant uwch ei breseb;
mae'r gogoniant ar ei ŵyneb,
ŵyneb Iesu, ŵyneb Iesu, Brenin nef.
W. R. P. George, *Caneuon Ffydd* 477

Galwad ar y ffyddloniaid i ddod i ganu a gorfoleddu yng nghreadigaeth y Gair tragwyddol a geir yn yr emyn hwn:

O henffych, ein Ceidwad,
henffych well it heddiw;
gogoniant i'th enw drwy'r ddaear a'r nef:
Gair y tragwyddol
yma'n ddyn ymddengys:
O deuwch ac addolwn,
O deuwch ac addolwn,
O deuwch ac addolwn Grist o'r nef!
J. F. Wade, *Caneuon Ffydd* 463

❖ MYFYRDOD A GWEDDI

Mae Duw yn dod atom yn aml iawn yn yr annisgwyl:

Gweddïwn:
Tydi, crëwr yr holl fyd, mewn cadachau!
Tydi, Arglwydd y greadigaeth yn swpyn gwinglyd, diymadferth!
Ond dyna hanes y baban hwn o'i grud i'w groes, bob amser yn cyflawni'r annisgwyl –

Plygu yn lle torsythu,
y Meistr, fel gwas bach, yn golchi traed.
Cerdded yr ail filltir a throi y foch arall;
maddau'n lle melltithio a charu'n lle casáu.
Dewis ffôl bethau'r byd a dod i'n plith yn faban heb ei wannach.
Amen.

Gareth Maelor

Ar ôl clywed cân yr angylion, awn yng nghwmni'r bugeiliaid i ryfeddu at y peth hwn:

O Dduw ein Tad, clodforwn dy enw am i ti drwy dy ras ymweld
â'n daear ni yn dy Fab, Iesu Grist.
Cynorthwya ni y Nadolig hwn i fynd yng nghwmni'r bugeiliaid
a'r doethion at ei breseb,
i ryfeddu at dy drugaredd di tuag atom,
ac i'w addoli ef a ddaeth yn Waredwr i ni.
Cynorthwya ni, O Arglwydd,
i wrando o'r newydd ar gân yr angylion
ac i geisio tangnefedd yn ein byd.
Gwared ni rhag anghofio, ynghanol ein digonedd,
y rhai fydd yn dioddef y Nadolig hwn,
a dysg i ni ein cyfrifoldeb tuag atynt. Amen.

Yng nghwmni'r seryddion awn ninnau i gyflwyno ein rhoddion:

Ein Tad, wrth i ni gofio am y doethion yn dilyn y seren at y crud, gweddïwn am fedru cyflwyno i ti aur ein hufudd-dod, thus gwyleidd-dra, a myrr ein haddoliad, er anrhydedd a gogoniant i ti. Amen.

Frank Colquhoun

Pob Nadolig gweddïwn nad ydym yn anghofio gwir ystyr yr ŵyl:

Arglwydd Iesu, cofiwn dy eni ar y Nadolig cyntaf.
Cynorthwya ni i gofio nad oedd lle yn y llety,
a chadw ni rhag llenwi'n bywyd fel na byddo lle i ti.
Cynorthwya ni i gofio'r stabl, a'r preseb yn grud,
a chadw ni rhag chwennych y cyfoeth,
y cysur a'r hawddfyd na chefaist ti mohonynt.
Cynorthwya ni i gofio dyfodiad y bugeiliaid a'r doethion
a deled y syml a'r dysgedig, y mawr a'r bach yn un
wrth dy addoli a'th garu di. Amen.

William Barclay

Wrth baratoi ar gyfer yr ŵyl fasnachol gwyliwn rhag i ni anghofio paratoi ar gyfer yr ŵyl ysbrydol:

Diolchwn i ti, O Dduw ein Tad, am gael dy Fab Iesu Grist yn rhodd, y bu ei ddyfodiad i'r byd hwn yn hysbys gan y proffwydi gynt, ac a gafodd ei eni er ein mwyn mewn gostyngeiddrwydd a thlodi ym Methlehem. Wrth i ni baratoi unwaith eto i ddathlu ei eni, llanw ein calonnau â'th lawenydd di a'th dangnefedd, a galluoga ni i'w groesawu fel ein Hiachawdwr; fel y caiff ynom, pan ddaw eto yn ei ogoniant a'i fawredd bobl wedi'u paratoi ar ei gyfer; yr hwn sy'n byw a theyrnasu gyda thi a'r Ysbryd Glân, yn un Duw, yn awr a hyd byth. Amen.

Frank Colquhoun

Yng nghanol ein llawenydd gwae ni o anghofio'r rhai mewn angen:

Gweddïwn dros y rhai na fedrant deimlo llawenydd y Nadolig am eu bod yn cario beichiau salwch, profedigaeth neu ryw aflwydd arall. Cysura â'th bresenoldeb bawb sydd wedi cael eu gwahanu oddi wrth y rhai a garant. Tyrd â goleuni Crist i'w bywydau trallodus. Amen.

Raymond Chapman

❖ ADNODAU'R NADOLIG

Mae'r Logos (y Gair) wedi dod i breswylio i fyd pobl:

A daeth y Gair yn gnawd a phreswylio yn ein plith, yn llawn gras a gwirionedd; gwelsom ei ogoniant ef, ei ogoniant fel unig Fab yn dod oddi wrth y Tad.

Ioan 1:14

Cyhoeddi'r newyddion da oedd gwaith yr angel a dyna waith angylion Duw ym mhob oes:

Yna dywedodd yr angel wrthynt, "Peidiwch ag ofni, oherwydd wele, yr wyf yn cyhoeddi i chwi y newydd da am lawenydd mawr a ddaw i'r holl bobl: ganwyd i chwi heddiw yn nhref Dafydd, Waredwr, yr hwn yw'r Meseia, yr Arglwydd; a dyma'r arwydd i chwi: cewch hyd i'r un bach wedi ei rwymo mewn dillad baban ac yn gorwedd mewn preseb."

Luc 2:10–12

Mae teip Herod Fawr yn ei amlygu ei hun ym mhob oes a chyfnod:

Wedi i Iesu gael ei eni ym Methlehem Jwdea yn nyddiau'r Brenin Herod, daeth seryddion o'r dwyrain i Jerwsalem a holi, "Ble mae'r hwn a anwyd yn frenin yr Iddewon? Oherwydd gwelsom ei seren ef ar ei chyfodiad, a daethom i'w addoli." A phan glywodd y Brenin Herod hyn, cythruddwyd ef, a Jerwsalem i gyd gydag ef.

Mathew 2:1–3

Trwy'r distaw, y diymhongar, y llariaidd a'r gostyngedig y mae Duw yn gweithio:

Ac meddai Mair:
"Y mae fy enaid yn mawrygu yr Arglwydd,
a gorfoleddodd fy ysbryd yn Nuw, fy Ngwaredwr,
am iddo ystyried distadledd ei lawforwyn."

Luc 1:46–48

Datgelodd yr angel y newyddion da i wehilion y gymdeithas:

Wedi i'r angylion fynd ymaith oddi wrthynt i'r nef, dechreuodd y bugeiliaid ddweud wrth ei gilydd, "Gadewch inni fynd i Fethlehem a gweld yr hyn sydd wedi digwydd, y peth yr hysbysodd yr Arglwydd ni amdano." Aethant ar frys, a chawsant hyd i Fair a Joseff, a'r baban yn gorwedd yn y preseb; ac wedi ei weld mynegasant yr hyn oedd wedi ei lefaru wrthynt am y plentyn hwn.

Luc 2:15–17

Dychwelyd ar hyd ffordd arall mae pawb sydd wedi dod wyneb yn wyneb â Mab Duw:

Yna, ar ôl cael eu rhybuddio mewn breuddwyd i beidio â dychwelyd at Herod, aethant yn ôl i'w gwlad ar hyd ffordd arall.

Mathew 2:12

❖ Dywediadau a Throddodiadau y Nadolig

Yn draddodiadol, digwyddai'r plygain rhwng tri a chwech o'r gloch y bore. Byddai'r gwasanaethau yn dechrau mewn tywyllwch ac yn gorffen yng ngolau dydd.

Ar noswyl y Nadolig, cyn gwasanaeth y Plygain, byddai'r gymdeithas yn dod at ei gilydd i wneud cyflaith a hynny'n cael ei wneud fel arfer ar garreg yr aelwyd.

Fel y byddai cyfnod y Nadolig yn dirwyn i ben ar 6 Ionawr, nos Ystwyll, byddai'r dryw bach yn cael ei ladd, ei addurno a'i roi mewn tŷ bychan. Yna byddai criw o ddynion yn mynd ag ef o dŷ i dŷ a byddai'r trigolion yn rhoi arian iddynt am gael cipolwg ar yr aderyn bach.

Arferiad hynod o boblogaidd dros y Nadolig yw'r Fari Lwyd. Mae gwreiddiau'r arferiad hwn yn mynd â ni'n ôl i'r cyfnod cyn-Gristnogol. Penglog ceffyl wedi'i orchuddio â lliain a rhubanau oedd y Fari Lwyd. Byddai'r penglog yn cael ei roi ar bolyn fel bod modd i'r person oedd o dan y lliain agor a chau genau'r penglog. Byddai criw o ddynion yn mynd o gwmpas y tai yn gofyn am wahoddiad i'r tŷ i ddiddanu ac i gael bwyd a diod yn gyfnewid am hynny. Byddai'n anlwcus gwrthod y Fari Lwyd.

Gŵyl Sant Steffan yw'r enw ar y diwrnod ar ôl y Nadolig. Yn ôl Llyfr yr Actau Steffan oedd y merthyr cyntaf.

❖ Cerddi'r Nadolig

Ar fore'r Nadolig bydd llawer yn troedio tua'r eglwys a'r capel i ymuno wrth y crud i ganu mawl:

Dowch y Plygain heb genfigen,
Bawb yn llawen i'r un lle;
Dowch i weled y gogoned,
Oen da ei nodded, un Duw ne';
Dowch i'r beudy at yr Iesu
I'w foliannu fwyngu fodd:

Huw Jones

Rhan o hen garol Saesneg o'r unfed ganrif ar bymtheg sy'n sôn am wyrthiau Iesu tra roedd Mair yn ei gario:

Ac ebe Mair y forwyn
Â geiriau tyner, mwyn:
"Tyn geirios imi, Joseff,
I'r baban 'wy'n ei ddwyn."

Ond geiriau chwyrn roes Joseff
Yn ateb iddi hi:
"Gad iddo dynnu'r ceirios
Sy'n dad i'th blentyn di."

Aneirin Talfan Davies

Roedd Mair yn boblogaidd gan yr hen feirdd fel y gwelwn yn y cywydd hwn o'r bymthegfed ganrif:

I Anna merch a aned,
A honno yw Mair crair cred.
Bu Fair, o'r gair yn ddi-gêl,
Yn feichiog o nef uchel.
Mal yr haul y molir hon
Drwy ffenestr wydr i'r ffynnon.
Yr un modd, iawnrhodd anrheg,
Y daeth Duw at famaeth deg,
Gorau mam, gorau mamaeth,
Gorau i nef y gŵr a wnaeth.

Anhysbys

Awn at y preseb i weld ei anwyldeb a phrofi'r hedd yn ei wyneb:

Awn i weld ei anwyldeb – Ei grud;
Daw gwawr hedd o'i wyneb;
Llwyddo'n iawn ni allodd neb
A ddibrisiodd ei breseb.

Rowland Jones

Myfyriwn gyda Mair wrth iddi hel atgofion am enedigaeth Iesu:

Yma heno cofiaf am y preseb pren.
I'm ffroen dôi sawr cyfarwydd naddiadau ac ysglodion,
Sawr Joseff – yr un a glywn ar groen ei freichiau ac yng ngwallt ei ben
Pan gusanem yn y gweithdy, a'n dagrau fel glaw'r bargodion;
'Roedd hoelion yn y pren. Beth i'r rhain, pan fo awch ar eu pig,
Y feddal arfogaeth sydd ym mreugnawd traed a dwylo?
Hoelen faterol nid ymglyw â dwyfoldeb cig
A gwaed petai haul nef a'i ymylau yn wylo.

J. Eirian Davies

❖ Myfyrdod ar gyfer y Nadolig

O tyred di, Emanŵel,
a datod rwymau Isräel
sydd yma'n alltud unig, trist
hyd ddydd datguddiad Iesu Grist:
O cân, O cân: Emanŵel
ddaw atat ti, O! Isräel.

'Mewn llawer dull a llawer modd y llefarodd Duw gynt wrth yr hynafiaid trwy'r proffwydi, ond yn y dyddiau olaf hyn llefarodd wrthym ni mewn Mab.'

Molwn ac addolwn di, O Dad, am ddod atom yn Iesu, dy fab. Daethost i fyw yn ein plith. Rhyfeddwn i ti wneud y fath beth a dod i ganol bywyd. Wyddom ni ddim sut y goddefaist ein dwli a'n balchder a'n hunanoldeb a'n traha a'n meddyliau bas.

Maddau, dirion Arglwydd, maddau i ni.

'Amlygwch yn eich plith eich hunain yr agwedd meddwl honno sydd, yn wir, yn eiddo i chwi yng Nghrist Iesu. Er ei fod ef ar ffurf Duw, ni chyfrifodd fod cydraddoldeb â Duw yn beth i ddal gafael ynddo, ond fe'i gwacaodd ei hun, gan gymryd ffurf caethwas a dyfod ar wedd ddynol.'

Ein Tad, ni allwn ddiolch digon iti am Iesu.
Llawenhawn ei fod wedi dygymod â ni a'n goddef ni.
Llawenhawn iddo eistedd a mwynhau cwmni rhai fel ni.
Llawenhawn iddo addo aros gyda ni.
Llawenhawn iddo ddangos mai o Dduw y mae addfwynder a gostyngeiddrwydd.
Llawenhawn yn ei fuddugoliaeth ar bechod, angau a'r bedd.

Rhyfeddu 'rwyf, O Dduw,
dy ddyfod yn y cnawd,
rhyfeddod heb ddim diwedd yw
fod Iesu imi'n Frawd.

Gwarchod ni, O Ysbryd Sanctaidd, rhag colli'r rhyfeddod hwn.
Gwarchod ni rhag siniciaeth ein hoes a'r:

Calon galedwch sy'n difa ein heneidiau.
Dyro inni galon llawn syndod a ffresni.
Dyro inni ddirnadaeth fyw, loyw.
Dyro inni weld Iesu y Nadolig hwn.

Caed baban bach mewn preseb
 drosom ni,
a golau Duw'n ei ŵyneb
 drosom ni:
mae gwyrthiau Galilea...

Annwyl Iesu, derbyn ein diolch. Yr wyt mor garedig tuag atom, mor amyneddgar a grasol, yn gymwynasgar a da. Yr ydym am dreulio'r Nadolig gyda thi. Dyro inni ffydd y wraig a gyffyrddodd â'th fantell a sicrwydd y canwriad yng Nghapernaum. Siarada â ni, Iesu, fel y gwnest wrth Ffynnon Jacob ac annog ni i eistedd wrth dy draed fel y gwnaeth Mair, chwaer Martha. O Iesu, dysg ni i ddewis y rhan orau a pheidio â thrafferthu am bethau dieisiau. Helpa ni, Iesu, os gweli di'n dda i'th adnabod fel y gwnaeth y rhai fu'n cerdded i Emaus. Y Nadolig hwn, O Iesu, ymwêl â ni wrth ford y cymun fel y gallwn ddweud yn ffyddiog: 'A daeth y Gair yn gnawd a phreswylio yn ein plith, yn llawn gras a gwirionedd.' Amen.

❖ Tawel Nos

Nid yw Oberndorf ond pentref bychan iawn yn Awstria. Ond fy mhentref i ydyw a dyna paham yr hoffaf feddwl yn aml amdano. Adeg y Nadolig yn enwedig, fe'i gwelaf yn glir yn fy meddwl, pan yw'r eira gwyn yn ddwfn yn ei strydoedd cul, a dim i'w glywed ond tincial ariannaidd y clychau bach wrth yddfau'r ceffylau sy'n tynnu'r ceir llusg di-stŵr ar hyd yr heolydd gaeafol. Yn y pellter cwyd cribau nerthol yr Alpau i'w hentrych mawreddog. Mae'r awyr yn bur ac yn iach, a hyd yn oed liw nos medrwch weld y mynyddoedd yn sgleinio fel dur glas. O'n blaen cwyd tyrrau eglwysi Salzburg, man geni Mozart a chanolfan gerddorol fyd-enwog.

Eithr ni bu Oberndorf erioed yn enwog. Ac eto cafodd y byd un o'i ganeuon hyfrytaf gan y pentref bach anhysbys hwn o'r eiddof fi. Yn y flwyddyn 1818, ar un o'r nosau tawel hyn, y noson cyn Noswyl Nadolig, safai person y pentref yn freuddwydiol yn ei fyfyrfa glyd, yn gwylio llewych y gwrid ar yr eira yn sgwâr gwag yr eglwys o flaen y persondy. Gwelai'r ysgoldy lle yr addysgai fy hen dad-cu. Gwelai'r tŵr dŵr hynafol a châi gip ar ddyfroedd tywyll, rhewllyd afon Salzach. A theimlai fod hon yn dawel nos. Drannoeth fyddai Noswyl Nadolig, pryd y llosgai canhwyllau bychain dirifedi ar goedydd yn yr holl gartrefi. Disgleiriai llygaid y plant a llenwid calonnau'r bobl â llawenydd a harddwch a gostyngeiddrwydd. Noson sanctaidd oedd hon.

Felly y bu i'r Tad Mohr gael ei ysbrydoli i lunio cerdd fechan a'i galw'n 'Dawel Nos'. Yna aeth drwy'r eira i dŷ ysgol pentref cyfagos Arnsdorf. Wedi cynhesu ychydig ym mharlwr ei gyfaill Franz Gruber, ysgolfeistr y pentref, gofynnodd iddo braidd yn swil a ddarllenai'r ychydig benillion yr oedd newydd eu hysgrifennu, a chyfansoddi alaw arnynt. Wedi i'r Tad Mohr ymadael, ysbrydolwyd Franz Gruber yntau gan gyfaredd llonydd y noson oer, glir, aeafol, Awstraidd honno, ac ysgrifennodd dôn a oedd mor llawn o ansawdd y byd o'i gwmpas, mor syml a gafaelgar, fel na fedrai lai na chyffwrdd calon pawb i'r byw.

Nid cân cyfansoddwr neu fardd arbennig yw 'Tawel Nos'. Cân bentref ac awyrgylch ydyw. Ni allesid bod wedi ei hysgrifennu yn unman arall, dim hyd yn oed gan y person a'r ysgolfeistr y daeth tynged raslon â hwy at ei gilydd. Ni fedrid bod wedi ei hysgrifennu yn Salzburg, nac yn y dref Almaenig yr ochr arall i'r afon. Ni fedrid bod wedi ei hysgrifennu ychwaith gan gyfansoddwyr mawr megis Beethoven a

Schubert. Cân syml pentref mewn gwlad agored ydyw, heb ddim i'w amddiffyn ond cynhesrwydd ei ffydd a'i ymddiriedaeth yn ei gartrefi. A dyna paham y daeth yn gân pob pentref, ac yn gân i bawb sy'n meddu ar ffydd ac ymddiriedaeth yn eu cartrefi.

Leopold Kohr

❖ Dawel Nos

Nos dawel, ddi-awel oedd hi – a naws
Hanner nos oedd iddi,
Awr gannaid oedd awr geni
Oesau'n ôl ein Iesu ni.

Oes, yn yr englyn hwn gan Dic Goodman, y bardd o Fynytho, y mae rhin arbennig, y cywair delfrydol i oedfa o ganu carolau.

Byrdwn aml i sgwrs gan y diweddar J. T. Jones, y llenor a'r cyfieithydd coeth o Borthmadog, oedd pwysigrwydd sicrhau cywair priodol i oedfa addoli yr Hollgyfoethog Dduw. Dyma englyn sy'n creu naws i'r garol arbennig 'Dawel Nos'.

Percy Dearmer, awdurdod ar y cyfrwng hwn mewn addoliad, a ddywed yn ei gyfrol safonol *The Oxford Book of Carols* fod swyn carol boblogaidd i'w briodoli i gywirdeb mynegiant cywir i gyfnod ei geni. Hynny sy'n sicrhau iddi anfarwoldeb.

Bydd 'Dawel Nos' yn boblogaidd eto y Nadolig hwn. Daw'r miloedd dros yr holl fyd gan nesáu at grud 'Dwyfol Faban Mair' yn ei thawelwch pur.

Buddiol yw dwyn ar gof i ni oll achlysur geni yr anfarwol dlysni hwn. Yn yr Almaen y'i ganed ym 1818. Roedd offeiriad, y Tad Mohr, yn paratoi gwasanaeth y Nadolig hwnnw ar gyfer deiliaid ei blwyf. Daethai cennad brys iddo o fwthyn gwerinwr a'i wraig ar lethrau mynydd uwchlaw'r pentref iddo ddod i fendithio eu baban newydd-anedig. Wrth ddychwelyd oddi yno trwy'r eira trwchus, gyda sancteiddrwydd yr awr yn y cartref syml yn creu cywair tawel, myfyriai Mohr am 'awr geni oesau'n ôl ein Iesu ni.' Ar y daith honno y ganed geiriau y garol 'Dawel Nos'. Aeth yn unionsyth at ei gyfaill Franz Grüber, cerddor ei gysegr, a dangos y geiriau iddo. Ymhen ychydig amser dylifodd 'miwsig y nef' yn amwisg am y geiriau. Unodd y ddau – y Tad Mohr a Grüber – gyda'u gitarau, a galw dau gantor atynt i gyflwyno 'y rhyfeddod hwn' am y tro cyntaf i'r byd.

Heddiw mae'n un o'n carolau mwyaf poblogaidd. Bydd y dyblu a'r treblu ar ei chenadwri yn rhan o fynegiant o'r Haleliwia yn enaid yr eglwys Gristnogol y Nadolig hwn eto.

O'r holl gyfieithiadau i'n hiaith, darlun syml Syr T. H. Parry Williams yw'n dewis. Mae yntau'n creu cywair delfrydol i 'awr gannaid – awr geni oesau'n ôl ein Iesu ni'. Unwn gyda'n cymwynaswyr eto, – draw yn nhawelwch Bethlem dref, a sibrwd, –

Dawel nos, sanctaidd yw'r nos,
cwsg a gerdd waun a rhos,
eto'n effro mae Joseff a Mair;
faban annwyl ynghwsg yn y gwair,
cwsg mewn gwynfyd a hedd,
cwsg mewn gwynfyd a hedd.

Pererin y Pentan

❖ SIOPA YW'R NADOLIG

Siopa yw crefydd yr unfed ganrif ar hugain, meddai rhywun, a'r archfarchnadoedd yw eglwysi cadeiriol ein cyfnod ni. Enwadau'r grefydd newydd hon yw'r Marcsanspenseriaid, y Sêffwêwyr, y Tescoistiaid a'r Lidlwyr. Ac ar yr adeg hon o'r flwyddyn mae eu temlau yn llawn prysurdeb wrth iddynt ddathlu gŵyl y gormodedd.

Bu amser, wrth gwrs, pan fyddai'r Ffransisiaid, brodyr y dyn bach tlawd o Assisi, yn addoli yn y rhan o Gaerfyrddin lle saif Tesco erbyn hyn. Gŵyl y Geni oedd canolbwynt eu blwyddyn eglwysig a'i neges am ddyfodiad Brenin y stabal a'r groes i'n byd fel un ohonom yn llywio pob agwedd o'u bywydau.

Roedd dychymyg a chân yn chwarae rhan hanfodol yng nghenhadaeth brodyr cynnar Sant Ffransis. Nhw oedd y rhai a ddaeth â'r syniad o gael 'preseb' (golygfa'r Geni) a drama Nadolig i Gymru. Un ohonynt oedd y Brawd Madog ap Gwallter, awdur y garol gyntaf yn y Gymraeg. Paradocs y Geni oedd yn cynhyrfu awen y Brawd Madog. Mae'n sôn am Iesu fel y 'Cawr mawr bychan, cryf, cadarn, gwan... cyfoethog, tlawd, a'n Tad, a'n Brawd.'

Cyfoeth a chadernid baban Bethlehem yw cyfoeth a chadernid cariad, ac nid yw cariad (hyd yn oed cariad anhraethol y Duw-ddyn) yn cyfrif rhyw lawer ym myd y grefydd newydd, gyda'i phwyslais ar drachwant a hunanoldeb. Ac eto, hyd yn oed yn ein hoes ni, mae'r 'cawr mawr bychan' yn medru cyffwrdd â'r bobl fwyaf annisgwyl a threiddio i'r mannau mwyaf annhebyg, gan lanw bywydau â llawenydd syfrdanol. A phan fo ei gariad Ef yn cario'r dydd, mae gŵyl y gormodedd yn troi'n ŵyl y Geni unwaith yn rhagor – yr ŵyl orau erioed. Nadolig Llawen!

Patrick Thomas

❖ GŴYL Y GENI

Nos dawel, ddi-awel oedd hi – a naws
Hanner nos oedd iddi,
Awr gannaid oedd awr geni
Oesau'n ôl ein Iesu ni.

Oes, mae cyfaredd arbennig yn englyn Dic Goodman, y bardd o Fynytho. Mynega ein teimladau ni oll pan ddaw'r amser i ddathlu 'gŵyl fawr y geni'.

Ni allwn osgoi unwaith eto yr 'hen, hen hanes' a pharhau i ddatgan:

Yn awr, clyw y byd y garol,
Fe lenwir y nef â chlod
Am fod yr Iesu rhyfeddol
I'w lety newydd yn dod.

Gwyddom mai gwireddu 'dirgel gyfrinach arfaeth Duw' fu dilyniant dod i'r llety hwn.

'Rhwymodd ef mewn dillad baban a'i osod mewn preseb, am nad oedd lle iddynt yn y gwesty.'

Darllenais unwaith mai

Difyrrwch plant yw stori
Am eni baban Mair.

Cofiwn hefyd am eiriau sydd yn parhau â diddanwch yr ŵyl trwy gyhoeddi:

Cofir am y llu angylion
A'u newyddion yn y nos
Yn rhoi syndod i'r bugeiliaid
Wrth y gorlan ar y rhos.

Nid yn unig daeth newyddion da i feysydd Bethlehem, ond i fyd cyfan fu'n disgwyl cyhyd.

'Yn yr un ardal yr oedd bugeiliaid allan yn y wlad yn gwarchod eu praidd liw nos.'

Rhamant a dirgelwch yn ei gylch yw hanes y tri brenin doeth ddaeth o'r dwyrain i weld a chydnabod yr 'Un bach a'r newydd mawr'.

Yn ein llawenydd unwn eto gyda'r doethion:

O dwg ni wedi'r teithio pell
At drothwy llwm ei sanctaidd gell,
Dwg ni lle ganwyd Ef.

Efelychwn y gwŷr doeth a:

Gostyngwn ddeulin wrth y pyrth
Lle rhoddes Duw ei bennaf wyrth.

'Daeth seryddion o'r dwyrain i Jerwsalem a holi, "Ble mae'r hwn a anwyd yn frenin yr Iddewon?"'

Diolch am gyfle unwaith eto i atgoffa'n gilydd o ramant 'Gŵyl y Geni'.

Gŵyl y Gân, Gŵyl y Geni – Gŵyl y Nef,
Gŵyl yn hau daioni,
Gŵyl enwog y Goleuni,
Gŵyl yr hedd, Gŵyl Iôr yw hi.

Mae englyn y diweddar Barch Trebor Roberts yn ddiweddglo pwrpasol i grynhoi ein teimladau. Gobeithio y gallwn dreulio a theimlo dedwyddwch yr ŵyl yn ein mysg eto eleni.

Emrys Parry

❖ DYDD NADOLIG: GAIR DUW MEWN CNAWD

Eseia 52:7–10; Salm 98;
Hebreaid 1:1–4 (5–12); Ioan 1:1–14

Ceir disgwyliad mawr heddiw fel disgwyliad Sul y Blodau am fod y Brenin yn dod!

Seiniwch yr utgorn! Tarwch y drwm!
Daeth y disgwyl i ben.
O'r diwedd daeth dydd gobaith!
Datguddiwyd iachawdwriaeth ein Duw!
Daeth ein Gwaredwr!
Y mae yn fawr, yn fwy na'r angylion;
Ef yw creawdwr a chynhaliwr bywyd.
Y mae'n oleuni a bywyd, ac arno mae stamp sylwedd Duw.
Mab Duw, y Mwyaf Un,
a ddaeth i'n plith.
Datguddiwyd iachawdwriaeth ein Duw!

Oedi/distawrwydd

Ond lle mae ei osgordd?
Lle mae'r baneri?
Lle mae'r torfeydd disgwylgar?

Y mae stabal,
mam ifanc a thad
a baban…

Dyro i ni weledigaeth y Dydd Nadolig hwn,
i ganfod a dathlu dy Aruthrol Fawredd a'th Sancteiddrwydd
yn y mannau annisgwyl ac yng nghanol cyffredinedd bywyd.
Dyro i ni, Grist y Gwaredwr, y weledigaeth y Nadolig hwn.

Fiona Bennett

❖ Dydd Nadolig: Y Crist

Ac Ef oedd y Gair. Dichon nad oedd y cadachau
yn deilwng o'r Ymgnawdoliad ym Methlehem dref,
eithr caed rhwng yr asyn a'r bustach y goruchaf ei achau,
ac yng nghanol aerwyau a rhastlau, y Crist o'r nef.

Alan Llwyd

Nid ym mhalasau'r brenin nac mewn gwesty gwych y ganwyd Mab Duw i'n byd. Mewn stabal ddi-nod, yng nghanol baw a budreddi'r anifeiliaid, y cafwyd y baban rhyfeddol hwn. Duw yn ymdrybaeddu mewn baw. 'Gwnaeth ei babell gyda dynion...'

'A daeth y Gair yn gnawd a phreswylio yn ein plith, yn llawn gras a gwirionedd...'

Llefaru wrth ei bobl, eu cyfarch, y mae Duw bob amser. Cyhoeddodd ei Air mewn addewid trwy'r Tadau a'r Proffwydi a mynegodd ei ewyllys yn ei bobl a thrwyddynt. Y gwahaniaeth mawr yn awr, fodd bynnag, yw ei fod yn llefaru wrthym mewn Mab.

Yn ein cnawd ni mae Duw yn preswylio. Am hynny, ni all y telpyn hwn o glai fyth fod yr un fath eto. Ym Methlehem a Golgotha a thu draw i'r Dioddefaint mae 'preswylfa (pabell) Duw gyda'r ddynoliaeth' (Datguddiad 21:3).

Daeth presenoldeb parhaol a digyfnewid Duw ymhlith dynion i'w gyflawnder pan na ellid mwyach weld Iesu ymhlith y cylch bach cyfyng ym Mhalesteina, ond wedi ei ddyrchafu (yn ein natur ni) i eistedd ar ddeheulaw Duw. Oddi yno mae'n ymestyn i gyrraedd pobloedd a chalonnau eraill. Dyma pam mae Iesu yn adrodd dro ar ôl tro yng nghlyw y disgyblion, 'Os yw rhywun yn fy ngharu, bydd yn cadw fy ngair i, a bydd fy Nhad yn ei garu, ac fe ddown ato a gwneud ein trigfa gydag ef' (Ioan 14:23).

Y cwestiwn sy'n aros yw, a yw yn trigo yn dy galon di? Dim ond wedyn y gallwn ninnau ymuno yn yr anthem: 'Daeth y gair yn gnawd ac mae'n preswylio yn fy nghalon i.'

❖ Mae'r Nadolig wedi Dod

Mathew 2:11

'Syrthiasant i lawr a'i addoli, ac wedi agor eu trysorau offrymasant iddo anrhegion, aur a thus a myrr.'

Mae'r Nadolig wedi dod. A bod yn onest, mae wedi bod yma ers diwedd Awst, gyda'r siopau yn swyno 'Spend, Spend' a 'Spend' eto. Adeg anrhegion yw hi; rhoi a derbyn, cyfnod y cardiau plastig. Amser y gwario gwarthus, dim ots am yfory, na'r flwyddyn nesa ychwaith. Beic i Bill, a doli i Dilys. Costied a gostio, cyfnod bishi braf, neu fondigrybwyll? Sa' i'n siŵr.

Chwarae teg i'r bechgyn o ben draw'r byd. Tri, neu bedwar medde rhai. Cyrraedd ar eu camelod, cydnabod Crist gyda'u presantau – aur, thus a myrr. Cymeriadau cynnes, caredig a chariadus o'dd y rhain. Pobl y 'Magi', dyna'r term technegol arnynt, yn ôl y diwinyddion disglair a deallus.

Diddorol tu hwnt yw'r presantau.

1. Mae'r aur yn dynodi *Ei Frenhiniaeth*

Dywed Seneca ei bod hi'n arferiad i gyfarch brenin ym Mharthia gydag anrheg foddhaol. Aur. 'Na chi bresant. Drudfawr, ond yn gwbl dderbyniol 'ych chi'n gweld o'r cychwyn cyntaf. Brenin o'dd e. Na, nid treisgar. Tawel, tyner a thrylwyr oedd hwn. Caru, cydymdeimlo, cofleidio – dyna oedd ei naws a'i nod. Oni ddylem fel unigolion gydnabod hynny mewn gwyleidd-dra?

2. Mae'r thus yn dynodi *Ei Offeiriadaeth*

Mewn oedfa yn y deml y defnyddid thus i berarogli'r awyr. Hyfryd o berarogl, melys a mwynaidd. Darllenais yn rhywle mai swyddogaeth offeiriad oedd datguddio Duw i ddynion; tipyn o dasg. Dadansoddi perarogl Duw i ddyn, 'na chi job, enfawr ond eneiniedig hefyd. Diddorol yw'r gair gwreiddiol, Lladin am offeiriad – 'Pontifex'. Ie, ry'ch chi wedi ei deall hi. Pont. Pontio'r gagendor rhwng dyn a Duw, dyna wnaeth Iesu. Sicrhau bod dynion yn derbyn Duw.

3. Mae'r myrr yn dynodi *Ei Farwolaeth*

Defnyddid myrr i berarogli cyrff dynol. Marw nath e, yn y diwedd, ond codi cofiwch y bore rhyfeddol hwnnw.

Holman Hunt yr arlunydd adnabyddus sydd wedi portreadu Iesu fel crwtyn a chrefftwr tu fas i siop y saer yn Nasareth. Efallai fod gennych gopi. Blinder, y 'bench', y mynawyd a'r morthwyl; ychydig o seibiant, 'break' nawr. Tu cefn iddo mae'r haul yn disgleirio, ac mae ei freichiau'n ymestyn tua'r cymylau cwmpasog. Mair, ei fam, yn y cefndir, yn edrych ar y breichiau yn estyn tua'r nef. Synfyfyrio'n sydyn; croes, casineb, camddealltwriaeth: dyna ddigwydd i hwn. Marwolaeth! Tipyn o bortread ohono.

Dynododd aur ei frenhiniaeth, thus ei offeiriadaeth a myrr y marw meistrolgar. Beth fydd eich hynt a'ch helynt chi y Nadolig yma? Fe gewch bresantau tlws, twt a thaclus. Cewch mae'n siŵr gennyf.

Ond y presant pwysig. Ie, 'na chi, y babi bach 'na. Carwch e, cydiwch ynddo, cefnogwch e y Nadolig hwn. Fel y dywedodd y bardd Gwenallt yn ei gerdd 'Bethlehem':

Ond nac anghofiwn yr ystabl gynt,
Tom yr anifeiliaid ar y gwellt,
Y muriau moel yn loyw gan oerni
A Mair yn crynu gan oerfel wrth fagu ei baban;
A thrwy'r twll yn y wal ni ddôi o'r wybren rewllyd
Ond goleuni un seren i'r tywyllwch a'r tlodi.
Pererinion oeddem yno, pererinion pechadurus
Y pechod pwysig, y pechod pell,
Y pellter rhwng Duw yn ei ogoniant yn y nef
A'r plentyn yn y preseb.

J. Neville James

❖ Wyneb Duw

A ninnau wedi cerdded i mewn i dymor yr Adfent unwaith eto, daw i'n cof stori am fam yn anfon ei bachgen ar neges drosti. Amharod oedd yntau i ufuddhau i'w chais. Ni wyddom i sicrwydd ai esgus ynteu rheswm oedd ganddo pan ddywedodd fod arno ofn mynd ar y siwrnai wrtho'i hun. Sut bynnag, ceisiodd ei fam dawelu ei ofn, os oedd hwnnw arno, drwy ddweud y byddai'n hollol ddiogel ar y daith oherwydd byddai Duw yn gwmni iddo. Roedd gan y bachgen ateb parod ond annisgwyl i'w fam, 'Rwyf eisiau cwmni rhywun â wyneb 'dag e.'

Ar drothwy'r Nadolig eleni eto, a thros ddyddiau'r ŵyl, boed inni ddyrchafu cân o fawl i Dduw am iddo ddangos ei wyneb, datguddio ei hun yn Iesu Grist. 'Caed baban bach mewn preseb drosom ni, a golau Duw'n ei wyneb drosom ni.' 'Y neb a'm gwelodd i, a welodd y Tad,' (*BWM*) meddai Iesu yn ôl Efengyl Ioan.

Mae'n wir nad oes gennym ddisgrifiad o Iesu o ran ei wedd allanol yn yr Efengylau. Nid yw'r awdurdodau hynny yn manylu ynglŷn â'i ymddangosiad. Nid oes gennym bortread dilys felly o'r Person ifanc, rhyfeddol hwn, sef o ran ei bryd a'i wedd. Ond hawdd synhwyro bod ganddo bersonoliaeth a phresenoldeb a oedd yn gyfareddol. Mae'n amlwg wrth ddilyn ôl ei draed drwy'r Efengylau bod ganddo lygaid anghyffredin. Meddai ar edrychiad a wnâi i'r cythreuliaid grynu a gwadwr i dywallt dagrau edifeiriol. Roedd rhyw oleuni clir, nefolaidd, yn pelydru drwy ffenestr ei gorff, a oedd yn ddangosiad o'i gymeriad dilychwin. A bu'r arlunwyr a'r cerflunwyr drwy'r oesoedd yn ymdrechu'n galed i'w bortreadu. Llwyddodd rhai yn well na'i gilydd. Sylweddolodd rhywrai ohonynt na allent wneud cyfiawnder â'r gwrthrych heb iddynt yn gyntaf roddi eu calon iddo. 'The more I love Him, the better I can paint Him,' oedd tystiolaeth un ohonynt. A phwy yn wir a fedr gyflwyno ar gynfas neu mewn carreg fawredd a gogoniant y Person rhyfedd hwn? Er hynny, y mae gennym, os ydym yn ei garu, ac os yw yn Waredwr inni, ddarlun ohono ar len ein meddwl ac ar lech ein calon. A gwelwn wyneb Duw ynddo. 'Rhosyn Saron, Ti yw tegwch nef y nef.'

T. Elfyn Jones

❖ BYDD YN ESGOR AR FAB

'Bydd yn esgor ar fab, a gelwi ef Iesu, am mai ef a wareda ei bobl oddi wrth eu pechodau.'

Ni ŵyr y Testament Newydd am reswm arall ar wahân i hyn dros ddathlu'r Nadolig: 'Efe a wareda ei bobl oddi wrth eu pechodau.' Hyn, hefyd, yw cyffes angerddol yr Eglwys Gristnogol. Gwir y bu yn hanes yr Eglwys rai, o dro i dro, a ddadleuai y buasai ymgnawdoliad hyd yn oed pe na buasai dyn wedi cwympo yn Eden. Nid oes, fodd bynnag, unrhyw sail ysgrythurol dros y fath syniad. Er mwyn symud ymaith bechod y daeth Mab Duw i'n byd.

Mewn oes fel yr un bresennol lle y collwyd golwg, i raddau helaeth, ar wir arwyddocâd pechod, anodd, a dweud y lleiaf, yw i Gristnogion amgyffred gwir ystyr y Nadolig.

A siarad yn gyffredinol, ymwrthododd pulpud Cymraeg y ganrif hon â'r athrawiaeth am y Cwymp ac aethpwyd i ystyried y pechod gwreiddiol fel tipyn o jôc. Condemniwyd, mae'n wir, a hynny'n chwyrn, bechodau unigol, megis meddwdod, ond anaml iawn y cyffyrddwyd â phechod – pechod fel gwrthryfel dyn yn erbyn Duw. Aeth y pulpud yn nerfus iawn yng ngŵydd gwirionedd mor radical.

Cyfyd llawer iawn o'r anawsterau a deimlir ynglŷn â'r athrawiaeth o'r ffaith ein bod yn gosod ein profiadau yn sail i'n diwinyddiaeth. Wrth gwrs ein bod, a siarad ar lefel bersonol, wedi derbyn llawer iawn o garedigrwydd oddi ar law 'pechaduriaid' amlwg ac wedi derbyn, gwaetha'r modd, niwed, ar dro, oddi ar law pobl dda.

Diau, a siarad ar lefel bersonol eto, fod peth gwir yn y gosodiad: Mae ychydig o'r drwg ym mhawb ac ychydig o'r da – O, mor wylaidd ydym – ym mhawb. A beth am y frawddeg honno o *Under Milk Wood*, Dylan Thomas, sydd wedi tyfu i statws adnod bron yng ngenau llawer o bregethwyr gan mor aml y dyfynnir hi: 'We are not wholly good or wholly bad who live their lives under Milk Wood'?

Drwy wneud agwedd o'n profiad yn ffon fesur ein diwinyddiaeth ni welir bod dim o'i le ar ystyried dyn, o'i ymddihatru oddi wrth amgylchiadau anffafriol a dylanwadau drwg, yn hanfodol dda. Onid yw'r modd y gwedir bod baban bach wedi etifeddu, mewn unrhyw ffordd, 'natur lygredig Adda', yn brawf arall, os oes angen prawf, ein bod wedi colli golwg ar wir ystyr pechod? Tyfu yn bechadur a wna dyn, os tyfu o gwbl.

A dweud y lleiaf, rhywbeth sy'n gorwedd, a hynny, sylwch, yn ddigon anghyfforddus ar wyneb y natur ddynol yw pechod yn ein golwg. Addefir weithiau, wrth gwrs, ei fod yn gorwedd yn esmwythach ar natur ambell unigolyn yn fwy na'i gilydd. Ond nid yw hynny'n rheswm o gwbl dros amau ein hargyhoeddiad, a chymryd popeth i ystyriaeth, ein bod yn bobl reit dda ar y cyfan.

O feddwl am y peth, tipyn o ddirgelwch yw'r Nadolig inni. Popeth yn iawn os sonnir am y cariad dwyfol sydd tu ôl i'r baban a gaed mewn preseb, ond rhaid gwylio nad yw nodau barn Duw yn taro ar ein clyw wrth inni ddynesu at y preseb hwnnw.

Ond drwy ddehongli'r Nadolig yng ngoleuni'r Groes mynna'r Eglwys Gristnogol ein cyfeirio at farn Duw arnom. Am fod pechod yn rhywbeth ofnadwy yng ngolwg Duw y ganwyd y mab bychan.

Ac wrth gwrs, ar sail ffydd ac nid ar sail profiad y credir bod y natur ddynol yn llygredig. Ffydd yn y Gair a wnaethpwyd yn gnawd ac a ddioddefodd ar Galfaria dros bechodau'r byd. Yno, wrth droed y Groes, y gwelir na allai dim ond ymgnawdoliad a marwolaeth Mab Duw ddelio'n derfynol â phechod.

Nid yw dehongli'r Nadolig yng ngoleuni'r Groes yn tynnu dim oddi wrth gariad Duw yn anfon ei Fab i'n byd. I'r gwrthwyneb, mae'n gyfrwng i'n hatgoffa mai cariad sanctaidd yw cariad Duw.

Gwyndaf Jones

❖ 'O TYRED DI, EMANŴEL'

'Ydych chi'n barod erbyn y Nadolig?'
Dyna'r cwestiwn a glywir yn yr wythnos neu ddwy cyn yr ŵyl. Ac wrth hynny yn naturiol beth a olygir yw a yw popeth wedi ei gael i mewn, ac a ydy'r cardiau wedi eu postio! Erbyn y dydd ei hunan mae pobun yn falch fod y siopau ynghau a'r strydoedd yn dawelach – wel, yn dawel am ddeuddydd neu dridiau cyn eu bod yn agor eto i gynnig gostyngiadau a rhoi cyfle i'r siopwr doeth ddechrau paratoi ar gyfer y Nadolig nesaf! Oes, mae tipyn o hwyl yn y paratoi hwn ac yn yr ymlacio dros yr ŵyl, a da o beth yw cael Apêl y Plant Mewn Angen cyn i'r prysurdeb ein byddaru'n llwyr. Mae'n galondid gweld nad yw boddio hunan bob amser yn cael y flaenoriaeth ar foddio eraill, a bod cymaint o haelioni yn dal yn y tir!

I ddod 'nôl at y pwynt dan sylw, a ydym ni'n barod ar gyfer y Nadolig? Efallai bod perygl inni feddwl mwy am NADOLIG y Crist nag am GRIST y Nadolig! Gŵyl 'y dyfod' yw'r Nadolig, ac mae'r Crist yn dyfod o hyd. Daw atom fel unigolion, a daw atom fel cenedl – a ydym yn barod? Dywedodd Ioan iddo ddod at yr eiddo ei hun a'r eiddo ei hun nis derbyniasant Ef! Yn un o'i ddamhegion dywed Iesu fod pobl yn ymesgusodi rhag derbyn y gwahoddiad i'r wledd fawr, ac fel y gwyddoch o ddarllen y ddameg (Luc 14:15–24), esgusodion digon gwan oedd ganddynt – roedd un wedi prynu cae ac am fynd i'w weld ac un arall wedi prynu cymaint â phum pâr o ychen ac am fynd i'w profi – sôn am brynu cath mewn cwd! Mae esgus y llall efallai ychydig yn gryfach – 'Rwyf newydd briodi, ac am hynny ni allaf ddod.' Mae'r partner yn bwysig on'd ydy? Mae priodasau – hyd yn oed priodasau capel – wedi colli llawer dawn addawol i'r eglwys! Ond dyna fe, pwnc arall ydyw hynny! Dweud yr oeddem bod paratoi ar gyfer 'y dyfod' yn beth mawr. Dyfodiad Iesu Grist yw'r dyfodiad mwyaf tyngedfennol yn hanes dyn, ac fe ddaw o hyd ac o hyd, ond a ydym ni'n barod? Un o'r emynau cyfoes sydd wedi gafael yng Nghymru yw 'O tyred i'n gwaredu, Iesu da'. Mae John Roberts, Llanfwrog, wedi mynegi dyhead dwfn mewn ffordd effeithiol dros ben. Mae arnom angen dyfodiad y Gwaredwr, ond mae hynny yn golygu paratoi'r ffordd iddo.

Ond beth yw'r paratoi hwn? Sut y gallwn ni baratoi'r ffordd i'r Brenin?

1. Trwy gredu'r addewid ei fod yn nesáu ac yn dyfod atom. Roedd yno rai yn Israel a oedd yn credu addewid Duw am un a ddeuai yn athro ac yn arweinydd i'r bobloedd. Un y byddai Ysbryd yr Arglwydd arno ac a gyhoeddai ollyngdod a rhyddid. Pa ddisgwyl gobeithiol sy'n bosibl o gwbl heb fod dyn yn credu'r addewid? Roedd y broffwydes Anna a'r offeiriad Simeon wedi hir ddisgwyl am eu bod yn credu'r addewid. Roedd y bugeiliaid a'r doethion yn credu'r arweiniad a gawsant. Mae angel neu seren rywbryd neu'i gilydd ym mhrofiad pob un ohonom, ond gwrando neges yr angel a derbyn arweiniad y seren a'n tywys at y Crist. Credu bod yno 'gariad na'm gollyngi i' yw deuparth bod yn barod pan ddêl. 'A Mab y Dyn pan ddêl, a gaiff efe ffydd ar y ddaear?'

2. Trwy symud y rhwystrau y mae paratoi ffordd y Brenin. Mae popeth anghymeradwy ac anghydnaws yn cael ei symud i'r naill ochr os yw Ef i ddod i mewn. Gellir meddwl am lawer o bethau felly sy'n rhaid eu sgubo o'r ffordd. Mae'n rhaid i fyfïaeth, er enghraifft, fynd i'r naill ochr. Dyw bywyd sy'n llawn o hunan ddim yn gadael lle i neb arall ac, yn y pen draw, bywyd gwag yw'r bywyd sy'n llawn o hunan, oblegid mae bywyd go iawn yn cynnwys y 'myfi, tydi, Efe'! Rhwystr arall i'w symud yw rhagfarnau. Does gan neb fonopoli ar y Gwaredwr. Er bod hyd yn oed Cristnogion wedi erlid ei gilydd yn enw crefydd, egwyddor y Groes sy'n penderfynu pwy sydd ar du'r Arglwydd. Rhybuddiodd Iesu y gallai dyn ddweud 'Arglwydd, Arglwydd', ond heb iddo ef erioed ei adnabod. Rhagfarn yw meddwl mai dim ond y 'fel a'r fel' y daw Ef ac y bydd ef yn gweithredu. 'Pwy a gredodd i'm hymadrodd?' medd y proffwyd – doedden nhw erioed wedi breuddwydio mai fel hyn y deuai. Mewn man arall dywed yr un proffwyd bod rhaid newid cyfeiriad a chlirio'r ffordd o feddyliau annhebyg ac anghydnaws. ' "Nid fy meddyliau i yw eich meddyliau chwi, ac nid eich ffyrdd chwi yw fy ffyrdd i, medd yr Arglwydd." ' Felly mae'n rhaid i'r drygionus adael ei ffyrdd a'r gŵr anwir ei feddyliau!

3. Trwy ddiogelu'r croeso. Faint ohonom sydd wedi addo i rywun – galwch unrhyw bryd, bydd llond lle o groeso? Dyna groeso sydd i'r meddyg pan fo salwch, ac i'r cyfaill pan fo gofid! Rydym ninnau am iddo Ef ddod. Veni Emanuel! 'O tyred i'n gwaredu, Iesu da'. *Fe* ddaw fel y daeth ym Methlehem. *Fe* ddaw fel y daeth y trydydd dydd. *Fe* ddaw fel y daeth ddydd y Pentecost. Fe *ddaw* a gorffen ei greadigaeth newydd.

O cân, O cân: Emanŵel
ddaw atat ti, O Isräel.

Raymond Williams

❖ CYMERIADAU STORI'R GENI

Ddechrau'r mis hwn troais i mewn i un o siopau Oxfam yn ninas Abertawe er mwyn gweld a oedd rhywbeth yno yng nghornel y llyfrau ail-law. Doedd yr un llyfr o bwys yno ond fe ddaliodd rhyw focs esgidiau cardbord fy sylw am ei fod yn llawn o deganau plastig. Gwelwn fod yno asyn a llefnyn ifanc yn chwythu trwmped ymhlith y teganau. Prynais y bocs yn rhyw feddwl y deuai ei gynnwys yn handi i gadw plant bach sy'n dod i'n tŷ ni o bryd i'w gilydd yn dawel.

Yn hwyrach yr un dydd cymerais hamdden i sbïo eto beth oedd yn y bocs. Ni chymerodd yn hir i mi sylweddoli fy mod wedi prynu cymeriadau stori'r geni. Dyna'r angel â'i adenydd euraid, ei freichiau ar led a'i ddwylo yn dal sash â'r gair 'Gloria' arno. (Yn yr Eidal y'u gwnaed.) Penlinio y mae Mair. Wyneb ifanc sydd iddi ac y mae osgo'i phen a'i breichiau yn awgrymu syndod addolgar. Oedrannus yw Joseff ac ar ei ddeulin y mae yntau, a'r ffon sy'n ei law dde yn awgrymu musgrellni corfforol. Gorwedd yn y preseb y mae'r baban Iesu yn ei gadachau a'i ddwylo'n derbyn y byd. Gwladaidd yw'r olwg sydd ar y tri bugail, dau ohonynt yn canu cân, y llefnyn y soniais eisoes amdano â'i drwmped a'r llall â'i bibau. Y mae'r trydydd yn cario dafad ar ei ysgwyddau. Dyna'r tri gŵr doeth â'u hanrhegion o'r hen draddodiad gwiw. Hawdd yw eu hadnabod. Dacw Melchior ac eira llawr gaeaf ar ei farf a'i wallt. Pwy, dwedwch, yw'r un ifanc sy'n penlinio? Caspar, wrth gwrs, â'i lygaid effro yn syllu ar wrthrych eu taith ryfedd. Mae rhyw serenedd yn nhrem Balthasar sy'n awgrymu bod y doethion hyn wyneb yn wyneb â 'gallu a doethineb Duw'.

Cynrychiolir byd yr anifeiliaid hefyd: yr asyn a gariodd Mair feichiog 'i fyny o dref Nasareth yng Ngalilea i Jwdea, i dref Dafydd a elwir Bethlehem', ychen sy'n cnoi ei gil yn ddigyffro yng nghanol y cyffro ac yn ddidaro ynglŷn â'r defnydd a wneir o'i breseb ac oenig sy'n chwilio am flewyn glas. Dyna hwy holl gynnwys y bocs.

Llond bocs o deganau plastig yn haerllug ail-greu digwyddiad nad oes modd ei ail-greu. Ac at hynny rhyw gwmni sy'n cynhyrchu teganau yn elwa yn sgil y digwyddiad hwnnw.

Ond eto dros ganrifoedd maith mae pobl dda a duwiol wedi sefyll i syllu ar olygfa'r geni mewn groto ac wedi dwyn i gof eiriau'r llu nefol: 'Gogoniant yn y goruchaf i Dduw...'

Mewn festrïoedd ledled Cymru o hyn i'r Nadolig perfformir drama'r geni gan blant bach ein Hysgolion Sul: 'Fi yw Mair, ac O! rwyf wedi blino… A oes lle i Joseff a minnau yn eich llety?'

Dacw ddau neu dri o'r plant hŷn yn aildrefnu'r llwyfan; gosod bocs yn y canol a rhoi doli blastig ynddo, ac amneidio ar yr actorion nad ydynt yn rhyw boeni llawer am eu llinellau am fod y wledd o jeli a lemonêd a fydd yn eu haros wedi'r perfformiad ac efallai anrheg yn mynd â'u bryd. Caiff un o'r bugeiliaid bwl o chwerthin am fod Lowri, sef y Fair, yn edrych yn wirion wedi'i lapio mewn cyrtens glas a chlamp o seffti-pin yn eu cau amdani.

Gwyn Thomas, y bardd, a ganodd:

Ond yn y cariad fydd rhwng y muriau hynny
Ar noson y ddrama, bydd pawb yn deulu;
Bydd diniweidrwydd gwyn yr actorion
Yn troi'r pethau cyffredin, yn wyrthiol, yn eni,
A bydd yn ein nos, yn ein tywyllwch, y seren letrig
Yn cyfeirio'n ôl at y gwir Nadolig,
At y goleuni hwnnw na ellir mo'i gladdu.
Ac yng nghanol dirni ac enbydrwydd byd sy'n gaeth dan rym Herod
Fe ddywedir eto nad yw Duw ddim yn darfod.

Teganau plastig a lleisiau plant bychain yn cyfleu rhyfeddod Duw yn dod i'n byd. Ac nid yw'n carolau, o feddwl am y peth, ond teganau geiriol sy'n cyfleu yr un rhyfeddod.

❖ MAWR YW DIRGELWCH EIN FFYDD

A ninnau yn nhymor yr Adfent bûm yn darllen rhai o bregethau a gweithiau rhai o gewri'r gorffennol ar thema'r Nadolig a chael syndod pleserus o sylweddoli eu bod yn ymdrin â'r union wirioneddau a bwysleisir gan yr Eglwys heddiw. Yn wir, ni all pethau fod yn wahanol gan mai braint aruthrol yr Eglwys drwy'r canrifoedd yw cyhoeddi y 'ffydd a roddwyd un waith i'r saint'. Y mae'r Ymgnawdoliad, genedigaeth Mab Duw o'r Forwyn Fair, yn elfen hanfodol o'r ffydd honno. Sonia'r Apostol Paul mai 'mawr yw dirgelwch ein ffydd' ac wrth fyfyrio ar y Nadolig, cwbl briodol yw pwysleisio'r dirgelwch hwnnw.

Dyna a wna Awstin, esgob Hippo, mewn pregeth o'r bumed ganrif: Na foed i neb, felly, gredu ddarfod i Fab Duw gael ei newid neu'i drawsffurfio'n Fab dyn; yn hytrach boed inni gredu iddo tra'n parhau i fod yn Fab Duw gael ei wneud yn Fab dyn, heb fod dim o'i hanfod dwyfol yn mynd i golli wrth iddo gymryd iddo'i hun hanfod dynol.

Ac nid yw'r geiriau, 'A Duw oedd y Gair' a 'daeth y Gair yn gnawd', yn arwyddo ddarfod gwneud y Gair yn gnawd mewn ffordd a barodd iddo beidio â bod yn Dduw; oherwydd ddarfod gwneuthur y Gair yn gnawd y ganwyd 'Emaniwel', Duw gyda ni.

Dyna'r dirgelwch. Ac nid ceisio chwilio allan y dirgelwch hwn a wna Awstin ond ceisio sôn amdano, er mwyn addysgu ei gynulleidfa, mewn ffordd sy'n gyson â'r Testament Newydd: gosod canllawiau – a dyna'n unig sydd yma – rhag inni gyfeiliorni wrth feddwl ac wrth fyfyrio ar yr Ymgnawdoliad.

Mae angen yr union ganllawiau arnom heddiw i'n cadw ninnau fel Cristnogion rhag arddel syniadau cyfeiliornus amdano. Nid gormod yw annog ein gilydd i geisio meddwl yn gywir am wirioneddau mawr ein ffydd. Yr hyn a wnawn wrth fodloni ar ddweud rhywbeth rywbeth am Grist yw ei ysbeilio o'i ogoniant. Na fod inni'r Nadolig hwn ei ddiraddio drwy goleddu rhyw syniad isel am ei berson. Gwrandawn eto ar Awstin yn ymhelaethu ar wrtheb y Nadolig:
Gorwedda mewn preseb, ond y mae'n cynnal y byd. Derbynia faeth ar fronnau ei fam, ond y mae'n bwydo'r angylion. Fe'i rhwymwyd mewn cadachau, ond fe rydd i ni ddilledyn anfarwoldeb... Ni chaiff le yn y gwesty, ond fe adeilada deml iddo'i hun yng nghalonnau y rhai a gred ynddo.

Cawn ein hatgoffa'n hyfryd gan Athanasios (ganwyd tua 297 yn yr Aifft) yn ei draethawd *De Incarnatione*, sy'n un o glasuron y Ffydd Gristnogol, nad baban arferol oedd y baban Iesu:

Genedigaeth pwy a ragflaenwyd gan seren yn y nefoedd i gyhoeddi i'r byd yr un a anwyd? Oherwydd pan anwyd Moses, fe'i cuddiwyd gan ei rieni. Ni chlywyd am Ddafydd hyd yn oed gan rai o'i gymdogaeth, ac nid oedd Samwel fawr yntau'n gwybod amdano, eithr holer. A oes gan Jesse fab arall eto? Drachefn wedi dod i oed y daeth Abraham yn hysbys i'w gymdogion. Ond am enedigaeth Crist, nid dyn a oedd yn dyst ond seren a ymddangosai yn y nefoedd, o'r lle yr oedd ef yn disgyn.

Neidiwn dros y canrifoedd a thrown i mewn i eglwys yn yr Almaen ar ddydd Nadolig 1530 i wrando ar Martin Luther yn pregethu:

Holwch eich hunain i weld a ydych yn Gristion ai peidio! Os medrwch ganu: Y Mab, yr hwn a gyhoeddir yn Arglwydd ac yn Waredwr, yw fy Ngwaredwr i; ac os medrwch ategu neges yr angel gan ddweud ie wrtho a'i gredu yn eich calon, llenwir eich calon â sicrwydd, llawenydd a hyder ac ni chewch eich blino ynghylch y pethau gorau a gynigir gan y byd. Oherwydd pan fyddwyf yn siarad â'r Forwyn o eigion fy nghalon gan ddweud: Mair, forwyn dirion, ti a esgoraist ar fab; hwn a chwenychaf uwch arian a meddiannau, ie, uwch bywyd ei hun; yna yr ydych yn nes at y trysor nag at ddim yn y nefoedd ac ar y ddaear.

Gadewch i ninnau ddiolch am y trysor hwn.

Gwyndaf Jones

❖ Treuliau'r Nadolig

Er nad oeddwn yn clustfeinio ar y sgwrs rhwng dwy ddynes yn yr uwchfarchnad, ni allwn beidio â chlywed un cwestiwn gan y naill i'r llall, sef, 'Shwd 'ych chi'n bwriadu treulio'r Nadolig 'leni?' Ond fel Pilat ganrifoedd yn ôl yn holi beth yw gwirionedd a heb aros am ateb, felly minnau o dan amgylchiadau tra gwahanol yn efelychu'r rhaglaw byr ei dymer. Ond cofier nad i mi yr oedd y cwestiwn wedi'i ofyn ac felly ni ddylwn oedi ennyd i wrando ar yr ateb.

Mae'r cwestiwn serch hynny yn un amserol a phriodol inni ofyn i'n gilydd ac inni ein hunain. *Gwario'r* Nadolig y mae'r Sais yn ôl ei eirfa, ond ei *dreulio* wna'r Cymro, ond mae'r ddau cystal â'i gilydd mewn *gorwario* ar gyfer yr ŵyl. Er na fynnem warafun i neb gael difyrrwch a hwyl a llawenydd, gall miri droi'n faswedd a chyfeillach ddirywio'n gyfeddach. A gall y rhai sy'n arfer sobrwydd fod yn anghymedrol yn eu moethusrwydd.

Fodd bynnag, rhag inni rygnu gormod ar nodau cras ynglŷn â'r oes hon a'r byd a'i bethau, gadewch inni ystyried y cwestiwn a'i gyfeirio atom ni fel rhai sy'n arddel enw Crist. A beth am newid gair yn y cwestiwn a holi, 'Sut y dylem dreulio'r Nadolig eleni?' Gwyddom na fydd capel neu eglwys o fewn cyrraedd pawb. Bydd henaint ac afiechyd yn lluddias llawer a bydd amgylchiadau anorfod yn amddifadu eraill o gymdeithas fendithiol y saint.

Eto, gellir treulio neu gamdreulio'r ŵyl, capelydda neu eglwysydda neu beidio. Faint o ysbryd yr ŵyl fydd yn ein calon? A awn ar bererindod mewn dychymyg a defosiwn at y preseb? Mynd â chân yr engyl yn melysu'n clyw a'i Seren Ef yn goleuo'n llwybr. 'Gweddi a mawl sy'n gweddu i mi,' meddai'r emynydd.

Gair aml yn ein hemynau yw treulio.

> O boed im dreulio yn ddi-goll
> o dan iau Crist fy mebyd oll,

meddai Pedr Fardd. Byddai hynny'n cynnwys Nadoligau bore oes. Caiff y 'danbaid fendigaid Ann' ein cyfarwyddo a'n cymell parthed yr ŵyl a phob gŵyl a gwaith:

> O na chawn i dreulio 'nyddiau'n
> fywyd o ddyrchafu ei waed.

Yng ngolau'r crud a'r groes y daw cân o fawl i'n calon a thangnefedd i'r enaid.

T. Elfyn Jones

❖ 'AR Y DDAEAR, TANGNEFEDD'

Mae'r nawfed bennod o broffwydoliaeth Eseia (adnodau 2–7) yn sôn yn fyrlymus iawn am lawenydd y bobl a ryddhawyd o'u caethiwed ac o orthrwm eu meistri. Gwêl y proffwyd, hefyd, ddydd pan fydd rhyfel wedi darfod am byth. Bydd gelynion Duw wedi eu gorchfygu, a difodir esgidiau'r ymladdwyr ynghyd â'u clogynau a staeniwyd gan waed. Byddant, mwyach, yn ddiwerth. Sefydlir teyrnasiad hedd, a bydd yr awdurdod a'r llywodraeth ar ysgwyddau'r 'bachgen'.

Yn wahanol i'r proffwyd Eseia, gwyddom ni mai enw'r 'mab' yw Iesu. Ar ei ysgwydd ef y mae'r llywodraeth. Iesu yw'r goleuni a lewyrchodd yn y tywyllwch. Cyfeirio at orseddu brenin a wnaeth y proffwyd, nid genedigaeth bachgen, ond mae'n naturiol i'r Cristion ystyried y broffwydoliaeth yng ngoleuni dyfod y mab bychan, sef Iesu, i'n daear. Ynddo ef y cyflawnwyd gweledigaeth Eseia. 'Canys bachgen a aned i ni, mab a roed i ni.'

Mae'n dra sicr y byddem ni wedi trefnu'n wahanol ac wedi ymddiried y llywodraeth i ŵr cadarn, cryf, nid i blentyn na allai'i amddiffyn ei hun. O safbwynt dynol yn unig, nid yw'r bachgen namyn swp o wendid a diymadferthedd. Ond drysodd Duw ein cynlluniau a'n bwriadau ni gan ymddiried ei lywodraeth i fachgen. Dyma, yn ôl yr apostol Paul, ffolineb Duw sydd yn ddoethach na dynion, a gwendid Duw sydd yn gryfach na dynion.

Fe ddywedir ynglŷn â'i lywodraeth ef nad oes diwedd arni hi na'r heddwch a deyrnasa ynddi.

Mae tuedd weithiau i feddwl am 'heddwch' fel ystad fewnol, bersonol, a hynny'n unig. Mae'r ystad hon yn wrthwyneb i ystad o bryder a therfysg personol. Cyhoeddir cyfrolau i'n haddysgu sut a pha fodd i ymlacio ac ymlonyddu. Fe'n dysgir sut y dylem ni ymdopi â straen bywyd, a meithrin y gallu i ymneilltuo oddi wrth y byd a'i helbulon.

Nid oes a wad yr angen am iachâd mewnol, ac ni ddylem sarhau'n ffroenuchel y technegau a ddefnyddir i ymlacio. Ond mae'n bosibl y gall y broses o feithrin y cyflwr mewnol fod yn gyffur a chyfrwng i'n rhwystro rhag ymholi ynglŷn â tharddiad y tensiynau a'r pwysedd sydd yn ein blino, ac a oes strwythurau yn y gymdeithas niwcliar sydd yn achos iddynt?

Os mai diben y llyfrau a'r ymarferion sydd yn ceisio tawelu ein nerfau a chreu ynom ystad o dawelwch a hedd mewnol yw ein galluogi a'n cymhwyso i dderbyn y byd fel ag y mae, yna'r hyn a wnawn yw atgyfnerthu ei gyflwr. Fe'n galluogir, hefyd, i deimlo'n gartrefol mewn amgylchiadau dreng.

Gall yr heddwch mewnol, personol fod, felly, yn gyfrwng i ni fynd 'y tu arall heibio' i wewyr cymdeithas, yn lle bod ein hofnau a'n pryderon yn cael eu sianelu i droi'n egni i'w newid a'i chwyldroi.

Ni ddylem breifateiddio heddwch. Mae i weledigaeth y proffwyd wedd gosmig. Fe'i cyflëir yn y nawfed bennod, ac yn yr enghraifft a ganlyn

> Curant eu cleddyfau'n geibiau,
> a'u gwaywffyn yn grymanau.
> Ni chyfyd cenedl gleddyf yn erbyn cenedl,
> ac ni ddysgant ryfel mwyach.

Rhaid i ninnau, hefyd, ddysgu heddwch trwy feithrin y grasusau hynny a welwyd yn eu hysblander eithaf yn y Mab, Tywysog Tangnfedd.

Dewi Eirug Davies

❖ Nadolig Cynnar

'Mae'r Nadolig fel pe bai'n dod yn gynharach o flwyddyn i flwyddyn,' meddai mam mewn nofel Saesneg. O'r braidd bod angen egluro yr hyn a ysgogodd ei sylw. Cyn i'r tymor Cynhaeaf fynd heibio ac i'r ffyddloniaid gyrraedd adre o'r Cyrddau Diolch, bydd y siopau mawr a'r rhai llai wedi eu haddurno a'u llenwi â nwyddau deniadol, Nadoligaidd. Gofala'r masnachwyr elw-garwrol fod tymor yr ŵyl yn dechrau'n gynnar, ac, yn ôl y wraig yn y nofel, ynghynt gyda threigl y blynyddoedd.

Ond am Nadolig yr allanolion-bethau y meddyliai'r wraig o linach Martha. Ac nid dibwys na dibris y rheiny yn ein cartrefi, yn enwedig lle y clywir lleisiau ieuanc. Onid yw'n ddynol a mwy, sef yn Gristnogol i ddymuno i bawb gael mwynhad dros ddyddiau'r ŵyl? Eto, ni all yr holl drysorau daearol ddwyn tangnefedd i'r galon.

'Pan ddaeth cyflawniad yr amser,' meddai'r Apostol, 'anfonodd Duw ei Fab.' Ni allai dynion brysuro'r amser na newid y dyddiad, nac ymyrryd â'r Ymgnawdoliad. Pennwyd dyfodiad Tywysog Tangnefedd i'n byd yn ôl Calendr y Nef. Penderfynwyd y dydd ym mro'r Gogoniant. Cymharwyd y goresgyniad Dwyfol gan rywun i genhadwr yn glanio ar ynys a'i phobl yn anwar. Ond nid oedd croeso iddo, a'i ladd a wnaethant fel a ddigwyddodd i'r cenhadwr dewr John Williams ar draeth Erromanga. 'Daeth i'w gynefin ei hun (nid at ddieithriaid), ac ni dderbyniodd ei bobl ei hun mohono.' Daeth i'w stad, ond ni fynnai'r tenantiaid ei dderbyn. 'Heb le yn y llety, heb aelwyd, heb wely...' Yr oedd 'gan y llwynogod ffeuau...' Diolcher am aberth y cenhadwr a'i waed yn cochi'r don ar draeth Erromanga, ond rhy fyr fydd tragwyddoldeb llawn i ddweud yn iawn, a diolch yn orfoleddus, am un a gafodd le troed ar ein daear a hynny'n ddigonol iddo offrymu ei waed, 'fel na choller pwy bynnag a gredo ynddo Ef'.

A ddaeth y Nadolig, sef geni Iesu yn ein calon, yn gynnar yn ein hanes? Ni all neges yr ŵyl a'i goleuni fyth dreiddio'n rhy fore i fywyd neb ohonom. 'Da yw bod wrth draed yr Iesu ym more oes.'

Gobeithio y daw'r Nadolig mewnol a chyfriniol hwn yn gynharach bob blwyddyn ym mhrofiad teulu'r llawr.

T. Elfyn Jones

❖ 'DEFFROWN, DEFFROWN'

Lawer blwyddyn yn ôl, cefais hen gopi o *Caniadau Bethlehem 1857* gan ffrindiau yn Aberdaron, llyfr bychan wedi ei gyhoeddi gan J. D. Jones, Rhuthun, a hwnnw'n llawn o garolau gan 'brifeirdd Cymru', ac alawon/tonau mewn Hen Nodiant i'w gosod arnynt. Gwnaeth J. D. Jones gyfraniad gwerthfawr i gerddoriaeth Cymru ac mae llawer o'i donau'n boblogaidd – megis 'Capel y Ddôl'. Mae ynddo 22 o garolau maith gan feirdd megis Talhaiarn, Dafydd Ddu Eryri, Edward Jones, Maesyplwm a Robert Davies, Bardd Nantglyn, ac o ddethol dau neu dri phennill yn unig i'w canu'n gyhoeddus maent yn effeithiol dros ben. Gwrandewch ar hon, er enghraifft, gan Fardd Nantglyn:

Deffrown, deffrown, a rhown fawrhad, / cyn toriad dydd,
I ddwyfol aer y nefol wlad, / croesawiad sydd;
Fe ganodd sêr er bore'r byd, / sef holl angylion Duw ynghyd;
Fe ganodd y Proffwydi i gyd, / heb fod yn gau.
A pham na chanwn ninnau'n un / am gael Jehofa mawr ei hun
Mewn dull fel dyn, ac ar ein llun, / i'n gwir wellhau.

Dysgais ei chanu dros hanner can mlynedd yn ôl ar yr alaw 'Trymder' sydd yn y Modd Dorian, er nad hon yw'r alaw sydd gan J. D. Jones. Dydi ei dôn ef ddim hanner cystal. Dyma'r 'Trymder' sy'n hoff gen i: Doh C:

{ m : l . t | l : - . l : . s . fe | m : - . m. : l . t. | d' : -
. l . : d' . r' | m' : - m' : r' . d' | t : - . m : l .t . | l : - . }

Swynwyd fi cymaint â'r alaw fel y bu'n rhaid imi ei gosod i sielo a thelyn; byddwn yn ei defnyddio mewn cyngherddau a rhaid oedd imi ei recordio ym 1954 gyda David Ffrancon Thomas yn canu'r sielo. Hwn oedd recordiad cyntaf cwmni Delysé.

Mae yna wyth pennill yn y gân, ac fel y byddem yn disgwyl, mae'n llawn o ddiwinyddiaeth hirwyntog yr oes honno; ond mi greda i ei bod hi'n werth dewis a chadw blas rhyw dipyn o'r hen garolau yn ein hoes 'oleuedig' ninnau.

Osian Elis

❖ LLE I IESU

'… esgorodd ar ei mab cyntafanedig; a rhwymodd ef mewn dillad baban a'i osod mewn preseb, am nad oedd lle iddynt yn y gwesty.'

Luc 2:7

Dyma destun llawer o bregethau. Y thema amlycaf a geir yma yw tristwch, cydymdeimlad â Mair, ofn ac atgasedd at geidwad y llety sy'n ymddangos mor greulon a chaled.

Mae Martin Luther mewn pregeth enwog ar y Nadolig yn ymateb yn chwyrn i ymarweddiad dideimlad trigolion Bethlehem, gan daranu: Cywilydd arnoch, chwi Fethlehemiaid. Dylai brwmstan fod wedi disgyn ar y llety hwnnw, oherwydd tra bod lladron a mwrdrwyr yn lled-orwedd ac yn yfed a bwyta o fewn ei furiau, gwrthodwyd Mair a Joseff ac fe'u danfonwyd i gysgod stabl.

Seiliwyd nifer o bregethau ar y testun hwn gan arwain at ofyn cwestiwn anochel, 'A oes gennym ni le i Iesu?'

Ond tybed a ydym wedi gadael i'n dychymyg pietistaidd arwain ein dychymyg ar gyfeiliorn? Dylem osgoi 'darllen yn ôl' i'r Ysgrythurau ein harferion cyfoes ni. Ni ellir egluro'r ysgrythur gan ddefnyddio dim ond ein gwybodaeth a'n profiad cyfoes.

Nid gwesty fel gwestai heddiw a geir yma, ac nid gwesty fel yn nofelau hanesyddol ffasiynol ein dydd. Gorffwysfan cyffredin teithwyr y ganrif gyntaf yw hwn. Byddai, mae'n debyg, yn cynnwys un ystafell gweddol o faint lle byddai pob lletywr yn rhoi ei bwys i lawr. Yno y cysgent, bwyta, ymolchi (os byddai'r fath foeth â dŵr ar gael), a gwisgo, ac ar adeg brysur fel adeg y Cyfrifiad Rhufeinig, byddai'r ystafell yn orlawn… a doedd hi ddim yn lle cyfleus nac addas i eni baban bach. Ar adeg felly y mae hawl gan y fam i breifatrwydd rhag llygaid busneslyd dieithr.

Mae'n debyg fod Luther yn rhannol gywir wrth sôn am ladron a mwrdrwyr. Efallai ei bod yn deg i ninnau feddwl am geidwad y llety, nid fel dyn creulon, caled, dideimlad, ond fel rhywun â digon o ddynoliaeth yn ei enaid i sylweddoli y byddai'r ddau ifanc yn llawer gwell eu byd yn y stabl nag yng nghanol prysurdeb a miri meddw prif ystafell y llety.

Y gair Groeg a gyfieithir yma fel 'ystafell' yw 'tottos'. Yn ddiddorol iawn mae hwnnw'n cynnwys yn ei ystyr 'y lle mwyaf addas, pwrpasol'. Efallai mai rhoi yr unig le oedd ganddo i'w roi wnaeth y lletywr. Efallai nad oedd ganddo ond stabl wael. Ond yno fe gafodd Mair a Joseff gysgod a lloches, a chysur gwely gwellt, a phreifatrwydd i eni'r baban, a thawelwch clust ac enaid rhag rhegfeydd trigolion y 'stafell fawr, fel y câi Mair orffwys a chysgu wedi'r daith a'r llafur.

Efallai nad yw hyn i gyd ond rhamantu... Ond, wedi'r cyfan, meddyg oedd Luc, ac nid oedd consyrn am iechyd a lles ac urddas pobl ymhell o'i galon ef.

Owain Llyr Evans

❖ A Daeth y Gair yn Gnawd

'Mynegodd yr athronydd Seisnig mawr, John Stuart Mill, yn rhywle na ellir atgoffa'r hil ddynol yn ddigon aml fod yna unwaith ddyn o'r enw Socrates. Digon gwir; ond pwysicach fyth yw atgoffa'r hil ddynol drachefn a thrachefn fod yna ddyn o'r enw Iesu Grist wedi sefyll yn ei phlith.'

Adolf Harnack

'Y mae'r neges Gristnogol yn dweud rhywbeth unigol, newydd a sylweddol oherwydd ei bod yn llefaru'n ddiriaethol, nid mytholegol, oherwydd nid yw'n gwybod nac yn cyhoeddi dim byd ochr yn ochr neu ar wahân i Iesu Grist.'

Karl Barth

❖ Rhamantu'r Nadolig

Unwaith eto'r Nadolig hwn, byddwn yn cael cyfle i wrando ar hanesion hyfryd geni Iesu Grist ym Methlehem Jwdea ac i ryfeddu gyda'r bugeiliaid a'r doethion i Fab Duw gael ei eni yn faban bach. Ond er hyfryted yr hanesion, fe gawn ein hatgoffa ynddynt o weithredoedd dieflig y brenin Herod yn lladd bechgyn bach Bethlehem. Ac roedd y canlyniad yn arswydus, 'Clywyd llef yn Rama, wylofain a galaru dwys; Rachel yn wylo am ei phlant, ac ni fynnai ei chysuro, am nad oeddent mwy.'

Mae'r hanes hwn yn tanlinellu'r ffaith nad i fyd perffaith a thlysni tangnefeddus y ganwyd Iesu Grist, ond i fyd creulon a didostur. Brenin creulon a didostur oedd Herod, a thrwy ei weithredoedd dieflig fe welwyd y groes yn bwrw ei chysgod ar Iesu ac yntau ond yn faban bach yn ei grud. Onid yw'n arwyddocaol fod yr Eglwys Gristnogol wedi neilltuo'r diwrnod ar ôl y Nadolig i gofio merthyrdod Steffan, i'n hatgoffa o elyniaeth y byd tuag at Iesu a'i ddilynwyr?

Mae gan Eirian Davies gerdd am y geni ym Methlehem. Ynddi, ar ôl diolch fod Iesu wedi ei eni yn nyddiau Herod frenin, mae'r bardd yn gofyn cwestiwn rhyfedd:

Beth pe byddai wedi disgyn wrth ein drws
Adeg teyrnasiad Elisabeth yr ail?

Dyna i chi gwestiwn crafog sy'n awgrymu na fyddai ein croeso ni ddim blewyn gwell. Yn wir, mae'r bardd cystal â dweud ei bod yn well fod Iesu wedi ei eni yn nyddiau Herod, y brenin creulon hwnnw, nag yn ein dyddiau ni.

Petai'r Iesu wedi ei eni yn ein hoes ni
Byddai Mair wedi esgor
Ymhlith gwehilion dinasoedd mawr ein daear.
Ac yn lle nythu'n gynnes mewn preseb a gwair,
Fe gai'r baban orwedd mewn bocs carbod.

Rydym yn ceisio anghofio hyn yn aml drwy feddalu neges y Nadolig a gwneud hanes geni Iesu Grist yn ddim amgen na stori tylwyth teg. Dyma beth yw rhamantu'r Nadolig a rhoi'r argraff fod pawb yn derbyn y baban Iesu gyda breichiau agored a chalon gynnes. Ond nid yw'r Efengylau yn gwneud hynny o gwbl. Wrth gwrs, mae Mathew a Luc yn tystio i'r croseo a gafodd y baban Iesu – croeso a drodd yn orfoledd i Fair a Joseff ac yn llawenydd yng nghalonnau'r doethion a'r bugeiliaid wrth ei weld yn y preseb – ond y mae Herod y brenin creulon hefyd yn rhan annatod o'r stori.

Mae lladdfa'r diniwed a ddigwyddodd ym Methlehem Jwdea yn codi cwestiynau dwys iawn megis pam fod y teyrn wedi cael llaw rydd i lawr ar hyd yr oesau i ddifrodi a lladd y diniwed? Fe ddigwyddodd hynny ym Methlehem ddwy fil o flynyddoedd yn ôl, ac mae'n digwydd yn ein byd heddiw. Pam mai'r diniwed gan amlaf sy'n dioddef, a pham fod y teyrn yn cael pob rhyddid i gyflawni ei weithredoedd dieflig?

Mae'n gwestiwn anodd ei ateb, ac yn ein gwneud yn ymwybodol o rym dieflig sy'n gallu meddiannu pobl a'u harwain i gyflawni troseddau ofnadwy. Yn wir, mae'n hawdd ymollwng i besimistiaeth ac anobaith llwyr, ond fel Cristnogion, ein braint yw cyhoeddi bod grym arall ar waith yn y byd ac ym mywydau pobl, a'r grym hwnnw yw cariad achubol Duw yn Iesu Grist. Ymhellach, gwyddom fod tyrfa enfawr o bobl ein gwlad a'n byd yn parhau'n ffyddlon i'r Arglwydd ac yn adlewyrchu hynny yn eu bywyd, ym mywyd eu teuluoedd, ac ym mywyd yr Eglwys a'r gymdeithas y maent yn rhan ohonynt.

Wrth ddiolch amdanynt, gadewch i ninnau hefyd barhau i wneud ein rhan ac ymroi i gyhoeddi'r 'newydd da am lawenydd mawr a ddaw i'r holl bobl: ganwyd i chwi heddiw yn nhref Dafydd, Waredwr, yr hwn yw'r Meseia, yr Arglwydd.'

John Lewis Jones

❖ 'MHELL, BELL YN ÔL'

Dyna lle roeddwn yn eistedd wrth y cyfrifiadur yn meindio fy musnes yn darllen gohebiaeth pan ges i fy hyrddio'n ôl i chwedegau'r ganrif ddiwetha. Swnio fel Dr Who? Wel, i Gaerdydd y'm taflwyd i, reit i ganol sêt fawr Y Tab. Sefyll yno'n blentyn, wedi fy ngwisgo mewn tiwnig laes wedi'i chlymu â chortyn (dressing gown wrth gwrs), yn canu carolau. Ymarfer Cantata'r Nadolig. Llond y lle ohonom yn cael dress rehearsal ar ôl ymarfer am wythnosau ymlaen llaw. Meistres y gwisgoedd wedi bod yn brysur yn pwytho; unawdwyr i gyd yn gwybod eu geiriau ac yn cofio'u ciw. Cofio'r sgript yn iawn... wel, bron iawn. Dechrau gyda 'O heol i heol yn ddyfal bu'r ddau yn chwilio am lety'; wedyn, 'Dim lle yn y llety', 'Draw yn nhawelwch Bethlem dref', 'Sisialai'r awel fwyn'. Arwel (Hughes) wrth yr organ, a'n harweinydd o'n blaenau.

'Sisialai'r awel fwyn' oedd un o'r ffefrynnau. Geiriau wedi eu cyfieithu gan John Hughes ac yntau wedi cyfansoddi'r dôn hefyd. Y ffaith ein bod fel plant yn cofio gweld y cyfansoddwr yn Y Tab o bryd i'w gilydd yn gwneud i'r garol sefyll yn y cof. Hen garolau yn rhai newydd unwaith felly! 'Ŵyn bach mor wyn â'r ôd branciai yn ffôl' – wel, rwy'n cofio eu gweld nhw yn y caeau. Falle nad yw plant dinasoedd Cymru heddiw mor gyfarwydd â'u gweld. Rwy'n eitha siwr y bydd fy ŵyr newydd yn gwybod am ŵyn bach, ond a fydd e'n gwybod y 'daeth Crist i Fethlehem 'mhell, bell yn ôl'?

Mlaen i'r wythdegau, yng nghanol cynulleidfa eglwys Yr Orsedd yn canu carolau yn Saesneg yng ngolau cannwyll. Pawb yn dal ei gannwyll tapr ei hun – ble mae'r swyddog iechyd a diogelwch? Y lle yn orlawn o fabis, plant a'u teuluoedd ar gyfer oedfa 'Blessing of the Crib'. Ein dau ni yn eu pyjamas a dressing gown – nid yn rhan o'r ddrama eto ond yn barod i fynd yn syth i'r gwely ar ôl cyrraedd adre! Wir! Pawb yn gwrando'n astud ar y ficer yng ngwasanaeth Noswyl Nadolig y teulu. 'Canai angylion llon... fwyn garol iddo ef.'

Mlaen eto at y noughties: eglwys arall rywle yn Wrecsam. Gwasanaeth Nadolig ysgol leol. Cyfaill bach ar ei blwyddyn ola yn yr ysgol gynradd yn cael chwarae rhan Mair wrth y 'preseb gwael'. Drama roc hwyliog, a'r cymeriadau'n adrodd adnodau o'r Beibl ar eu cof. Efallai nad yw'r rhan fwya'n mynychu capel nac eglwys ond maen nhw'n gwybod 'y stori', diolch i'w hathrawon.

Mae bywyd wedi newid yn llwyr: teuluoedd yn fwy gwasgaredig, mwy o gyfrifoldebau, pawb ar ras wyllt i bobman neu ynghlwm wrth eu *playstations*, a'r niferoedd sy'n mynychu ein capeli'n disgyn. 'Sdim rhyfedd bod cael criw o blant ac oedolion at ei gilydd i gael unrhyw fath o ymarfer yn anodd tu hwnt, a bron yn amhosibl. Mae angen meddwl am ffyrdd gwahanol o baratoi at unrhyw fath o oedfa deuluol. Anodd ond nid amhosib gallwn feddwl! Fe fydd yna ganu carolau eto.

Ta beth, 'nôl at y cyfrifiadur i baratoi. Cofiwn eiriau John Hughes:

Sisialai'r awel fwyn
  dros fryn a dôl
o gwmpas Bethlehem
  'mhell, bell yn ôl.

G. A. T.

❖ 'WELE CAWSOM Y MESEIA'

O orfod dewis hoff emyn Nadolig, dyma droi at waith Dafydd Jones o Gaeo. Cofiaf glywed amdano am y tro cyntaf pan oeddwn yn hogyn yn fy arddegau yn nosbarth Ysgol Sul y diweddar William Jones yng nghapel Maes y Neuadd, Trefor. Cofiaf yr athro yn adrodd gydag afiaith yr hanes rhamantus am Dafydd Jones yn troi i mewn i oedfa yng nghapel Troed Rhiw Dalar ar y ffordd adref o un o'i deithiau porthmona ac yn cael tröedigaeth o dan weinidogaeth y sawl a bregethai yno.

A'r emyn o'i waith yw 'Wele cawsom y Meseia'. Pob clod i olygyddion *Caneuon Ffydd* am gynnwys pennill arall (nad oedd yn y *Caniedydd*) sef 'Hwn yw'r Oen ar ben Calfaria'. Cawn wybod pwy yw Iesu Grist – 'gwir Fab Duw'; beth wnaeth O – 'aeth i'r lladdfa yn ein lle'; 'prynu'n bywyd, talu'n dyled, a'n glanhau â'i waed ei hun'; a beth y dylem ni ei wneud – 'dewch, llawenhewch, diolchwch iddo, byth na thewch'. Yn y nodweddion hyn, yn ôl Delyth Morgans yn *Cydymaith Caneuon Ffydd*, mae'n debyg i'r carolau plygain: yn cwmpasu genedigaeth a marwolaeth Crist ac yn cymhwyso'i weinidogaeth i'r ddynoliaeth.

Adeg y Nadolig, mor aml y clywir y sylw mai rhywbeth i blant neu i deuluoedd yw'r ŵyl. Digon gwir, ond nid iddynt hwy yn unig ond yn hytrach i bawb. Mae Iesu Grist yn 'Ffrind a Phrynwr dynol-ryw'. Newyddion da o lawenydd mawr i'r **holl** bobl yw dyfodiad Iesu Grist – a ninnau yn eu plith!

Dafydd O. Roberts

❖ Y BUGEILIAID

Y Beibl Cymraeg Newydd a ddefnyddiaf bob Sul, heblaw am y Suliau cyn y Nadolig. Bryd hynny, byddaf yn darllen o'r 'hen gyfieithiad'. Dywed hwnnw am y doethion: 'Ac wedi geni'r Iesu ym Methlehem Jwdea, yn nyddiau Herod frenin, wele, doethion a ddaethant o'r dwyrain i Jerwsalem.' Mwy cyfarwydd yw'r geiriau am y bugeiliaid: 'Ac yr oedd yn y wlad honno fugeiliaid yn aros yn y maes, ac yn gwylied eu praidd liw nos.' Mae darllen a chlywed y geiriau hyn yn dwyn atgofion i mi am sawl Nadolig o'r goffennol.

Mae hanes geni'r Arglwydd Iesu yn hawdd i'w ddeall a'i ddilyn yn Efengyl Luc. Yr Ymerodraeth Rufeinig oedd yn teyrnasu, a bu i Augustus Cesar 'drethu'r holl fyd'. Digwyddodd y trethiad hwn gyntaf pan oedd Cyrenius yn rhaglaw ar Syria.

Gorfodwyd i Joseff deithio i Fethlehem 'i'w drethu gyda Mair, yr hon a ddyweddïasid yn wraig iddo, yr hon oedd yn feichiog.' Ganwyd yr Arglwydd Iesu ym Methlehem, a chafodd ei rwymo mewn cadachau a'i ddodi yn y preseb. Dyna gychwyn syfrdanol wrth i'r baban hwn ddod i'r byd. Mae eisoes yn cofleidio tlodi, gwrthodiad a gwendid – a daw'r tri pheth hyn yn rhan o'r drefn ryfedd iddo ddod yn Waredwr y byd. T. Arfon Williams sy'n canu:

> Y gân am wyrth y geni,
> am greu ym Methlem Grist
> y Gair a fyn gywiro'r
> hen dro yn Eden drist,
> y Gair sy'n codi'r gwirion
> o'i fedd i fyny'n fyw,
> y Gair sy'n llawn o gariad
> y Tad, o gariad Duw.

Dyma ddechrau gwaredigaeth i'r byd pan ddaeth Duw atom ym mherson ei Fab, Iesu Grist, 'ac a drigodd yn ein plith ni, (ac ni a welsom ei ogoniant ef, gogoniant megis yr Unig-anedig oddi wrth y Tad,) yn llawn gras a gwirionedd' (Ioan 1:14).

Yn union wedi geni'r Arglwydd Iesu, daw lliaws o angylion i ddweud y newyddion da wrth fugeiliaid oedd yn 'gwylied eu praidd liw nos'. Wrth iddynt groesawu'r newyddion da hwn, aethant ar eu hunion i Fethlehem. Wedi iddynt ganfod y baban, adroddasant y cyfan a ddigwyddodd iddynt, gan foliannu a gogoneddu Duw 'am yr holl bethau a glywsent ac a welsent, fel y dywedasid wrthynt'.

Mae'r bugeiliaid hyn, fel amryw eraill yn yr Efengylau, yn dangos eu bod yn derbyn gwaith gras Duw yn ei Fab. Dychwelant adref yn llawen am fod Gwaredwr wedi dod i'r byd yn y baban hwn: 'Canys bachgen a aned i ni, mab a roddwyd i ni, a bydd y llywodraeth ar ei ysgwydd ef: a gelwir ei enw ef, Rhyfeddol, Cynghorwr, y Duw cadarn, Tad tragwyddoldeb, Tywysog tangnefedd.' Mae yma neges i bob un ohonom ni hefyd, sef gwahoddiad i ddod a chyflwyno'n hunain i'r Arglwydd Iesu a derbyn yr hyn sydd ganddo ar ein cyfer, sef bywyd a hwnnw'n fywyd tragwyddol. Yng ngeiriau Mynyddog:

Clywch ei lais, holl gyrrau'r ddaear,
   dewch ato ef;
syllwch ar ei wenau hawddgar,
   dewch ato ef;
cewch, ond derbyn ei ymgeledd,
nerth i ddringo o bob llygredd,
a chewch goron yn y diwedd,
   dewch ato ef.

Geraint Hughes

❖ SIMEON

Dwi ddim yn deall rhai pobl. Maen nhw'n dweud mai rhywbeth ar gyfer plant ydi'r 'Dolig. Glywsoch chi am Simeon? Mae 'na sôn amdano yn Luc Pennod 2. Hwn ydi'r hen ŵr sy'n dweud ei fod wedi cael addewid na fyddai'n marw cyn iddo weld y Meseia. Mae'n ddarlun tlws iawn; oherwydd er ei fod yn hen, mae 'na ryw irder yn ei enaid sy'n gweddu'n llwyr i neges y Nadolig. Dyn llawen ydi Simeon.

Mae'n dweud tri pheth pwysig iawn wrthym am Efengyl Iesu Grist.

Mae wedi ei pharatoi gan Dduw. Does dim rhaid darllen y Beibl yn hir i weld hyn. Cawn wybod am fwriad Duw cyn llunio'r byd i anfon ei Eneiniog i fyw ac i farw er mwyn i ni gael byw. Mae'r Arglwydd Iesu Grist yn aml yn ei ddamhegion yn pwysleisio bod y wlad eisoes wedi ei pharatoi, ac mai'r cwbl sydd angen i ni ei wneud yw derbyn y gwahoddiad.

Dywed Simeon hefyd fod yr Efengyl hon yn oleuni i oleuo'r cenhedloedd. Un o'r pethau a gysylltwn â'r Nadolig yw goleuni – y seren, a'r coed Nadolig, a'r canhwyllau. Daeth Iesu Grist i'n byd i'n goleuo ynglŷn â'n gwir gyflwr ac i ddangos i ni ein hangen am faddeuant a gras. Mae'n goleuo i ni hefyd y neges am y groes, fod Duw yn caru pechaduriaid cymaint nes iddo roi Mab ei fynwes yn aberth dros eu pechodau.

Dywed hefyd fod yr Efengyl hon yn rhannu pobl – yn gwymp i rai ac yn gyfodiad i eraill. Bydd rhai o hyd yn elynion croes Crist ac yn cael eu tramgwyddo gan neges ganolog yr Efengyl. Mae hynny wedi digwydd erioed. Ond i eraill, mae'r Efengyl hon yn ogoniant yn eu bywyd. Wedi gweld yr Iesu, mae Simeon yn gorffwys ar Efengyl sy'n rhoi tangnefedd. 'Yr awr hon, Arglwydd, y gollyngi dy was mewn tangnefedd.' *(BWM)* Dyma hyder y Cristion hefyd, bod Iesu Grist yn cadw'i air: 'Yr hwn a ddêl ataf fi, nis bwriaf ef allan ddim.'

Beth am i ni ddilyn esiampl Simeon? Yn siwr ddigon, roedd ganddo lawer o gwestiynau na chafodd ateb iddynt, ond fe wnaeth y peth syml yna – fe gymerodd Iesu Grist i'w freichiau a'i galon. Yn y diwedd dyma beth yw Cristion – rhywun sy'n derbyn Iesu Grist yn Waredwr ac yn Arglwydd.

Dewi Tudur

❖ Herod

Wyt ti am fod yn falch fel Herod Fawr?

Mae pawb ohonom yn gyfarwydd â'r ymadrodd, 'Mae yna ddwy ochr i bob stori.' Gall hynny fod yn wir am bobl hefyd.

Roedd yna ddwy ochr i'r Brenin Herod, neu Herod Fawr fel yr adwaenid ef. Ar y naill law, dywedir mai ef oedd yr unig frenin a lwyddodd i gadw heddwch ym Mhalestina. Medrai fod yn hael; a dangosodd hynny wrth benderfynu peidio â chasglu'r trethi pan wynebai'r Iddewon gyfnod o dlodi. Yn ystod cyfnod o newyn yn 25 CC toddodd rai o'i blatiau aur er mwyn gallu prynu ŷd i'r bobl. Pe byddem yn rhoi marciau iddo am ei haelioni, gallem felly roi 'A serennog' iddo!

Ond beth am yr ochr arall? Allwch chi gredu iddo ladd Mariamne, ei wraig, a'i feibion ohoni, a'i fam yng nghyfraith a'i fab hynaf? Os gwelai unrhyw un oedd yn herio'i rym a'i frenhiniaeth, dim ond un dewis oedd: cael gwared ohonynt. Dywedodd yr Ymerawdwr Cesar Awgwstws fod mochyn yn fwy diogel nag un o feibion Herod Fawr.

Felly, does dim rhyfedd fod Herod wedi anesmwytho pan ofynnodd y sêr-ddewiniaid iddo, 'Ble mae'r hwn a anwyd yn frenin yr Iddewon?' Nid yw'n rhyfeddod chwaith iddo orchymyn lladd pob plentyn dan ddwyflwydd oed pan ddeallodd nad oedd y dieithriaid hyn am ddweud wrtho ble ganwyd y baban Iesu.

Ond pam fod Herod wedi ymateb mor eithafol i'r baban? Medrwn ateb mewn un gair, sef 'ymyrraeth'. Roedd genedigaeth Iesu wedi creu ofn ynddo, gan ei fod yn herio'i deyrnasiad a'i statws a'i rym. Dyna bethau nad oedd gan neb hawl i'w cyffwrdd. Roedd y cyfan i fod dan ei reolaeth ef. Gallwn ei glywed yn dweud, 'Fi sy'n rheoli, Fi ydi'r bòs, Fi sy'n dweud be ydi be.'

Sut fu pethau arnom y Nadolig hwn? Gobeithio i ni roi cyfle i'r 'baban bach ddaeth yn Geidwad byd' ymyrryd â ni o'r newydd. Ond sut wnawn ni ymateb i ymyrraeth y baban yn ein bywydau? Fwy na thebyg y dangoswn ninnau elfennau o'r un natur â Herod, o ran yr awydd i reoli a threfnu. Ond yn gwbl wahanol i Herod, gwyddom mai ymyrraeth Iesu yw'r gymwynas orau all ddigwydd i unrhyw un. Do, ganwyd Iesu'n nyddiau Herod. Ond cofiwn eiriau'r emynydd J. R. Jones:

Daeth Crist i'n plith, O llawenhawn,
 a deued pawb ynghyd
i'w dderbyn a'i gydnabod ef
 yn Geidwad i'r holl fyd.

Boed ysbryd gwell rhwng gwlad a gwlad
 heb ryfel, dig na chas,
a phlyged holl arweinwyr byd
 i'w dderbyn ef a'i ras.

J. Ronald Williams

❖ Joseff

Joseff: tad daearol Iesu Grist; gŵr Mair; a thad Iago, Joseff, Simon, Jwdas a'u chwiorydd, y cyfeirir atynt ond heb eu henwi (Mathew 13:55–56 a Marc 6:3). Mae Joseff yn gymeriad amlwg yn hanes y Testament Newydd, gyda deunaw o gyfeiriadau ato yn efengylau Mathew, Luc ac Ioan. Ac eto, nifer fechan o ddigwyddiadau sy'n cael eu trafod. Beth oedd galwedigaeth Joseff? Fe'ch clywaf yn dweud, 'Saer, wrth gwrs.' Dyna'r gwir, mae'n debyg; ac eto, dim ond un cyfeiriad sydd yn y Testament Newydd at Joseff fel saer: 'Onid mab y saer yw hwn?' (Mathew 13:55). Cyfeirir hefyd at Iesu fel saer (Marc 6:3), ond heb gyfeirio at alwedigaeth ei dad: 'Onid hwn yw'r saer, mab Mair a brawd Iago a Joses a Jwdas a Simon?'

Beth am gymwysterau Joseff i fod yn dad daearol i Iesu? Gallai olrhain ei achau trwy Ddafydd at Abraham. Roedd yn perthyn i lwyth Jwda, y llwyth y disgwylid i'r Meseia hanu ohono (Mathew 1). Felly, roedd Joseff yn perthyn i'r bobl iawn. O ran ei gymwysterau hefyd, fe'i dangosodd ei hun yn anrhydeddus trwy ddewis sefyll gyda Mair, ei ddyweddi, a'i chymryd yn wraig er ei bod yn feichiog. Dewisodd wrando ar Dduw. Roedd ei ymddiriedaeth yn Nuw yn bwysicach iddo na barn y gymdogaeth (Mathew 1:24–25). Ac eto, wrth feddwl am gymwysterau Joseff i fod yn rhiant arbennig, nid yw rhieni yn arfer dirprwyo'r gwaith o ofalu a magu eu plant i unrhyw un. Gymaint mwy felly ein Duw! Nid ar ddamwain y dewisodd Duw Joseff yn dad daearol i'r Iesu. Gwnaeth hynny oherwydd yr hyn oedd Joseff. Felly, cyn llunio'r byd a chyn lledu'r nefoedd wen (diolch, Pedr Fardd!), roedd Duw wedi adnabod Joseff, ac wedi ei ddewis yn fwriadol er mwyn buddsoddi ynddo fel tad daearol i'w Fab. Roedd y dewis hwnnw hefyd yn ddewis y 'Cyngor Bore' rhwng y Tad, y Mab a'r Ysbryd Glân. (Felly hefyd, wrth gwrs, gyda dewis Mair.)

O ran ei berthynas â Iesu Grist, dewisodd Joseff aros hefo Mair a wynebu'r daith i Fethlehem yng nghwmni merch ifanc feichiog. Wedi geni Iesu yno, bu raid gwrando eto ar Dduw a ffoi i'r Aifft rhag y Brenin Herod (Mathew 2:13). Wedi marw Herod, gwrandawodd Joseff unwaith eto, a dychwelyd adref o'r Aifft (Mathew 2:19–21). Dewis Joseff oedd gwrando ac ymddiried yn Nuw.

Gwelwn ef hefyd, fel Iddew cydwybodol, yn arwain ei deulu i Jerwsalem adeg y Pasg. Ac yno unwaith y bu'n dyst i'r digwyddiad rhyfeddol hwnnw pan ddysgodd Iesu ddoctoriaid y gyfraith yn y Deml (Luc 2:46). Dyma gyfeiriad amseryddol olaf y Testament Newydd ato.

Yn newisiad Joseff yn dad daearol i Iesu Grist, cafodd yr Eglwys ddarlun o dad Cristnogol a'r hyn y dylai tad felly fod.

W. Bryn Williams

❖ Nadolig Crist

Darllen – Luc 2:1–21

Mae calendr traddodiadol yr Eglwys yn gorffen ei flwyddyn gyda'r Ailddyfodiad ac yn dechrau o'r newydd gyda'r Nadolig. Mae priodoldeb yn hynny oherwydd daeth Mab Duw mewn cnawd i roi cyfle inni osgoi condemniad yn Nydd Barn. Ffordd arall o edrych ar rediad y calendr yw fod yr achub yn dechrau gyda'r Ymgnawdoliad ac yn cyrraedd ei uchafbwynt yn yr Ailddyfodiad. Stori brydferth iawn yw stori'r Geni fel y mae Luc yn ei hadrodd. Mae hi'n gampwaith llenyddol. Ond y mae hi'n fwy na hynny i ni. 'Daeth duwdod mewn baban i'n byd.' Mae'r tragwyddol, y Gair a oedd gyda'r Tad erioed, wedi dod i rannu'n bywyd ni. Daeth yn un â ni ym mhopeth ond ein pechod. Rhannodd ein llawenydd, ein pryder, ein hofn. Cyfranogodd o amodau bywyd yn y cnawd, ei flinder, ei syched, ei wendid. Rhyfeddach fyth, rhannodd ein hangau ni. Y newyddion da felly yw fod y Meddyg wedi cyrraedd i wella ein clwyf, fod y Gwaredwr wedi dod i'n hachub, fod Tywysog Tangnefedd yn ein plith yn cymodi'r byd â Duw. Mae'n gwbl briodol felly fod y Nadolig yn ŵyl llawenydd.

Gweddi:

Hollalluog Dduw, datguddiaist ogoniant dy gariad a'th drugaredd yn ein Harglwydd Iesu Grist. Cynorthwya ni i ymuno â'r côr nefol i ymhyfrydu yn yr iachawdwriaeth fawr hon ac i gyhoeddi tangnefedd ar y ddaear ac ewyllys da at bob dyn. Gyda dyfodiad Iesu Grist i'n plith ni, llewyrchodd goleuni tanbaid yng nghanol ein tywyllwch. Caniatâ i ninnau yn y goleuni hwn weld goleuni. Treiddied dy oleuni i ddirgel-leoedd ein calonnau a gwasgaru pob tywyllwch ohonynt. Gweddïwn yn daer arnat i beri i oleuni Crist lewyrchu'n fwy gogoneddus ym mhob cwr o'r byd a pheri i'r drwg ddiflannu ac i gyfiawnder flodeuo. Cofiwn yn dy bresenoldeb y rheini y mae dydd Nadolig yn dwyn atgofion trist idynt. Gwna'n amlwg iddynt fod y Gwaredwr ei Hun wedi profi'r chwerwder sy'n eu blino hwy a bod ganddynt Un ar dy ddeheulaw Di a all gydymdeimlo â hwy ac ysgafnhau eu gofid. Yn dy drugaredd, llywydda dros ein Nadolig ninnau. Ynghanol dwndwr a ffalsedd Nadolig y byd arwain ein meddyliau at y Gair a wnaethpwyd yn gnawd. A chynorthwya ni i'n cysegru ein hunain o'r newydd i'r Mab bychan. Amen.

'Herfeiddiol yw'r rhyfeddod i Dduw Ei Hun yn ddyn ddod' – Gwilym Roberts.

R. Tudur Jones

❖ Yr Aros

O'r diwedd, wedi'r hir aros, mae'r Nadolig wedi cyrraedd. Fyddaf fi byth yn siŵr beth i'w wneud o'r wythnosau cyn yr ŵyl gan fy mod i'n gweld mis a mwy yn amser hir i feddwl am y Nadolig. Wedi'r cwbl dim ond deuddeg mis sydd mewn blwyddyn, ac mae neilltuo un cyfan i baratoi at ddathliadau un diwrnod – er pwysiced yr hyn a ddathlwn ar Ragfyr 25 – yn teimlo'n chwithig iawn i mi.

A'r syniad bod mis yn amser hir oedd wrth wraidd un o hysbysebion teledu'r Nadolig. A do, fe'm daliwyd innau gan yr heip ynghylch yr hysbyseb hwnnw. Ac os na welsoch chi hysbyseb siopau John Lewis, mae gen i ofn fy mod yn mynd i ddatgelu'r tro sydd yn ei gynffon a sbwylio'r syrpreis i chi. Felly, os nad ydych am wybod diwedd y stori, rhowch y gorau i ddarllen hwn rŵan!

Yn yr hysbyseb munud a hanner o hyd mae hogyn bach ar ddechrau mis Rhagfyr yn edrych ymlaen at ddydd Nadolig. Fe'i gwelwn mewn gwahanol sefyllfaoedd yn dyheu am y diwrnod mawr, ac yn gweld yr amser mor hir. Mae'r cyfan i gyfeiliant cân sy'n dweud rhywbeth fel, 'Am y tro cynta' un, gad i mi gael be' dwi eisiau.' Mae'n llowcio'i swper Noswyl Nadolig cyn rhuthro i'w wely. A bore Nadolig, mae'n deffro'n gynnar, ac wrth ei wely mae pentwr o anrhegion. Ond mae'r hogyn bach yn anwybyddu'r cyfan, yn agor cwpwrdd, ac yn estyn anrheg arall a'i gario i lofft ei rieni. A'r neges? 'For gifts you can't wait to give.' Dyheu am roi ei anrheg fu'r hogyn wedi'r cwbl!

Bu'r disgwyl am y Meseia yn hir hefyd, ac mae cyfnod yr Adfent yn ein hatgoffa am hynny. Ac o ochr Duw, roedd y Meseia wedi ei addo, a Duw wedi bwriadu ei roi er tragwyddoldeb. Ac o'n safbwynt ni, dyna amser hir yw hwnnw, er nad yw mil o flynyddoedd wrth gwrs ond fel diwrnod yng ngolwg Duw. Iesu Grist yw'r rhodd fawr y bwriadodd Duw ei rhoi i ni erioed.

Mae meddwl Duw yn ddirgelwch i ni, ond feiddiwn ni heddiw ddychmygu hiraeth y Brenin Mawr am y dydd y byddai'n cyflawni'r addewid ac yn anfon ei Fab i'r byd yn Waredwr? Trwy gyfnod yr Hen Destament, wrth i'r proffwydi gyhoeddi eu neges, ac i Dduw trwyddynt ddweud ambell beth am y Mab a'r Gwaredwr oedd i ddod, gallwn ddychmygu dyhead mawr Duw i roi i'r ddynoliaeth y darlun perffaith ac eglur ohono ei hun yn ei Fab. Yn ei gariad mawr, roedd Duw ei hun yn aros am y dydd y byddai ei bobl yn cael ac yn cydnabod y Gwaredwr.

John Pritchard

❖ Talu'n Dyled

O na fyddai'n wir! Byddai cannoedd yn cysgu'n dawel. Byddai miloedd yn rhydd o'u pryderon. A chaem ninnau wario fel y mynnem y Nadolig hwn heb boeni'r un iot am yr un ddyled na bil.

Un o'r amryw gwmnïau credyd yw hwnnw y gwelais ei arwyddion ar gwr yr A55 y dydd o'r blaen. Ydych chi'n cofio'r Beatles yn canu 'We can work it out'? Mae'r cwmni credyd yn dweud y gall 'write it off'. Dyna newydd da i'r sawl fydd yn gwario gormod y Dolig hwn. Dyna ryddhad i'r rhai a ddaliwyd yng nghrafanc dyled ddofn. Mae help wrth law trwy'r cwmnïau sydd am eu tynnu o'u trafferthion. Mae'r cwmnïau cedyd am glirio'r dyledion i gyd. O na fyddai'n wir!

Digon posibl y gall y cwmnïau helpu trwy ostwng yr ad-daliadau rheolaidd. Ond yn hytrach na'u clirio maent yn cyfnewid hen ddyledion am rai newydd. Pa mor ffafriol bynnag y telerau a gynigiant, talu'n ôl sydd raid. Breuddwyd ffŵl yw'r gobaith am gwmni a ddaw i glirio ac i ddileu dyledion ei holl gwsmeriaid.

Ac eto, dyna'n union a wnaeth cwmni'r nefoedd. Pan ddaeth Iesu Grist i ddelio â phechod y byd roedd fel petai Duw ei hun yn gweiddi, 'We can work it out; we can write it off.' Roedd pobl mewn dyled fawr, heb y gobaith lleiaf o'i thalu. Roedden nhw i fod i garu Duw ac ufuddhau iddo.

Roedden nhw i fod i anrhydeddu Duw ym mhob dim a wnaent. Roedden nhw i fod i roi'r lle cyntaf i Dduw ym mhob rhan o'u bywyd. Ond doedden nhw ddim yn agos at wneud hynny. Doedden nhw ddim yn agos at setlo'r bil. Roedd eu dyled y tu hwnt i'w gallu i'w chlirio. A chanlyniad hynny fyddai methdaliad a cholli cymdeithas â'r Duw glân a pherffaith. Ond, er mawr ryfeddod, daeth yn Ddolig arnyn nhw, ac arnom ninnau.

'Bydd [Mair] yn esgor ar fab, a gelwi ef Iesu, am mai ef a wareda ei bobl oddi wrth eu pechodau,' oedd neges yr angel i Joseff. Dathlu dyfodiad y Gwraedwr hwn a wnawn ni'r Nadolig hwn eto. Mae Duw ei hun wedi clirio'r ddyled trwy wneud ei Fab yn gyfrifol amdani. Ar Galfaria fe gymerodd Iesu Grist y cyfrifoldeb am ein pechodau ni, a'r bai amdanynt. Fe dderbyniodd y ddyled oddi arnom, a mynd yn fethdalwr yn ein lle. Credwn mai dyna a wnaeth. Pwyswn ar yr addewid ei fod wedi clirio'n dyled.

Mae'r ddyled wedi ei chlirio'n llwyr. Cawsom faddeuant llawn a rhad. Mae cwmni'r nef wedi dileu'r cyfan a rhoi llechen lân i'r sawl sy'n credu yn Iesu. A bydd y llechen yn aros yn lân am byth. Yng ngeiriau Dafydd Jones:

> Dyma gyfaill haedda'i garu,
>   a'i glodfori'n fwy nag un:
> prynu'n bywyd, talu'n dyled,
>   a'n glanhau â'i waed ei hun.

John Pritchard

❖ NADOLIG LLAWEN?

Roedd Ebenezer Scrooge yn nofel Charles Dickens *A Christmas Carol* wedi byw iddo'i hunan ar hyd ei oes. Er bod ei gyfrif banc yn dangos llewyrch mawr, doedd dim llawenydd yn ei galon. Ac yna, un Nadolig, daeth ysbryd y gorffennol, y presennol a'r dyfodol i darfu ar ei gwsg.

Mae ysbryd y gorffennol yn dangos sut oedd ei hunanoldeb wedi ei wneud yn ddall i bawb a phopeth ond ei hunan-les. Mae ysbryd y presennol yn agor ei lygaid i weld ei hunanoldeb. Mae ysbryd y dyfodol yn dangos nad yw'n rhy hwyr iddo fod yn berson gwahanol.

Mawredd Scrooge yw ei fod, ar ôl gweld y math o berson yw e, yn fodlon newid. Mae'r cybydd sur yn troi'n berson hael a llawen.

O ble daw ein llawenydd ni y Nadolig hwn? Yn y derbyn neu'r rhoi? Yn ôl un arolwg diweddar, mae un o bob deg o rieni Cymru yn gwario £1,000 neu ragor ar anrhegion i'w plant, a 31% yn gwario dros £500. Dim ond 6% sydd yn gwario llai na £100. Tebyg bod cyfanswm y gwario Nadoligaidd ar anrhegion ym Mhrydain dros £2 BILIWN!

A beth am y rhai na fyddant mor ffodus i fod â rhan yn yr haelioni hwn? Mae rhestr yr achosion da sy'n crefu am ein cefnogaeth yn tyfu bob blwyddyn. Amhosib yw ymateb i bob llythyr apêl sydd mor niferus yr adeg yma o'r flwyddyn. Mae rhai yn fwy teilwng na'i gilydd. Sut mae dewis? Os na wnawn ni gefnogi'r elusennau sy'n gweithredu yn enw ac yn ysbryd Crist, does dim disgwyl i neb arall wneud. Hyd yn oed wedyn, mae'r dewis yn eang.

Ai'r pell neu'r agos sy'n haeddu'r siec? Ai'r newynog, y digartref, plant anghenus, apêl Cymorth Cristnogol...? Mae'n haws dewis anrheg i'r person sydd â phopeth! Ond Duw a'n gwaredo rhag anwybyddu pob apêl a rhoi dim i neb. A beth bynnag arall sy'n taflu'i gysgod drosom fel eglwysi ac unigolion y Nadolig hwn, cofiwn fod y gair *rhoi* yn ganolog i'n dathliadau.

'Canys felly y carodd Duw y byd fel y *rhoddodd...*' (*BWM*)

Ie, Nadolig Llawen i chwi i gyd.

Allan Pickard

❖ Rhyfeddod yr Annisgwyl

O holi'r plant, 'Beth hoffech chi gael Nadolig?' bydd y rhan fwyaf yn gallu dweud yn union beth maent yn ei ddisgwyl – a Santa'n gobeithio na fyddant yn newid eu meddwl ar yr unfed awr ar ddeg! Ond bydd ambell un yn dweud eu bod yn edrych ymlaen at gael syrpreis. Mae rhywbeth yn addas iawn yn hynny, achos mae stori'r Nadolig yn llawn o'r annisgwyl.

Y LLE

I Jerwsalem yr aeth y doethion i chwilio am y baban, fel y byddech yn disgwyl. Yno y tyrrai'r Iddewon ar eu pererindodau i'r gwyliau mawr, i gyfarfod â Duw yn ei ddinas, dinas iachawdwriaeth a dinas heddwch. Ond nid yno ond yn nhre ddiarffordd Bethlehem y ganwyd y Gwaredwr.

Mae ystyr Bethlehem 'Tŷ Bara' yn addas iawn i fod yn fan geni yr un sy'n Fara'r Bywyd. Ond doedd neb ond y proffwyd yn disgwyl mai yno y câi'r Meseia ei eni, yn ôl pob sôn.

Trist meddwl bod Bethlehem yn dal o'r golwg heddiw, a'r Mur yn cau am y dre, ac yn atal pobl rhag cyfarfod â'i gilydd. Mae un elusen yn gwerthu setiau o'r geni lle mae'r Mur yn rhwystro'r doethion rhag dod at y crud. Mae'n ddarlun pwerus.

I ganfod Crist rhaid dod i'r dre ddi-nod, a chwilio amdano yn y lle mwyaf di-nod yno, y man lle câi'r anifeiliaid gysgodi. Prin bod lle i'r Duwdod yn ei fyd ei hun!

Y BOBL

Rhai di-nod yw prif gymeriadau'r hanes. Enwir eraill, pobl sy'n gyfarwydd i filoedd, Cesar Awgwstws a Chyrenius, a'u gwthio'n syth i'r cysgodion. Maen nhw'n gwbl amherthnasol i'r digwyddiad ysblennydd hwn – eu hunig rôl yw dangos pryd y bu hyn.

Pobl di-sôn amdanynt sy'n cael eu galw i ganol y llwyfan:
Hen bobl od. Ecsentrics. Simeon, ac Anna, na fydd byth yn mynd allan o'r Deml.
Dwy wraig nad oes modd iddynt fod yn feichiog: Elisabeth yn ei henaint yn dilyn oes o boen personol o fod yn ddi-blant, a gwarth cymdeithasol ar ben hynny; Mair, merch gyffredin o dre fechan a'i stori ryfedd am feichiogi y tu allan i briodas.

Bugeiliaid garw ac anllythrennog. Pan ddewisodd Arglwydd y Nef ei fod am gyhoeddi genedigaeth ei Fab, fu dim cynhadledd i'r wasg yn Rhufain nac yn Jerwsalem. Anfonodd negeswyr i ddatgan y newyddion i'r rhai bychain hyn.
Ymwelwyr annisgwyl o bell yn dod â'u trysorau rhyfedd.
Un o'r darnau rhyfeddaf yn yr holl hanes yw Cân Mair. Mae'r geiriau yn orfoledd ac yn llawn rhyfeddod, ei bod hi o blith y distadlaf â rhan yn y cynllun mawr sydd ar y gweill ers canrifoedd. Mae'n gwybod na fydd dim byd yr un fath ar ôl hyn, iddi hi ei hun nac i'r byd.

YR UN

Mor hir fu'r disgwyl am yr Un sydd i ddod. Ac mae mor wahanol ar lawer cyfrif i'r un a ddisgwylid. Dyna pam y cafodd ei wrthod gan ei bobl ei hun.

Fydd hwn ddim yn codi cleddyf fel bod yr Iddewon yn feistri byd. Daw, fel y dywedodd y proffwydi, yn Dywysog Heddwch. Nid ei osod ei hun yn unben a mynnu teyrngarwch gan atal pob llais arall a wna. Ni fydd yn gorfodi heddwch o'i balas. Yn wylaidd mae'n cynnig tangnefedd Duw, o'i grud, lle mae'n gwbl ddiamddiffyn, ond nid yn ddi-nerth.

A'r syrpreis mwyaf oll, rhyfeddod pob rhyfeddod, yng ngeiriau Pantycelyn:

> Ymhlith holl ryfeddodau'r nef
> hwn yw y mwyaf un –
> gweld yr anfeidrol, ddwyfol Fod
> yn gwisgo natur dyn.

Dewi M. Hughes

❖ EFENGYL MEWN BUGEILGERDD

Sgwn i a ydyn ni'n rhy dueddol o edrych ar awduron yr efengylau fel haneswyr pur, fel rhai a groniclodd ddigwyddiadau yn wrthrychol, fanwl-gywir? Tybed a ddylem gydnabod eu bod hefyd yn wŷr dan fesur o ysbrydoliaeth, a'u bod mewn mannau wedi gorfod gwau barddoniaeth a delwedd, ac arwyddlun a phroffwydoliaeth i mewn i'r hanes pan ydynt yn delio ag elfennau cyfrin, arallfydol sy'n rhan o'r Efengyl? Ai bugeilgerdd a gawn ni yn hanes Luc o enedigaeth Iesu, sy'n dweud llawer mwy nag a welwn ni ar yr wyneb? Mae ei chyfaredd a'i chysegredigrwydd mae'n wir yn dipyn o waharddiad i unrhyw archwiliad arni, ond a ydym ar ein colled o beidio ceisio edrych o dan yr wyneb! Gyda chwilfrydedd parchedig a gostyngedig fe chwiliwn ni a oes yna arwyddion i'n tywys i mewn i feddwl Luc, ac efallai i'w ysbryd.

Digon naturiol a diniwed fyddai gofyn, er enghraifft, paham mai bugeiliaid gafodd y flaenoriaeth ar glywed am y geni. Paham nad rhywrai o'r gwir dduwiolion hynny oedd yn disgwyl yn weddigar a hiraethus a thaer am ddyfodiad y Meseia? Paham nad i neb yn y ddinas ei hunan? Roedd yna bysgotwyr hefyd mae'n rhaid allan wrth eu galwedigaeth 'liw nos'. A oes awgrym yn y ffaith mai pobl yn cael eu diystyru gan grefyddwyr hunangyfiawn eu dydd oeddynt, am iddynt ddewis galwedigaeth a'u cadwai'n ddi-dor wrth eu gwaith, 'yn aros yn y maes' *(abiding in the fields)* a thrwy hynny yn anffyddlon i wasanaethau y deml. 'Pobl yr ymylon' oedd y rhain, yr union fath ag y rhoddodd Iesu flaenoriaeth iddynt yn ei ddydd.

A phaham cyhoeddi newyddion mor fendigedig a chyffrous â hyn yn y nos? Yn enwedig i wŷr a thasg mor bwysig ar eu dwylo. Nid oedd rheidrwydd na gofyn am hynny. Gwyddai Luc cystal â neb mai i nos bywyd y daeth Iesu. 'Y bobl a rodiasant mewn tywyllwch a welsant oleuni mawr.'

Onid oedd ymddangosiad a chyfryngwriaeth angel yn beth i'w ddisgwyl i feddwl Iddewig oedd wedi ei boblogi ag angylion! Patrwm ysgrythurol pendant sydd yma. Trwy'r ysgrythurau oll angel sydd yn cyhoeddi newyddion pwysig neu dyngedfennol i unigolion ac i'r cyhoedd. Byddai cyhoeddi genedigaeth 'Meseia' yn hen ddigon i'r bugeiliaid gan mai am hynny roedd y disgwyliad mawr. Ond dyma'i gyhoeddi Ef dan dri theitl, Gwaredwr, Crist (Meseia) ac Arglwydd. Teitlau oedd y ddau arall a gafodd oblegid apêl eang ac arwyddocâd dwfn Ei fywyd a'i waith.

Gan ei fod yn arfer cyffredinol y dyddiau hynny i rwymo baban mewn cadachau o'i wddf dros ei draed, mae'n naturiol gofyn hefyd paham fod yr angel yn cyfeirio at hynny fel pe byddai hynny yn 'arwydd' i'r bugeiliaid! Byddai ei gael mewn preseb yn arwydd wrth gwrs. A oes yma ddirgel awgrym mai Un dan gyfyngiadau ar hyd Ei fywyd a fyddai'r baban ar gyfrif Ei dynged fel Meseia?

Ar wahân i'r prif-angel, mae'r awel megis yn llwythog â si adenydd, mae yno 'dyrfa o'r llu nefol'. Nid tyrfa o angylion, sylwn. Yn ysgrythurol y sêr oedd y 'llu nefol', a thybiai yr Iddewon mai bodau ysbrydol oedd y rhain. Noson 'tyrfa o'r llu nefol' fyddai noson serog iawn iddynt hwy. A meddwl am y meddylfryd yma, a allem ddisgwyl disgrifiad mwy swynol o farddonol o'r sêr yn pylu gyda'r wawr na hyn – 'Wedi i'r angylion fynd ymaith oddi wrthynt i'r nef.'

Ond mae'r llu yma hefyd yn canu'n orfoleddus. Ac oni ddywed y Salmydd am y sêr, 'Fe â eu sain allan drwy'r holl ddaear a'u lleferydd hyd eithafoedd byd.' Job sy'n sôn am sêr y bore yn cydganu yn orfoleddus ar fore'r creu. Onid oedd rhagorach testun cân ganddynt y bore hwnnw! Bore geni yr Hwn a ddaeth i fyd i ail-greu y ddynolryw! 'Gogoniant yn y goruchaf i Dduw, ac ar y ddaear tangnefedd ymhlith y rhai sydd wrth ei fodd' – sydd debyg i Grist, yn greaduriaid newydd yng Nghrist, wrth fodd Duw.

Ac onid yw'r ofni, a'r rhyfeddu, a'r brysio, a'r llawenhau, a'r cyhoeddi, a'r gorfoleddu, a'r tystio a'r tynnu at Iesu sy'n nodweddu'r efengylau yn atseinio trwy'r fugeilgerdd yma o'i dechrau i'w diwedd?

Fe daniwyd doniau Luc i drawsnewid nos genedigaeth ddi-urddas, ddi-nod, ddi-ramant, yn noson genedigaeth anrhydeddus, orfoleddus, fythgofiadwy, fydhysbys. Yn noson geni Baban tyngedfennol – yn fore gobaith byd, ac yn Ddydd Nadolig.

Haydn Davies

❖ Ar Daith, '... Wedi i Iesu gael ei Eni...'

A fyddwch chi'n teithio ymhell i ddathlu'r Nadolig eleni?

Gŵyl y teulu ydy'r Nadolig yn ôl traddodiad. Gŵyl pan fydd y teulu yn dod at ei gilydd i ddathlu. Gan fod llawer iawn o deuluoedd ar wasgar heddiw, fe glywir yn aml am bobl yn teithio pellter i fod gyda'u teuluoedd adeg y Nadolig, ac yn teithio er mwyn bod 'gartref dros yr ŵyl'. Serch hynny, rhaid cofio yr adeg hon o'r flwyddyn am unigolion sydd yn dathlu'r Nadolig ar eu pen eu hunain ymhell o'u cartref, ynghyd â'r miloedd sy'n ddigartref.

Bu 'na deithio adeg y Nadolig cyntaf hefyd. Teithiodd Mair a Joseff a theithiodd y Doethion a'r Bugeiliaid. Ond sylwn nad teithio adref a wnaeth y sawl oedd ar daith adeg y Nadolig cyntaf, ond teithio oddi cartref, gan adael eu teuluoedd, eu cartrefi a'u hardaloedd.

Cyn i Iesu gael ei eni bu Mair a Joseff yn teithio, ond bu 'na deithio 'wedi i Iesu gael ei eni...' hefyd.

Teithiodd y Bugeiliaid – y bobl gyffredin hyn a'r cyntaf i glywed y cyhoeddiad bod y Meseia wedi ei eni – teithio ar unwaith heb betruso dim i weld y peth yr hysbysodd yr Arglwydd hwy amdano. Bu eu 'return journey' o grud y baban Iesu ychydig yn wahanol. Dychwelasant adref yn gryfach eu ffydd; gyda sioncter yn eu cerddediad a llawenydd yn eu calonnau 'gan ogoneddu a moli Duw'. Bu eu taith oddi cartref y Nadolig cyntaf yn fodd i ddwyn llawenydd newydd i'w bywydau ac ystyr newydd i'w gwaith.

Teithiodd y Doethion oddi cartref hefyd 'wedi i Iesu gael ei eni', a hwythau wedi gadael eu rhan hwy o'r wlad a gadael eu llyfrau a'u gwaith er mwyn mynd i chwilio am ddoethineb mwy. Ac er yr holl wybodaeth oedd yn eu meddiant, roeddent yn dyheu am ddoethineb, ac o Dduw y daeth doethineb. Yn y baban Iesu, Mab Duw, y bu i'r Tri Gŵr Doeth ddarganfod eu doethineb. Wedi bod wrth draed Iesu, aeth y tri ohonynt adref 'ar hyd ffordd arall'. 'Detour'. Ffordd, heol arall siŵr, er mwyn osgoi'r Brenin Herod, ond yn sicr, fe ddychwelasant adref ar hyd ffordd arall o feddwl hefyd. Ffordd newydd – pobl newydd ydy'r bobl sy'n ymddiried yn Nuw, ac yn derbyn oddi wrth y Rhoddwr Mawr ei Hun. Ni bu eu taith hwythau oddi cartref y Nadolig cyntaf yn ofer chwaith, gan iddynt ddod o hyd i ystyr newydd i'w bywydau.

Cymeriad arall a fu'n teithio oddi cartref y Nadolig cyntaf hwnnw oedd Herod. Ond nid teithio ar droed nac mewn cerbyd a wnaeth

Herod, ond teithio ar hyd gwlad yn ei ddylanwad mileinig. Cynrychioli'r 'hyn sydd am ddinistrio' a wnaeth Herod. Ac mae 'na elfen mewn bywyd sydd am ddinistrio'r da o hyd gwaetha'r modd. Ond ni ellir dinistrio'r Gwir. Ac er holl ymdrechion Herod i orchfygu'r Meseia, ni lwyddodd i gael y gorau ar Fab Duw. Mae'r Gwirionedd yn aros. 'Canys bachgen a aned i ni, mab a roed i ni, a bydd yr awdurdod ar ei ysgwydd.'

A fyddwch chi yn teithio y Nadolig hwn? P'un ai byddwch yn teithio pellter, neu'n dymuno aros gartre, cofiwch fod 'na alw arnom oll i deithio oddi cartref dros yr ŵyl – teithio mewn meddwl ac ysbryd – at breseb Bethlehem, a gweddïwn y bydd ein 'return journey' o'r preseb hwnnw yn un llawn llawenydd, wedi i ni fagu sioncter yn ein cerddediad ac ystyr newydd i'n bywydau.

'Tua Bethlem dref awn yn fintai gref ac addolwn Ef.'

Beti-Wyn James

❖ Beth Yw Ystyr ac Arwyddocâd y Nadolig?

Sawl tro, tybed, y clywsom ddweud mai 'ar gyfer plant y mae'r Nadolig', gyda'r awgrym nad yw'n berthnasol i rai mewn oed? Ond gwir ystyr, a sialens, ysbrydol y Nadolig yw cael pobl sy'n ddigon aeddfed i fod fel plant bach a rhyfeddu at ddirgelwch yr Ymgnawdoliad. Ni fyddai'r Nadolig nemor chwedl brydferth, swynol, pe bai yn ddim byd mwy na dathlu geni baban. Y ffaith sylfaenol yw nad dathlu genedigaeth gyffredin a wnawn. Nid baban diniwed mo'r Iesu a anwyd ym Methlehem. Fe'i ganed, yn un peth, i fod yn Waredwr byd, a pheth arall i sefydlu iddo'i hun gymuned o bobl wedi eu trawsnewid ar ei ddull a'i ddelw ei hun, a honno'n gymuned â'i huchegais ar sefydlu teyrnas Dduw yn y byd, ac â'i bryd nid ar lwyddiant a dedwyddwch tymhorol ond ar wneud ewyllys ei Harglwydd. Fe'i nodweddir â goleuni'r Nadolig yn ei llygaid ac â chariad Baban Bethlehem yn ei chalon.

Anrheg Duw i bob un ohonom yw'r Nadolig, sef y newyddion da o lawenydd mawr i'w rannu ymhlith yr holl bobl. Calon dathlu'r Nadolig yw ein hymateb i ddau ddimensiwn cân yr angylion – gogoniant yn codi o'r ddaear i Dduw, a thangnefedd enaid i bawb ar y ddaear sy'n gyfranogion o haelioni di-ben-draw Duw ei hun.

Y mae'r Nadolig yn esgor ar fyd newydd. Penllanw gobaith a disgwyl dwys yw Gŵyl y Geni: yn y dechrau dyhead cenedl gyfan am ddyfodiad Meseia Duw, ac yna, ers hynny, gobaith pob credadun am weld gogoniant yr Arglwydd yn llewyrchu ymhlith dynion. Gyda gwawr goleuni mawr y Nadolig daw byd cwbl newydd. Nid byd yn cael ei greu ar sylfeini byd a fu ac sydd mewn bodolaeth ond byd yn cael ei drawsnewid ac yn wahanol i bob dim a fu o'r blaen. Dyma'r byd y deisyfwn amdano wrth weddïo, 'deled dy deyrnas; gwneler dy ewyllys, ar y ddaear fel yn y nef.' Her y Nadolig yw inni ddod yn rhan o'r deyrnas honno a derbyn iau sy'n esmwyth a baich sy'n ysgafn. Os anwybyddwn yr her hon, rhodio a wnawn mewn tywyllwch.

Anrheg Duw i ni yw ef ei hun. Gŵyl rhyfeddol gariad Duw yw'r Nadolig. Maint ei gariad yw iddo ymostwng i gymryd ein natur ni a'n gwneud yn gyfrannog o'i anian ddwyfol ef. Felly fe'n gwahoddir ninnau yn ein tro i agor ein calonnau iddo ef fel bo ei gariad yn ein llenwi. Trwy feddiannu'r cariad hwnnw a'i rannu ag eraill y deuwn i wir werthfawrogiad o gyfoeth anhraethadwy rhyfeddod y Nadolig. Gofynnir i ni ymdreiddio i Ysbryd yr Arglwydd er mwyn ein llunio ar ei ddelw ef ei hun. Rhaid i ni gael ein geni oddi uchod, ein geni o Dduw, a dod yn blant i Dduw. Dim ond pan fydd Crist wedi'i ffurfio ynom ni y cyflawnir rhyfeddod y Nadolig. Ac i'r cyflawniad hwnnw, neu'r rhyfeddod hwnnw, y mae'r Nadolig yn ein gwahodd.

Harding Rees

❖ Dirgelwch

Wrth graffu ar ddull yr oes bresennol o ddathlu'r Nadolig, daw rhywun yn ymwybodol o flwyddyn i flwyddyn bod symlrwydd yr ŵyl yn mynd fwyfwy ar goll ynghanol môr o rialtwch. Does dim lle ar ôl o gwbl bellach i'r rhamant a'r rhyfeddod a'r dirgelwch. Elw, masnach, glythineb a gloddest sy'n cael y sylw i gyd. Ynghanol y fath awyrgylch oeraidd a chystadleuol, mae'r gwir grediniwr yn falch o fedru cydio'n dynnach ym mhob cyfle a ddaw i'w ran i droi i'r Ysgrythurau sanctaidd a myfyrio o'r newydd ar hanes dyfodiad 'y Mab bychan' i'r byd. Ffaith yr Ymgnawdoliad yw sylfaen ein ffydd. Dyma'r ffaith hanesyddol sy'n gwneud y ffydd Gristnogol yn unigryw. Ffaith sydd â rhyw ddirgelwch yn perthyn iddi. Yn nhymor prysur yr Adfent yn flynyddol, byddaf yn hoff o fyfyrio'n aml ar eiriau o eiddo'r apostol Paul at ei gyfaill ifanc Timotheus – 'Mawr yw dirgelwch duwioldeb; Duw a ymddangosodd yn y cnawd' (1 Timotheus 3:16) (*BWM*).

Go brin y llwydda'r un meidrolyn i gyrraedd y safle o fedru deall yn llwyr ac egluro'n llawn wyrth yr Ymgnawdoliad. Er yr holl oleuni a rydd ysgolheigon Beiblaidd, haneswyr ac archaeolegwyr ar yr hanesion ynglŷn â Iesu o Nasareth, mae holl 'ins and outs' yr Ymgnawdoliad yn parhau i fod yn ddirgelwch. Diolch byth am hynny mewn oes sydd mor barod i ymwrthod ag unrhyw beth nad oes modd ei ddeall a'i esbonio'n llawn. Arhoswn ennyd yng nghwmni'r apostol Paul oedd yn ddigon gwylaidd i gyfaddef yn wyneb digwyddiad mwyaf hanes mai 'mawr yw dirgelwch duwioldeb'. Yr un modd, wrth iddo geisio'i orau glas i egluro dirgelion yr Atgyfodiad, ei ymateb gwylaidd oedd, 'Wele, yr wyf yn dywedyd i chwi ddirgelwch' (1 Corinthiaid 15:51) (*BWM*). Yr un hefyd yw tystiolaeth Hiraethog yn ei emyn:

O ddirgelwch mawr duwioldeb,
    Duw'n natur dyn;
Tad a Brenin Tragwyddoldeb
    yn natur dyn;
o holl ryfeddodau'r nefoedd
dyma'r mwyaf ei ddyfnderoedd,
testun mawl diderfyn oesoedd,
    Duw'n natur dyn!

Peidiwn â gadael i holl brysurdeb tymor yr Adfent ein rhwystro rhag mwynhau rhywfaint o wefr 'dirgelwch' yr Ymgnawdoliad y Nadolig hwn, oherwydd, fel y dywedodd Dyfnallt:

Dwfn yw dirgelwch cudd
yr iachawdwriaeth fawr,
a'r cariad na fyn golli'r un
o euog blant y llawr.

Wayne Hughes

❖ HOGIAU'R LORI LUDW A'R NADOLIG

Ysgwn i petai Iesu wedi ei eni yma yng Nghymru heddiw ai at hogiau'r lori ludw y byddai'r Angylion wedi mynd i gyhoeddi, 'Peidiwch bod ofn. Mae gen i newyddion da i chi! Newyddion fydd yn gwneud pobl ym mhobman yn llawen iawn.'

Bob blwyddyn, cyn Dydd Nadolig, byddaf yn rhoi tip ariannol i'r hogiau sy'n wythnosol yn gwagio fy min. Onid ydynt yn gwneud gwaith amhrisiadwy i'r gymdeithas?

Onid oedd y baban a anwyd yn y preseb yn debyg i hogiau'r lori ludw? Ganwyd Iesu i gael gwared â'n hysbwriel ni: rhagrith, celwyddau, balchder, ymffrost, trachwantau, twyll a llu o bechodau eraill. Dyma'r ysbwriel sydd yn wrthun gan Dduw.

Er mor dda yw'r hogiau am wagio'r bin, rhaid i mi ei roi wrth y giât i'm cartref bob bore Mercher. Dwi angen rhoi fy mhechod yn ddyddiol wrth ddrws Duw hefyd. Iesu Grist yw'r Gwaredwr annwyl sydd yn fodlon cymryd ein hysbwriel ni, ei faddau a'i daflu cyn belled ag y mae'r dwyrain o'r gorllewin, a hynny am byth, ond i ni ei roi Iddo.

Priodol iawn yw geiriau carol Eos Iâl:

Am hyn, bechadur, brysia
  fel yr wyt,
ymofyn am y noddfa
  fel yr wyt;
i ti'r agorwyd ffynnon
a ylch dy glwyfau duon
fel eira gwyn yn Salmon
  fel yr wyt,
gan hynny tyrd yn brydlon
  fel yr wyt.

Gwyn Rhydderch

❖ NADOLIG PAGANAIDD?

Dywedir bod y Nadolig wedi colli ei neges Gristnogol i'r mwyafrif o bobl; daeth yn ŵyl seciwlar a materol. Mae cardiau Nadolig a nwyddau eraill wedi bod ar werth yn y siopau er mis Mehefin, ac mae'r tymor ei hun yn esgus dros or-fwyta a meddwi.

Ond bu gan y Nadolig gysylltiadau paganaidd ym Mhrydain o'r cychwyn cyntaf. Dathlai'r Celtiaid ddechrau'r gaeaf yng ngŵyl Samhain. Cynhwysai'r defodau aberth dynol. Yn wreiddiol rhoddai'r hen frenin neu arweinydd y llwyth ei fywyd wrth i'w allu leihau er mwyn i ddyn iau, cryfach ofalu am y bobl. Yn ddiweddarach dewisid aelod arall o'r llwyth, neu hyd yn oed un o'i gaethweision, yn aberth yn ei le. Trwy fwrw coelbren y gwneid y dewis. Cynhelid gwledd o deisennod ceirch, a chymerai pawb ddarn o ddysgl seremonïol fawr. Gan ddilyn patrwm sy'n ein hatgoffa o stori'r Brenin Alfred a'r teisennod llosg, y gŵr a'i câi ei hun yn dal darn a losgwyd yn fwriadol a gâi ei aberthu. Mewn blynyddoedd diweddarach cymerwyd ei le gan anifail neu hyd yn oed ryw fath ar ddelw – arfer a barheir o hyd ar noson Guto Ffowc.

Gyda dyfodiad y Rhufeiniaid mabwysiadodd y Prydeinwyr ŵyl Satwrnalia, a gynhelid ar adeg heulsafiad y gaeaf. Gwledd wythnos o hyd oedd yr ŵyl hon, pan drowyd popeth wyneb i waered: gweinai meistri ar eu gweision a llaciwyd y cyfreithiau llym yn erbyn hapchwarae hyd yn oed. Duw amaethyddol oedd Sadwrn, y cysegrid yr ŵyl iddo, y credir iddo gael ei enwi o'r Lladin *satus*, sy'n golygu 'hau'. Y prif draddodiad a etifeddwyd gennym o'r ŵyl yw ein harfer o gyfnewid anrhegion ganol gaeaf. Hefyd etifeddwyd y gêm o guddio darnau arian yn y pwdin Nadolig gan y Rhufeiniaid, a ddefnyddiai ffyrdd tebyg o fwrw coelbren gyda bwyd i weld pwy fyddai'n frenin yr ŵyl neu'n 'Arglwydd Anhrefn', yn yr un modd yn union ag y cawsai'r aberth ei ddewis.

Am gyfnod yr oedd cwlt Mithras yn boblogaidd. Duw Persiaidd oedd Mithras (ystyr ei enw yw 'cyfamod'), a lamodd yn ei lawn dwf o greigiau ei fam ddaear yng nghwmni dau yn cario ffaglau, Cautes, a gynrychiolai'r gwanwyn a chodiad yr haul ac a ddaliai ei ffagl i fyny, a Cautopates, a ddaliai ei ffagl i lawr i gynrychioli machlud haul a'r hydref. Dim ond grŵp o fugeiliaid a fu'n dystion i'r digwyddiad gwyrthiol hwn, ond daeth yr ogof, fel ogof neu stabl Bethlehem lle gwelodd bugeiliaid eni gwyrthiol hefyd, yn rhan o ddefod canol gaeaf.

Troes yr Eingl-Sacsoniaid ran fawr o Brydain yn Lloegr trwy eu buddugoliaethau grymus dros y Celtiaid ar ddechrau'r chweched ganrif. Yn ystod y tri chan mlynedd nesaf, daeth llawer o'r Sacsoniaid yn swyddogol yn Gristnogion, ond siglwyd eu ffydd newydd, ansicr yn fuan gan luoedd o oresgynwyr o Lychlyn. Yna ailsefydlwyd yr hen dduw Tiwtonig Wotan, gyda'i ŵyl 'Yule' canol gaeaf, yn ffurf ofnadwy y duw Nordig Odin. Yn erbyn ei addolwyr ef yr ymdrechodd Alfred y Cristion yn y nawfed ganrif a phan sefydlwyd y Ddaenfro, i Odin y gwnâi'r bobl eu haberthau adeg heulsafiad y gaeaf. Disgynnai Odin i'r ddaear ar geffyl gwyn ar dymor sanctaidd Yule. Yn ei holl ddefodau cysylltir ef â cheffylau fel gyrrwr y cerbyd a dynnir gan Sleipnir cryf wythgoes, a hefyd fel derbynnydd ceffylau yn aberthau. Cymerir Sleipnir fel symbol o bedwar dyn yn cario elor, a dyna'r rheswm pam y mae'r cysylltiad â marwolaeth mor gryf. Ond ef hefyd oedd y march y gallai siaman ei farchogaeth rhwng bydoedd y byw a'r meirw. Fel swynwyr offeiriadol Asia a gogledd-ddwyrain Ewrop, gallai Odin newid ei siâp a chymryd ffurf aderyn ysglyfaethus, neu hedfan drwy'r awyr ar gefn ceffyl. Âi ei deithiau ag ef i fydoedd eraill ond teithiai'n gyson yn y byd hwn hefyd. Am y rheswm hwnnw, cysylltwyd Odin, fel y duw Rhufeinig a gyfatebai iddo, Mercher, â masnach ac, yn debyg iddo yntau, darlunir y duw Nordig weithiau mewn het ac iddi adenydd, er ei bod yn fwy tebyg i gwcwll yn ei achos ef. Yr oedd ganddo hefyd farf hir, laes, ac o'r duw gerwin hwn y gwnaethom ninnau Siôn Corn.

Datblygiad ydyw o siamanau Siberia a gâi brofiadau dychmygol o hedfan trwy fwyta'r ffwng coch smotiog amanita'r pryfed, arfer yr oedd ceirw Llychlyn hefyd ynghlwm wrtho. Ymestynnai'r arfer mor bell â'r Lapdir ac mae'n sicr ei fod yn gyfarwydd i'r Llychlynwyr Nordig a ddaeth ag Odin i Loegr. Byddai ganddynt hefyd y syniad o'r siaman yn disgyn i'r tŷ trwy dwll yn y to, oherwydd roedd trigfannau'r gaeaf o dan ddaear yn Siberia. Mae gan ein Siôn Corn modern ni Sleipnir sydd wedi lluosogi'n dîm o geirw, tra bod arfer y duw o farnu gweithredoedd dynion wedi cael ei ladmeru i'r arfer haelionus o roi gwobr i blant da.

Yn Saesneg gelwir ef 'Santa Claus', o'r Iseldireg am Sant Nicolas. Esgob Myra yn y bedwaredd ganrif oedd Nicolas, a roddodd, yn ôl yr hanes, dri chwdyn o aur i deulu tlawd i'w defnyddio yn waddol i'r merched i'w harbed rhag puteinio. (Gyda llaw, dyna darddiad y tair pêl ar yr arwydd y tu allan i siop wystlo.) Yn yr Almaen dethlir gŵyl Sant Nicolas ar y chweched o Ragfyr o hyd, yn hollol ar wahân i'r Nadolig.

Erbyn canol y bedwaredd ganrif, penderfynasid y câi genedigaeth Crist ei ddathlu'n swyddogol ar y pumed ar hugain o Ragfyr mewn ymdrech i ddisodli defodau paganaidd heulsafiad y gaeaf, ond gallwn weld bod llawer o elfennau wedi goroesi hyd heddiw, er bod ganddynt ar y cyfan ystyron newydd.

Marcus Wells

❖ RHYFEDD WYRTH

Darllen Effesiaid 2:14–16

Nid oes raid i'r 'hen greadigaeth' deyrnasu, ac nid yw'r bywyd a gyplysir â hi'n anorfod.

Un o'r hanesion rhyfeddaf am y Rhyfel Byd Cyntaf yw'r hyn a ddigwyddodd i'r ddwy fyddin a oedd yn gwrthwynebu'i gilydd. Ar y noson cyn y Nadolig trawsnewidiwyd y sefyllfa'n llwyr. Daeth sŵn canu o rengoedd un o'r byddinoedd ac ymatebodd y fyddin arall mewn cân. Cododd y dynion o'r ffosydd i gofleidio'i gilydd. Bu'n achos syndod a rhyfeddod i bawb fel ei gilydd. Buont yn llygad-dystion i'r wyrth a drodd y tywyllwch yn oleuni, yn filoedd o oleuadau'n llenwi'r awyr nes bod yr olygfa'n debycach i wledd y Nadolig nag i faes y gwaed. Dechreuodd un o'r byddinoedd ganu 'Cristnogion deffrowch', a deffrodd pawb i weld ei gilydd nid fel gelynion mwyach, ond fel brodyr.

Digwyddodd y wyrth mewn ffordd a oedd mor naturiol â chodiad haul y bore. Rhyfel a gelyniaeth oedd yn annaturiol, nid brawdgarwch a chariad.

Gweddi:
Diolchwn nad oes unrhyw sefyllfa mor ddyrys a diobaith na all dy ras gyffwrdd â hi a'i thrawsnewid er daioni. Dangos i wledydd daear ffordd y cymod, a datoda bob canolfur rhyngddynt sydd yn achos cas a chynnen:

> Rhag tywallt gwaed dy blant ar erwau prudd,
> rhag rhwygo eu cartrefi, nos a dydd,
> rhag diffodd gobaith a rhag difa ffydd,
> O arbed ni. ***Llywelyn C. Huws***

❖ Yn Erbyn y Llanw

Hen ŵyl baganaidd oedd hi i ddechrau wrth gwrs. Gŵyl yr Haul Anorchfygol neu *Satwrnalia*, galwch hi beth fynnoch chi. A does dim prawf pendant mai ar Ragfyr 25 y ganwyd Iesu Grist beth bynnag – oherwydd os oedd y bugeiliaid allan yn y maes mae'n eithaf annhebygol mai yn y gaeaf y bydden nhw wrthi yn ddi-thermal wylied eu preiddiau liw nos. Ond fe gymerwyd yr hen adeg o ddathlu cyfarwydd yn y misoedd tywyll a rhoi achos llawenydd arall arno gan y Cristnogion gynt. Bellach, o ganol y meri-go-rownd blynyddol a gwallgof o gyngherddau, tyrcis a mins-peis, yr hysbysebu diddiwedd, y cardiau plastig sy'n gwegian ger tiliau agored a'r llwythi cyfarchion mewn cydau clir fesul chwech gan bawb o'r RSPB i'r Mudiad Ysgolion Meithrin, fe gyfyd ambell garol wan ei phen, ambell adnod i frig y cof, ambell wasanaeth Plygain cynnar i wneud i ni ddylyfu gên.

Fe ddywedodd rhywun fod Cristnogion a Christnogaeth yn mynnu dwyn popeth a rhoi eu hystyr eu hunain iddo – ac efallai eu bod nhw yn eu lle hefyd. Ond o ganol y tinsel a'r cracyrs blynyddol, mae'n beth da i ni gofio na chafodd neges Iesu erioed yr hyn a alwai'r Sais yn *level playing field.* Yn erbyn y llanw y bu hi erioed ar gredinwyr yr Efengyl, a dilyn gwaredwr gwrthodedig, un a anwyd mewn stabl ac a fagwyd ar ffo yr ydym ni i lawr yr holl flynyddoedd. Felly fydd dim yn wahanol y Nadolig hwn. Ond mae'r ffydd yn dal i dyfu er gwaethaf paganiaeth y byd, fel y lefain yn y blawd ac fel yr hedyn mwstard sy'n datblygu'n bren anferth; mae'r neges am ddaioni a chariad Duw tuag at ddyn yn yr ymgnawdoliad yn dal i ddisgleirio'n seren gobaith trwy dywyllwch nos y byd hwn. Cofiwn hynny y Nadolig yma eto, felly, a pheidiwn ag anobeithio byth. Mae Duw yn caru dyn, ac mae'r angylion yn dal i ganu i'r rhai sy'n aros i wrando arnynt.

Einir Jones

❖ Mae'n Cymryd Amser

Mae'n anodd canfod Crist adeg y Nadolig.
Mae 'na gymaint o brysurdeb cyffrous...
chwilio am anrhegion... partïon... digwyddiadau arbennig...
coginio'r Nadolig... cardiau Nadolig... anrhegion Nadolig...
Mae pawb yn brysio... llawn ffwdan... yn rhy brysur.
Pawb yn rhuthro, rhuthro... llenwi'r munudau prin.
Mae'n anodd canfod Crist adeg y Nadolig...
Mae'r torfeydd yn enfawr... y bysiau'n llawn...
trenau'n boeth, llawn a chwyslyd...
mae'r siopau'n llawn o sgleiniau ac addurniadau...
a'r uchelseinyddion yn bloeddio carolau Nadolig yn uchel...
Ond mae'n anodd canfod Crist adeg y Nadolig...
Mae'r strydoedd yn llawn o oferbethau a sêr...
waliau wedi'u gorchuddio â golygfeydd eiraog –
rhubanau disglair... goleuadau lliwgar.
Mae Siôn Corn yn nodio ac yn blincio.
Goleuadau'n fflachio ymlaen... goleuadau'n fflachio i ffwrdd.
Ydy, mae'n anodd canfod Crist adeg y Nadolig.
Oherwydd, mae Crist wedi ei gladdu erbyn y Nadolig.
Sut fedrwn ni ddod o hyd iddo?
Sut fedrwn ni ganfod ystyr y Nadolig o'r newydd?
Sut fedrwn ni ysgubo ymaith sothach diwerth y byd masnachol?

Darllen Mathew 2:1–10

Ble mae'r baban a anwyd i fod yn frenin yr Iddewon?
Chwiliwch am y plentyn hwn â'r gofal mwyaf.
Anfonodd Herod chwilwyr adeg y Nadolig.
Aeth y bugeiliaid i chwilio am blentyn y Nadolig.
Parti o serydddwyr yn chwilio, chwilio, chwilio.
Ble mae'r plentyn a anwyd i fod yn frenin yr Iddewon?
Dynion doeth, galwyd nhw... astrolegyddion difrifol...
yn gwylio am ystyr y sêr symudol.
Gwyddonol neu ddychmygol... dysgedig neu chwerthinllyd...
roedd eu gweledigaeth yn un...
Canwch, chi ddynion doeth. Dawnsiwch, chi wyddonwyr...

Pun ai ydy eich theorïau'n rhai gwir neu gau…
Defnyddia Duw wybodaeth… defnyddia Duw anwybodaeth…
Mae Duw eich angen ar ei ben-blwydd.
Mae Duw eich angen ar ei ben-blwydd.
Mae Duw eich angen ar ei ben-blwydd.
Mae'n anodd canfod Crist adeg y Nadolig…
Mae'n cymryd amser…
Amser oddi wrth y ffwdan a'r sŵn…
Amser oddi wrth y carolau a'r cyrn…
Amser i chwilio am Iesu…
Amser i chwilio ei Ysbryd…
Amser i ganfod ystyr y Nadolig.

❖ GŴR Y LLETY

Prin iawn yw hanesion yr Efengylau am eni Iesu Grist. Diolch i Mathew a Luc am gofnodi hanes y doethion a'r bugeiliaid. Hanesion ydynt sy'n gymysg o ffaith a ffug. Collwyd rhai o'r ffeithiau manwl gywir yn niwloedd amser. Ond mae neges y Nadolig – a hynny bob blwyddyn – yn dal i lewyrchu fel y gwnaeth y seren uwch stabl Bethlehem. Ie, hen stori ond nid yw'n heneiddio.

Yn Nrama'r Geni ceir un cymeriad na wyddom pwy ydoedd. Anaml y caiff ymddangos ar y llwyfan. Nid oes raid i athrawon Ysgol Sul na mamau'r plant boeni beth gânt i'w ddilladu. Ni chaiff gyfle i actio ond clywir ei lais yn dweud bod y llety'n llawn. Ni wyddom pa fath o lety oedd ganddo. Nid 'bwthyn heb fawr o bethau'. Nid tŷ teras. Nid tŷ gwely a brecwast. Rhaid ei fod yn dŷ gweddol fawr. Roedd pobl yn heidio yno. Y cyntaf i'r felin ydoedd. Diau fod gŵr y llety yn falch o gael gosod yr arwydd *No Vacancies*. Er na wyddom enw'r gŵr, hawdd yw ei nabod heddiw. Yn wir, mae pob un ohonom, ar rai adegau, yn gallu bod yn debyg iawn iddo. Nid dyn creulon fel Herod ydoedd. Dyn prysur ydoedd. Ei broblem oedd ei brysurdeb. Onid prysurdeb sy'n rhannol gyfrifol am gyflwr crefydd ein cyfnod? Collodd hwn gyfle mawr ei fywyd. Nid cyfle i ddod yn gyfoethocach yn ariannol, ond i dderbyn yr un y dywedid mai ef yw'r cyfoeth gorau a'r trysor mawr. Sgwn i gafodd o wybod pwy oedd y ddau oedd yn chwilio am lety? Os cafodd, mae'n sicr ei fod yn gofidio ac yn edifar. Ceir awgrym o hynny yng ngeiriau'r garol 'Gŵr y Llety'! 'Bu raid imi ddweud bod y llety'n llawn a chlywais hwy'n sibrwd, "Pa beth a wnawn?"'

Pe bai'r gŵr hwn wedi derbyn y ddau ymwelydd o Nasareth byddai ef a'i westy yn wir freintiedig. Gallai osod plac ger mynedfa'r gwesty i nodi mai 'Yma y ganwyd Brenin y brenhinoedd ac Arglwydd yr arglwyddi'. Byddai geiriad y plac yn gyfrwng i uwchraddio'r gwesty o fod yn westy un seren i un pum seren.

Nid condemnio gŵr y llety a ddylem, ond gofidio iddo wneud un o gamgymeriadau mawr ei fywyd. Mae'n hawdd bod yn debyg iddo. Mae ei ymddygiad nid yn broblem ond yn rhybudd. Yng nghanol dathliadau'r Nadolig gwyliwn fod mor brysur yn addurno'r crud ond heb amser i addoli'r Ceidwad.

Trefor Jones

❖ Cardiau Nadolig

Mae symbolau crefyddol wedi bod yn amlwg iawn yn y newyddion yn ddiweddar. Ydy hi'n iawn i wraig o Fwslem roi gorchudd llawn dros ei hwyneb yn y gwaith? Ydy hi'n iawn i wraig o Gristion wisgo croes yn y gwaith? Diolch byth bod Rowan Williams wedi llwyddo i ddarbwyllo British Airways bod gwisgo croes fach yn dderbyniol.

Oni bai am gerdded trwy'r pentre i'r capel, a cherdded i'r dosbarth Beiblaidd ganol yr wythnos, does dim arwydd allanol weladwy arall i ddweud fy mod i'n Gristion. Ond rwyf yn dymuno dangos fy mod yn Gristion ac mae'r Nadolig yn cynnig cyfle. Mae hefyd yn rhoi'r cyfle i mi gefnogi achos da a dangos bod y Gymraeg yn golygu rhywbeth i mi. Felly dewisaf anfon carden Gymraeg ddyngarol.

Nawr rwyf wrth fy modd yn derbyn cardiau Nadolig ac os ydynt yn gardiau Cristnogol, gorau oll. Mae derbyn y garden yn bleser ac mae treulio tipyn bach mwy o amser dros frecwast yn agor a darllen twmpath o gardiau yn rhan o ddathlu'r Nadolig.

Llynedd es ati i ddadansoddi'r math o gardiau Nadolig oedd yn cyrraedd yma. Roeddwn i wedi meddwl y byddai hi'n rhannu'n gyfartal rhwng y cardiau Cristnogol a chardiau seciwlar. A dyna oedd hi, hanner a hanner.

Gan fy mod wedi dechrau ar y dadansoddiad, es ymlaen a'u rhannu'n dri chategori – Cymraeg, dwyieithog a Saesneg. Daeth ychydig mwy o wybodaeth i'r wyneb.

Roedd mwyafrif y cardiau Cymraeg yn Gristnogol a llawer iawn o'r cardiau dwyieithog hefyd. Y gwahaniaeth mwyaf oedd ymysg y cardiau Saesneg. Roedd llawer llai o'r rhain yn Gristnogol. Y syndod oedd bod cymaint o Gymry Cymraeg yn anfon cardiau Saesneg. Y pleser mawr oedd derbyn un garden Gymraeg Gristnogol oddi wrth deulu sy'n byw yn Lloegr.

Fydda i'n gwneud yr un dadansoddiad eleni? Ches i fawr o fudd ysbrydol o edrych ar y dadansoddiad llynedd. Yn wir roedd yna dristwch a siom. Ond beth oeddwn yn ei ddisgwyl? Mae cymaint o bwysau seciwlar arnom ni. Eleni byddaf yn siwr o deimlo'r un tristwch pan dderbyniaf gerdyn seciwlar gan Gristion a siom pan ddaw carden Saesneg gan Gymro.

Mae derbyn cyfarchion yn bleser. Ond fel Cristnogion, onid oes cyfrifoldeb arnom ni i ddangos mai Cristnogion ydym ni? Ac mae'r Nadolig yn adeg dda i wneud hyn. Wedi'r cyfan, dydy'r 'Dyn' ddim wedi dwyn 'y Dolig' eto.

Nia a Meurig Royles

❖ Her y Nadolig: Dewch i'r Wledd

Ynghanol holl hwyl a rhialtwch y Nadolig, bydd sawl cennad wedi galw ar ei chynulleidfa i gofio gwir neges y Nadolig.

Ganwyd y Mab o gnawd Mair – un nos oer
Tan y Seren ddisglair,
Yn wyrth Dduw o'r groth ddiwair
Yn y gwellt, Hwn oedd y Gair.
James Nicholas

Beth tybed yw syniad y sawl a fydd yn canu'r carolau a'r emynau Nadoligaidd am Dduw? Ai ymestyniad o Siôn Corn caredig yw Duw i rywrai, neu a oes yna ymwybod o Fod trosgynnol a thragwyddol, na all dyn na'r ddaearen hon newid ei natur na'i faint? Bydd rhai yn barod i loetran uwch y syniad o Ysbryd trosgynnol, ond heb fedru daearu'r syniad hwnnw i gredo a chrefydd. Efallai fod rhai yn ddeistiaid heb wybod hynny, ac y bydd eraill yn cael rhyw wefr dros dro wrth ganu neu wrando ar waith eithriadol y *Meseia* gan Handel. Ofnwn y bydd y mwyafrif helaeth yn gwbl ddifeddwl o hanfod y Nadolig, ac ond am ymgolli yn y môr o afradlonedd.

Mae'n dda bod yna ŵyl canol gaeaf, sy'n galw pobl ynghyd, fel bod rhywrai yn dal cysylltiad â'i gilydd, hyd yn oed os mai dim ond ar lefel dwyn cyfarchion dymunol i'w gilydd y gwneir hynny. Yr hyn sy'n wir ofid bob blwyddyn yw nid yn gymaint yr afradlonedd ond yr unigedd sy'n llethu llawer. Bydd y rhan fwyaf ohonom yn ffodus bod gennym y modd i drefnu dathliad a pharti, ond faint sydd heb gwmni neu deulu bellach? Hawdd y gallwn ddweud mai gŵyl i blant yw'r Nadolig, ond mae pawb yn blant i Dduw, ac fe allwn gyflawni llawer i sicrhau bod mwy o bobl yn dod ynghyd ac yn ymdeimlo â'r wedd gynhwysol sydd i neges yr ŵyl. Onid yn enw Iesu y gallai llawer eglwys drefnu pryd o fwyd, naill ai yn adeiladau'r capel neu ar aelwydydd yr aelodau, fel bod y teulu Cristnogol yn dod ynghyd? Ar fore dydd Nadolig, bydd rhai o selogion yr oedfaon yn absennol, am eu bod yn ymweld â theulu dros yr ŵyl, tra bydd eraill yn ymweld â'u perthnasau yn y brifddinas ac yn ymuno yn ein hoedfa Fore'r Nadolig. Clywais yn ddiweddar am ysgrifennydd un o'n heglwysi yn trefnu bod rhai o'r oedrannus o blith ei gyd-aelodau yn dod i rannu pryd ar ei aelwyd.

Ond beth am y sawl nad ydynt yn aelodau o eglwys, a heb unrhyw gwmni ar y dydd? Beth am y sawl sy'n cerdded y strydoedd a heb fodd i brynu unrhyw beth i hyrwyddo'r dathlu? Hwy yw'r bobl sy'n edrych i mewn – yn gweld y sbri ond yn methu cael rhan o'r llawenydd. Dyma gyfle gwych i'r eglwys leol wneud rhywbeth cadarnhaol i ddangos cariad Crist i'r byd sydd o'u cwmpas. Gall hyn fod yn her ym mhob pentref a chymuned. Wrth i ni gyfarch ein gilydd eleni yn ysbryd yr ŵyl, rhannwn yr ŵyl fel bod eraill yn cael y cyfle i brofi'r wledd a gweld y wyrth.

Denzil Ieuan John

❖ Rhyfeddod y Nadolig

Merch ryfeddol oedd Ann Griffiths o Ddolwar Fach yng nghefn gwlad Maldwyn. Er iddi gael cyn lleied o fanteision addysg, meistrolodd heb drafferth athrawiaethau mawr y ffydd Gristnogol. Rhoddodd fynegiant yn ei hemynau i wirionedd yr ymgnawdoliad, sef fod y Gair yn Gnawd, Duw yn Ddyn, a'r Baban yn Frenin y ddaear a Thywysog y nefoedd. Hoffaf ei phwyslais ar ryfeddod y geni, dwyn yr Anfeidrol yn agos, a gwneud y distadl, sef Baban, yn ddyrchafedig fel Gwaredwr y ddynoliaeth. Craffwch ar y pennill sy'n egluro i ni y cyfan hyn, ac am y rhyfeddod hyd yn oed i'r angylion:

Rhyfedd, rhyfedd gan angylion,
  rhyfeddod mawr yng ngolwg ffydd,
gweld Rhoddwr bod, Cynhaliwr helaeth
  a Rheolwr popeth sydd
yn y preseb mewn cadachau
  a heb le i roi'i ben i lawr,
eto disglair lu'r gogoniant
  yn ei addoli'n Arglwydd mawr.

❖ YMWELIAD Y DOETHION

'Wedi i Iesu gael ei eni ym Methlehem Jwdea yn nyddiau'r Brenin Herod, daeth seryddion o'r dwyrain i Jerwsalem a holi, "Ble mae'r hwn a anwyd yn frenin yr Iddewon? Oherwydd gwelsom ei seren ef ar ei chyfodiad, a daethom i'w addoli."' (Mathew 2:1–2)

Mor gyfarwydd yw hanes genedigaeth Iesu Grist a'r cymeriadau sy'n gysylltiedig â'r digwyddiad y bu i Moses a'r proffwydi ddweud amdano, cyn ei ddod. 'Iesu yw, gwir Fab Duw, Ffrind a Phrynwr dynol-ryw.'

Wrth feddwl am y doethion/seryddion a ddaeth o'r dwyrain, cyfeiriaf yn bennaf at yr hyn fu'n gyfrwng i'w harwain i Fethlehem at Waredwr y byd. Yn ôl pob sôn, paganiaid oeddent, nad oedd yn credu yn yr Ysgrythurau Sanctaidd nac yn credu yn Nuw. Beth felly oedd y cyfrwng a ddefnyddiodd yr Arglwydd i dynnu eu sylw at ddigwyddiad Bethlehem? Wel, y cyfrwng yr oeddent yn gyfarwydd ag ef, sef seren.

Dyma nhw wrthi o ddydd i ddydd yn astudio'n fanwl ac yn darganfod rhywbeth newydd, perthnasol i'r sêr. Mae'r geiriau yn Efengyl Mathew yn dweud eu bod wedi gweld ei 'seren ef'. Mae'n amlwg fod y seren honno'n wahanol, a'i bod yn mynnu eu sylw. Duw yn gweithredu drwy'r hyn oedd yn gyfarwydd. Gallwn ei galw yn 'Seren Bethlehem'.

Duw yn defnyddio'r cyfarwydd i arwain y seryddion at Iesu Grist. Duw yn defnyddio eu hiaith hwy i fod yn gyfrwng cymorth i'w harwain at Feseia'r Arglwydd. Ond nid arweiniad yn unig a gawsant. Darllenwn am eu dymuniad i addoli. A deallwn iddynt fod yn llawen dros ben; iddynt ddod â rhoddion; iddynt fynd yn ôl i'w gwlad ar hyd ffordd arall. Mae'r cyfan yn dweud eu bod wedi mwynhau'r profiad.

Soniais ar y dechrau fod hanes genedigaeth Iesu Grist yn gyfarwydd. Clywsom am y cymeriadau sydd ynghanol cyffro'r ymweliad â'r Baban mewn cadachau. Yn hanes y doethion, golygai ddilyn seren, a chadw llygaid arni o hyd ac o hyd, nes cyrraedd y lle. Petaent wedi colli golwg ar y seren, mi fyddent wedi colli'r profiad.

Beth fydd yn ein harwain i Fethlehem y Nadolig hwn? A gawn ni ein harwain gan Dduw trwy ei seren ef? Cyrhaeddwn y fangre, gan addoli, yn llawen, gyda rhoddion, gan ddychwelyd ar hyd ffordd arall wedi'r ymweliad, wedi'r profiad. Bendith arnoch. 'Tua Bethlem dref awn yn fintai gref ac addolwn ef.'

R. O. Jones

❖ Yr Angel

'A safodd angel yr Arglwydd yn eu hymyl' (Luc 2:9)

Mae'r Ffydd Gristnogol bob amser wedi ein cyflyru i ofyn cwestiynau ynglŷn â'n cred a'n hargyhoeddiadau personol, megis ein cred yn Nuw, yn y Bywyd Tragwyddol, yn yr Atgyfodiad, a llawer peth arall. Ar ŵyl y Nadolig, dyma fy nghwestiwn i chi: a ydych yn credu mewn angylion? Ac os ydych, beth yw eich delwedd ohonynt? Mae sawl delwedd i'w chael.

Mae rhai wedi cymharu angel â nyrs dda mewn ysbyty, gan sôn am nyrsys fel 'angels of mercy'. Nôl yn y 1970au, roedd yna gyfres deledu wedi ei lleoli mewn ysbyty, ac enw'r rhaglen oedd *Angels*. Delwedd arall o angel yw cymeriad glân, dibechod a dilychwin. Pan fydd plentyn bach wedi cael profedigaeth, dywedir wrtho ambell dro fod y sawl a gollwyd wedi mynd at Iesu Grist a'r angylion.

Os ydym ni'n credu mewn angylion ai peidio, rhaid cydnabod bod 'Angel yr Arglwydd' wedi chwarae rhan bwysig yn Stori'r Geni. Dywed Luc wrthym i'r angel gael ei anfon at y bugeiliaid i'w hysbysu am eni'r baban Iesu ac i ddweud wrthynt ble roedd hynny wedi digwydd. A dyna'n union y mae Duw'n ei wneud gyda ni: mae'n anfon yr hyn y byddwn ni'n ei alw'n 'angylion' atom mewn profedigaeth, treialon a siomedigaethau, boed y bobl yma'n berthnasau, cymdogion neu aelodau eglwysig. Ie, 'angel yr Arglwydd' yn wir. Wrth gofio am Stori'r Geni a'i chyd-destun, beth mae'r angel yn ei gynrychioli?

1. Agosrwydd

Yn ôl un rhaglen deledu, dyma rinwedd 'angel': rhywun sydd weithiau'n fwy agos na Duw ei hun; rhywun personol iawn i bobl. Rhywun a elwir yn 'guardian angel', sef rhywun sy'n ein gwarchod rhag niwed. Roedd agosrwydd yr angel yn brofiad i'r bugeiliaid: daeth yr angel atynt.

2. Newyddion

Rydym i gyd yn hoffi gwybod y newyddion diweddaraf (neu'r 'latest'!) Ambell fore, byddaf yn mynd i'r Dre i gael coffi at gyfeillion o'r capel. Rydym yn cynrychioli pum degawd! Rydym felly'n eang ein gwybodaeth, a rhyfeddaf at y newyddion a ddaw o bob cyfeiriad. Beth oedd y 'latest' gan yr angel? Y Newyddion Da fod y baban Iesu wedi ei eni, 'yr hwn yw'r Meseia, yr Arglwydd'.

3. Genedigaeth

Dyfodiad Iesu Grist i'r byd yw gwir ystyr y Nadolig, beth bynnag a ddywed y byd masnachol a'i gyfeillion. Wrth i Gristion ifanc rannu ei brofiadau un tro, gofynnwyd iddo, 'Beth oedd y foment fwyaf a newidiodd eich bywyd?' A'i ateb syml oedd, 'Y diwrnod y ganwyd fy mhlentyn cyntaf!' A do, fe newidiodd y byd yn gyfan gwbl pan ddaeth Iesu Grist i'r byd, pan aned mab Duw yn ddyn bach. Mae'r cyfan yn troi o gwmpas y digwyddiad hwn. Mae Iesu'n abl i newid ein bywydau ninnau.

4. Efengyl

Dod yn enw'r Efengyl a wnaeth yr angel, a'r Arglwydd ei hun yn ei anfon. Daeth i sôn am bethau mawrion Duw. Clywyd sôn am ŵr oedd yn mynd allan i lenwi ambell i fwlch ar y Sul, ac meddai wrth gyfaill o weinidog, 'Dydw i ddim yn pregethu.' Gofynnodd ei gyfaill iddo, 'O, beth ydych yn ei wneud felly?' Meddai'r angel, 'Wele, yr wyf yn cyhoeddi i chwi.' Ac onid dyna a wna pob cennad?

5. Llawenydd

Ie, amser o lawenydd ydi'r Nadolig, i blant bach a mawr. Meddai'r angel eto, 'Wele, yr wyf yn cyhoeddi i chwi y newydd da am lawenydd mawr.' Cafodd y Gwaredwr ei eni.

Rhowch lythyren gyntaf y geiriau uchod at ei gilydd, a chewch y gair ANGEL. 'A safodd angel yr Arglwydd yn eu hymyl.' Diolch amdano unwaith eto'r Nadolig hwn.

Iorwerth P. Jones

❖ 'AR Y DYDD CYNTAF O'R WYTHNOS...'

Yn yr hen gân Saesneg 'The Twelve Days of Christmas', mae cyfeiriad at y dyddiau rhwng y Nadolig a'r Ystwyll – 6 Ionawr. Daw'r gair Ystwyll o'r Lladin *Stella (Seren),* ac mae'n cofnodi'r cyfnod a elwir yng nghalendr yr eglwys yn Epiphany. Dyma'r amser y daeth y doethion i ymweld â'r baban. Yn y tŷ sylwch yn ôl Mathew yr oedd y teulu bellach, ac nid yn y stabal.

Yn ôl traddodiad bydd dathliadau'r Nadolig yn para deuddeg diwrnod – 25 Rhagfyr tan 6 Ionawr. Rydym yn hen gyfarwydd â'r gân Saesneg 'On The First Day of Christmas' ac mae hon er yn gân ysgafn yn llawn symbolaeth grefyddol!

Yn y ddeunawfed ganrif roedd penillion y garol yn cynnwys rhestr o'r credoau Catholig, ond erbyn y ganrif nesaf datblygodd y garol i fod yn gêm parti a grwpiau yn canu'r penillion yn eu tro.

Erbyn hyn nid yw'r garol yn ddim ond cân ysgafn i'w chanu, ond beth yw'r symbolaeth sydd ynddi, gofynnwch? Rhaid fan yma ddefnyddio ychydig o'r Saesneg i egluro...

'A partridge in a pear tree'... weithiau bydd y petris yn ffugio anaf er mwyn tynnu sylw oddi ar y cywion i'w diogelu – rhyw fath o hunan-aberth. Mewn ffordd dyma symbol o hunan-aberth Crist.

'Two turtle doves'... dyma'r Hen Destament a'r Testament Newydd. Ceir symbol o briodas yma hefyd gan fod *'turtle doves'* gyda'i gilydd am oes.

'Three French hens'... yma ceir anrhegion y Doethion – aur, thus a myrr. Fe all fod yn symbol hefyd o'r Drindod.

'Four calling birds'... dyma'r Apostolion Mathew, Marc, Luc ac Ioan.

'Five gold rings'... yn cynrychioli y pum llyfr yn yr Hen Destament a'r ffaith fod aur yn para.

'Six geese a-laying'... mae'r wyau yn symbol o fywyd newydd a'r gwyddau felly yn cynrychioli chwe diwrnod y Cread.

'Seven swans a-swimming'... dyma anrhegion yr Ysbryd Glân... sef proffwydoliaeth, gwasanaeth, dysgu, annog, rhoddi, arweiniad a thrugaredd.

'Eight maids a-milking'... dyma'r Gwynfydau – wyth ohonynt o'r Bregeth ar y Mynydd.

'Nine ladies dancing'... naw ffrwyth yr Ysbryd Glân yw'r rhain: cariad, hunan-ddisgyblaeth, heddwch, llawenydd, amynedd, tynerwch, ffyddlondeb, daioni a thrugaredd.

'Ten Lords a-leaping'... cynrychioli'r gyfraith wna'r rhain gan ddangos y Deg Gorchymyn.

'Eleven pipers piping'... dyma'r un ar ddeg Apostol a safodd yn ffyddlon i Iesu Grist.

'Twelve drummers drumming'.. mae'r rhain yn symbol o ddeuddeg credo'r Eglwys.

Wel, dyna chi te... tipyn o gnoi cil fanna!

Gwyneth Priestland

❖ BU'R DISGWYL YN HIR

Bu'r disgwyl yn hir. Wyth canrif ynghynt, dywedwyd y byddai'n dod. Mae hynny yn ddeuddeg cenhedlaeth ar hugain! Yn araf iawn mae'r olwynion yn troi weithiau. Faint oedd wedi anobeithio y deuai o gwbl tybed?

Addawyd y byddai un o dras frenhinol yn dod; bydd yn Fab Dafydd, brenin mwyaf yr Iddewon. Bydd yn sefydlu teyrnas, un heb ddiwedd arni. Bydd y byd yn lle gwahanol wedi i'r Brenin heddychol hwn ymddangos.

Yng nghyflawnder yr amser fe ddaeth. Daeth i fyd tywyll, treisgar. Daeth i gyrion llwm yr Ymerodraeth, heibio i balas Herod, heibio i gartre'i rieni hyd yn oed, heibio i'r llety, a'i eni gyda'r tlotaf o'r tlawd.

Yng Nghanaan y ganrif gyntaf roedd pobl wedi blino ar fod dan draed, heb neb yn ymgynghori â nhw, a chymaint o drais. Pam bod rhaid i'r rhai bach diniwed ddioddef? Pam bod y nos yn para mor hir?

Yng Nghymru ar ddechre'r trydydd mileniwm disgwyliwn ni mewn lle breintiedig. Mae cymaint yn ein byd sy'n dyheu'n ddyfnach na ni, a chymaint sy'n anobeithio'n ddwysach na ni.

Am beth y disgwyliwn ni? Onid yw popeth gennym? Mae'r pyramid o anrhegion wedi'i orchuddio ag addurniadau disglair a goleuadau lliwgar. Beth sy'n eisiau? Beth sydd ar goll? Mae cymaint gennym.

Mae cyn lleied gennym. Mae ein byw bras hunan ganolog yn tagu'n cariad ac yn gwenwyno'n daear. Ynghanol ein digonedd aethom yn dlawd. Beth sydd gennym ond ein teganau?

Daeth y bugeiliaid tlawd, ac addoli. Daeth y doethion da eu byd, a phenlinio.

A deuwn ninnau'r Nadolig hwn i chwilio am y baban ac i weld y rhyfeddod: Duw hollalluog yn ein plith yn faban. Mae cymaint o angen arnom am yr un sy'n gwneud pob peth yn newydd. 'Yn wir, tyred, Arglwydd Iesu.'

Daeth y Tywysog i newid y byd a sefydlu teyrnas heb ddim yn ei law, heb bastwn na chwip na chleddyf.

Daeth heb fyddin, heb gefnogwyr ffyddlon a theyrngar.

Daeth heb ddim ond ei eiriau,
Geiriau doethineb a chariad;
Geiriau llym a thyner;
Geiriau i herio'r hunanfodlon.

Wrth iddo gerdded cododd y rhesi o rai claf a diobaith a llwm,
A hwythau'n dawnsio yn eu hiechyd a'u llawnder a'u llawenydd.
Hwn yw'r Arglwydd y bu mamau'r oesoedd yn dyheu amdano,
Yr un sy'n anfon bechgyn a merched, nid i ryfel, ond i gynaeafu'r grawn i fwydo'r byd.
Ganwyd Iesu i'r byd yn oleuni; unwaith ac am byth.
Deued i'n calonnau ninnau, yn ei wendid ac yn ei rym.
Cofleidiwn ef.

Dewi M. Hughes

❖ GWIR YSTYR Y NADOLIG

Darllenais yn ddiweddar fod calon y ffydd Gristnogol i'w darganfod, nid yn y gwyrthiau na'r seremonïau, nid mewn eglwysi cadeiriol nac mewn moesoldeb, ond yn hytrach yn y stori seml a phlaen am 'y fam, y baban a'r preseb' am ei bod yn stori sy'n rhoi sylw i 'elfennau tyner y byd, yn araf a thawel yn gweithio mewn cariad'. A dyna pam y mae'n werth ail-ymweld â stori'r Nadolig o flwyddyn i flwyddyn.

Â gwneud hynny, un o'r pethau a welwn yw bod y stori'n digwydd ar ymylon cymdeithas. Teulu bach yn cael ei gau allan a heb le cysurus i orffwys. Ac yn hynny o beth, mae stori'r Nadolig yn stori gyfarwydd i lawer o bobl heddiw sydd ar ymylon cymdeithas – stori o eithrio. Diffyg lle, diffyg croeso, diffyg derbyniad, diffyg diddordeb.

Yn ddiddorol, er nad yw Ioan yn cyfeirio at stori'r Nadolig yn y prolog i'w Efengyl, yr un yw ei neges ef: 'Daeth i'w gynefin ei hun, ac ni dderbyniodd ei bobl ei hun mohono.' Pan fo Duw yn galw heibio, mae'r drws ar glo a neb yn ateb. Mae gan y ddynoliaeth brysur bethau gwell i'w gwneud na sylwi ar ddigwyddiadau dibwys ar ymylon cymdeithas.

Ond mae'r Efengyl yn mynd yn ei blaen i ddweud mai dyma'r esgeulustod mwyaf oll, oherwydd wrth fethu estyn trugaredd i'r blinedig a'r digartref, rydym hefyd yn eithrio yr Un sy'n cynnig i ni fywyd yn ei holl gyflawnder. 'Yn gymaint ag ichwi beidio â'i wneud i un o'r rhai lleiaf hyn, nis gwnaethoch i minnau chwaith.'

Trwy stori seml y geni, fe ddysgwn un o wirioneddau dyfnaf Cristnogaeth: fod Duw yn Dduw yr ymylon, yn wastad yn ceisio cael ei adnabod. Onid dyna'r gred a ysbrydolodd rywun fel y Fam Teresa? Yn wynebau'r trueiniaid fe welai hi apêl ddyfnach Iesu am gysur a derbyniad, ac fe wnaeth yr hyn a allai hi i roi lloches iddo ef yn ogystal ag i'r dioddefwyr corfforol oedd o'i chwmpas.

Lloches a chroeso – dyma'r arwyddion syml o ddynoliaeth erioed. Ond onid yw'r parodrwydd i'w cynnig wedi mynd ar goll yn y Gymdeithas Orllewinol Gyfoes? Gwneud lle i bobl eraill yn ein bywydau – cynifer ohonom sy'n pledio prysurdeb a blinder yn esgus dros beidio â gwneud. Mae'r dasg ddiddiwedd o ennill arian i'n cynnal ein hunain yn cymryd blaenoriaeth, ac mae'r ymdrech i gwrdd â'n 'hanghenion' cynyddol yn ein llethu, fel ein bod ni'n cael ein rhwystro rhag agor ein bywydau i bobl eraill.

Ydy, mae cael eu heithrio yn brofiad byw i lawer un heddiw – ffoaduriaid, ymfudwyr, pobl ag afiechydon meddyliol, rhai sy'n gaeth i gyffuriau neu alcohol, y digartref, troseddwyr, dioddefwyr o AIDS – pobl sy'n dal ar yr ymylon, heb fawr neb yn eu gweld nhw; neu efallai'n agosach at y gwir, neb lawer yn dymuno eu gweld nhw.

Mae'n mynd yn ddyfnach na hynny hefyd, oherwydd gyda'r parchuso cynyddol ar hunanoldeb, gan ei droi'n rhyw fath ar rinwedd, mae'n mynd yn anos rhoi lle hyd yn oed i rai yr oeddem yn arfer eu cofleidio, megis rhieni, ffrindiau, cydweithwyr a chymdogion. Os dyna'r gwir, pa obaith gwneud lle i ddieithriaid? Mae'r byd newydd, caled yn galw am roi'r hunain gyntaf a gadael i bawb arall ofalu amdanynt eu hunain.

Ond mae'r neges yn dal yn wir: wrth eithrio eraill o'n bywydau rydym yn eithrio Duw. Ac â gwneud hynny rydym yn lleihau'r posibilrwydd o wir dyfiant, yn colli allan ar gyfoeth gras a'r cyfle o brofi'r ymweliad dwyfol. A'r eironi mwyaf yw, yn ein hawydd i gyfyngu ar ein hymrwymiad a'n cyfrifoldeb, rydym yn ein torri ein hunain i ffwrdd o'r gallu i ehangu bywyd a'i fwynhau mewn ffyrdd dyfnach a chyfoethocach.

Un o gredoau sylfaenol Cymorth Cristnogol yw bod creu cymdeithas a byd teg yn gorfod golygu newid yn y strwythurau sy'n cynnal ac yn hybu annhegwch ac anghyfiawnder, ond ar yr un pryd sylweddolwn mai ofer pob newid gwleidyddol oni bai ei fod yn cael ei gefnogi gan galonnau agored, sy'n barod i wneud lle i eraill.

Byddwn, bid siŵr, yn canu unwaith eto eleni, 'Dim lle yn y llety i Geidwad y byd'. Wrth wneud hynny, beth am aros am funud a gofyn, 'Faint o le sydd yn ein bywydau ni heddiw i eraill?' Oherwydd, yn y lle y byddwn yn barod i roi i eraill y bydd lle iddo Ef hefyd. Ac wrth agor y drws, fe ddaw cynifer o fendithion eraill i mewn i gyfoethogi ein bywydau.

Robin Samuel

❖ Y NADOLIG AR DRAWS Y BYD

Dethlir y Nadolig ym mhob rhan o'r byd, a hynny weithiau drwy ddulliau a thraddodiadau gwahanol.

Os gofynnodd rhywun ym mha fodd y gall Sion Corn ymweld â phlant pob cornel o'r byd mewn un noson, y mae hynny, o bosibl, am na ddeallwyd yr holl ffeithiau. Mae'r Nadolig yn cael ei ddathlu gan ddiwylliannau gwahanol ar draws y byd, a hynny gan ddiwylliannau sy'n berthnasol i'r wlad ei hun ac ar ddyddiau gwahanol. Mae'r gwledydd lle siaredir Saesneg yn tueddu i ddilyn traddodiadau mwy Ewropeaidd eu naws lle bo dathlu'r Nadolig yn y cwestiwn. Mae hynny'n wir am wledydd fel Awstralia, Seland Newydd a Chanada – ym mhopeth ond y tywydd.

Un o'r gwledydd cynharaf i ddathlu'r Nadolig yw Awstria a hynny ar Ragfyr 6. Mae dathliadau Nadolig Awstria yn rhai cerddorol iawn, ac mae amryw o garolau mawr y byd wedi hanu o'r wlad honno.

Mae Gwlad Belg yn dathlu'r Nadolig ar Ragfyr 6 ac ar Ragfyr 25, tra mai cofio am Niclas Sant a wneir ar y dyddiad cynharaf. Esgob oedd Niclas yn ninas Myra, yn Nhwrci heddiw, ac wedi ei ganoneiddio, credir iddo ymweld â phob cartref – gan gael mynediad drwy eu simneiau – a gadael anrhegion yno. Yn fwy diweddar, daeth Pere Noel, neu Santa, i rannu anrhegion i'r teulu cyfan cyn Rhagfyr 25. Ar y diwrnod hwnnw byddai pryd traddodiadol a chyfnewid anrhegion.

Un o'r llu mannau sy'n dathlu'r Nadolig ar Ragfyr 25 yw Ghana, ond un o'r ychydig fannau lle digwydd hynny ar gyfandir Affrica. Yn Ghana mae llawer o baratoadau ar gyfer yr ŵyl gyda llawer o addurno'n digwydd. Yn rhai o'r cyfarfodydd llawn adeg y Nadolig yn rhai rhannau o Affrica caiff stori'r Nadolig am eni Iesu Grist ei hadrodd wrth y plant yn eu hieithoedd gwahanol cyn bod rhoddion yn cael eu rhannu.

Yn Chile, fel yng ngwledydd eraill America Ladin, golygfa'r preseb yw'r olygfa bwysicaf o bob un. Ar noswyl Nadolig yno bydd gwledd fawr yn dilyn y gwasanaeth yn yr eglwysi. Mae i flodau lliwgar eu lle pwysig yng ngwres mawr dathliadau'r Nadolig yn Costa Rica lle trefnir ymweliadau â'r coedwigoedd, a lle cesglir planhigion prin a blodau heirdd y tegeirian.

Mae'r Nadolig yn ŵyl o bwys mewn gwlad fel Denmarc. Rhennir anrhegion wedi i'r teulu cyfan gerdded sawl gwaith o gylch y goeden gan ganu carolau ac emynau addas. Bydd cyfres o giniawau Nadolig dros ddeuddeng nydd y Nadolig. Yn yr Almaen, mae i ganhwyllau eu lle arbennig yn nathlu'r Nadolig, a gwelir golygfeydd y geni yn y cartrefi.

Ar Ionawr 6, fodd bynnag, y bydd Cristnogion Rwsia yn dathlu eu Nadolig hwy. Cofir yn Rwsia am yr hanesyn am Babwshca, yr hen wraig oedd yn rhannu anrhegion i blant adeg y Nadolig. Yn ôl y chwedl, bu'n aflwyddiannus yn ei hymchwil am lety ac ymborth i'r tri doethion a ddaethai i weld y Baban Iesu.

Mae'r Nadolig yn adeg bwysig ym mhobman lle dethlir hi ym mhob rhan o'r byd a Christnogion yn arbennig yn llawenhau wrth gofio am ddathlu genedigaeth Iesu Grist.

Ioan W. Gruffydd

❖ GWYRTH YR YMGNAWDOLIAD

Diolch am gyfaredd tymor y Nadolig, y miri a'r ewyllys da, y cofio am hen gydnabod a phob ymgais i dderbyn bodolaeth bersonol pobl eraill a deall ein gilydd a maddau i'n gilydd – 'cael ffordd trwy'r drain/ At ochr hen elyn.' Ond ysywaeth, ystyrir y Nadolig yn encilfa o'r byd a'i argyfyngau a'i archollion. 'Y mae dy ffyddlondeb fel tarth y bore, fel gwlith sy'n codi'n gynnar.' (Hosea 6:4). Fe all ein ffordd o ddathlu'r Nadolig roi'r argraff ein bod yn cuddio onid yn gwadu ffaith fawr yr Ymgnawdoliad. Ymneilltuwn o fyd dynion lle mae gwayw a gwanc a galar a throi i fyd y tylwyth teg gyda'i dinsel a'i oleuadau bach lliw.

'Down â'r poteli, y teli a'r tân,
Castell yw'r aelwyd mewn dawns a chân;
Dathlwn Nadolig y baban gwyn,
Boddwn ei gri o Galfaria fryn.'

Nid yn ffwdan a ffansi'r ŵyl y mae'i hysbrydiaeth ond yn y digwyddiad gwyrthiol – dyfodiad y Meseia a'r Gwaredwr.

Y Byd sydd ohoni

Pan anwyd y Crist ym Methlehem y ffactorau amlwg a chroch oedd yr Ymerawdwr Cesar Awgwstus a'r trethi trwm; Herod treisgar; y milwyr Rhufeinig, disgybledig; pwysigrwydd a thraha Caiaffas a'r offeiriaid, ond fe ddarganfu'r gwybodus a'r gwylaidd a'r gweddigar y Crist ynghanol y byd bygythiol hwnnw. Digwyddiad gwyrthiol yw'r Nadolig. I ganol dyfaliadau dyn am ddiben bywyd daeth Datguddiad Duw – 'Nid oes neb wedi gweld Duw erioed; yr unig Un, ac yntau'n Dduw, yr hwn sydd ym mynwes y Tad, hwnnw a'i gwnaeth yn hysbys.' (Ioan 1:18). I ganol terfysg dyn daeth tangnefedd Duw – 'yr oedd Duw yng Nghrist yn cymodi'r byd ag ef ei hun, heb ddal neb yn gyfrifol am ei droseddau…' (2 Corinthiaid 5:19). I ganol bywyd caethiwus a phechadurus dyn daeth Gwaredwr a Grym Cariad i 'brynu'n bywyd, talu'n dyled, a'n glanhau â'i waed ei hun.'

Yr un neges a'r un gogoniant sydd i'r Nadolig a'r Pasg. Ym Methlehem gwelir Cariad Duw yn ymostwng er mwyn cofleidio dyn; ar Galfaria gwelir Cariad Duw yn rhoi ei hunan i'r eithaf er mwyn dyrchafu dyn.

Rhyfeddod Diddarfod

Ni chawsom brofiad y Nadolig oni ryfeddasom a synnu at y Cariad sy'n gallu ymostwng ac aberthu a dod at ddyn yn ei gyflwr di-gariad – 'the self-centred lovelessness that cuts us off from God and from our brother men'. Ac mae'r Cariad rhyfedd hwn yn rym ysbrydol sy'n aflonyddu dyn yn ei falchder a'i drachwant ac yn ei lanw ag atgasedd tuag at y dylanwadau sy'n gwawdio'r Crist a darostwng cyd-ddyn. 'Dyma gariad gwyd fy enaid uwch holl bethau gwael y llawr.' Mae cywilydd wyneb ac edifeirwch hefyd yn rhan annatod o brofiad y Nadolig. Nid yw'n Nadolig arnom oni adolygwn ein bywyd drachefn yng ngwawl Cariad y Crud a'r Groes. Peth da fyddai deall rhagor am ffeithiau economaidd tlodi'r Trydydd Byd a'r fframwaith gydgenedlaethol y mae'n rhaid wrthi er mwyn lliniaru annhegwch. Mae Ysbryd y Nadolig yn ein cymell i ymgeleddu'r truain a rhoi ein hunain iddynt mewn gwasanaeth. Cariad Crist sy'n cymell hyn.

'Nid trwy gyflawni rhyw ddefod grefyddol y daw dyn yn Gristion ond trwy gydgyfranogi o ddioddefaint Duw ym mywyd y byd. Dyma beth yw metanoia.' (Bonhoeffer).

'Cariwch feichiau eich gilydd, ac felly fe gyflawnwch Gyfraith Crist.' (Galatiaid 6:2).

'Crist ynoch chwi'

Ffrwyth ein tystiolaeth Gristnogol yw actau eofn o ewyllys da. Hanfod y bywyd Cristnogol yw 'Crist ynoch chwi, gobaith y gogoniant.' (Colosiaid 1:27). Galwad i dderbyn rhodd yw calon y Nadolig; galwad i agor ein bywyd i'r Crist er mwyn Iddo Ef gael Ei eni ynom. Po fwyaf yr arhoswn yng Nghrist mwyaf y bydd egni Cariad Crist a bywyd Duw ynom. 'Ni all y gangen ddwyn ffrwyth ohoni ei hun, heb iddi aros yn y winwydden; ac felly'n union ni allwch chwithau heb i chwi aros ynof fi. Myfi yw'r winwydden; chwi yw'r canghennau.' (Ioan 15:4–5)

'Agor iddo,
anghymharol Iesu cu.

Agor iddo,
cynnig mae y nef yn rhad.'

Ieuan o Leyn

D. I. D.

❖ TRADDODIAD

Rydym ni'n hongian sanau ar y silff ben tân neu droed y gwely oherwydd traddodiad am Sant Niclas. Un dydd, roedd y sant cyfoethog yn pasio heibio i gartref dyn tlawd. Clywodd y gŵr yn gweddïo ar Dduw am gymorth, oherwydd roedd ganddo dair merch ddibriod, ac ni allai fforddio rhoi rhodd briodas – gwaddol neu 'dowry' – iddynt. Golygai hynny y byddai'n rhaid iddynt fynd i buteinio. Cyffyrddodd y weddi syml galon Niclas, aeth adref a mofyn darnau aur, a phan oedd pawb yn cysgu aeth i'r tŷ a rhoi'r arian yn hosanau'r merched oedd yn digwydd bod yn hongian ar y silff ben tân yn sychu.

❖ 'Awn hyd Fethlehem'

Darllen: Luc 2:1–4

Fe sonia'r Beibl am dri Joseff nid anenwog. Ar ddiwedd Llyfr Genesis cawn hanes Joseff fab Jacob a werthwyd i'r Ismaeliaid gan ei frodyr ond a ddaeth yn swyddog cyfrifol yn yr Aifft. Gŵr graslon oedd y Joseff hwnnw, yn ddigon bonheddig i dalu da am ddrwg i'w frodyr. Fe gredai yng ngoruwchlywodraeth Duw, fel y dengys y geiriau hyn a lefarodd wrth ei frodyr: 'Chwi a fwriadasoch ddrwg i'm herbyn; ond Duw a'i bwriadodd i ddaioni...' Yn y bennod gyntaf o'r Testament Newydd, fe gawn hanes Joseff, gŵr Mair, saer coed oedd yn byw yn Nasareth. Fe'i gelwir gan Mathew yn 'ddyn cyfiawn'. Ac ar ddiwedd yr Efengylau cawn hanes Joseff o Arimathea, gŵr goludog ac aelod o'r Sanhedrin, a aeth at Peilat i geisio corff yr Iesu, a chyda Nicodemus a'i dododd mewn bedd newydd. Dyna dri Joseff, a dynoliaeth hyfryd yn eu nodweddu.

Sôn mae adnodau'r testun am Joseff gŵr Mair. Byddaf yn hoffi meddwl ei fod yn ddyn cydwybodol; dychmygaf weld siop saer raenus yn Nasareth, parch i'r grefft a'r holl offer, lle i bopeth a phopeth yn ei le. 'Ei feddwl a rydd efe ar orffen ei waith, a'i ofal a fydd am ei orffen yn hardd,' fel y dywedir yn yr Apocryffa. Ond wrth inni fynd heibio i'r gweithdy heddiw mae ynghau. Peth anarferol, oherwydd roedd sŵn naddu pren a llifio coed yn dod oddi yno'n feunyddiol, o godiad haul i'w fachludiad. Fodd bynnag, mae ynghau heddiw, nid am fod y saer yn wael ei iechyd, ond am fod Cesar Awgwstus wedi gorchymyn i bawb fynd i'w bentref genedigol i gael eu cofrestru. Nid oedd yr amser yn gyfleus i Joseff, ac yn sicr ddigon, roedd hynny'n wir am Mair. Ond mae Herod yn gallu gyrru'r byd ar gerdded, mae'n hawlio ei le ar raglen pawb.

Er hyn oll, roedd Bethlehem yn golygu llawer i Joseff, hi oedd ei filltir sgwâr. A chwedl Saunders Lewis, 'Gwyn ei fyd yr artist y mae ganddo gyfrif o'i filltir sgwâr.' Pentref bach tlws, rhyw bum milltir o Jerwsalem, oedd Bethlehem. Yno y bu Ruth yn lloffa ymysg yr ysgubau, ac yno y bu Samuel yn eneinio Dafydd yn frenin Israel. A Dafydd yn dymuno fel hyn un tro: 'Pwy a rydd imi ddiod o ffynnon Bethlehem?' Buasai hynny iddo megis gwin y duwiau. Pentref bach â hanes iddo oedd Bethlehem.

Mae yna gyfaredd yn perthyn i bentrefi â hanes iddynt. Llanrhaeadr-ym-Mochnant, Llanddowror, Llanfihangel-yng-Ngwynfa, Llansannan, Llanuwchllyn. Noson cyn Nadolig 1858 y ganed Owen M. Edwards, mewn bwthyn bach to gwellt a llawr pridd o'r enw Coed-y-Pry. Ac ni chafodd cenedl y Cymry odidocach anrheg na'r Cymro diwylliedig hwnnw, a dreuliodd ei fywyd yn cyfrannu aur, thus a myrr ei enaid a'i feddwl i gyfoethogi ei genedl. Mae'n anodd gadael O. M. Edwards a Llanuwchllyn, ond fe drown yn awr oddi wrth Owen a Beti Edwards, Coed-y-Pry, at Joseff a Mair, i drafod y mater hwn:

Buddugoliaeth Bethlehem

1. Bethlehem yn gartref gwybodaeth

Fe berthyn i bob gwybodaeth ei Bethlehem. Mae dyled dynolryw yn fawr i bob Bethlehem. Fe all fod yno ddiffyg croeso a diffyg cyfleusterau. Dichon y clywir yno ambell Rahel yn wylo am ei phlant am nad oeddynt. Canlyniad brenhiniaeth Herod. Ond, ni chaiff unrhyw Herod fyw am byth, nid oes raid i na theulu na chenedl fod yn yr Aifft am byth. Mae Pharo yn boddi, a Herod yn marw, ac mae gwybodaeth Bethlehem yn cael ei gollwng yn rhydd. Yn y llyfr sy'n dwyn y teitl *Madame Curie*, cawn hanes merch o Wlad Pwyl a briododd Pierre Curie o Ffrainc. Bu'r ddau yn gweithio'n galed am bedair blynedd i geisio darganfod Radiwm. Gwrthodwyd labordy iddynt yn y Sorbonne yn Ffrainc; fel Joseff a Mair, dim lle yn llety swyddogol addysg a diwylliant y cyfnod. Llafuriodd y ddau mewn sied bren tra'n chwilio am yr hyn oedd yn bod erioed. Coronwyd eu llafur mawr ym 1902 pan fu iddynt ddarganfod *Decigramme of pure radium*. Mae gwybodaeth Bethlehem yn seren newydd yn y ffurfafen, fe'i canfyddir ac fe'i dilynir gan y doethion; bydd y werin bobl yn cael eu dal gan gyfaredd y goleuni newydd, ac yn dweud: 'Awn hyd Fethlehem a gwelwn y peth hwn a wnaethpwyd.' Ydy, mae Bethlehem yn gartref gwybodaeth.

2. Bethlehem yn gartref gwirionedd

Un o niferus gymeriadau Charles Dickens oedd Mr Micawber a fyddai bob amser yn edrych ymlaen am i bethau wella ond byth yn symud bys i geisio sicrhau hynny. Mae'n dda gennyf ddweud na welwch chi mo Mr Micawber ym Methlehem, cartref gwirionedd. 'Am wirionedd boed ein llafur' meddai'r emyn; fydd Mr Micawber ddim yn llafurio. 'Am bawb fu'n wrol dros y gwir'; ni chafwyd un enghraifft o Mr Micawber yn ddewr. Mae gwirionedd yn bwysig, oherwydd gwirionedd sy'n gollwng pobl yn rhydd o'u rhagfarnau dwl. Credai pobl ar un adeg mai'r haul oedd yn troi o gylch y ddaear, nes dyfod Galileo ym 1564 i ddysgu mai'r ddaear oedd yn troi o gylch yr haul. Fe'i rhoddwyd yng ngharchar am ddysgu'r gwirionedd hwnnw, ac yno y bu farw ym 1642. Yn y flwyddyn honno hefyd ganed Isaac Newton! Fe ddywed Paul yn ei lythyr cyntaf at y Corinthiaid: 'Ni allwn ni ddim yn erbyn gwirionedd, dim ond dros y gwirionedd.'

3. Bethlehem sy'n gartref Gwaredwr

Wrth ddatgan bod Bethlehem yn lle geni Gwaredwr, dim ond un Bethlehem sydd yn fy meddwl i, sef Bethlehem Jwdea yn nyddiau Herod frenin, dros ddwy fil o flynyddoedd yn ôl, pan ddaeth y Gair yn gnawd ac a drigodd yn ein plith ni. Mae gennym yma yng Nghymru gartrefi, fel y rhai a enwyd yn barod, a fu'n gartref i wybodaeth a gwirionedd, ond dim ond mewn un Bethlehem y ganed Gwaredwr. Fel y dywed John Thomas yn ei emyn:

> Ei 'nabod Ef yn iawn
> yw'r bywyd llawn o hedd,
> a gweld ei iachawdwriaeth lawn
> sydd yn dragwyddol wledd.

Fe sonia C. S. Lewis amdano'i hunan yn fachgen ifanc wedi penderfynu bod yn anffyddiwr. Os oedd Duw i'w gael, ac os oedd ganddo yntau enaid, yr oedd am ysgrifennu 'Dim mynediad' arno. Nid oedd ganddo le i'r syniad o Dduw. Ond fe ddaeth diwrnod pryd y 'gwelodd' yr Arglwydd Iesu Grist ac y cyffesodd fod Duw yn Dduw. Ac wedi dod i gredu, bu C. S. Lewis mor brysur ac mor ddylanwadol yn ein cyfnod ni ag a fu John Bunyan yn ei gyfnod ef. Amen.

Owen Williams

❖ Enw

Yn y Roeg wreiddiol mae cyfenw Iesu, sef Y Crist, yn ymddangos fel *Xristos* – ac yn cael ei ynganu fel Christos. Tua 1500 fe ymddangosodd ffurf sy'n dalfyriad ar *Christmas*, sef *Xmas*. Gyda dyfodiad prynu a gwerthu a masnachu, aeth pob llythyren i gostio – fel y gŵyr unrhyw un sy'n rhoi hysbyseb mewn papur newyddion – felly yn lle gwastraffu arian ar ysgrifennu'r gair cyfan allan, cafwyd y fersiwn ratach – *Xmas*. Rhad neu beidio, mae wedi ei seilio'n ddigon cadarn ar y testun Groeg am enw a swydd y cyfryngwr dwyfol a ddaeth yn gnawd ym Methlem gynt.

❖ Cariad y Nadolig

Os ydw i'n rigio fy nhŷ'n berffaith
efo cadwyni o oleuadau'n wincio a pheli sgleiniog
ond heb ddangos cariad,
dydw i wedi gwneud dim byd ond trimio.

Os ydw i'n slafio yn y gegin,
yn gwneud dwsinau o fins peis,
yn paratoi gwleddoedd ac yn gosod bwrdd wedi ei addurno'n hardd
ond heb ddangos cariad,
dydw i'n ddim amgenach nag unrhyw gogydd arall.

Os ydw i'n gweithio yn y gegin gawl,
yn canu carolau yn y cartref nyrsio
ac yn rhoi fy holl eiddo i achosion da,
ond heb ddangos cariad,
yna dydw i ddim mymryn elwach.

Os ydw i'n addurno'r goeden efo angylion disglair a phlu eira sidan,
yn mynd i ddega o bartïon
ac yn canu'r Meseia yn y côr
ond heb roi Crist yn y canol,
wel dwi wedi colli'r côst yn llwyr.

Mae cofleidio plentyn yn bwysicach na choginio danteithion.

Mae rhoi cusan i dy briod yn nes ati filgwaith na rigio'r tŷ.

Er yn flinderus a blinedig, mae cariad yn garedig.

Dydi cariad ddim yn cenfigennu wrth gartre crand rhywun
sydd â'r llestri a'r ornaments Dolig gora.

Dydi cariad ddim yn gweiddi ar y plant i fynd o'r ffordd,
ond yn diolch eu bod yna i fod ar y ffordd.

Dydi cariad ddim yn rhoi i'r rhai all roi yn ôl yn unig,

ond yn llawen o gael rhoi i'r rhai sydd heb ddim.

Mae cariad yn cynnal pob peth,
yn credu pob peth,
yn gobeithio pob peth,
yn goddef pob peth.

Dydi cariad byth yn methu.

Bydd gemau cyfrifiadur yn torri, clustdlysau'n mynd ar goll, clybiau golff yn rhydu,
ond mi barith y rhodd o gariad hyd byth.

❖ Yr Ymgnawdoliad

'Daeth Brenin yr hollfyd i oedfa ein hadfyd.'

Neges syfrdanol y Nadolig yw mai neb llai na mab tragwyddol Duw oedd y baban a anwyd ym Methlem Jwdea. Hwn yw dirgelwch mwya'r oesoedd, sef dyfodiad y tragwyddol i mewn i fyd amser a'r anfeidrol yn gwisgo meidroldeb.

Ni thrawsnewidiwyd 'Mab Duw' i fod yn 'fab dyn'. Gall yr ymadrodd 'A'r Gair a wnaethpwyd yn gnawd' (*BWM*) fod yn gamarweiniol. Y mae'r *BCN* yn rhagori: 'A daeth y Gair yn gnawd.' (Ioan 1:14)

Er i'r Mab fod erioed ar ffurf Duw, ac yn gydradd â Duw, rhoddodd heibio wisgoedd ei ogoniant a'i safle aruchel a dyrchafedig ar ddeheulaw y Tad er mwyn cymryd ffurf dyn a safle caethwas. (Philipiaid 2:6–7)

Roedd y baban yn y preseb yn berson unigryw – nid hanner Duw a hanner dyn – ond yn Dduw cyflawn ac yn ddyn cyflawn. Un person ydoedd a chanddo natur ddwyfol a natur ddynol, ac fel y dywedodd Ann Griffiths yn ei hemyn:

'Yn anwahanol mwy,
mewn purdeb heb gymysgu
yn eu perffeithrwydd hwy.'

Fe ddywedir am y ddiweddar Fam-frenhines, a hithau'n Frenhines adeg y rhyfel, pan oedd galw ar bawb i wneud ei ran, iddi hi ar adegau roi heibio ei choron a'i gwisgoedd brenhinol a mynd i lawr i'r gegin a gwisgo ffedog a chymryd safle morwyn gan olchi'r llestri a chrafu tatws a hyd yn oed fynd ar ei gliniau i sgrwbio'r llawr. Roedd hi gymaint o Frenhines yn sgrwbio'r llawr ag ydoedd yn eistedd ar yr orsedd yn ei gwisgoedd brenhinol â'r goron ar ei phen. Roedd Iesu hefyd yn gymaint o Dduw yn ei ffedog ar ei liniau yn golchi traed ei ddisgyblion ag ydoedd ar ddeheulaw y Tad yn y gogoniant. Fel y tystiodd Charles Wesley:

'Wele Dduwdod yn y cnawd,
dwyfol Fab i ddyn yn Frawd.'

Y Geni Gwyryfol

Daeth mab Duw i'r byd yn yr un ffordd â phawb arall – 'wedi ei eni o wraig'. (Galatiaid 4:4) Ond yn rhyfedd iawn, gwyryf oedd y wraig honno. Roedd y geni yn naturiol, ond y cenhedlu yn oruwchnaturiol. Nid cyfathrach rywiol naturiol â dyn barodd i Mair feichiogi. Neges syfrdanol Gabriel, yr archangel oedd, 'Daw'r Ysbryd Glân arnat, a bydd nerth y Goruchaf yn dy gysgodi; am hynny, gelwir y plentyn a genhedlir yn sanctaidd, Mab Duw.' (Luc 1:35) Medd Dr Fosdick, 'The Virgin Birth involves a biological miracle, which is unthinkable to the modern mind.' Datganiad pellach yr archangel oedd, 'Ni bydd dim yn amhosibl gyda Duw.' (Luc 1:37)

Rydym eto wyneb yn wyneb â dirgelwch mawr. Rhaid cydnabod bod geni plentyn o wyryf yn ddigwyddiad rhyfeddol, goruwchnaturiol, unigryw, sydd y tu hwnt i allu dyn i'w esbonio. Gwirionedd a ddatguddiwyd yw hwn. Nid yw'r ffaith na fedrwn mo'i esbonio yn sail dros ei wrthod a'i wadu. Derbyniwn yn hytrach mewn ffydd gan ddiolch i Dduw am y fath ddatguddiad cyffrous a gogoneddus.

'Megis nad oedd gan natur ddwyfol yr Arglwydd fam, felly nid oedd gan ei natur ddynol, dad' (un o'r tadau). Nid plentyn yr Adda cyntaf oedd Iesu; yn hytrach Efe oedd yr Adda diwethaf, pen y ddynoliaeth newydd:

Cadarn Iôr a ddaeth ei hun,
gwnaeth ei babell gyda dyn:

Duw yn ddyn, fy enaid, gwêl
Iesu, ein Emanŵel!

C. H. Jenkins

❖ DIOLCH AM Y NADOLIG

Roeddwn yn digwydd siarad â chyfaill i mi yn ddiweddar ym marchnad Llanelli, a'r lle'n llawn prysurdeb – pobl yn rhuthro hwnt ac yma a'u basgedi'n llwythog dan ddanteithion Nadolig. Yn ystod y sgwrs meddai'r cyfaill wrthyf:

'Weles i erioed gymaint o ruthro oboutu na'r Nadolig hwn: fe fydda i'n falch iawn i weld popeth drosto – dwy'n edrych mlân i'r amser pan fydd y Nadolig hwn wedi mynd heibio.'

Nawr mae gen i barch mawr i safbwynt fy nghyfaill, achos mae e'n fachan rhwydd i ddod mlân ag e', yn ŵr rispectabl a sensibl, yn llawn llathen a thipyn i sbario! Ond fe fues i'n meddwl yn ddwys am yr hyn ddywedodd e'. Oni chafodd bethe go chwith? Nid edrych mlân ddylen ni i'r amser hwnnw pan fydd y Nadolig wedi mynd heibio, ond diolch ei fod wedi dod!

O gofio am gyflwr miloedd o bobl y byd heddi sy'n ddigartre, yn ddideulu a diddyfodol, onid diolch ddylen ni am neges y Nadolig, a'i ddyfod i fyd drylliedig fel ein byd ni? Onid dyma'r neges sy'n gwasgar goleuni lle mae tywyllwch, heddwch lle mae helynt, a brawdgarwch lle mae gelyniaeth? Oni ddylem ddiolch mai Nadolig a gyhoedda'r 'newyddion da o lawenydd mawr' gan gynnig tangnefedd ar y ddaear ac ewyllys da i bobl yr holl fyd? Ynghanol ein holl ruthro a'n prysurdeb, mor hawdd ydy anghofio diolch.

Mi glywes am siop beth amser yn ôl a agorodd adran arbennig i'r plant i anfon llythyre at Santa Clôs. Fe dderbyniwyd dros fil o lythyre oddi wrth y plant yn gofyn am gannoedd o wahanol anrhegion ond dim ond un plentyn a ysgrifennodd lythyr o ddiolch i Santa! Onid un o'r gwahangleifion a ddychwelodd i ddiolch i Grist am iachâd? Fe sylweddolodd hwn gymaint a gollodd cyn yr iacháu! Dim ond un a fu'n dioddef hir gystudd ac a iachawyd all lwyr werthfawrogi gwyrth yr iacháu! Ond nid colli wnawn ni adeg y Nadolig ond cael, y cael a gymerwn mor ganiataol.

Onid yw'n berygl i'n bywyd fynd mor artiffisial ag addurniadau'r Nadolig ei hun? Onid cydio yn y silowet wnawn ni'n aml yn lle'r sylwedd ei hun? Cymaint y pethe artiffisial, sêr artiffisial, barrug artiffisial, eira artiffisial, coeden Nadolig artiffisial! Onid pen draw pob artiffisialeiddwch yw colli cysylltiad â'r peth byw, real, â'r Duw byw, â'r Baban yn y crud? Wrth roi Crist mewn cracer fe gollwn Iesu Bethlehem! Di-hid gennym ni heddi 'y dieithr oer' chwedl y bardd Gwyn Thomas 'sy'n tarfu ar hwyl y cracers'!

Fe gawsom ni garden Nadolig eleni a wnaeth argraff fawr arna' i oherwydd y cyfarchiad tu mewn iddi:

'Boed i ryfeddod, tangnefedd a llawenydd y Nadolig aros gyda chwi drwy gydol y flwyddyn.'

Dyna gyfarchiad sy' werth ei gofio! Onid yw'r cadw cyn bwysiced â'r rhoi a'r derbyn, a'r diolch? Onid cadw wnaeth Mair?

'Yr oedd Mair yn cadw'r holl bethau hyn yn ddiogel yn ei chalon ac yn myfyrio arnynt.'

Diolchwn felly fod y Nadolig wedi dod ac nid fel fy nghyfaill dymuno iddo fynd! Fel y dywedodd Dafydd Jones yn ei emyn:

'Frodyr, dewch, llawenhewch,
diolchwch iddo, byth na thewch!'

Dyma'r geni a dry'n nos yn ddydd, a dry'n ffydd yn ffaith, ac yng nghanol gorthrymder a gormes Herodiaid ein hoes cyhoedda'r Nadolig eto bod Crist yn fyw ac a fynn deyrnasu. Dyma'n siwr destun diolch diddiwedd!

❖ Sylwedd Breuddwyd y Nadolig

'Angel yr Arglwydd a ymddangosodd i Joseff mewn breuddwyd'

Sylweddol iawn a real iawn yw breuddwyd cyhyd ag y parhao. Wedi deffro y gwelwn mor wag ac ofer oedd. I filoedd, yn anffodus, breuddwyd wag felly yw'r Nadolig. Toriad yn unig ar ddiflastod bywyd a'i undonedd, a'i arwyddocâd tybiedig yn fodd i ail-lunio bywyd dros dro yn nes i ddymuniad calon. Gwyliau ond nid Gŵyl. Profiad diflas i blant yn gyffredinol yw gweld y Nadolig yn dod i ben. Balŵn pert yn byrstio! Droeon y bu i ni fel plant geisio ymestyn yr hwyl trwy hongian ein hosan yr eilnos drachefn, – a hynny ar ôl cael cnau a Comic Cuts yn y bore!

Wedi dod i oed fodd bynnag ein siom yn gyffredinol ar derfyn yr ŵyl yw teimlo bod ysbryd y Nadolig ar drai unwaith eto. Cadoediad dros ddiwrnod! Tymor byrhoedlog haelioni ac ewyllys da eto yn tynnu ato. Realaeth sobreiddiol byd a bywyd yn eilwaith gau amdanom, – 'Gwyliadwriaeth nesa'r dydd/Yn ffoi o flaen y Wawr.'

Y gwrthwyneb sy'n wir am freuddwyd y Nadolig. Deffro o drwmgwsg y mwynhad a'r delfryd hudol a'i gwna yn real. Hyd nes deffro ni welwn ei sylwedd. 'Wedi iddo godi.' Dyfodiad Iesu a fu'n achos deffro Joseff i sylwedd ac arwyddocâd difrifol ei freuddwydio. Ei freuddwydion a'i gwnaeth yn ymwybodol o natur arswydus y byd yr oedd yn byw ynddo. Yr oedd megis yn breuddwydio ar ddi-hun. Nid modd osgoi oeddynt mewn gwirionedd ond sbardun i ymwroli i wynebu'r sefyllfa. Cyfle gweld ac adnabod realrwydd peryglus y byd o'i gwmpas. Seren wen ar gefndir du. Nid dychymyg na ffansi mo'i freuddwyd wedi'r deffro.

Rhybudd

Mae Herod yn sefyll am bechod ar lun dychrynllyd. Cododd hwn ei ben droeon cyn iddo ef ymddangos. Cododd ei ben droeon wedi hynny yn anffodus, a thrist yw meddwl ei fod yn benuchel o hyd.

Rhybudd pellach

Y gwirionedd digalon a difrifol pellach ym mreuddwydion Joseff oedd nad yw pechod yn darfod gyda'r pechaduriaid na chyda'u cenhedlaeth. Bu farw Herod ond yr oedd yr epil yn aros, ei fab Archelaus yn Jwdea a brawd hwnnw yng Ngalilea. Y cyntaf yn amddifad o bob teilyngdod a chymhwyster i lywodraethu, a'r olaf yn 'gadno' ac yn ddylanwad cyhoeddus er drwg moesol. Ar yr olwg yma o'r breuddwydion tebyg y cawn ein temtio i ohirio'r deffro. Anodd dygymod â gwirionedd o'r fath. 'Cysgwch bellach.' Hyfryd yw cwmni'r engyl a'u cân; cwmni'r doethion a'u defosiwn a'u dihangfa; y seren a'i chysur; y bugeiliaid a'u hymddiddan.

Tywysydd

'Tua'r lle bu dechrau'r daith.' Yn ôl i Nasareth, eu cartref ill dau, a hynny ar waethaf y ffaith fod Antipas yno. Yno hefyd y byddai Iesu yn hwyrach yn eu herio. Breuddwyd waredigol nid breuddwyd wag ydoedd. Mae'n cyfannu cylch bywyd i unigolion ac i ddynolryw, ar waethaf pob bygythiad. Diwedd Archelaus oedd ei alltudio. Diwedd Antipas oedd ei ysu gan bryfed ei glefyd ei hun.

Hyfryd yw breuddwydio breuddwydion y Nadolig a mawrygwn y fraint a'r mwynhad, ond wedi i ni ddeffro y daw'r afreal yn sylwedd. Fel y dywedodd Jane Ellis yn ei hemyn:

'Tywysog tangnefedd wna'n daear o'r diwedd
yn aelwyd gyfannedd i fyw.'

Haydn Davies

❖ TYWYS NI'N ÔL AT Y PRESEB

O Grist Bethlehem, na ad inni dy anghofio di ar ddydd dy eni. Yng nghanol prysurdeb ein paratoadau a'n miri llawen, cadw ni rhag cau drws ein calonnau fel drws y llety ar y Nadolig cyntaf. Gwared ni rhag ymbleseru yn y pethau sy'n mynd heibio, a gollwng dros gof y pethau sydd uchod. Tywys ni'n ôl at dy breseb, ennyn ynom drachefn y gallu i ryfeddu, a chaniatâ i ni, o'th ddarganfod ar ddull plentyn bach, deimlo parch dyfnach at bob plentyn, a dyhead dyfnach am gael ein gwneud fel plant bychain. Ymlid ymaith ein hamheuon, ac adnewydda'n ffydd yn y pethau na welir: y seren a lewyrcha yn eneidiau pobl, a'r gân dangnefeddus a erys er gwaethaf brwydrau'r byd. Fel y bugeiliaid, gad inni ddychwelyd i gyflawni ein gorchwylion beunyddiol gan wybod nad yw'r nefoedd ymhell oddi wrthym, ond bod dy fwriadau di wedi eu plethu i mewn i bethau cyffredin bywyd.

R. R. Williams

❖ NADOLIG LLAWEN

...yr wyf fi yn mynegi i chwi newyddion da o lawenydd mawr...
(Luc 2:10) (*BWM*)
Nadolig llawen i chi! Dyna gyfarchiad mynych y mis hwn. Er y byddai Nadolig 'diddan' neu 'hapus' yn burion dymuniad, eto mae'n anodd rhagori ar yr ansoddair 'llawen'. O feddwl, mae 'llawen' yn air pur ddewisol trwy'r Beibl: 'Gwna yn *llawen*, ŵr ieuanc...' (Pregethwr 11:9) (*BWM*); 'Canys mewn *llawenydd* yr ewch allan...' (Eseia 55:12) (*BWM*); 'A hwy a ddechreuasant fod yn *llawen*' (Luc 15:24) (*BWM*); '...a gymerasant eu lluniaeth mewn *llawenydd...*' (Actau 2:46) (*BWM*). Ac anogaeth Iesu, 'Byddwch *lawen* a hyfryd...' (Mathew 5:12) (*BWM*).

Yna, wrth gwrs, y neges a glywodd y bugeiliaid: 'newyddion da o *lawenydd* mawr' (Luc 2:10) (*BWM*). O godi trywydd y Groegwr, y Ffrancwr, y Lladinwr a'r Cymro, mae'r Sais yn cawellu'r cyfan â'r cynigion – *joy*, *delight*, *pleasure*, *gladness*. Pa ryfedd fod llawenydd yr ŵyl yn fflachio fel tinsel! Caiff Niclas y Glais (a Maes-y-plwm) grynhoi'r cyffro:

A'r swp bach dwyfol yn y gwair yn glyd,
Yn 'llond y nefoedd ac yn llond y byd'.

Robin Williams

Y Ddafad Golledig a'r Nadolig

Yn y cwrdd gweddi cyn y Nadolig fe ddarllenodd Cliff Jones hanes y bugeiliaid yn dod o'r maes at y preseb, ac yna yn annisgwyl, darllen dameg y ddafad golledig.

Mae'n siŵr fod Mair wedi dweud am y bugeiliaid wrth Iesu lawer gwaith, ac wrth Pedr a'r disgyblion efallai. Byddai hynny'n esbonio sut y byddai Luc wedi clywed yr hanes. Wedi'r cwbwl, roedd y cyfan wedi ei gadw ganddi. Yn ôl Luc, 'yr oedd Mair yn cadw'r holl bethau hyn yn ddiogel yn ei chalon ac yn myfyrio arnynt.'

Ni feddyliais i erioed ofyn i neb ddarllen am y ddafad golledig mewn cyswllt â'r Nadolig, ond yr oedd hi'n weledigaeth drawiadol yn y cwrdd gweddi ym Methania y noson honno. Oherwydd fe gawsom glywed am fugeiliaid mewn sefyllfaoedd hollol wahanol i'w gilydd yn wynebu un o benderfyniadau mawr bywyd. Bugeiliaid yn penderfynu gadael eu praidd i fynd i wneud gwaith pwysicach.

Edrychais ar wynebau'r cyd-addolwyr a oedd yno gyda ni yn y cwrdd gweddi. Roedd pawb oedd yno â'i fywyd yn ddigon prysur gan orchwylion. Y gwragedd ar ganol helbulon paratoi ar gyfer yr ŵyl. Gadawodd pob un ohonyn nhw'r gorchwylion a dod i addoli, a dweud, 'Gadewch inni fynd i Fethlehem...' (Luc 2:15).

Mae'r dewis yna yn dod inni yn aml, bob tro y cawn ni'n cymell i droi at Dduw mewn gweddi ddirgel. Mae'n ein galw oddi wrth yr angenrheidiol at yr anhepgorol.

John Gwilym Jones

❖ Proxima Centauri

...y seren a welsent yn y dwyrain a aeth o'u blaen hwy...
(Mathew 2:9) (*BWM*)

Myn y gwybodusion mai'r seren agosaf at ein daaer ni yw'r Proxima Centauri. A'r pellter rhyngom, meddir, yw 25 o filiynau o filiynau o filltiroedd. Yn hytrach nag ymgodymu ag anferthedd y ffasiwn rif – 25,000,000,000,000 – dewisodd y seryddwyr drosi'r milltiroedd i flynyddoedd, sy'n golygu y cymer bedair blynedd a hanner i oleuni'r seren gyrraedd ein daear ni. Ffaith ysigol arall!

Felly, pe gwelem ni'r Proxima Centauri heno, nid ei gweld fel y *mae* y buasem, ond ei gweld fel yr *oedd* bedair blynedd a hanner yn ôl. Mae hi ers hynny wedi mynd ei blaen.

Dyna Iesu Bethlehem. Fel y seren, y mae yntau'n symud o flaen yr oes bob gafael. Ni allwn ni fyth ei oddiweddyd, llai fyth ei basio... dim ond ei lesg-ganlyn:

Os gwg, os llid, mi af i'w gôl,
Mae'r wawr yn cerdded ar ei ôl.

Robin Williams

❖ Cyn ei Ddod

Deuwch yr awr hon, ac ymresymwn, medd yr Arglwydd: pe byddai eich pechodau fel ysgarlad, ânt cyn wynned â'r eira; pe cochent fel porffor, byddant fel gwlân.
(Eseia 1:18) (*BWM*)

Canys bachgen a aned i ni, mab a roddwyd i ni, a bydd y llywodraeth ar ei ysgwydd ef: a gelwir ei enw ef, Rhyfeddol, Cynghorwr, y Duw cadarn, Tad tragwyddoldeb, Tywysog tangnefedd.
Ar helaethrwydd ei lywodraeth a'i dangnefedd ni bydd diwedd, ar orseddfa Dafydd, ac ar ei frenhiniaeth ef, i'w threfnu hi, ac i'w chadarnhau â barn ac â chyfiawnder, o'r pryd hwn, a hyd byth.
(Eseia 9:6–7) (*BWM*)

Rhyfedd yw sylweddoli bod Eseia wedi proffwydo fel hyn dros saith can mlynedd 'cyn ei ddod', ac i Elis Wyn o Wyrfai ategu ymhellach:

Proffwydol gerddi Seion gu
  gydganent ar y llawr
i ysgafnhau y gyfnos ddu,
  gan ddisgwyl toriad gwawr.

I'r hen ddiwinyddion, roedd 'trefn' i hanes, ac 'arfaeth' Duw yn amlygu'r patrwm. Ystyrier y paratoi hwn gan y 'Tri yn Un':

Cyn bod Eden ardd na chodwm –
  Grasol fwriad Duw at ddyn:
Ethol meichiau *cyn bod dyled*,
  Trefnu meddyg *cyn bod clwy'*...

Robin Williams

❖ MESEIA'R NADOLIG

Ac wedi geni'r Iesu ym Methlehem Jwdea, yn nyddiau Herod frenin, wele, doethion a ddaethant o'r dwyrain i Jerwsalem, gan ddywedyd, Pa le y mae'r hwn a anwyd yn Frenin yr Iddewon? canys gwelsom ei seren ef yn y dwyrain, a daethom i'w addoli ef.
(Mathew 2:1–2) (*BWM*)

Trwy sioe bapur sidan amryliw y llan,
A gwreichion y tinsel ar daen ym mhob man,
Feseia'r Nadolig, Oleuni y Byd,
Tywynned y Seren i'n dallu i gyd.

O'r farchnad frasterog lawn ffwndwr, lawn blys,
Â'r gwerthwr teganau bargeiniwn mewn brys,
Feseia'r Nadolig, rho daw ar y ffair,
A dangos y Trysor a aned o Fair.

Os crac sy'n y clychau, os brau ydyw'r rhaff,
Mae metel ein bomiau Cristnogol yn saff;
Feseia'r Nadolig, cyn ffrwydro'r holl fyd,
Rho inni'r Tangnefedd sy'n gariad i gyd.

Robin Williams

❖ DYMA YW'R NADOLIG

A'r Gair a wnaethpwyd yn gnawd...
(Ioan 1:14) (*BWM*)

Wrthi'n paratoi defnydd ar gyfer Gŵyl y Geni yr oeddwn, ac er mwyn rhoi math o gychwyn ar bethau, ysgrifennais frawddeg nad oedd, yn wir, ond gosodiad digon ffwr-bwt: 'Dyma yw'r Nadolig.'

Wrth syllu'n eithaf diamcan ar y geiriau, yn y munud wele'r llythrennau – pedair ar ddeg ohonyn nhw – yn dechrau ymwáu trwy'i gilydd ac ymgymysgu'n ddyrys. Teimlwn awgrym yn magu yn fy meddwl y gallai gair arall fod yn ymguddio yng nghorff y frawddeg oedd o'm blaen. Ac eto, bernais fod hynny'n ormod i'w ddisgwyl, a bod cyd-ddigwyddiad o'r fath yn gwbl amhosibl.

Dechreuais osod y gair 'amhosibl' hwnnw wrth ei gilydd gan groesi allan bob llythyren a fenthyciwn o'r frawddeg wreiddiol. Yn wir, yn wir, roedd y gosodiad newydd fel petai am ddal ei dir... ond tybed a fyddai digon o lythrennau'n sbâr i'w gyfannu'n grwn?

Erbyn y diwedd, roeddwn yn dal fy ngwynt rhag i'r cwbl chwalu mewn siom. Ond fe ddaeth y gair yn berffaith gryno i'w le, ar wahân i adael dwy lythyren ddiangen ar ôl. O bopeth annisgwyl, rhoes y ddwy hynny y fannod 'yr' imi fel urddas terfynol i'r Gair. (Nid anaddas bellach yw rhoi priflythyren iddo, fel y 'Gair a wnaethpwyd yn gnawd' yn Ioan 1:14.) A hon yw'r wyrth a welodd fy llygaid y diwrnod hwnnw:

DYMA YW'R NADOLIG
YR YMGNAWDOLIAD

Robin Williams

❖ Llawenydd Mawr

Canys ganwyd i chwi heddiw Geidwad yn ninas Dafydd,
yr hwn yw Crist yr Arglwydd.
(Luc 2:11) (*BWM*)

Rywbryd yng nghanol pedwardegau'r ganrif ddiwethaf y dechreuodd yr hwyl, pan ddigwyddodd Cledwyn (o Dal-y-sarn), Merêd (o Danygrisiau) a minnau (o Lanystumdwy) daro ar ein giydd uwchben coffi boreol y coleg ym Mangor, a lled-ganu gyda'n gilydd mewn harmoni. Dyna pryd y mentrodd Sam Jones o'r BBC ollwng Triawd y Coleg ar glyw'r genedl. Gydag amser, daeth yn arfer gennym ganu'r garol 'Dawel Nos' a 'Carol y Blwch' bob Nadolig wrth ddarlledu'r Noson Lawen o Neuadd y Penrhyn.

Un diwedd Rhagfyr, derbyniodd y BBC lythyr oddi wrth Dr Theodor Kremer o Bafaria yn egluro sut y bu'n troi nobiau ei set radio un noson ac iddo glywed y garol 'Stille Nacht' (yn wreiddiol o'i wlad ei hunan) yn cael ei chanu mewn iaith na chlywodd erioed mohoni o'r blaen.

Felly y digwydd pethau pan yw'r Llawenydd Mawr ar ei siwrnai: Carol Bethlehem, Carol Bangor, Carol Bafaria – ni waeth o ble y'i cenir na fydd y tonfeddi'n cipio'r neges nes bod y Newyddion Da yn llonni nef a daear unwaith eto, a'r eco'n atseinio rhwng creigiau Eryri a'r Alpau uchel – fel y tystia Marc 1:28: 'Ac aeth y sôn amdano ar led ar unwaith…'

Bydded Nadolig gwir lawen i chwithau a'ch anwyliaid, yn agos ac ymhell.

Robin Williams

❖ Y BLWCH

A phan ddaethant i'r tŷ, hwy a welsant y mab bychan gyda Mair ei fam; a hwy a syrthiasant i lawr, ac a'i haddolasant ef: ac wedi agoryd eu trysorau, a offrymasant iddo anrhegion; aur, a thus, a myrr.
(Mathew 2:11) (*BWM*)

Drannoeth yr ŵyl, byddid yn agor y Blwch (y *Christmas Box*) ac yn rhannu anrhegion i dlodion yr ardal. Yn rhaglenni radio Nadolig pedwardegau'r ganrif a basiodd, roedd 'Carol y Blwch' yn ffefryn mawr gan Driawd y Coleg, ac o'i chanu'n ddigyfeiliant, teimlem fod iddi awyrgylch dra hynod.

Gwrandawed pob enaid ar gennad o'r llys
A ddaeth o Gaersalem i Fethlem ar frys;
Pob organ mewn cywair, pob telyn mewn hwyl,
A myrdd o angylion yn cadw dydd gŵyl.

Arweiniwyd rhyw seren uwch Bethlem a'i phyrth,
I ddangos i'r doethion arwyddion o wyrth;
O! Gabriel, O! Gabriel, rhaid dangos y tlws,
O! dos â'r bugeiliaid i ymyl y drws.

Rho gân i'r cantorion, a chana dy hun,
Gogoniant i'r nefoedd, tangnefedd i ddyn;
Caed prifnod y nefoedd, Duw diddig, Duw da,
Rho Flwch aur y Dolig yn glennig i gla'.

Robin Williams

❖ Yn Ddistaw a Disylw

Yn ddistaw a disylw y daw i mewn i'w fyd:
dim ffanffer o ben y castell,
dim baneri'n chwifio,
dim datganiad cyhoeddus fod y Brenin wedi dod;
cyn lleied o bobl a glywodd gân yr angylion,
a dim ond dyrnaid o bobl ar y mynydd yn gwylio ac yn gweddïo.
    Ond ni ddylem ryfeddu: mae'n digwydd bob dydd.
Yn ddistaw a disylw, mae'n gorwedd ar y gwair;
does neb yn rhuthro allan o'r gwesty at ddrws y beudy;
mae bwyd i'w goginio, dillad i'w golchi, ystafelloedd i'w glanhau;
cyn lleied o bobl sy'n ei weld yno'n cysgu;
ond y mae rhai'n dod i weld y Baban, ac o edrych yn gweddïo.
    Ni ddylem ryfeddu; mae'n digwydd bob dydd.
Yn ddistaw a disylw, mae wedi dod i newid ein bywyd,
i gynnig gobaith yn lle anobaith
a thangnefedd yn lle anghydfod;
mae ei freichiau'n agored mewn cariad a dagrau;
fe'i ganed heddiw i'r byd,
ond cyn lleied o bobl sy'n clywed ei alwad:
mae rhai yn gwyrdroi ei eiriau i'w bodloni eu hunain,
ond mae eraill yn gwylio ac yn gweddïo.
    Ni ddylem ryfeddu; mae'n digwydd bob dydd.
Yn ddistaw a disylw anfonodd Duw ei unig Fab,
heb fellt na tharanau i gyhoeddi yr hyn a wnaeth;
ond o Fethlehem i'r holl fyd daw Iesu Grist i deyrnasu,
a'i gariad aberthol yn ein huno unwaith eto â Duw;
a bywydau di-rif yn cael eu newid,
wrth i bobl wylio a gweddïo.
    Ni ddylem ryfeddu; mae'n digwydd bob dydd.

Pont Cariad: ***Llawlyfr Gweddi CWM***

❖ Gwrando Neges y Nadolig

Ein Tad, cynorthwya ni yn awr i dderbyn, mewn ysbryd ac mewn gwironedd, y gwahoddiad i'th addoli.

Cymorth ni i gydnabod dy fawredd yn creu'r fath greadigaeth ryfeddol ac yn anfon d'Eneiniog yn faban i'r byd.

Tywys ni, fel y doethion gynt, at y Baban yn ei breseb ym Methlehem, fel y gallwn ninnau fel hwythau roi ein trysorau iddo – ein hewyllys, ein calon, ein dawn a'r cyfan a feddwn.

Rho i bob un ohonom, fel i'r bugeiliaid gynt, glust i glywed gwir neges y Nadolig ynghanol ei rialtwch a'i firi, ac o'i chlywed, ei gwrando, fel y byddo gogoniant i Dduw yn y goruchaf, tangnefedd ar y ddaear, ac ewyllys da i bawb.

Llanw galon pob un ohonom, fel yr angylion gynt, â llawenydd a gorfoledd y Nadolig cyntaf, gan roi i ni eu hawydd hwy i'w rannu ag eraill.

Fel y dychwelodd y doethion ar hyd ffordd arall o Fethlehem, boed i'r dathlu eleni fod yn gyfrwng i dywys rhywrai o'r newydd i rodio ffordd amgenach, ac i'n tywys ninnau'n ôl o'n mynych gyfeiliorni.

Yn ein dathlu, tro bob cân yn foliant,
pob gair yn ogoniant,
pob dawn yn wasanaeth,
a phob enaid yn aberth byw, glân a chymeradwy i ti.

Bendithia'r dathliad, er adnewyddu ysbryd pob un ohonom â gwir lawenydd yr ŵyl ac er difrifoli pob un ohonom â gwir ofid am rai sy'n treulio'r Nadolig hwn mewn amgylchiadau llai ffodus na'r eiddom ni.

Yn enw Iesu Grist. Amen.

John Owen

❖ Gwahoddiad

Anwylyd yng Nghrist, y Nadolig hwn boed yn bennaf llawenydd i ni glywed eto neges yr angylion, a mynd mewn meddwl a chalon i Fethlehem, a gweld y peth hwn a wnaethpwyd, a'r Baban yn gorwedd yn y preseb. Gadewch i ni felly ddarllen a gwrando ar dystiolaeth yr Ysgrythur Sanctaidd i fwriadau cariadlon Duw tuag atom ni ei blant annheilwng, a llawenhau yn y carolau, a dathlu'r bywyd newydd a ddaeth i'n gafael trwy'r Baban hwn a anwyd er ein hiachawdwriaeth ni.

Ond yn gyntaf, gweddïwn dros anghenion yr holl fyd; am heddwch ar y ddaear ac ewyllys da ymhlith yr holl bobl; am gymod a chariad yn yr Eglwys y daeth ef i'w hadeiladu, ac ym mywyd ein cymdeithas yn y fro hon.

Ac oherwydd y byddai hyn yn llawenhau ei galon, gadewch i ni gofio yn ei enw, y tlawd a'r diymadferth, y newynog a'r gorthrymedig, yr afiach a'r rhai sy'n hiraethu, yr unig a'r rhai sydd heb neb i'w caru, yr hen a'r plant bychain, pawb nad adwaenant yr Arglwydd Iesu, a'r rhai nad ydynt yn ei garu.

Yn olaf, cofiwn gerbron Duw y rhai sy'n gorfoleddu gyda ni, ond ar draethell arall, ac mewn goleuni helaethach – ein hanwyliaid a aeth o'n blaen a fu farw yn y ffydd, a'r dyrfa fawr honno na all yr un dyn ei rhifo, y rhai yr oedd eu gobaith yn y Gair a wnaethpwyd yn gnawd, a gyda hwy, yng Nghrist Iesu, yr ydym ni yn un byth mnwy.

Y mawl a'r gweddïau hyn a offrymwn yn ostyngedig o flaen gorsedd nef yn y geiriau a ddysgodd Crist ei hun i ni: 'Ein Tad, yr hwn wyt yn y nefoedd…'

Y rhagymadrodd i Ŵyl Naw Llith Naw Carol,
addas. Derwyn Morris Jones

❖ Clychau Bethlehem

Pryd bynnag y cyflwynwyd Crist yn eglur i ddynion, rhannu fu'r effaith: 'Yr oedd rhai yn credu ei eiriau, ac eraill ddim yn credu' (Actau 28:24). Nid yw'r rhannu heddiw yn ddim llai. O dan ddifyr gydglosio'r Nadolig, y mae'r rhaniad mwyaf posibl rhwng dynion am yr Hwn y dethlir gŵyl ei eni. I rai, ni fydd y cyfan ond chwedl dlos o'r oesoedd pell yn ôl; i eraill, ef sydd wedi dwyn ystyr i'w bywyd. I rai, bydd neges y cerdyn Nadolig yn bwysicach na neges y Beibl. Bydd yn fater llawer pwysicach bod ganddynt gerdyn i'w anfon yn ôl am yr un a dderbyniasant na bod ganddynt Feibl yn y tŷ. I eraill, neges y Beibl fydd achos pob llawenydd arall.

Mae Crist y Nadolig yn dal yn benconglfaen neu'n graig rhwystr, yn gyfodiad neu'n gwymp, a gwyntyll ei Air yn dal i gasglu ei wenith i'w ysgubor a'r us i'r tân anniffoddadwy. Dyna Grist y Beibl, y Crist a wrthodwyd ym Methlehem a Chalfaria. Dyna Grist hanes, Crist yr Achubwr, Crist y Newidiwr bywydau, Crist sy'n rhannu wrth gadw, yn barnu wrth achub. 'Pregethais y bore,' meddai John Wesley am 14 Mai 1738, 'yn St Ann's Aldersgate, ac yn y prynhawn yng Nghapel Savoy, iachawdwriaeth rad trwy ffydd yng ngwaed Crist. Cefais wybod yn fuan yn St Ann's hefyd nad wyf i bregethu yno mwy.'

Dyna ynddo sy'n rhannu: iddo ddod yma i waredu ei bobl oddi wrth eu pechodau. Eu pechodau, ein pechodau; cyn dod yn newydd da, mae'n newydd drwg. Newydd da ydyw i bobl wedi derbyn y newydd drwg, y newydd drwg eu bod yn bechaduriaid a bod arnynt angen Gwaredwr. I'r tlodion yn yr ysbryd y bydd clychau Bethlehem yn llawenydd mawr dros ben: i bawb arall dylent fod yn achos y pryder mwyaf.

❖ 'EFE A'I DAROSTYNGODD EI HUN…'

Arglwydd,
diolch am y Nadolig, rhag i ni anghofio i Ti ddod i'n plith;
a gwisgo siwt o gnawd.
–mae i'r butain gnawd,
–mae gan y llofrudd a'r lleidr gnawd,
–rydym ninnau yn fysedd, dwylo a thraed,
gwisgaist Iesu 'run fath â ninnau,
rhoddaist y peth rhataf amdano.
Doedd gen Ti ddim cywilydd o'th Fab yn ddyn.

Dy gariad yn dod mewn baban,
'Crëwr ...
yn crio mewn cadach.'
Anodd credu i Ti ddod fel hyn i'n plith;
'Llyw'r nef yn lle'r anifail,
A Duw yn y domen dail.'

MOR FAWR
Mor fawr yw dy gariad–
yn ymestyn i bobman,
yn cyffwrdd pawb,
yntau'r sypyn bach gwinglyd yn gorwedd rhwng asyn ac angel.
Hwythau'r werin larïaidd yn dod o'r pedwar cyfandir i wyro
wrth ei breseb–
amddifaid Calcutta,
mamau Belfast,
a thrueiniaid Rio.

MOR RYMUS
Mor rymus yw Dy gariad–
yn disgleirio 'mhell,
yn pelydru trwy'r fagddu,
yntau'r Melchior wrth hyrddio trwy'r gofod yn gweld o'r gwagle,
yng ngolau dy seren, ryfeddod y crud.

MOR WYLAIDD

Mor wylaidd dy gariad–
yn myned mor isel,
yn cyrraedd y gwaelod;
yntau, 'Y mab Iesu ym maw a biswail,'
a hwythau'r gwybodusion yn dod o'u labordai i blygu o'i flaen,
i offrymu anrhegion,
addysg, thesis a medr.

MOR GWMPASOG

Mor gwmpasog dy gariad,
yn cynnwys yr holl fyd,
yn ein ceisio ni i gyd,
'yr ych,
Yr Oll mewn hen adfail.'
Arglwydd, arwain ninnau i Fethlem eleni,
at y Gair a wnaethpwyd yn gnawd,
i'n rhoddi ein hunain,
yn ddwylo,
yn llygaid,
yn gorff,
yn enaid,
yn bopeth i'r baban Iesu. Amen.

Gareth Maelor

❖ Myfyrdod Iesu

Mi fûm yn fach fel bawd,
yn tyfu'n ara' deg oddi mewn i mam
ac yn gorwedd yn dawel
yn y tywyllwch braf.

Doedd neb ond Ti, Dduw,
yn fy adnabod.

Cyn fy ngeni ym Methlem,
roeddet Ti'n gwybod
sut un fyddwn i
cyn i'm trwyn bach smwt dyfu.
Cyn agor fy llygaid
buost yn gofalu amdana i,
ac yn rhoi llif o waed
trwy bibell i mewn i'm corff bach
er mwyn fy nghadw'n fyw.
Roeddwn yn ddiogel
am naw mis.
Ac yna, mi ges fy ngeni.
Diolch i Ti am ddewis mam.
Fe'm cariodd yn ofalus o'i mewn
i mi gael tyfu'n dawel.

Diolch i Ti am fy ngeni i'r byd
i bawb gael fy adnabod
a'th weld Tithau'r un pryd.

❖ Pan Enir Baban

Buom grintachlyd a garw a phawb drosto'i hun
Heb feddwl am rannu na byw yn gytûn;
Anwadal, anonest, annuwiol ein bryd –
Hyn oedd ein rhan cyn cael baban i'r byd.

Chwiliasom am emau, a methu eu cael,
Bu chwilio am aur ond dôi siom yn ddi-ffael;
Chwilio am gyfoeth o hyd ac o hyd –
Chwilio'n ddibwrpas cyn cael baban i'n byd.

'A chwi a gewch y dyn bach wedi ei rwymo mewn cadachau a'i ddodi yn y preseb.'
'Wele ganwyd i chwi heddiw yn nhref Dafydd waredwr, yr hwn yw'r Meseia.'
'A chawsant hyd i Fair a Joseff, a'r BABAN.'

Weli di'r golau fry yn y ne'
A llewyrch seren yn llenwi'r lle?
Ar erwau y tir daw gwawr dros y crud –
Hyn fydd ein rhan pan ddaw baban i'r byd.

Daw awelon mwyn dros donnau'r lli,
A gobeithion syn i'r tlawd a'i gri,
Ac fe chwâl amheuon gofidiau mud –
Hyn fydd ein rhan pan ddaw baban i'r byd.

Daw lliwiau pur i lonni'r ardd,
A ninnau'n rhannu'r holl wyrthiau hardd;
Heb undyn am ennyd yn drist ei fryd –
Hyn fydd ein rhan pan ddaw baban i'r byd.

Ac fe ddigwydd hyn oherwydd bod y byd yn disgwyl, yn disgwyl am un baban a fydd yn tyfu ac yn troi dagrau yn chwerthin, casineb yn gariad, rhyfel yn heddwch, a phawb yn gymydog i bawb arall, a bydd tristwch a dioddef yn eiriau i'w anghofio am byth.

Os breuddwyd yw – rhyw ddymuniad pell –
Rhaid iddo fod i greu byd fydd well.
Ar erwau y tir daw gwawr uwch y crud,
Hyn yw ein rhan. Fe ddaeth Iesu i'n byd.

Tecwyn Owen

❖ Gŵyl y Geni

Mae'r gair 'Nadolig' yn llenwi'n dychymyg â phob math o lawenydd a hapusrwydd – meddyliwn am addurniadau ac anrhegion, am garolau ac am ganhwyllau, am gracers ac am gyfarchion, am Siôn Corn ac am straeon. Ac, wrth gwrs, mae un stori sy'n ganolog i bopeth sydd yn ymweud â'r ŵyl – a stori'r geni yw honno. Stori syml, ond stori hudolus.

'Aeth pawb felly i'w gofrestru, pob un i'w dref ei hun.' (Luc 2:3)

Dan orchymyn yr Ymerawdwr Rhufeinig, Awgwstws, roedd yn rhaid cynnal cyfrifiad drwy'r holl ymerodraeth. Gofynnid i bawb ddychwelyd i'w dref enedigol ar gyfer hynny a chan mai o lwyth Dafydd yr hanai Joseff, gŵr Mair, bu raid i'r ddau ohonynt deithio o Nasareth i 'ddinas Dafydd', sef Bethlehem, Jwdea.

'ac yr oedd hi'n feichiog' (Luc 2:5)

Roedd Mair yn disgwyl plentyn. Ar ôl y daith flinedig a hithau'n gyfnod oer iawn o'r flwyddyn, cyrhaeddodd y ddau ddinas Bethlehem. Gan fod cymaint wedi dychwelyd i'r dref honno ar gyfer y cyfrifiad, roedd pob llety'n llawn a bu raid iddynt ymochel yn y stabal. Y noson honno, ganwyd bachgen Mair a chafodd ei lapio mewn cadachau a'i roi i orwedd ar wellt ym mhreseb yr anifeiliaid.

Y bachgen hwn oedd brenin y brenhinoedd, rhodd i holl bobl y ddaear. Peth annisgwyl iawn yw clywed amdano'n cael ei eni mewn stabal dlawd ar wellt garw. Ond felly y bu.

'Yr oedd bugeiliaid allan yn y wlad yn gwarchod eu praidd liw nos.' (Luc 2:8)

Daeth angel o'r nefoedd i oleuo'r nos a dwyn y newyddion da am eni Iesu Grist i'r bugeiliaid. Roeddent wedi dychryn ar y dechrau, wrth weld y fath olygfa, ond ar ôl clywed yr hanes, aethant tua Bethlehem a chanfod y baban yn y preseb. Hwn oedd y gwaredwr, meddai'r bugeiliaid gan ryfeddu pawb gyda'r hanes am yr angylion. Ond roedd Mair eisoes yn gwybod y cyfan yn ei chalon.

'Ble mae'r hwn a anwyd yn frenin yr Iddewon? (Mathew 2:2)

Roedd tri gŵr doeth o'r dwyrain yn astudio'r sêr ac wedi sylwi ar un seren lachar yn symud drwy'r awyr. Gwyddent fod seren mor arbennig yn dynodi digwyddiad pwysig dros ben – roedd yn arwydd fod brenin wedi ei eni. Aeth y tri i ddilyn y seren, gan deithio'r nos ar eu camelod. Roedd ganddynt anrhegion bob un, anrhegion teilwng i'w cyflwyno i'r brenin newydd.

Wrth weld bod y seren yn eu tywys i wlad Jwdea, aethant yn naturiol i balas y brenin Herod, gan ddisgwyl mai yno yr oedd y newyddion da i'w glywed. Gŵr sarrug iawn oedd y brenin pan glywodd neges y tri gŵr doeth fod y Meseia wedi'i eni. Nid oedd yn bosibl i ddau frenin reoli yn yr un wlad. Dywedodd wrth y doethion am ddychwelyd i ddweud wrtho yntau ble'r oedd y mab bychan ar ôl iddynt gael hyd iddo ym Methlehem, gan gymryd arno ei fod yntau am fynd i'w addoli ef.

Aeth y tri o'r dwyrain ymlaen i Fethlehem gan ddilyn y seren at stabal gyffredin. Ar y dechrau, roeddent yn siŵr fod rhyw gamgymeriad wedi digwydd. Brenin y brenhinoedd yn cael ei eni ar wellt anifeiliaid – go brin! Ond wedi mentro i mewn a chanfod y tangnefedd arbennig oedd o amgylch y preseb, gwyddent eu bod wedi cyrraedd pen y daith. Cafodd aur, thus a myrr ei gyflwyno i'r bychan.

Diwedd taith y doethion oedd y man cychwyn i Mair, Joseff a'r baban. Wedi i'r tri gŵr gwybodus gael eu rhybuddio rhag cario'r hanes i Herod, bu raid i'r teulu bach ffoi am yr Aifft. Ni fu plant eraill yn Jwdea yn ddigon ffodus i osgoi cynddaredd Herod.

❖ Yr Ŵy Nadolig

Gorweddai Elin Ann yn ei gwely cynnes. Roedd hi tua saith o'r gloch ar fore Rhagfyr 25, ac yn dal heb oleuo, a stwffiodd Elin fys ei throed dde allan o dan y blancedi i weld pa mor gynnes oedd y fflat. 'Gweddol,' meddai wrthi ei hun, gan benderfynu aros yn ei hunfan am o leiaf chwarter awr eto. 'Ella medra' i gael cyntun bach, mae gen i ddigon o amser,' meddai wrthi ei hunan yn uchel. Doedd neb i ateb iddi. Caeodd ei llygaid a meddwl am ddyddiau Nadolig a fu.

Ar ei hamrannau caeëdig gwelai hosan o'r gorffennol. Ei hosan hi yn saith oed. Llyfr sgwennu bychan, dau lyfr darllen lliwgar, ychydig o gnau ac afalau, chwiban, pensiliau lliw, dol degan a chwe cheiniog loyw yn y fan lle dylai bawd ei throed fod. Agorodd Elin Ann ei llygaid ac edrych ar y cloc. Roedd y bys eiliadau yn symud yn araf bore 'ma, nid fel y gwnaeth am y rhelyw o ddyddiau ei hoes. Roedd honnno wedi hedfan heibio a phob Nadolig wedi glynu yn ei gilydd rywsut, pob un yn gymysgedd o danjarins a charolau, stwffin a phapur lapio, stêm pwdinau'n berwi, arogl sigâr a llestri budur yn domennydd ar sinc a gwasanaethau yn y capel. Gallai glywed, fel pe yn y llofft gyda hi, leisiau'r plant yn actio drama'r geni yn y festri fach, a sŵn y band arian yn trampio'r strydoedd oer, hithau'n ateb y drws iddynt ar ganol gwneud cinio. A dyma hi bellach yn saith deg un. Dau fab yn America a merch yn nyrs yng Nghaerdydd. Dim modd gweld yr un ohonynt eleni oherwydd pellter a shifftiau anaddas.

Cofiodd yn ôl am y dyddiau hynny pan fyddai'r tŷ'n orlawn ganddi, popeth eisiau ei wneud ar y funud olaf, pacio anrhegion a stwffio twrci, a'r plant yn fach yn aros am eu hanrhegion ac am Siôn Corn ar ei daith flynyddol. I ble yr aeth yr amser tybed? Trodd Elin Ann ar ei hochr chwith ac ystyried ei chinio. Roedd wedi bod yn dweud ers oesoedd y byddai'n cael cartref gwag un Nadolig, ac mai ŵy wedi'i botsio fyddai ei gwledd bryd hynny. Bellach, doedd y syniad o lonyddwch a thawelwch a diffyg prysurdeb ddim yn apelio ryw lawer. Roedd ganddi hanner dwsin o wyau fferm yn y cwpwrdd, a digon o fara, ond dim llawer o archwaeth.

Meddyliodd yn ôl am Alun. Roedd tair blynedd wedi mynd heibio ers ei angladd, ac eto roedd yno gyda hi o hyd. Gallai glywed ei lais yn sibrwd yn dawel yn ei chlust bob hyn a hyn, a byddai yn ei ateb. Wrth gofio'i jôcs deuai gwên i'w hwyneb. Daliodd ei hun yn gwenu ar y cloc.

Pum munud wedi mynd heibio. Waeth iddi godi ddim. Ar hynny aeth y ffôn wrth ochr y gwely.

'Mam, agorwch y drws, wedi anghofio fy allwedd eto!'

'Ble rwyt ti hogyn?'

'Tu allan siŵr iawn.'

'Ond tro d'wetha siaradais i efo ti roeddet ti yn Las Vegas.'

'Contract drosodd Mam. Wedi cael job yng Nghaerdydd. Dechrau Ionawr yr ail. Rŵan, agorwch y drws... mae'r mobile yn dechrau rhewi yn fy llaw i!'

Pan agorodd y drws yn ei chrys nos coch, dyna lle safai Sam, gwên fawr ar ei wyneb.

'Diolch i'r e-bost Mam, rydw i wedi llwyddo cael lle i ni i gael cinio yn y Grand... popeth wedi ei fwcio dros y We. Rwan ta, paned... o ie, mi fydd Sian hefo ni heno ar ôl gorffen ei shifft...' Gafaelodd yn y tegell trydan a'i lenwi'n swnllyd a gwaeddodd i gyfeiriad y llofft yr un pryd, 'O ie, mae Huw yn anfon ei gofion, fydd o drosodd wythnos nesa medda fo. Job newydd yn Llundain yn dechra' yn Chwefror.'

Gwenodd Elin Ann ar y drych yn y stafell wely, rhoi cusan i lun Alun a sibrwd Nadolig Llawen wrtho cyn troi am y gegin a chwilio'r cwpwrdd am ŵy i'w botsio i Sam.

❖ Gwelsant ei Seren Ef

Darllenwn ar ddechrau Efengyl Mathew i sêr-ddewiniaid ddod o'r dwyrain i Jerwsalem i chwilio am y brenin newydd oedd wedi'i eni wedi iddynt weld ei seren ef ar ei chyfodiad.

O edrych ar hanes y cyfnod o gylch geni Iesu, mae arteffactau'n dangos bod diddordeb mawr mewn astroleg neu sêr-ddewiniaeth bryd hynny ac ni fyddai'n rhyfedd felly bod sêr-ddewiniaid yn rhan o'r stori. I ni heddiw, disgleirdeb y seren a bwysleisir ac mae seryddwyr dros ganrifoedd wedi ceisio dangos pam fod y seren hon, seren enwocaf hanes, seren Bethlehem, yn disgleirio mor ddisglair a phryd yn union y'i gwelwyd. Bu rhai ohonynt yn chwilio am un seren nodedig o ddisglair neu am seren gynffon neu am gyfuniad arbennig o'r planedau, ond ceir awgrym gan ambell un hefyd hwnt ac yma y gellid honni nad oherwydd ei disgleirdeb yn unig y tybid gan y sêr-ddewiniaid bod y seren hon mor arwyddocaol, e.e. o ystyried nad oedd y seren yn weledol amlwg i Herod na'i lys nac i boblogaeth gyffredinol Jwdea ar y pryd (am ba reswm bynnag y bu hynny). Ac roedd hi yn arwyddocaol, mor arwyddocaol nes gorfodi'r gwŷr hyn i ymgymryd â'r daith i Fethlehem.

Ym 1604, awgrymodd y mathemategwr a'r seryddwr, Johannes Kepler, y gallai'r cyfuniad enfawr a welwyd rhwng y planedau Iau a Sadwrn yn 5 CC fod wedi cynnau nofa a ddaeth yn seren y gwŷr doeth. Mae Sadwrn a Iau yn dod yn bur agos at ei gilydd yn lled aml ond roedd y cyfuniad y soniodd Kepler amdano yn un anghyffredin iawn. Digwyddodd peth tebyg ym 1604. Ac wedi sylwi ar yr hyn ddigwyddodd bryd hynny, gweithiodd Kepler ei ffordd 'yn ôl' nes dod i'r casgliad bod Iesu wedi ei eni sawl blwyddyn cyn y flwyddyn a gydnabyddir yn swyddogol yn flwyddyn ei eni.

Erbyn heddiw, fodd bynnag, mae'r farn gyffredin gan arbenigwyr ynglŷn â dyddiad geni Crist wedi newid eto ac, o safbwynt seryddiaeth, mae'r syniad o gyfuniad arbennig yn ddechrau i uwchnofa wedi'i ddiosg gan symud i'r 'cyfuniad triphlyg' a welwyd yn y flwyddyn 7 CC.

I ni heddiw mae astroleg yn perthyn i fyd y pethau sydd ar eu gorau yn ofergoelion diniwed ac ar eu gwaethaf yn beryglus ac yn bethau i'w hosgoi. Nid felly y bu hi erioed. Am gyfnod maith, ystyrid astroleg yn un o'r gwyddorau a gosodid pwys ar yr hyn a ddywedid gan yr astrolegwyr. Nid ystyrid chwaith bod datganiadau'r astrolegwyr yn groes graen i'r hyn a oedd yn dderbyniol gan yr Eglwys.

Pan ymchwiliodd Kepler i leoliad a symudiadau'r sêr yn y nen yn 5 CC nid ymchwiliad astronomyddol yn unig a wnaeth ond gweithiodd yn ogystal ar arwyddocâd astrolegol yr hyn a welwyd ganddo gan ddod i'r casgliad bod i'r hyn a ddigwyddodd yn y ffurfafen yn 5 CC arwyddocâd astrolegol enfawr. Gŵr crefyddol oedd Kepler a phan oedd yn Athro mathemateg ym Mhrifysgol Graz yn Awstria, cafodd ei daflu o'i swydd am ei ddaliadau Protestanaidd mewn gwlad Gatholig. Nid am ei ymwneud ag astroleg y collodd ei swydd. Yr awgrym yw os mai'r un arwyddion astroleg a welodd y sêr-ddewiniaid yn 5 CC ag a welodd Kepler does rhyfedd iddynt deimlo gorfodaeth iddynt fynd ar daith i gael gweld y rhyfeddod hwnnw. Mae rhai yn awgrymu y gellir dadlau hyd yn oed bod y geiriau sy'n ymwneud â hanes y gwŷr doeth a'r seren yn Efengyl Mathew yn eiriau technegol astrolegol, e.e. 'ar ei chyfodiad', ac 'aros uwchlaw', a 'mynd o'u blaen', rhai o'r rhain yn cyfeirio at y blaned Iau a oedd 'yn y dwyrain' ar y pryd.

Gwyddom nad oedd yr Apostol Paul yn credu mewn astroleg ac anodd fyddai meddwl bod unrhyw Gristion heddiw yn derbyn 'tystiolaeth' astrolegol. Yn wir, ystyrir astroleg yn beth anghristnogol. Ond yn yr hen fyd yn gyffredinol byddai i'r 'dystiolaeth' hon gydnabyddiaeth wirioneddol.

Nid yn yr hen fyd yn unig y rhoddid cydnabyddiaeth i bethau astrolegol. Gwelir enghreifftiau cain o arwyddion astrolegol wedi'u cerfio ar waliau a choridorau canolfannau dysg a arferai Gristnogaeth yn rhan ganolog o'u gweithgareddau, a chredai llawer o'r hen wyddonwyr mewn canrifoedd a fu fod y bydysawd yn dylanwadu'n fawr ar ein bywydau unigol.

Yn yr Oesoedd Canol, ystyrid bod cysylltiad creiddiol rhwng geni Crist ac amser Duw fel y'i gwelid yn y sêr – geni Crist oedd 'canol' amser ac roedd hyn wedi'i ddatguddio yn y Beibl. Credid ei bod yn rhan o Ragluniaeth y gellid gweld arwyddion ohoni ym mhob math o bethau. Roedd y sêr yn gallu datguddio – dyna pam y gellid cyfiawnhau bod esboniadau diwinyddol ac astrolegol yn ymddangos yr un pryd. Roedd astroleg hefyd fel gwyddor gydnabyddedig yn rhan o'r diwylliant Arabaidd mewn cyfnodau pan oedd y gwyddorau yn bwysicach iddynt hwy ac yn rhagori ar yr hyn a geid yng ngwledydd Cred. Mae'r pwyslais ar ffawd (neu ragluniaeth) a oedd yn rhan o'r broses astrolegol yn parhau yn y diwylliant Arabaidd hyd heddiw.

Ym 1437 cafwyd datganiad ym Mhrifysgol Paris na châi'r un meddyg na llawfeddyg fod heb almanac. Roedd gwyddonwyr a diwinyddion y cyfnod hwnnw eto yn derbyn, mewn egwyddor beth bynnag, y gallai treigl y planedau a lleoliad y sêr ddylanwadu ar gymeriad ac ar bersonoliaeth – syniad a wrthodir yn bendant gennym ninnau heddiw.

Yn ôl yr hanes yn Efengyl Mathew, daeth y sêr-ddewiniaid (tri ohonynt yng Nghristnogaeth y gorllewin, deuddeg yng Nghristnogaeth Uniongred) i Jerwsalem. Ni wyddys yn union o ble y daethant. Dysgodd Beibl Peter Williams i'n tadau, 'Mae rhai yn meddwl mae'r Caldeaid oeddynt, y wlad lle y trigodd teidiau Abraham gynt; a lle y caethgludwyd ei hiliogaeth yr Iuddewon gwedi hynny; ac yn y wlad honno y prophwydodd Daniel yn amser Darius etc – Neu, medd eraill, yr Arabiaid lle trigodd Ismael a lle yr oedd cenedl Jethro, tad yng nghyfraith Moses…'

Yn ôl un traddodiad (nid yr un mwyaf poblogaidd) daeth y sêr-ddewiniaid o ddinas goll Ubar (sydd rhywle yn anialwch Oman ym mhenrhyn Arabia heddiw). Credid hynny gan fod trigolion y ddinas yn sêr-addolwyr, gallai'r sêr-ddewiniaid fod wedi teithio ar hyd y tramwyfeydd masnachol gan ddwyn aur o'r ddinas dra chyfoethog hon a ystyrid yn 'ail baradwys', thus am fod miloedd o dunelli o thus yn cael eu symud i'r gogledd o'r ardal hon yn flynyddol yn fasnachol, ac yno hefyd y tyfai'r coed myrr o'r ansawdd gorau.

Pa fodd bynnag y dewiswn ddehongli'r hyn a ddarllenwn yn Efengyl Mathew, mae seren wyrthiol Bethlehem, seren enwocaf hanes, yn elfen annatod o stori'r geni gwyrthiol. Gwendid pob cyfnod, mae'n siwr, yw credu bod y wybodaeth sy'n rhan o'r cyfnod hwnnw yn wybodaeth derfynol ac na ddaw dim i gymryd ei lle. Mae dirgelwch seren y Nadolig yn aros. Mae tystiolaeth wyddonol yn un elfen i'n darbwyllo o'i bodolaeth a'r ffenomenon seryddol diddorol yn beth y gall ein hoes ni ei ddeall yn gynt na'r dystiolaeth astrolegol oedd yn fynegiant o ddeall oesoedd a fu. Ond er ein holl ddeall a'n gwybodaeth, efallai mai'r farn arnom ni fel cyfnod yw ein bod yn dal i fod yn 'rhy gall i weld y wyrth' ac yn ein hawydd i resymu i ni golli hanfod y digwyddiad mwyaf fu erioed.

❖ DEWCH I WELD Y MAN LLE Y BU'N GORWEDD

Gweddi Agoriadol: Ar yr adeg arbennig hon o'r flwyddyn Arglwydd, gad i ni gofio mai trwy dy dlodi Di y daethom ni ac y deuwn ni yn gyfoethog. Diolch am dy aberth a'th rodd i ni, Iesu Grist ei hun. Amen.

Emyn: *Caneuon Ffydd* 365, 'Caed baban bach mewn preseb'

Darllen: Luc 2:1–21

Emyn: *Caneuon Ffydd* 453, 'O ddirgelwch mawr duwioldeb'

Gweddi: Diolch i Ti Arglwydd y bydysawd, gwneuthurwr y cyfan oll, am i Ti ddod i'n plith. Diolch i Ti fod gennym ni Archoffeiriad mawr, un a gafodd ei demtio ym mhob peth yr un ffunud â ni, ac eto heb bechu. Oherwydd Iesu, mae i ni hawl i'r nef. Oherwydd ei fod wedi dod yma yn y cnawd, mae'n deall ein cyflwr ac yn gallu cydymdeimlo â ni yn ein gofidiau a'n holl brofiadau a themtasiynau. Diolch i Ti ein bod ni'n dilyn gwaredwr byw ac nid Crist plastig mewn crud artiffisial. Diolch i Ti fod grym yr efengyl yn parhau ac yn cryfhau, hyd yn oed yn y byd tywyll hwn rydym ni'n byw ynddo. Arwain ni i gyd yn ein heglwysi eleni at y preseb, a thrwyddo gad i ni weld goruchafiaeth y Groes a'r bedd gwag. Yn enw yr un a'n carodd, a ddaeth i lawr atom ac a roddodd ei fywyd yn aberth yn ein lle, Iesu Grist y Cyfiawn. Amen.

Emyn: *Caneuon Ffydd* 446, 'Rhyfedd, rhyfedd gan angylion'

Myfyrdod:
Mathew 28:6 – yr ail gymal – ...dewch i weld y man lle y bu'n gorwedd...

Un o'r pethau oedd bob amser yn goglais fy meddwl pan oeddwn yn blentyn oedd sut un tybed oedd Duw – o ran golwg rydw i'n ei feddwl. Yn fy nychymyg fe allwn ei weld fel hen ŵr barfog, gwyn ei wallt, rhyw groesiad rhwng fersiwn dychymygol o Siôn Corn fy mhlentyndod a'r lluniau roeddwn i wedi eu gweld o Iesu gyda'i wallt hir golau a'i farf a'i fwstash i fatsio. Ychydig yn wynnach wrth gwrs, ychydig yn hirach hefyd wrth gwrs, ond yn sylfaenol yr un wyneb oherwydd i bob tebygrwydd teuluol ddechrau yn y tragwyddoldeb diderfyn, siŵr o fod.

Beth bynnag, fe fyddwn i'n meddwl wedyn, beth mae Duw yn ei wneud i fyny fan'na yn y nefoedd trwy'r amser? Cerdded o gwmpas cymylau? Hedfan o un fan i'r llall fel y mae ar nenfwd y *Sistine Chapel*, yn llawn o rym ysgubol? Eistedd weithiau i gael sbel, siŵr o fod. Ond feddyliais i erioed am Dduw yn gorwedd. Eto i gyd, yn adnod y testun mae sôn bod Duw, ym mherson ei Fab, wedi cael *lie down*. Mae sôn bod Iesu wedi cerdded, eistedd, teithio ar gefn asyn, cario pethau, siarad a dadlau, penlinio, crio, colli ei dymer yn rhacs a gwneud pentwr o bethau dynol, yn union fel ni, ond dim ond dwywaith (os cofiaf yn gywir) y mae sôn iddo orwedd. Cafodd ei roi i orwedd mewn preseb ym Methlehem ar ddechrau ei daith ddaearol gan ei fam, a fan hyn roedd wedi cael ei roi i orwedd ym medd Joseff o Arimathea. Ond erbyn inni gyrraedd adnod y testun, mae hi'n fore'r trydydd dydd, bore'r atgyfodiad a dyw E ddim yno mwyach.

Dewisiad od o adnod fel testun, meddech chi. Wel, ydy a nacydy. Gofiwch chi hen garolau'r plygain gynt a gwaith Morgan Rhys? Mae'r hen emynwyr i gyd yn gweld heibio i Fethlehem yn union at Galfaria. Trwy ffenest gefn y stabal mae modd cael cip ar Golgotha ar y gorwel. Yr hyn sy'n gwneud y Nadolig yn bwysig dros ben i'r Cristion yw'r Pasg bob tro. Y Nadolig yw'r ŵyl i ni i gyd bellach, ac mae tiliau M&S, Tesco ac Asda yn clodfori'r sbri flynyddol enfawr sy'n dod heibio. Ond trwy edrych ar y geni ar ôl gwybod beth sy'n mynd i ddod ar yr ŵyl fwyaf un, y Pasg, mae materoliaeth ein canrif newydd yn pylu'n ddim. Fe ddaeth y baban arbennig yma o'r gogoniant, fe'i gwaghaodd ei hun, fe gymerodd agwedd gwas i un pwrpas, ac un yn unig. Nid i fod yn achlysur o fwyta mins peis a stwffio twrcïod. Nid i wella economi gwledydd y Gorllewin a sicrhau na fydd dirwasgiad am sbel fach eto. Nid hyd yn oed i fod yn addurno coed a thai a drysau ac ysgrifennu llythyrau maith at Santa. Na, fe ddaeth yn dlawd er mwyn ein hachub ni o farwolaeth i fywyd.

Does dim pwrpas i'r preseb plastig a'r olygfa dan eira o'r teulu bach yn y stabal ddrafftiog os nad yw Iesu yn cael lle yn ein calonnau ni bobl eglwysi Cymru. Allwch chi ddim disgwyl i'r byd tu allan gredu dim ond mewn bwyta ac yfed a gwario. Ond ni Gristnogion? Fe ddylem ni ystyried yn ddwys oblygiadau yr enedigaeth ryfeddol hon unwaith eto eleni. Dewch i weld ble roedd yn gorwedd, meddai'r angylion wrth y gwragedd ofnus. Nid preseb sydd yma ond bedd gwag. Canolbwynt neges cariad Duw, y Duw na allwn ei ddychmygu'n gywir neb ohonom ni, yw bod Duw yn ein caru, ac wedi ein caru ddigon i anfon Iesu i'n hachub. Anodd tynnu dyn oddi ar ei dylwyth, meddai'r hen ddihareb, ac mae Iesu'n fab ei dad. Mae blas y cyw yn y cawl. Mae'n ein **caru**. Dyna'r gwir syml! Dyna'r ateb hefyd wrth gwrs i gwestiynau dychymyg fy mhlentyndod. Hedfan? Eistedd ambell dro? Symud gan fflitian o gwmwl i gwmwl? Efallai wir, ond yr hyn mae Duw yn ei wneud trwy'r amser yn y nefoedd yw ein **CARU NI!** Haleliwia!

Emyn: *Caneuon Ffydd* 439, 'Peraidd ganodd sêr y bore'

Y Fendith

❖ Beth am Herod?

Gad i ni chwilio amdanat eleni a chael cip ar dy wir ogoniant Di yn ystod dyddiau'r ŵyl. Amen.

Emyn: *Caneuon Ffydd* 464, 'Ar gyfer heddiw'r bore'n faban bach'

Darllen: Mathew 2:1–15

Emyn: *Caneuon Ffydd* 453, 'O ddirgelwch mawr duwioldeb, Duw'n natur dyn'

Gweddi: A dyma ni ar drothwy Gŵyl y Geni eto, yr un hen garolau, yr un hen arferion, yr un hen ddarlleniadau am ddigwyddiadau fu. Mae'n gweledigaeth yn pylu pan fyddwn yn siopa'n brysur, a'n hatgofion am ystyr Bethlehem a'r preseb gynt yn cael eu disodli gan brysurdeb Gŵyl Banc a Gŵyl Barclaycard ola'r flwyddyn. Ond eleni Arglwydd, ynghanol ein prysurdeb gad i ni aros ac edrych am wir ystyr y digwyddiadau rhyfedd a fu yn Jwdea yr holl flynyddoedd hynny yn ôl. Gad i ni chwilio amdanat eleni ac yn lle darganfod babi plastig, ddod o hyd i Iachawdwr ein heneidiau, yr unig un sy'n gallu ateb holl broblemau'r ddynoliaeth gyfan. Gad i ni felly ddilyn y seren a darganfod anrheg well na'r holl rai y gallwn ni eu cario at droed y goeden. Amen.

Emyn: *Caneuon Ffydd* 448, 'Wele'n gwawrio ddydd i'w gofio'

Myfyrdod: Mathew 2:8 ...ymofynnwch yn fanwl am y mab bychan... (*BWM*)

Geiriau Herod yw'r rhain, ac yn aml iawn rydym ni yn eu darllen yn ddifeddwl hollol ac yn sgipio drostynt oherwydd mae ein meddyliau ar y Doethion dri a'r seren ryfedd a aeth ac a safodd, y camelod neu eiriau proffwydoliaeth Micha – a thithau Bethlehem, tir Jwda ac yn y blaen. Ond heddiw rydym ni am edrych ychydig ar bethau o ongl wahanol. Beth wyddom ni am Herod – yn wir pa Herod oedd o, yr un mawr neu'r un llai a ddaeth ar ei ôl, a phwy oedd yr archoffeiriaid ac ysgrifenyddion y bobl, a beth oedden nhw'n ei gredu?

Herod i ddechrau te. (A'r Mawr ydoedd.) Sylwch nad aeth y Doethion ato ef yn syth i'w blas. Na, Herod sy'n anfon amdanynt hwy ar ôl iddo glywed y si am eu cwestiwn ysgubol – 'Pa le y mae'r hwn a anwyd yn Frenin yr Iddewon?' Sylwch hefyd nad 'Pa le mae yr hwn SYDD I'W ENI?' yw eu cwestiwn i bobl Jerwsalem. Roedd y Doethion wedi darllen yr arwyddion ac wedi dod i'r casgliad bod Brenin Jwdea – ac fe wydden nhw fel pawb yn yr hen fyd mai Herod oedd ei enw – eisoes wedi marw a bod ei olynydd newydd wedi cyrraedd. Wrth gwrs, cafodd Herod ychydig o sioc o glywed y fath gwestiwn ac yntau yn greadur mor paranoid i ddechrau beth bynnag. Fe glywn ni wedyn fod Herod wedi styrbio'n llwyr (efe a gyffrowyd) a'r gair Groeg a ddefnyddir fan hyn yw tarach – gair sy'n golygu yr hyn fyddech chi yn ei wneud wrth droi te gyda llwy, stirred up yw ei ystyr wreiddiol – fel y byddai unrhyw un wrth gwrs o glywed y newyddion syfrdanol ei fod ef ei hun wedi marw a'i olynydd yn barod i gymryd ei le. Ond i ddod yn ôl at y cwestiwn gwreiddiol, sef pwy oedd y brenin oedd yn teimlo ei fod yn cael ei fygwth gan enedigaeth baban. Daeth Herod i'w deyrnas pan oedd yn 15 oed – Galilea oedd y fan a lywodraethai bryd hynny, a than awdurdod Rhufain fe'i hapwyntiwyd ef a'i frawd Phasael i fod yn detrarchiaid Jwdea. Roedd hyn i gyd yn digwydd yng nghyfnod Anthony a Cleopatra pan oedd gwleidyddiaeth Rhufain yn ddiddorol a dweud y lleiaf, ac wedi brwydr fawr Actium, aeth Herod i ymweld ag Octavian yn Rhodes – i lyfu ac ennill ffafr siŵr o fod. Doedd Herod ddim yn ddyn teulu o bell ffordd, a lladdodd nifer dda o'i gig a gwaed ef ei hunan er mwyn cadw mewn grym, felly doedd bechgyn dwyflwydd oed ardal Bethlehem yn cyfrif dim iddo. Yn union cyn iddo farw gorchmynnodd ladd pob penteulu yn Jwdea er mwyn i bawb fod â rhywbeth i alaru amdano pan fyddai ef ei hunan yn ymadael â'r fuchedd hon – ac felly y bu. Na, doedd Herod ddim yn ddyn nac yn frenin neis na charedig.

A beth am yr archoffeiriaid ac ysgrifenyddion y bobl tybed? Pwy oedden nhw? Yr Archoffeiriaid i ddechrau. Dyma'r arweinyddion crefyddol, yr hyn ystyriem ni heddiw fel Archesgob Caergaint neu'r Pab, y Prif Rabbi neu Fullah Mwslemaidd. Dyma ddynion oedd yn hyddysg iawn yn y grefydd Iddewig, y gyfraith a'r proffwydi – cofiwch eu hateb i Herod pan ofynnodd yntau ei gwestiwn ym mhle y byddai'r Meseia yn cael ei eni – maen nhw'n dyfynnu'r adnod iddo yn ei chrynswth. (Oedden nhw'n ei chredu sy'n gwestiwn arall wrth gwrs – ond fe allen nhw ateb posau crefyddol yn hollol ddidrafferth. Erbyn dyddiau Iesu roedd yr Archoffeiriaid yn perthyn i blaid y Sadwceaid, a doedd y rheiny'n credu dim llawer o ddim er eu bod yn gwybod llawer.) Roedd yr Archoffeiriaid bob amser yn dod o deulu ac o lwyth Lefi, mab Aaron, ac roedd ganddynt bedigri grefyddol heb ei hail. Roedd yr ysgrifenyddion hefyd yn gwybod eu stwff. Eu swydd hwy, eu gwaith a'u galwedigaeth a'u gyrfa lwyr oedd astudio'r gyfraith ac roedd yn cymryd blynyddoedd o brentisiaeth iddynt i ddysgu popeth yn drylwyr. Doedd y rhain ddim yn gorfod perthyn i lwyth Lefi, gallai unrhyw fachgen deallus ac addawol gael ei addysgu – ar draul y synagog leol yn amser Iesu – i fod yn ysgrifennydd crefyddol. Felly roedd y swyddi o Archoffeiriad ac ysgrifennydd yn swyddi da. Roedd ymennydd da a gallu a mantais cael eich geni i deulu dewisedig yn rheoli'r swyddi.

Tybed beth wnaeth Herod Fawr o gwestiwn y Doethion? Mae'n ddigon sicr ei fod wedi clywed yr hanesion am y Meseia hir-ddisgwyliedig, ond mae'n ddigon tebygol hefyd nad oedd ef ei hunan yn credu yn y fath nonsens coel-grefyddol. Gwleidydd oedd Herod, a'r hyn a'i cynhyrfodd oedd cael ar ddeall bod rhyw fabi peryglus am ddwyn ei frenhiniaeth. Felly, ar ôl iddo gael ei ateb gan ei ddynion dysgedig, mae'n galw'r Doethion ato ac yn eu holi yn fanwl. Pryd gwelson nhw'r seren gyntaf? Yna, mae'n eu hanfon i Fethlehem i chwilio am y babi gyda'r gorchymyn pendant i ddod yn ôl ato a dweud lle'r oedd y brenin. Wyddom ni ddim beth oedd ymateb y Doethion i'w gais – 'Mynegwch i mi, fel y gallwyf finnau ddyfod a'i addoli ef,' ond mae'n ymddangos eu bod yn ei drystio hyd nes i Dduw eu rhybuddio mewn breuddwyd i fynd adref heb alw yn Jerwsalem gyda'u newyddion.

Wel, dyna ddigon o gefndir. Beth wnawn ni o'r adnod felly? 'Ymofynnwch yn fanwl am y mab bychan.' 'Ewch chi, chwiliwch chi os liciwch chi, ac fe ddweda' i wrthoch chi lle i fynd,' dyna yw ystyr geiriau Herod wrth y Doethion. Yr hyn sy'n ddiddorol dros ben yw sylwi na wnaeth Herod na'r Archoffeiriaid na'r Ysgrifenyddion drafferthu cerdded i lawr y ffordd o Jerwsalem i Fethlehem Effrata, er mai dim ond pum milltir o daith oedd hi! Pam tybed? Am nad oedden nhw, siŵr o fod, yn credu dim ar y proffwydoliaethau. Wedi eu magu yn eu sŵn, wedi eu trafod fel ymarferion crefyddol ac ymenyddol a rhesymol, ond heb erioed gredu gair ohonynt. Na, mae'r Doethion sydd wedi teithio rhai cannoedd o filltiroedd (o leiaf) eisoes yn gorfod teithio'r pum milltir olaf heb gwmni'r Iddewon selog oedd yn berchen ar yr wybodaeth ers canrifoedd, ond oedd wedi ei llwyr diystyru. Paganiaid, Cenedl-ddynion, dilynwyr y grefydd Zoroaster sy'n sylweddoli gwerth y baban yn y preseb, ac nid ei bobl a'i genedl ef ei hunan.

Fe fyddwn ni eleni yn ein capeli a'n festrïoedd yn cofio'r digwyddiad rhyfedd a fu dros ddwy fil o flynyddoedd yn ôl. Rydym ni i gyd yn gwybod y geiriau ar ein cof bron ac yn adnabod trefn yr hen storïau. Ond tybed ydym ni yn eu credu mewn gwirionedd? Ai ysgrifenyddion y bobl ac Archoffeiriaid neu Frenin di-gred fyddwn ni eleni eto, neu tybed a ydym ni yn gweld seren gobaith yn arwain ac yn arwyddo gwyrth i ni? Fe ddilynodd y Doethion gyfarwyddiadau'r gwleidydd didrugaredd a darganfod rhyfeddod diddarfod yn y gwair. Oni fyddai'n beth da eleni pe baem ninnau i gyd yn ein capeli yn cael rhyw ddwy owns yr un o weledigaeth y Doethion, yn gweld gwir ystyr yr ŵyl ac yn ymofyn yn fanwl am y mab bychan. Efallai'n wir mai Herod biau'r geiriau, ond yn ddiarwybod iddo siŵr o fod dyna'r peth callaf ddywedodd hwnnw erioed. Gadewch i ninnau ymofyn, sylweddoli, dilyn ac adnabod yr un a anfonodd Duw i'n gwaredu. Yn enw hwnnw, Amen.

Emyn: *Caneuon Ffydd* 365, 'Caed baban bach mewn preseb drosom ni'

Y Fendith

Einir Jones

❖ Gwir Neges y Nadolig

Beth yw gwir neges y Nadolig? Mae'r Nadolig yn ymwneud â Duw y mae ei gariad yn angerddol tuag atom ni. Nid yw'n dymuno ein gadael ar ein cythlwng, yn unig ac yn wrthodedig. Nid yw am i ni gael ein llethu a'n llorio gan yr ergydion creulona a all ddod i'n rhan yn yr hen fyd hwn. Gall dynion a merched yn eu pechod, heb ronyn o Ysbryd Crist yn eu calonnau ac wedi eu meddiannu gan falchder a hunanbwysigrwydd, wneud eu gwaethaf yn ein herbyn.

Gellir crynhoi neges y Nadolig i'r hyn a ddywedodd yr angel wrth Joseff, "Joseff fab Dafydd, paid ag ofni cymryd Mair yn wraig i ti, oherwydd y mae'r hyn a genhedlwyd ynddi yn deillio o'r Ysbryd Glân. Bydd yn esgor ar fab, a gelwi ef Iesu, am mai ef a wareda ei bobl oddi wrth eu pechodau." Ychwanega Efengyl Mathew, 'A digwyddodd hyn oll fel y cyflawnid y gair a lefarwyd gan yr Arglwydd trwy'r proffwyd: "Wele, bydd y wyryf yn beichiogi, ac yn esgor ar fab, a gelwir ef Immanuel", hynny yw, o'i gyfieithu, "Y mae Duw gyda ni".' (Mathew 1:20–23)

Yr hyn a ddaw i'r amlwg yn neges y Nadolig yw dyhead syfrdanol Duw i fod 'gyda ni', i fod gyda ni yn ein siomedigaethau, ein dagrau a'n galar, i fod gyda ni yn ein caethiwed i'n methiannau ac i'r pethau hynny sy'n peri diflastod i ni. Daeth Duw atom yn yr Arglwydd Iesu Grist yn ein hangen a'n tlodi arswydus, 'gyda ni' mewn gwirionedd, yn ei uniaethu ei hun â ni trwy fyw dan yr un amodau â ni. Ond y mae mwy yma. Daeth i'n gwaredu oddi wrth ein pechodau – rhai ddoe, heddiw ac yfory – daeth yn Fab dyn er mwyn ein gwneud yn feibion Duw.

Duw ymddangosodd yn y cnawd,
  Fe gafwyd Brawd yn Brynwr;
Ni chollir neb, er gwaeled fo,
  A gredo i'r Gwaredwr.

Neges y Nadolig yw nad yw Duw am i ni fod ar ein pen ein hun, y mae'n dyheu i'n cyrraedd ni a bod gyda ni a diwallu'n anghenion dyfnaf ni. 'God, the most passionate of Lovers, wants to be Emmanuel' (William J. Bausch).

Er mwyn pwysleisio'r gwirionedd hwn rwyf am rannu stori wir â chi a ddarllenais yn ddiweddar. Hanesyn yw am faban – ei fam sy'n adrodd y stori – sy'n eglureb o gariad angerddol Duw tuag atom ni. Dyma'r stori yng ngeiriau'r fam:

Roedd hi'n ddydd Sul ac yn ddydd Nadolig. Roedd ein teulu ni wedi mwynhau gwyliau yn San Francisco gyda rhieni fy ngŵr, ond er mwyn i ni fod yn ôl yn y gwaith fore Llun bu'n rhaid i ni yrru'r daith hir o 400 milltir yn ôl i Los Angeles ar ddydd Nadolig.

Penderfynasom orffwys am ychydig ar y daith a chael cinio yn King City. Roedd y bwyty bron â bod yn wag a ni oedd yr unig deulu yno, a'n plant ni oedd yr unig blant.

Clywais Erik, fy mhlentyn blwydd oed, yn gwichian yn afieithus. *'Hithere,'* bloeddiai yn ei lawenydd. *'Hithere,'* y ddau air roedd e'n tybio oedd yn un. *'Hithere,'* ac roedd e'n taro ei ddwylo blonegog yn erbyn fframyn metel ei gadair uchel. Roedd ei wyneb yn gyffro i gyd, ei lygaid ar agor fel soseri, a'i wên lydan yn datgelu ei ddeintgig – *'gums'* – diddannedd. Roedd e'n pwffian chwerthin ac yn ysgwyd yn ei gadair. Methais sylweddoli ar unwaith beth oedd achos yr hwyl byrlymus oedd wedi meddiannu Erik – yna gwelais y dieithryn truenus.

Hen racsyn o got roedd rhywun arall yn amlwg wedi ei phrynu ers oes pys, yn frwnt, seimllyd a threuliedig; trowsus llac, di-siâp; bysedd ei draed yn dod i'r golwg trwy weddillion esgidiau; crys â chramen yn gorchuddio'r goler; wyneb na welwyd mo'i debyg – *'gums'* diddannedd fel Erik.

'Hei boi bach. Rwy'n dy weld di *'buster'*. Sut wyt ti 'ngwas i?'

Cyfnewidiodd fy ngŵr a minnau edrychiad oedd yn gyfuniad o 'Beth wnawn ni?' a 'Druan ag ef'.

Daeth y weinyddes â'r bwyd ac Erik yn dal i bwffian chwerthin a chreu stŵr. Dyma'r hen foi yn dechrau chwarae pi-po gydag Erik o ben draw'r ystafell. Roedd Erik wrth ei fodd. Teimlai pawb arall yn anesmwyth. Roedd y dyn yn hanner meddw. Roedd fy ngŵr a minnau yn mynd yn fwy annifyr bob eiliad a dywedodd ein merch chwe blwydd oed hyd yn oed, 'Beth sy'n bod ar y dyn yna?'

Aeth Dennis fy ngŵr i dalu'r bil gan erfyn arnaf i afael yn Erik a'i gyfarfod yn y maes parcio. Offrymais saeth weddi, 'Arglwydd, plîs gad i fi fynd allan o'r lle yma cyn i'r dyn yna siarad â fi ac Erik.' Rhuthrais am y drws ond roedd hi'n amlwg fod gan yr Arglwydd ac Erik gynlluniau eraill.

Wrth agosáu at y dyn ceisiais droi fy nghefn er mwyn osgoi ei anadl ddrewllyd a brasgamu at y drws. Wrth i mi wneud hynny nid oedd Erik yn tynnu ei lygaid oddi ar ei ffrind newydd ac wrth nesu ato mae'n ymestyn dros fy ysgwydd a'i ddwy fraich yn cymell y dieithryn i afael ynddo. Wrth droi i geisio dal fy ngafael yn dynnach yn Erik deuthum lygad yn llygad â'r hen ddyn.

Roedd Erik yn dyheu am gael mynd ato ac roedd llygaid yr hen ddyn yn erfyn, 'A wnewch chi adael i fi ddal eich baban?' Nid oedd rhaid i mi ateb oherwydd roedd Erik wedi gwthio ei hun o'm breichiau i freichiau'r hen ddyn. Roedd cariad y ddau tuag at ei gilydd mor syfrdanol o gryf.

Gorffwysodd Erik ei ben ar ysgwydd esgyrnog yr hen ŵr. Caeodd y dyn ei lygaid a sylwais ar y dagrau'n diferu dros ei ruddiau gwelw. Roedd ei ddwylo brwnt, geirwon yn dyner dyner yn magu'r un bychan ac yn mwytho ei gefn. Sefais mewn mudandod â rhyw arswyd sanctaidd wedi gafael ynof.

Agorodd yr hen ŵr ei lygaid gan edrych i fyw fy llygaid i. Dywedodd wrthyf yn gadarn, 'Cymerwch ofal o'r baban hwn.' Rhywsut neu'i gilydd a minnau yn nhwll fy ngwddf llwyddais i ddweud, 'Gwnaf'.

Yn anfodlon ac fel petai mewn poen estynnodd Erik yn ôl i mi gan ddweud, 'Bendith arnoch chi 'merch i. Rydych chi wedi rhoi anrheg Nadolig i mi.' Ni ddywedais ddim ond 'Diolch'.

Gydag Erik yn fy mreichiau rhedais at y car. Roedd Dennis yn methu deall pam roeddwn i'n llefain ac yn dal Erik mor dynn a pham roeddwn i'n dweud, 'Fy Nuw, maddau i mi. Maddau i mi.'

Hoffwn i awgrymu bod ystyr y Nadolig yn y stori fach yna. Erik yw Duw. Erik yw breichiau Duw, ei gariad angerddol tuag atom ni yn ein pechod a'n bywydau rhwygedig. Mynnodd Erik gofleidio'r person mwyaf hagr a hyll. Daeth baban Bethlehem i'r byd i'n cofleidio ninnau yn ein truenusrwydd. Dyhead Duw yw dod atom a bod gyda ni. Daeth atom, dyna paham yr ydym yn dathlu'r Nadolig. Mae addewid baban Bethlehem o'i bresenoldeb gyda ni bob amser hyd ddiwedd y byd yn eiddo i ni.

Os nad yw Duw gyda ni ac os nad yw Duw wedi cofleidio'n bywydau rhwygedig, gwae ni. Nid oes gobaith. Ond os ydym ni yn barod i blygu i dderbyn y Gwaredwr fel y bugeiliaid gynt a llawenhau yn ein darganfyddiad ohono yna yr ydym wedi cael gafael yn ystyr y Nadolig. Fel y dywedodd Ben Davies yn ei emyn:

Gobaith plant pob oes,
gobaith dynol-ryw,
gobaith daer a nef
ydyw cariad Duw.

Ymgorfforwyd y cariad hwnnw ym mhlentyn Bethlehem. Estynnodd ei freichiau yn blentyn i ddynion a merched ei gofleidio, estynnodd ei freichiau wedi tyfu'n ddyn ar groes o bren i'n cofleidio ni â'r cariad mwyaf rhyfedd fu erioed. Fel y dywedodd Pantycelyn yn ei emyn:

Fe roes ei ddwylo pur ar led,
fe wisgodd goron ddrain
er mwyn i'r brwnt gael bod yn wyn
fel hyfryd liain main.

Carol: *Caneuon Ffydd* 452, 'Clywch lu'r nef yn seinio'n un'

Andrew Lenny

❖ 'DAETH DUWDOD MEWN BABAN I'R BYD'

Brawddegau
Y bobl oedd yn rhodio mewn tywyllwch
a welodd oleuni mawr;
y rhai a fu'n byw mewn gwlad o gaddug dudew
a gafodd lewyrch golau...

Canys bachgen a aned i ni, mab a roed i ni,
a bydd yr awdurdod ar ei ysgwydd.
Fe'i gelwir 'Cynghorwr rhyfeddol, Cawr o ryfelwr,
Tad bythol, Tywysog heddychlon'.

Emyn *Caneuon Ffydd,* 283

Rhyfeddu 'rwyf, O Dduw,
dy ddyfod yn y cnawd,
rhyfeddod heb ddim diwedd yw
fod Iesu imi'n Frawd.

Darllen: Ioan 1:1–14

Unawd: (Tôn: 'Joy to the world')

Cydlawenhawn, fe ddaeth yr Iôr;
Croesawn ein Brenin mawr!
Yng nghalon dyn agorwyd dôr –
O! caned teulu'r llawr;
O! caned, O! caned teulu'r llawr.

Cydlawenhawn, gorseddwyd Iôr;
O! taenwn hyn ar goedd;
Ar fryn a dôl, tros dir a môr
Atseinied llawen floedd;
Atseinied, atseinied llawen floedd.

Ni bydd na chur, na chalon friw,
Na chlais, na llidus glwy',
Can's daeth y Crist, â'i fendith wiw,
I ymlid melltith mwy;
I ymlid, i ymlid melltith mwy.

Gras a gwirionedd Crist o'r nef
A lywodraetha'r byd,
Dan faner ei gyfiawnder ef,
A gwyrthiau'r cariad drud;
A gwyrthiau, a gwyrthiau'r cariad drud.

Isaac Watts (cyfaddasiad)

Gweddi

Dirion Dad, ti yn unig yw gwrthrych ein haddoliad, gwrandawr cyson ein gweddïau, a gwir destun ein mawl. Derbyn ddefosiwn dy bobl, yma a ledled daear, fel cyfrwng i'th ogoneddu di, a dwyn y neges am Iesu Grist i glyw bro, a chenedl a byd cyfan, fel bo pawb yn cael eu dwyn i adnabyddiaeth lwyrach ohonont ti, ac o'th Fab, Iesu Grist ein Harglwydd.

Ymgysegrwn fel cynulleidfa, ar drothwy'r Nadolig, gan ddeisyf am dy dangnefedd ar ein haelwydydd, ac ym mywyd ein cenedl a'n byd. Ymlid o'n mysg y balch a'r trahaus, y treisiwr a'r gormeswr, a dyro dy gynhaliaeth i'r addfwyn a'r trugarog, a'th nawdd i'r cariadlon a'r tosturiol, O! Dduw ein Tad. Torred gwawr ewyllys da ar ein byd, fel y bydd neges lawen yr ŵyl yn cyrraedd nid un genedl, ond pob cenedl, gan sancteiddio nid un diwrnod mewn blwyddyn, ond pob diwrnod er dy ogoniant di.

Llewyrched dy oleuni dwyfol, Arglwydd, ym mannau tywyll ein daear. Deued y goleuni hwnnw'n obaith i'r carcharor trwy farrau tywyll ei gell, i'r claf ynghanol cystudd ei ystafell, i'r unig yn ei gornel gyfyng, i'r tlawd a'r newynog ynghanol eu byd llwm, ac i'r profedigaethus a'r trallodus ynghanol anterth y storm sy'n curo arnynt.

Boed yr ŵyl sy'n nesáu yn achlysur gobaith i'r ddynolryw, ac yn foddion adnewyddiad i fyd ac eglwys fel ei gilydd. Dathlwn mewn llawenydd ddyfodiad Iesu Grist yn y cnawd i drigo yn ein plith, a gorfoleddwn yn y gwironedd mai drosom ni y daeth, er mwyn i ninnau gael dod yn ddeiliaid i'w deyrnas. Gwisgodd ein gwendid a'n meidroldeb er mwyn cydymddwyn â'n poen a'n helbul.

'Caed baban bach mewn preseb
drosom ni...'

ac yn hyn, O! Dad, y mae ein gobaith a'n hyder, ein gobaith am faddeuant a thrugaredd, a'n hyder yn yr iachawdwriaeth sy'n eiddo i ni, trwy Iesu Grist ein Harglwydd. Ac ef a'n dysgodd i'th gyfarch, mewn gweddi, gan ddweud, **'Ein Tad...** Amen.

Carol: *Caneuon Ffydd* 466

Ganol gaeaf noethlwm
cwynai'r rhewynt oer,
ffridd a ffrwd mewn cloeon
llonydd dan y lloer:
eira'n drwm o fryn i dref,
eira ar dwyn a dôl,
ganol gaeaf noethlwm
oes bell yn ôl.

Christina Rossetti (cyf. S. B. Jones)

Myfyrdod:
Luc 2:7: 'Ac esgorodd ar ei mab cyntafanedig; a rhwymodd ef mewn dillad baban.'

Mae Robin Williams yn yr ysgrif gyntaf un yn ei gyfrol *Lliw Haul* yn sôn am y tro hwnnw pan ddaethpwyd â'i ŵyr bach yn faban tri mis oed i fwrw Sul am y waith gyntaf ar aelwyd ei daid a'i nain. Fel hyn y mae'n disgrifio'r profiad:

Dyna lle 'roedd y sypyn eiddil tri mis oed yn gorwedd yn fwndel diymadferth, heb fedru gofyn yr un gair, nac ateb yr un sill. Heb fedru codi. Heb fedru cerdded. Heb fedru ymolchi. Heb fedru gwneud na thamaid na llymaid iddo'i hun, na'i ymgeleddu'i hun mewn unrhyw ffordd yn y byd. Mi fûm yn syllu arno'n hir, hir mewn rhyfeddod, a sylweddoli peth fel hyn, a hynny o newydd: cyn belled ag yr oedd y babi yn y cwestiwn, yr oedd yn dibynnu'n gyfan gwbl ar ofal oedd yn llwyr y tu hwnt i'w grebwyll ef ei hunan. Yn hollol y tu draw i'w ddeall.

Darlun o ddiymadferthedd yw darlun Robin Williams, ac y mae wedi dewis eglureb benigamp i ddisgrifio'r cyflwr hwnnw. Does dim un darlun huotlach yn y byd i gyd o berson sydd ar drugaredd pawb a phopeth o'i gwmpas na'r darlun o faban bach. Rhyfedd meddwl, felly,

bod yr Efengyl yr ydych chi a minnau'n credu ynddi yn troi o gylch yr union echel honno: echel y Baban Diymadferth. A rhyfeddach fyth yw sylweddoli mai Mab Duw ei hun yw'r Baban hwnnw. Dyma graidd ein Ffydd, a dyma'r hyn yr ydym yn ei ddathlu ar adeg y Nadolig:
'Daeth Duwdod mewn Baban i'n byd'

Pennaf rhyfeddod y Nadolig, felly, yw dyfod Duw i'n byd yn rhith baban bach. Roedd Ioan wedi gweld rhyfeddod y digwyddiad hwnnw, a'i groniclo ar ddechrau ei Efengyl: 'A daeth y Gair yn gnawd a phreswylio yn ein plith.' A byth oddi ar hynny mae Cristnogion yr oesau wedi rhoi mynegiant i'w syndod a'u rhyfeddod hwythau. Dyma'r nodyn a drawyd gan Pantycelyn, gynt:

Ymhlith holl ryfeddodau'r nef
hwn yw y mwyaf un –
gweld yr anfeidrol, ddwyfol Fod
yn gwisgo natur dyn.

Y peth cyntaf oll a wnaeth y ddynolryw â Duw-yn-y-cnawd oedd gwsigo dillad am ei noethni. Mair ei fam oedd y gyntaf un i wneud hynny. Ebe Luc yn ei Efengyl: '...esgorodd ar ei mab cyntafanedig; a rhwymodd ef mewn dillad baban.' 'Rhwymodd', sylwer, oherwydd dyna oedd dull y cyfnod hwnnw o ymgeleddu'r baban; rhwymo stribedi o gadachau amdano i'w gadw rhag chwipiadau'r 'rhewynt oer'.

Mae'r broses o wisgo Duw-yn-y-cnawd wedi mynd rhagddi fyth oddi ar hynny. Mae'r cenedlaethau a'r canrifoedd wedi rhwymo cadachau eu hymgeledd a'u defosiwn a'u cred o gylch person y baban Iesu, hyd at ein cyfnod ni. Yn wir, mae'r broses yn mynd rhagddi o hyd, ac mae Cristnogion cyfoes yn rhan ohoni.

Mae modd craffu ar ddechreuadau'r broses ar dudalennau'r Testament Newydd, yn enwedig yng nghofnod y ddwy efengyl, sef Mathew a Luc, sy'n portreadu babandod Iesu Grist. Dyma yw Storïau Geni Mathew a Luc; ymgais y naill Efengylydd a'r llall i wisgo cadachau eu defosiwn a'u cariad am y baban Iesu.

Mae'r Storïau Geni hyn yn dwyn i gof un o hen arferion Cymru, yn enwedig ymhlith merched ifainc Cymru, sef yr arfer o weithio sampler. Dyna oedd y sampler Cymreig: llafurwaith cariad, a brodwaith defosiwn merched Cymru. A dyna hefyd oedd Storïau Geni'r Efengylau, mewn gwirionedd: sampleri defosiwn Eglwys Iesu Grist i'w Harglwydd, a Mathew a Luc yw'r ddau sydd â'r nodwydd yn eu dwylo celfydd.

Does dim amheuaeth ynghylch pwy sydd i'w ddodi yng nghanol y sampler. Pwy arall ond Iesu Grist, yn gorwedd mewn preseb, a'r angylion yn hofran o gylch y lle? Gellwch chi fentro nad ŷn nhw ddim ymhell o'r fan oherwydd eu gwaith nhw yw cydio nef a llawr; hebryngwyr y datguddiad dwyfol i fyd dynion. A fu rhyfeddach dyfais mewn sampler erioed na Mab Duw mewn preseb? Ie, mewn preseb! Os yw diwinyddion yr ugeinfed ganrif wedi mynnu rhoi Iesu Grist yng ngharfan y gwrthodedig a'r difreintiedig, ac yng nghwmni'r 'olaf a'r lleiaf a'r tlotaf', beiwch Mathew a Luc a'u sampleri. Nhw yw'r hyfforddwyr!

O gylch y preseb, mae Mathew wedi rhoi lle anrhydedd i'r sêr-ddewiniaid hynny a ddygodd eu rhoddion drudfawr mewn gwrogaeth, gan gynrychioli defosiwn y rhai uchel-eu-tras yn yr hen fyd. Ond yn union fel pe bai am achub y blaen ar unrhyw gamargraff, mae Luc yn rhoi lle amlwg yn ei sampler yntau i fugeiliaid gwerinol y maes nad oedd ganddyn nhw unrhyw rodd i'w chyflwyno ac eithrio'r rhodd bwysicaf oll, sef defosiwn y galon.

Mae un ddyfais athrylithgar yn sampler Luc. Ef a gafodd y syniad braf o frodio nodau cerddoriaeth i mewn i'w sampler, yn union fel pe bai'n benderfynol o bortreadu genedigaeth Gwaredwr ein byd fel y digwyddiad mwyaf llawen a fu erioed. Ac mae cymeriadau'r sampler yn torri allan i ganu: yr angylion a'u *Gloria in Excelsis*; Mair a'i *Magnificat*; Sechareia a'i *Benedictus*; Simeon a'i *Nunc Dimittis*. Bron na ddywedech chi fod y sampler i gyd yn canu, ac yn gwneud hynny i groesawu Gwaredwr y Byd.

Nid cofnod moel o hanes yr Enedigaeth ryfeddol yw Storïau Geni Mathew a Luc, felly, ond myfyrdod yr Eglwys mewn dyddiau cynnar ar ffaith yr Ymgnawdoliad, a hynny dros gyfnod o ddwy genhedlaeth. Ym mrodwaith defosiwn y ddau Efengylydd mae'r broses o wisgo cadachau am berson Mab Duw yn ei noethni a'i ddiymadferthedd eisoes wedi dechrau.

Go brin bod angen dweud bod pob cenhedlaeth ddilynol wedi pwytho ei theyrnged arbennig ei hun i mewn i frodwaith cyfansawdd y Ffydd. Ac fe wnaed hynny mewn amrywiol ffyrdd: trwy lunio credoau; trwy adeiladu eglwysi a chadeirlannau a chapeli; trwy ysgrifennu cyfrolau diwinyddol; trwy gerddoriaeth gysegredig; trwy arlunwaith gain. Mewn mil ac un o ffyrdd rŷm ninnau wedi bod â rhan yn y broses o rwymo cadachau ein hymgeledd a'n defosiwn am berson y baban Iesu.

Cofiwch chi, dwyf i ddim yn siwr bod cadachau ein defosiwn wedi bod yn gymwynas â pherson Iesu Grist bob amser. Yn wir, byddwn i am awgrymu bod y fath beth yn bosibl â defosiwn 'cyfeiliornus'!

Rŷm ni i gyd yn gyfarwydd, er enghraifft, â chlywed pobl yn sôn am eu teimlad o anniddigrwydd wrth gerdded i mewn i eglwys wedi ei goreuro'n gelfydd ac ysblennydd o ganol y tlodi a'r llwydni sy'n ei hamgylchynu. Mae rhywbeth yn y gwrthgyferbyniad sydyn sy'n gwneud i'r ymwelydd deimlo'n anghysurus. Pan fo defosiwn crefyddol yn cael mynegiant ar draul dibristod o angen cyd-ddyn, mae'n bryd i rywun weiddi 'Cyfeiliorn!'

Beth am enghraifft arall? Pe baem ni'n mynd ar bererindod i Fethlehem y Nadolig hwn, ac yn ymweld â mangre geni Iesu Grist, nid preseb amrwd a welem mewn ogof neu feudy, ond un o eglwysi enwocaf y Ffydd Gristnogol, sef Eglwys y Geni, a adeiladwyd yn ôl yn y bedwaredd ganrif gan yr Ymherodr Cystennin fel un o'i gyfraniadau sylweddol ef i frodwaith y Ffydd. Fe'i codwyd ar safle hen ogof, sef man tybiedig geni Iesu Grist. Ond fe glywais fwy nag un person a ymwelodd â'r fan yn cwyno bod y bensaernïaeth addurniedig yn anghydnaws â'r darlun o fan geni Iesu Grist a oedd wedi'i argraffu ar eu dychymyg.

Fe ellir dadlau mai mater o farn yw hyn, neu fater o chwaeth. Yn wir, mae cerydd ambell Iddew yn dal i seinio yn fy nghlust – cerydd arnom ni Gristnogion oherwydd ein bod ni am droi llecynnau cysegredig gwlad Iesu Grist yn '*time capsules*', neu amgueddfeydd, yn union fel roedden nhw yn nyddiau Iesu. 'Onid oes hawl gan ein cenedl ninnau i gerdded i gyfnod newydd, fel unrhyw genedl arall?' – dyna'u cwestiwn treiddgar.

Gall ein defosiwn fod yn gyfeiliornus mewn ystyr arall, llawer mwy difrifol, serch hynny. Oherwydd gallwn wneud '*time capsule*' o'r darlun o'r baban Iesu yn ei grud! Mae llawer ohonom yn gwrthod caniatáu i Iesu ddod allan o'i gadachau, ac rŷm ni am ei gadw'n garcharor yn ei breseb. Dyna ble roedd pan glywsom ni amdano gyntaf erioed yn nrama Nadolig y plant, ac er ein bod ni wedi tyfu allan o'n hadenydd angylion a'n dillad bugail a'n coronau brenhinol, rŷm ni'n benderfynol o adael Iesu yno, yng ngwellt y preseb, yn gorwedd yn ei gadachau.

Chafodd Iesu Grist erioed gyfle gan lawer ohonom i dyfu i'w lawn faintioli, yn ŵr cydnerth deg ar hugain oed. Roesom ni erioed gyfle iddo i'n herio ni i fod yn ddisgyblion iddo, nac i gyhoeddi neges radical ei Bregeth ar y Mynydd; welsom ni erioed mohono ym mherson un o'r rhai lleiaf hynny sy'n frodyr ac yn chwiorydd iddo, heb sôn am ei weld yn hongian ar groes dros ein pechodau, ac yn atgyfodi yn ein plith yn Grist byw. Oherwydd mae Iesu'n dal yn ei gadachau, yn gorwedd mewn preseb!

Fel yn hanes llawer eraill o brofiadau bywyd, mae'r bardd wedi gweld hyn yn eglur. Os darllenwch chi gerddi Nadolig beirdd Cymru, fe welwch eu bod nhw'n ymagweddu at yr ŵyl mewn dwy ffordd sydd am y pegwn â'i gilydd. Ar y naill law, maen nhw'n echrydu wrth feddwl am y modd rŷm ni wedi gwyrdroi ystyr yr ŵyl, a llurgunio neges y Geni. Dyna gwyn Llwyd Williams yn un o'i gerddi:

Cleddwch yr ŵyl, nid yw ond ysgerbwd,
Esgyrn y ginio, ysbwriel y wledd.
Teflwch i'r baban yr hosan deganau
A pheidiwch â sôn am aur, thus a myrr...

Cleddwch yr ŵyl, eiddo Mamon yw mwyach,
Mamon a masnach, miri a medd.
Gwisgasoch yr Iesu yng nghlogyn Santa
A phlannu'n ddiwreiddiau y goeden a'r tinsel
Lle gynt y bu'r Groes.

Bydd pob Cristion meddylgar yn deall protest Llwyd Williams. Ond ar waethaf pob gwyrdroi a llurgunio, fe wyddom ni mai'r dasg sy'n ein haros y Nadolig hwn, fel erioed, yw twrio trwy'r cadachau at y gwirionedd rhyfeddol sydd ynghudd oddi tanyn nhw: 'Daeth Duwdod mewn Baban i'n byd'.

Mae'r beirdd, mae'n dda gen i ddweud, wedi cael gweledigaeth o'r gwironedd hwnnw, hefyd. Dyma Gwyn Erfyl yn dal y rhyfeddod o flaen ein llygaid:

Cofiwn Simeon, hen batriarch llwm,
Yn canu gorfoledd ei henaint i Hwn,
Ac Anna unig yng ngwyll ei chell
Yn gweled Gwaredwr y gobaith gwell.
Mynnwn anadlu Ei newydd hoen
A syndod Ei seren tros erwau'r boen.

Gorchfygwn hen fyd sy'n dragwyddol drist
A synnwn weld Cymru'n croesawu'r Crist.
Daeth mewn cadachau, aeth mewn drain,
Ond heno, a'n hoes dan y bicell fain,
Seiniwn ei salmau, dyblwn y gân,
Mae hedd di-gledd yn Ei ddwylo glân.
Amen.

Emyn: *Caneuon Ffydd* 362

Pob seraff, pob sant,
hynafgwyr a phlant,
gogoniant a ddodant i Dduw
fel tyrfa gytûn
yn beraidd bob un
am Geidwad o forwyn yn fyw.
Edward Jones, Maes-y-plwm

Y Fendith

Pan ymdaena cysgod hwyrnos
Dros y bryn, a'r maes a'r lli',
Iesu'r gwir oleuni, aros
Yn y caddug gyda ni.
A gras ein Harglwydd Iesu Grist, a chariad Duw, a chymdeithas yr Ysbryd Glân a fyddo gyda ni. Amen.

❖ Noswyl Nadolig

Mae llawer o ddeunydd dros yr wythnosau yma wedi eu cyflwyno'n arbennig ar gyfer eglwysi nad ydynt yn arferol yn cynnal oedfaon noswyl y Nadolig neu fore dydd Nadolig. Dodwch y golau 'mlaen eleni, codwch goeden Nadolig, dodwch oleuadau arni a mentrwch arni.

Thema'r oedfa
Sut mae Duw yn achub y blaen ar holl newidiadau bywyd. Gwelwn heddiw bersonoliaethau sydd wedi dwyn goleuni i fywyd.

Darlleniad: Salm 89:1–2, 21–27

Adnodau 1–2: Gwelwn ddathlu cariad a ffyddlondeb Duw.
Adnodau 21–27: Mae yma lawenhau yn y lle arbennig a roed i Dafydd ac ym mharhad ei awdurdod a'i deyrnas. Nid yw hyn ond cysgod gwan iawn o'r hyn mae'r Cristion yn ei weld yn cael ei gyflawni yn Iesu Grist.

Darlleniad: 2 Samuel 7:1–5, 8–11, 16

Mae Dafydd yn dyheu am godi teml fel arwydd o bresenoldeb Duw ymhlith ei bobl. Ond nid yw i godi teml ond caiff godi 'tŷ' – sef palas a 'thŷ brenhinol' sef llinach frenhinol.

Rhywbeth i feddwl drosto yw'r hyn a geir yn adnod 16. Tŷ sefydlog! Teyrnas am byth! Ni allodd fodd bynnag oroesi'r Babiloniaid a'r gaethglud. Mae'r eglwys Gristnogol yn gweld un o linach Dafydd yn cyflawni'r cyfan a gollwyd, sef Iesu – brenin a Mab Duw o linach Dafydd.

Darlleniad: Luc 1:67–79

Mae iachawdwriaeth yn agos.
Mae'r haul yn codi yn y ffurfafen.
Mae trugaredd. Mae rhagluniaeth.

Bu ecsodus. Roedd addewid i Abraham. Bu tŷ i Dafydd ond nawr mae'r cyfan yn dod i gyflawnder.

Nodwch fraint Sachareias trwy ei fab Ioan. Dechreuodd creadigaeth newydd lle mae goleuni'n trechu tywyllwch.

Mae'r hen ŵr yn sefyll wrth drothwy oes newydd.

❖ DYDD NADOLIG

Darlleniad: Eseia 52:7–10

Mae rhyfeddod y Nadolig yn yr adnodau yma sef dathlu gwaredigaeth.

Mae Jerwsalem wedi dioddef. Mae wedi bod dan warchae a dinistr. Mae digon o sôn wedi bod droeon a thro am newyddion drwg – ond yma mae un yn dod yn llawen ac yn neidio'n orfoleddus – mae dyfodiad Duw yn sicr o ddwyn llawenydd, rhyddid a heddwch.

Mae eraill yn ymuno yn y llawenydd. Mae gorfoledd a llawenydd a gobaith.

Darlleniad: Ioan 1:1–14

Mae plant yn aml yn cael trafferth mawr i roi cychwyn ar draethawd. Mae aml Famgu a Thadcu wedi bod mewn gwewyr heb wybod sut mae bod o gymorth. Faint ohonoch gafodd fflach o ysbrydoliaeth gan ddweud, 'Beth am i ti ddechrau yn y dechrau?'

Mae Ioan yn dechrau gydag atsain o Genesis – a chyn hynny. Mae'r hyn sydd yma gan Ioan wedi bod yn Nuw erioed. Nid bwriad newydd mohono – ond bwriad tragwyddol – ddoe, heddiw ac yfory. Roedd cyflawnder y Crist yn y Duwdod 'cyn gosod haul na lloer na sêr uwchben'.

Mae'r hyn sy'n dynn yng ngafael y Creawdwr nawr wedi ei ddwyn i'n byd ond, mwy na hynny, mae Duw ei hun yn ein plith. Mae'n ddiwrnod newydd. Mae'n oes newydd. Mae'n fywyd newydd.

Nawr mae'n bosibl i bobl fod yn blant i Dduw – hynny yw o'r un anian ac yn rhannu'r tebygrwydd teuluol.

❖ OEDFA NADOLIG

Gweddi agoriadol
O! Dad tragwyddol, a roddaist dy hun i'th blant yng ngeni dy Fab annwyl Iesu Grist, gweddïwn am iddo gael ei eni hefyd yn ein calonnau ninnau, bawb, fel y'n gwaredo oddi wrth ein pechodau. Adfer ynom ddelw ein Creawdwr, i'r hwn y byddo'r gogoniant yn oes oesoedd. Amen.

Lewis Valentine

Emyn
Ni wyddai'r Doethion dyfal
Wrth ddwyn eu rhoddion drud
Yng ngolau'r seren siriol
I'r Brenin yn ei grud
Mai Hwn oedd y dioddefus was
A gariai'r groes yn nheyrnas gras.
Ni wyddai'r syn fugeiliaid
Wrth wrando'r nefol gôr
Yn llon gyhoeddi'r newydd
Am anfonedig Iôr
Mai Ef oedd Bugail Mawr yr ŵyn
A fyddai'n marw er eu mwyn.

Fe wyddom ninnau heddiw
Ddwyfoled oedd yr awr,
Ond mwyach ni ryfeddwn
At drefn yr arfaeth fawr,
Ac nid oes gân na seren dlos
I lonni ein di-angel nos.
Mae'r seren eto'n eglur
I'r neb a wêl yn wir,
Ac anthem bêr yr engyl
Yn torri dros y tir
I bawb a dry addolgar drem
Ar fythol wyrthiol Fethlehem.

Morgan D. Jones

Carol ar ddull suo-gân

Paham y daethost, nefol Aer,
At Joseff mwyn a mi?
Y Duw ddyn yma'n fab y saer,
Ond heno, cysga di.

Anesmwyth ydyw cwyn y gwynt
A thrwm fy nghalon i;
Mae milwyr Herod ar eu hynt,
Ond heno, cysga di.

Cei aur a thus yn arwydd hedd
Gan dywysogion dri,
Cei chwerw fyrr, a chroes a bedd,
Ond heno, cysga di.

Bugeiliaid ddônt oddi wrth eu tasg
Gan ddwyn oen bach heb gri;
Tydi, fy oen, tydi yw'r Pasg!
Ond heno, cysga di.

Stephen Jones

Gweddi

Dad annwyl, ynghanol ein prysurdeb, atgoffa ni
i aros weithiau a cheisio llonydd gyda Thi.
A phan fydd hi'n ofynnol i ni gydio drachefn mewn gwaith,
saf gerllaw.

Wrth wneud y cartref yn barod,
helpa ni i baratoi ein calonnau hefyd,
fel y deui o hyd i gynhesrwydd a chroeso yma.

Ac fel y byddwn yn paratoi'r bwyd,
cymorth ni i feddwl amdanat Ti –
fel prif westai'r wledd Nadolig,
fel y teimlwn o'th bresenoldeb sanctaidd wrth y bwrdd,
ar yr aelwyd,

ac yn ein meddyliau,
ein syniadau,
ein dathliadau,
a'n seiadau.
Ac wrth roi o'n anrhegion,
paid â gadael i ni golli golwg
arnat ti, O! Dduw,
ac ar Rodd y rhoddion,
a honno wedi ei chyfeirio'n bersonol
i bob un ohonom,
sef Iesu Grist ein Harglwydd a'n Gwaredwr.
Amen.

❖ Y Sul Wedi'r Nadolig

Gad i ni sylweddoli heddiw, Arglwydd, nad at y doeth yn unig y daethost, nad at y cyfoethog chwaith. O gwmpas dy breseb roedd bugeiliaid syml. Galw ni atat dy hun fel y bugeiliaid gynt, a gad i ni gael cip ar dy ogoniant. Amen.

Emyn: *Caneuon Ffydd* 454, '"Wele fi yn dyfod," llefai'r Meichiau gwiw'

Darllen: Luc 2:8–20

Emyn: *Caneuon Ffydd* 469, 'Rhown foliant o'r mwyaf i Dduw y Goruchaf'

Gweddi: Heddiw Arglwydd, ar y Sul wedi'r Nadolig rydym yn dod atat Ti gan chwilio am yr ateb i fywyd. Nid yw pawb yn ddoeth a dysgedig, does gan bawb mo'r gallu i siarad yn gyhoeddus na'r hyder i weddïo ar goedd efallai, ond 'sdim ots am hynny. Fe all pawb ohonom yn ein ffordd syml ein hunain dystiolaethu i'r hyn mae Duw wedi ei wneud yn ein bywydau. Mae'r Nadolig drosodd bellach a rhyfeddod yr ŵyl yn pylu am flwyddyn arall. Ond gad i ni gofio, Arglwydd, dy fod yn parhau. Yr un wyt Ti o dragwyddoldeb i dragwyddoldeb, ac mae dy eiriau i ni ar gael yn y Gair bywiol y gallwn ni ei ddarllen mor hawdd bob dydd. Gad i ni benderfynu troi ato a siarad gyda Thi bob dydd yn y flwyddyn newydd sydd i ddod. Diolch i Ti dy fod yn wobrwywr hael pob un sy'n dy geisio. Gad i ni felly dy ddarganfod o'r newydd yn ein cartrefi a'n capeli. Amen.

Emyn: *Caneuon Ffydd* 427, 'Arglwydd Iesu Grist, daethost atom ni'

Neges: Luc 2:17, 18 '…mynegasant yr hyn oedd wedi ei lefaru wrthynt am y plentyn hwn. Rhyfeddodd pawb a'u clywodd at y pethau a ddywedodd y bugeiliaid wrthynt.'

Rydyn ni i gyd yn cofio pwy oedd yno yn y llety llwm ar y Nadolig cyntaf. Mair a Joseff, a'r baban yng ngwair y preseb wrth gwrs. Y Doethion dysgedig hefyd – a'u camelod blinedig ynghlwm yn y cefn yn rhywle – a thwr o fugeiliaid. Mae'r Doethion a ddaeth i weld y Gwaredwr yn arwydd bod Iesu i'r dysgedigion a'r deallus, i'r bobl gall hynny a allai ddarllen yr arwyddion, a oedd yn berchen ar wybodaeth drylwyr a manwl. Roedden nhw hefyd yn bobl o fodd fel y tystia eu hanrhegion drud. Ond beth am y bugeiliaid tlawd a syml? Pwy oedd y rhain a beth oedd eu cefndir hwy, tybed?

Mae traddodiad y genedl Iddewig yn draddodiad nomadaidd a bugeiliol yn y bôn. Yn yr hen ddyddiau – cyn taith teulu Jacob i'r Aifft – roedd bugeilio defaid yn ffordd gyffredin o fyw, hyd yn oed i etifeddion cyfoethog teuluoedd gweddol gefnog – Joseff a'i frodyr er enghraifft, ac i ferched hyd yn oed – bugeilio defaid ei thad Laban oedd gwaith Rahel, ac felly hefyd Seffora, merch Jethro. Ond pan aeth yr hen genedl i fyw yn gyfan gwbl yn yr Aifft, er eu bod yn byw yn Gosen oedd yn dir da ar gyfer preiddiau, troes meddyliau'r bobl at ddinasoedd. A phan ddaeth y genedl allan o'r gaethglud ac wedi dyddiau Moses, pentrefol a threfol oedd ffordd yr Israeliaid o fyw. Heblaw am y llwythau bugeiliol ddewisodd aros yn Gilead gyda'u preiddiau y tu draw i'r Iorddonen yn nyddiau Joshua, roedd sefydlu mannau i fyw yn barhaus yn apelio mwy na theithio oddi amgylch fel gynt. O'r dyddiau hyn ymlaen felly, doedd bugeilio defaid ddim yn swydd barchus ac roedd y bugail yn ddyn o safle isel yn gymdeithasol. Cofiwch fod Samuel wedi synnu mai Dafydd – y bugail ifanc – yn hytrach na'i frodyr hŷn oedd yn filwyr ym myddin Saul a ddewisodd Duw i fod yn frenin ar Israel. Doedd bugeilio ddim yn *job* ac iddi statws.

Mae'r hen broffwyd Amos yn ategu hyn ac yn esgusodi ei bedigri gwael fel pregethwr a llais i Dduw yn ei gymuned – namyn (sef dim ond) bugail oeddwn i, meddai. Hynny ydyw, doedd ganddo ddim statws cymdeithasol, na dysg na hyfforddiant proffesiynol.

Un o'r rhesymau pam roedd pobl Israel yn edrych i lawr ar fugeiliaid oedd eu bod nhw'n aml yn aflan – yn gorfod cyffwrdd â chyrff marw a baw fel rhan o'u gwaith, ac fel gwyddoch chi roedd rheolau gan yr Iddewon am bethau felly. Oherwydd natur eu gwaith hefyd, yn teithio yma a thraw, doedden nhw ddim yn bobl y synagog. Fel ffermwyr heddiw, roedd galwadau eu hanifeiliaid yn aml yn eu rhwystro rhag addoli ar adegau penodedig. Felly, pam y dewisodd yr angel a'r llu nefol ddangos eu hunain i'r rhain o bawb, allan yn y caeau? Pam na fydden nhw wedi picio i'r Deml – wedi'r cyfan fe wnaeth Gabriel hynny pan ymwelodd â Sachareias rai misoedd ynghynt, yn do? Pam na fydden nhw wedi ymddangos a dallu selogion y synagog ym Mehlehem tybed, oherwydd fe allwch chi fod yn sicr bod synagog yno. Na. Dewis ymddangos a wnaethant i ddyrnaid o fugeiliaid nid i Ysgrifenyddion hyddysg yn y Gyfraith nac i'r Archoffeiriaid a oedd yn gwybod eu stwff, yn ddarllenwyr ar y Torah a'r Proffwydi. Pam felly? (Fe allech chi ofyn wedyn pam na wnaeth Iesu ymddangos i Caiaffas wedi iddo atgyfodi ond yn hytrach i gyn-butain.)

Wel, fel ag yr oedd y Doethion yn arwydd bod Iesu i'r doeth a'r dysgedig o blith y ddynoliaeth, ac yn arbennig felly o blith cenedl-ddynion ymchwilgar a hyfforddedig, mae'r bugeiliaid gwledig sy'n cael eu synnu gan y newyddion da yn arwydd i ni fod Iesu ar gyfer haenau isaf, lleiaf parchus y gymdeithas Iddewig hefyd. A sylwch beth mae'r bugeiliaid yn ei ddweud wedi i'r angylion fynd. 'Gadewch inni fynd i Fethlehem a gweld yr hyn sydd wedi digwydd.' Allai'r Ysgrifenyddion ddim mynd i drafferth i gerdded o Jerwsalem i Fethlehem, ond fe aeth y rhain gan ddilyn cyfarwyddiadau manwl yr angylion a darganfod y wyrth ryfedd yn y preseb. Yn union wedi iddynt weld y plentyn yn y gwair maent yn dechrau dweud wrth bawb am neges yr angylion a'r addewid sydd wedi ei chyflawni. Maen nhw'n dweud wrth bawb – yn llawen – am yr hyn oedd wedi digwydd allan yn y meysydd, ac maent yn tystio i ryfeddod bodolaeth Duw a chân yr angylion. Siŵr gen i eu bod wedi bod yn sôn am yr hyn ddigwyddodd am weddill eu hoes. Roedden nhw'n dwr o ddynion ofnus; bellach maen nhw ar dân ac am ddweud wrth bobl Bethlehem a'r cyffiniau am yr hyn roedden nhw wedi ei weld a'i glywed allan yn y caeau ac wedi ei weld yn llety'r ych a'r preseb.

Pry wedi taro yn eu pennau siŵr o fod oedd ymateb rhai i'w neges ryfedd. Gormod o win oedd dyfarniad eraill siŵr o fod – fe wyddoch chi sut mae hi adeg Nadolig! Llawer o hen frwdfrydedd dwl oedd barn yr arweinwyr crefyddol na welson nhw ddim ac na chlywson nhw ddim ar y noson arbennig honno. Ond mynd ymlaen i dystio wnaeth y bugeiliaid, er syndod i'r gymuned. Yn wir, pan oedd Luc yn ysgrifennu'r dystiolaeth am ddyfodiad y Crist i'r byd i lawr ar femrwn ddegawdau wedyn, roedd y cof yn dal ar gael am eiriau a phrofiadau a thystiolaeth od y bugeiliaid. Rhaid felly i'w neges syml gael argraff gref ar ardal Bethlehem.

A beth amdanom ni, meddech chi? Ydyn ni yn dystion da i rywbeth anesboniadwy ddigwyddodd dros ddwy fil o flynyddoedd yn ôl, ynteu ai pobl grefyddol *no-nonsense* ydyn ni? Ond, meddech chi, does gen i ddim addysg coleg diwinyddol na gradd B.D. tu ôl i mi. 'Sdim ots! Doedd gan y bugeiliaid ddim chwaith. Dweud wrth bawb wnaethon nhw am y pethau rhyfeddol roedd Duw wedi eu datguddio iddynt, ac oherwydd iddyn nhw ddweud, fe gofiwyd eu geiriau hwy a geiriau'r angylion – air am air!

Ati felly bobol! Os yw Duw yn sbesial i chi, soniwch amdano wrth eraill. Nid gradd y mae ei hangen ond profiad o Iesu, dyna i gyd! Amen.

Emyn: *Caneuon Ffydd* 441,
'Wele, cawsom y Meseia, cyfaill gwerthfawroca' 'rioed'

Y Fendith

❖ GŴYL Y NADOLIG

Nadolig Arall!

Pan fydd hi'n tynnu at un ar ddeg o'r gloch noson Nadolig, y tân wedi mynd yn isel yn raddol bach, a hithau'n dawel ac yn dywyll fel y fagddu allan, mi fydd rhywun o'r teulu yn plygu i roi prociad arall i'r tân, ac meddai ffrind, 'Wyddoch chi be', rhaid i mine feddwl am ei throi hi.' Pawb wedi bod wrthi fel 'taen nhw'n lladd nadro'dd, ond y prynu anrhegion, yr ysgrifennu cardiau, y pacio a'r cyfan wedi dod i ben. Yr hysbysebu fisoedd ymlaen llaw a'r gwerthu gwyllt, y jochio a'r cyfan wedi darfod â rhyw jerc sydyn. A thrannoeth yr ŵyl, fe rydd y cyfryngau ar ddeall inni nad oes fawr ddim wedi newid mewn gwirionedd. Mae'r meddwi a'r ystrywiau mor amlwg ag erioed, a chymod gwledydd gelyniaethus wedi dod dim nes. Bellach, daeth yn amser tynnu'r cyfan i ben; gan roddi'r ysbryd caredig a'r llawenydd lliwgar i gadw am flwyddyn arall gyda'r celyn a'r garol, fe ddwedwn, 'Roedd o'n hyfryd tra parodd o, a'r plant gartre a phopeth.' Ond mae'r pantomeim drosodd, ac yn groes i'r graen neu beidio, mae'r Sinderela yn ôl wrth gownter y siop a'r Tywysog tal yn ôl yn trwsio'r ceir. Y sioe drosodd am flwyddyn arall, a hyd yn oed eira'r plant yn y coetir yn prysur ddadmer. Yn ôl a ni at yr hen gyfarchion, 'Iechyd da i'r flwyddyn newydd pan ddaw hi,' a 'Hidiwch befo – mae hi'n dda iawn arnon ni.'

Gwefr yr Efengyl

Ond rhoswch – neges yr Efengyl yw nad oes rhaid i'r Nadolig fynd heibio o gwbl am mai ym Methlehem ei galon ei hun y genir Gwaredwr pob un. Mae'r Cristion uwchben ei ddigon bob amser! Fe ddaw adeg i ddarfod canu carolau, a thydi'r goeden fawr gwell na llanast erbyn dechrau Ionawr. Ond ein dathlu ni o'r ŵyl yn unig yw hynny! Un noson yn unig y ganwyd Iesu ar y ddaear, ac ym Methlehem y galon does dim sôn am y Nadolig yn mynd heibio.

Rhoddwyd i Edward Mathews, Ewenni, ddawn arbennig y dosbarthwr perlau, meddai'r Parchedig Robert Ellis yn ei lyfr *Doniau a Daniwyd*. Pregethai un tro ar hanes yr ysbïwyr yn mynd i archwilio Canaan gan ddwyn yn ôl beth o ffrwyth y tir, ac aeth un hen wraig i orfoleddu. O dan weld eraill yn anesmwyth, meddai'r pregethwr, 'Peidiwch stopo Betsan: wedi testio'r grapes mae hi.'

Barnwr, Bugail, Brenin, Prynwr
Mae'r Hwn sydd yn Farnwr hefyd yn Fugail a'r Brenin yn Brynwr. Nid 'the man born to be King' yn unig ond '*the King born to be Saviour*' hefyd. Croes yw canolbwynt Cristnogaeth, nid crud. Oni welwn Fryn Calfaria o'i ddrws ar y Nadolig, byddwn wrth y beudy anghywir.

Y Brenin
'A bydd y llywodraeth ar ei ysgwydd Ef.' Sonnir yma am Frenin, am deyrnas ac am ddeiliaid: Brenin ag iddo gymeriad, teyrnas ag iddi gyfansoddiad, deiliaid ag iddynt gyfrifoldeb.

Pa fath gymeriad sydd i'r Brenin hwn, Brenin y pedwar enw – Rhyfeddol Gynghorwr, y Duw Cadarn, Tad Tragwyddoldeb, Tywysog Tangnefedd?

Yna mae Morgan Rhys yn manylu ar ogoniant y Brenin hwn – 'Brenin tragwyddoldeb ydyw, Llywodraethwr dae'r a ne': am hynny, y mae'r holl adnoddau at ei wasanaeth ac yntau'n frenin am byth – 'Ar helaethrwydd ei lywodraeth a'i dangnefedd ni bydd diwedd.' 'And He shall reign for ever and ever!'

A'i Deyrnas
Y mae 'Teyrnas Dduw' nid yn unig yn deyrnas diniwiedrwydd y plant ond ar yr un pryd yn deyrnas y saint prysur sydd â rhywbeth ganddynt yn barhaus ar droed. Mynegodd Thomas Hood yn ei gerdd adnabyddus y gwirionedd fod nefoedd y sawl a gollodd ddidwylledd y plentyn yn mynd ymhellach o'i afael bob dydd. Hi yw teyrnas y rhyddid a'r rhamant na dderfydd. A hon yw'r deyrnas a addawodd Iesu i'w dddilynwyr: 'Nac ofna, braidd bychan: canys rhyngodd bodd i'ch Tad roddi i chwi y Deyrnas', teyrnas y meddwl tawel, y gydwybod glir a'r galon lân. Fe'i cynigir hyd yn oed i fyd a chyrch y lleuad ond a gollodd y Seren.

Gweddi: Gadewch i ni ymddistewi

Gadewch i ni ymddistewi
ym mhresenoldeb Duw
a ddaeth o'i drigfan sanctaidd
i ystabl lom, oer a gwag
i fod yn gartrefol gyda ni.
Gosteg

Gadewch i ni ymddistewi
ym mhresenoldeb Duw
a ddaeth atom o'r diogelwch yng nghorff mam
er mentro byw yn ddynol
fel ni.
Gosteg

Gadewch i ni ymddistewi
ym mhresenoldeb Duw
a ddaeth i'n plith drwy boenau esgor
a gwaed bywyd newydd
i gyhoeddi dyfodiad nef a daear newydd
i ni.
Gosteg

Gadewch i ni ymddistewi
ym mhresenoldeb Duw
sydd wedi llefaru wrthym
mewn cri frawychus o ysgyfaint baban
sy'n anadlu aer hwyrnos aeafol oer.
Gosteg

Gadewch i ni ymddistewi
ym mhresenoldeb Duw
a lefarodd wrthym
yng ngogran bodlon a byrlymus
baban a fwydir yn gynnes-garuaidd
ar fron mam.
Gosteg

Gadewch i ni ymddistewi
gerbron y Duw…
sy'n gorwedd mor agored,
yn ddiymadferth
a chwbl ddibynnol.
Gadewch i ni ymddistewi
gerbron rhyfeddod a dirgelwch

y Duw sydd o fewn cyffyrddiad,
Duw amser
a thragwyddoldeb,
Duw ein Tad nefol,
Yn Iesu Grist ein Harglwydd a'n Gwaredwr
Amen.

Dafydd Owen

❖ O FETHLEHEM I GALFARIA

Wrth genhadu yn Tsieina yn yr unfed ganrif ar bymtheg dangosodd Matteo Ricci ddarluniau i'r Tsieiniaid yn portreadu'r stori Gristnogol. Roedden nhw wrth eu bodd gyda'r darluniau o'r Forwyn Fair yn magu ei phlentyn ond, pan ddangoswyd darluniau o'r plentyn dwyfol, wedi iddo dyfu yn ddyn, yn crogi ar groes, ymatebodd y bobl gyda braw a ffieiddio'r lluniau hyn. Gwell oedd ganddyn nhw y lluniau o'r Forwyn Fair ac roedden nhw am ei haddoli hi yn hytrach na'r Duw croeshoeliedig.

Wrth i mi fodio'r cardiau Nadolig, sylwaf nad oes yr un ohonynt am ein hatgoffa bod y stori gychwynnodd ym Methlehem wedi arwain i Galfaria, nac unrhyw un ohonynt chwaith am ein hatgoffa am Herod gorffwyll yn trefnu lladd pob plentyn dan ddwyflwydd oed am ei fod wedi clywed am eni brenin newydd a fyddai'n herio ei awdurdod ef.

Yn hanesion y geni yn Luc a Mathew, dim ond un oedd wedi dirnad natur ddirgel yr hyn roedd Duw wedi ei gychwyn – Simeon oedrannus oedd hwnnw a adnabu y baban fel y Meseia. Deallodd ar unwaith fod y Meseia yn sicr o greu gwrthdaro. 'Wele, gosodwyd hwn er cwymp a chyfodiad llawer yn Israel, ac i fod yn arwydd a wrthwynebir,' meddai, a rhybuddiodd Mair, 'Trywenir dy enaid di gan gleddyf.'

Synhwyrodd Simeon, er nad oedd dim wedi newid ar yr wyneb (roedd Herod yn dal ar ei orsedd a milwyr Rhufeinig yn dal i groeshoelio gwladgarwyr oedd yn gwrthod plygu i awdurdod Rhufain; roedd Jerwsalem yn dal i orlifo â chardotwyr), fod pob dim wedi newid o dan yr wyneb: roedd grym newydd wedi cyrraedd i danseilio grymoedd y byd. Roedd y grym hwn wedi ei ymgorffori ym maban y preseb ac yn wahanol i bob grym a welwyd erioed o'r blaen. 'Esgorodd ar ei mab cyntafanedig; a rhwymodd ef mewn dillad baban a'i osod mewn preseb, am nad oedd lle iddynt yn y gwesty.'

Un nodwedd o'r person rhyfeddol hwn oedd wedi ymgorffori'r grym newydd hwn yw gostyngeiddrwydd. Mae yna ddynion yn y byd heddiw sy'n peri i ni arswydo wrth feddwl am y grym sy'n eiddo iddynt ac eto nid oes unrhyw arlliw o ostyngeiddrwydd yn perthyn i'r un ohonynt. Cyn dyfodiad yr Arglwydd Iesu, go brin fod unrhyw awdur paganaidd wedi defnyddio'r gair 'gostyngedig' fel canmoliaeth.

Mae digwyddiadau'r Nadolig yn ein cyfeirio ni at y Duw gostyngedig – y Duw a ddaeth i'r byd nid fel corwynt yn rhuo na chwaith fel tân yn difa. Y tu hwnt i bob dychymyg gwnaeth Creawdwr y bydysawd ei hun mor fach â chell yng nghroth merch ifanc sy'n rhy fach i'r llygad noeth ei gweld – y gell yn lluosogi ac yn tyfu'n blentyn yng nghroth glaslances nerfus iawn. Wrth gyfarch Mair dywedodd y bardd John Donne: '*immensity cloistered in thy dear womb.*' 'Fe'i gwacaodd ei hun (*He made himself nothing*)... fe'i darostyngodd ei hun.' (Philipiaid 2:7,8)

Yn y Meseia fe welwn ni ogoniant gostyngeiddrwydd. Daeth y Duw sy'n medru rheoli a threfnu byddinoedd ac ymerodraethau fel symud gwerinwyr (*pawns*) ar fwrdd gwyddbwyll yn faban ym Methlehem – baban bach oedd yn methu siarad na bwyta dim byd solet, yn methu rheoli ei bledren ac a oedd yn ddibynnol ar bâr ifanc iawn am gysgod, bwyd a chariad.

Gwelais gyfeiriad gan Americanwr at ymweliad y Frenhines Elizabeth ag UDA rai blynyddoedd yn ôl: '*Her four thousand pounds of luggage included two outfits for every occasion, a mourning outfit in case someome died, forty pints of plasma, and white kid leather toilet seat covers. She brought along her own hairdresser, two valets, and a host of other attendants. A brief visit of royalty to a foreign country can easily cost twenty million dollars.*'

Mewn cyferbyniad cymerodd ymweliad Duw â'r blaned hon le yn stabl yr anifeiliaid heb neb i weini a heb unman i roi'r brenin newydd-anedig i orffwys ond cafn yr anifeiliaid. Roedd yna fwy o anifeiliaid nag o bobl yn dystion i'r digwyddiad a rannodd y canrifoedd yn ddwy. Gallasai asyn ddisgyn arno. Fel y dywedodd Siôn Aled:

Yn y beudy ganwyd Iesu
   heb un gwely ond y gwair;
Duw'r digonedd yn ddi-annedd,
   gwisgo'n gwaeledd wnaeth y Gair.

Am ennyd ymddangosodd lliaws o'r llu nefol. Pwy welodd yr angylion? Dim ond criw o fugeiliaid anllythrennog ar fryniau Bethlehem. Pobl oedd yn 'neb' – ni chlywsom enw'r un ohonynt. Byddai'r bugeiliaid yn cael eu gosod ymhlith yr annuwiol gan Iddewon uniongred, ac roedd rhaid iddynt gadw at gynteddoedd allanol y Deml. Hwy ddewiswyd gan Dduw i ddathlu genedigaeth yr un a fyddai'n cael ei adnabod fel cyfaill pechaduriaid. 'Cewch hyd i'r un bach wedi ei rwymo mewn dillad baban ac yn gorwedd emwn preseb.' (Luc 2:12) 'Hwn yw delw'r Duw anweledig, cytafanedig yr holl greadigaeth... Y mae ef yn bod cyn pob peth, ac ynddo ef y mae pob peth yn cydsefyll.' (Colosiaid 1:15,17)

Nid yw'n syndod bod côr o angylion wedi torri allan mewn mawl a'r newydd da oedd ganddynt yn newydd da i bob pechadur ym mhob oes. Fel y dywedodd Gwilym Hiraethog:

Daeth, er mwyn ein cyfoethogi,
o uchelder gwlad goleuni
yma i ddyfnder gwarth a thlodi,
O ryfedd ras!

Andrew Lenny

❖ Dewis Anrhegion

Mae dewis anrhegion Nadolig yn gallu bod yn her! Rydych chi am i'r anrheg fod yn addas, yn anrheg sy'n siwtio'r derbynnydd, yn anrheg y byddai wrth ei fodd yn ei dderbyn.

Dewisodd Duw anrheg addas ar ein cyfer ar y Nadolig cyntaf hwnnw, anrheg i ddiwallu'n hangen dyfnaf. Fel y dywedodd John Hughes:

> Draw yn nhawelwch Bethlem dref
> daeth baban bach yn Geidwad byd…

Beth yw gwaith Ceidwad? Cofiwn am Geidwad y carchar yn Philipi a'i gyfrifoldeb i gadw troseddwyr drwg dan glo. Mae Iesu Grist yn Geidwad o fath gwahanol. Nid yw Iesu am gadw neb yn garcharor ond mae ef am ein cadw ni rhag y Drwg. Onid yw Iesu wedi ein cyfarwyddo i weddïo, 'Gwared ni rhag yr Un Drwg' ac onid yw am ein helpu ni i ddangos cariad a daioni yn y byd? Mae Iesu hefyd am ein cadw ni o gosb pechod – ein cadw rhag canlyniadau ofnadwy ein gwrthryfel yn erbyn Duw. Daeth Iesu i'n hachub drwy farw dros ein pechodau ar y groes. Roedd marwolaeth Iesu yn rhan hanfodol o gynllun a ragordeiniwyd gan Dduw. 'Yr oedd Duw wedi ei ddewis cyn seilio'r byd' (1 Pedr 1:20) i gyflawni gweinidogaeth arbennig drosom. Cyflwynodd ei fywyd glân a sanctaidd yn iawn dros ein pechodau. Dywed y Beibl, 'Rhoes yr ARGLWYDD arno ef ein beiau ni i gyd' (Eseia 53:6).

Talu Dyled

Gadewch i ni ddychmygu ein bod ni dri mis ar ei hôl hi gyda thalu'r morgais. Rydym ar fin colli'n cartref ac yr ydym yn gwbl ddiymadferth i wneud dim ynglŷn â hynny. Allan ar yr heol fyddwn ni. Mae'n cyfrif banc ni'n wag ond yn sydyn mae rheolwr y banc yn cysylltu â ni gan ddweud, 'Mae gen i newyddion godidog i chi. Mae gyda chi berthynas cyfoethog sydd nid yn unig wedi talu'r morgais am y tri mis sy'n ddyledus ond mae hefyd wedi talu'r benthyciad yn llawn. Dyma'r gweithredoedd. Mae'r tŷ yn awr yn eiddo i chi.' Rydym ni'n cael ein llenwi â diolchgarwch ac mae'r fath rodd hael yn peri i ni orfoleddu. Mae gyda ni i gyd ddyled na allwn ni ei thalu. Ein pechod yw achos y ddyled ac nid oes gobaith gyda ni i dalu iawn i Dduw am ein gwrthryfel yn erbyn ei ewyllys. Ond daeth Iesu a thalu'r ddyled yn llawn drosom ni a'n cymodi â Duw. 'Ni wybu Crist beth oedd pechu, ond gwnaeth Duw ef yn un â phechod drosom ni' (2 Corinthiaid 5:21).

Derbyn neu wrthod

Mae angen Gwaredwr arnom i'n codi ni o afael caethiwed pechod a'n cymodi â Duw. Iesu yw ein Gwaredwr a'n Hachubydd – rhodd fwyaf Duw i ni ac anrheg cwbl addas ar ein cyfer ni.

Mae'n rhaid i ni dderbyn neu wrthod pob anrheg. Mae'r un peth yn wir am Iesu Grist, anrheg Duw. Gwrthododd Herod yr anrheg hon, a cheisio erlid y baban Iesu, ond derbyniodd y bugeiliaid y gwahoddiad i fynd i Fethlehem. Credodd y bugeiliaid neges yr angel, 'Ganwyd i chwi heddiw yn nhref Dafydd, Waredwr, yr hwn yw'r Meseia, yr Arglwydd… Aethant ar frys…' (Luc 2:11,16).

Ni fu bywyd yn union yr un fath iddynt wedyn. Llanwyd hwy â llawenydd. Wedi gweld y baban aethant yn ôl i'r bryniau 'gan ogonoeddu a moli Duw' (Luc 2:20). Deallodd y sêr-ddewiniaid fod Brenin yn dod i'r byd, ac fe deithiasant yn bell i blygu wrth ei draed.

Ceidwad yw Iesu Grist

Fel y dywedodd Morgan Rhys yn ei emyn:

Dyma Geidwad i'r colledig,
    Meddyg i'r gwywedig rai;
dyma un sy'n caru maddau
    i bechaduriaid mawr eu bai;
        diolch iddo
    byth am gofio llwch y llawr.

Os ydych chi wedi derbyn anrheg Duw rwyf fi am i chi wneud rhywbeth syml iawn. Clymwch ruban coch o gylch oren a gosodwch gannwyll ar ben yr oren.

Mae'r oren yn cynrychioli BYD Duw.

Mae'r rhuban coch yn cynrychioli'r CARIAD a welsom ar Galfaria.

Mae golau'r gannwyll yn cynrychioli Goleuni'r Efengyl – y goleuni a ddaeth i ni trwy Iesu Grist y Baban yn y Preseb.

Gosodwch hwn ar y bwrdd cinio ar ddydd Nadolig gan gynnau'r gannwyll yn dystiolaeth eich bod yn derbyn Iesu Grist – anrheg Duw i bob un ohonom.

Mae'n draddodiad hefyd gydag addurn fel hwn i osod danteithion ar ddarnau o bren a'u glynu wrth yr oren. Mae'r danteithion yn ein hatgoffa o gynnyrch y ddaear. Bydd brodyr a chwiorydd i ni yn brin o fara beunyddiol dros y Nadolig ac onid ein braint yw rhannu â hwy o'r bendithion rif y gwlith yr ydym ni yn eu mwynhau? Gellir gwneud hyn drwy Gymorth Cristnogol. Ewch i wefan Present Aid Cymorth Cristnogol ac fe gewch gyfarwyddyd ar sut i brynu pethau fel cwch gwenyn i deulu tlawd yn Bolivia am £10 neu yrr o eifr i deulu tlawd ym Murundi am £60. Mae digon o opsiynau gwahanol i gyflwyno rhoddion defnyddiol i deuluoedd tlawd yn y byd.

Andrew Lenny

❖ Y Baban Iesu

Rhan o fawredd geiriau Efengyl Luc yn adrodd stori'r geni yw symlrwydd diaddurn y dweud. Mae'r mynegiant mor ddiwastraff; mor foel ac eto mor effeithiol.

'Pan oeddent yno, cyflawnwyd yr amser iddi esgor, ac esgorodd ar ei mab cyntaf-anedig; a rhwymodd ef mewn dillad baban a'i osod mewn preseb, am nad oedd lle iddynt yn y gwesty.'

Bu'r geiriau rhyfeddol yma yn dir ffrwythlon i ddychymyg beirdd ac emynwyr yr oesoedd. A'r Nadolig hwn bydd cynulleidfaoedd Cristnogol fel erioed yn gwneud defnydd o'u carolau i fynegi eu mawl i Dduw am y baban a gaed mewn preseb. Byddwn ninnau fel Cristnogion Cymraeg yn ystod y dyddiau nesaf yn troi at yr hen ffefrynnau, er nad yw pob un ohonynt o ran dyddiad eu cyfansoddi mor hen â hynny, gyda 'Mae'r nos yn fwyn ym Methlehem' yn un enghraifft, ac yn diolch amdanynt ac am y cyfoeth sydd ynddynt.

Yn naturiol ddigon, gan mai â gwyrth yr ymgnawdoliad y mae a wnelo Gŵyl y Geni, testun ambell garol yw rhyfeddu ddyfod Duw i'n byd yn faban bach. Nid yw eiddilwch a diymadferthedd y baban yn dianc rhag cael sylw:

I orwedd mewn preseb...

Tybed nad un rheswm dros ein hoffter o'r carolau hyn yw am eu bod wrth sôn am Iesu'r baban yn apelio nid yn unig at yr elfen sentimental sydd ynom ond hefyd at y gynneddf i lynu wrth y cyfarwydd. Mae'r Ymgnawdoliad yn athrawiaeth, ac mae'n rhaid wrth ymdrech meddwl i'w deall.

(Sôn yr ydym am yr athrawiaeth am yr Ymgnawdoliad; byddai ceisio deall yr Ymgnawdoliad ynddo'i hun yn amhosibl gan ei fod yn ddigwyddiad, fel y Creu, er enghraifft, sydd tu hwnt i ddeall meidrol, pechadurus.) Ond mae baban bach ar y llaw arall yn rhywbeth sy'n bod o fewn cylch ein profiad bob dydd. Hwyrach bod babi bach drws nesa a'n bod yn ei glywed yn crio neu'n chwerthin am yn ail am oriau bwy'i gilydd. Neu efallai fod babi ar ein haelwyd a ninnau yn ei godi a'i fagu a rhyw syndod yn dod trosom o gofio i ninnau rywdro fod fel hyn: cael ein bwydo a'n magu a'n trafod gan riaint a chan hwn a'r llall, weithiau'n dyner, weithiau, ac yn ddealladwy, wrth gwrs, ar ôl cyfnodau o sgrechian diangen, yn llai tyner.

Dichon fod plentyndod Iesu Grist yn rhywbeth y teimlwn y medrwn ymfachu wrtho er mwyn cadw ei berson o fewn ein byd bach ni ein hunain – y byd y tybiwn ein bod â rheolaeth a meistrolaeth arno.

Dyma un o'r rhesymau, yn ddi-os, sy'n esbonio pam y ceir cnwd o lyfrau bob blwyddyn sydd yn enw ysgolheictod gwrthrychol a diduedd yn ceisio cyflwyno Iesu fel dyn yn ei oes a'i amser ei hun heb y 'chwedlau' ynghylch ei eni a'i wyrthiau a'i atgyfodiad. Rhyfedd, ar un olwg, yw'r galw am y math yma o lyfrau. Rhyfeddach fyth yw fod rhai Cristnogion amlwg yn eu canmol a'u cymeradwyo fel llyfrau a all fod yn 'apologia', yn gyfrwng i gyflwyno Iesu Grist i oes a chenhedlaeth sydd, i raddau helaeth, wedi cefnu ar yr Efengyl Gristnogol. Eu dadl yw fod gweithiau o'r fath trwy gyflwyno Iesu hiwmanistaidd, rhywun sydd i bob pwrpas yr un fath â ni, yn ei wneud yn ddealladwy ac yn fwy credadwy yng ngolwg trwch y boblogaeth. Pa ddrwg sydd yn hynny, meddir? Onid yw Iesu y medrwn ei ddeall o fewn fframwaith ein meddwl modern yn llawer mwy perthnasol na Iesu'r credoau traddodiadol: 'Dwy natur mewn un person/Yn anwahanol mwy' a phethau annealladwy o'r fath?

Ond, atolwg, pa Grist yw hwnnw sydd yn union yr un fath â ni? Yn sicr, nid Crist y Testament Newydd na Christ carolau angerddol yr Eglwys Gristnogol y bu'r ffyddloniaid yn eu canu i lawr y canrifoedd yn eu hiaith gysefin ac mewn cyfieithiadau. Wrth gyffesu bod Iesu, ie, Iesu'r baban, yn wir ddyn cyffesu yr ydym nid fod Iesu yn union fel ag yr ydym ni ond ei fod yn ei ddyndod yn ddibechod. Mae natur ddynol unigryw fel ei eiddo ef yn rhywbeth sydd tu hwnt i'n profiad ni fel pechaduriaid. Drwy Ddatguddiad, trwy ffydd y credwn yn ei ddyndod. Anghofio hyn a wna llawer sy'n honni eu bod yn eu diwinydda yn gwneud cymwynas wrth aros yn gyfan gwbl gyda dynoliaeth 'normal' Iesu.

Y gwir yw pe bai dynoliaeth Iesu yn 'normal', hynny yw, yn union yr un fath â'r eiddo ni ni fyddai ystyr o gwbl i'r Nadolig. Ni fuasai dechrau newydd yn hanes dynolryw.

Gwyndaf Jones

❖ GOLEUNI'R NADOLIG

Cawn lawenydd ysbrydol digyffelyb bob Nadolig. Credwn fod y byd yn dda a bywyd yn sanctaidd ac yn bwysig. Y peth cymdeithasol pwysig ynglŷn â'r Nadolig yw ein bod ni feidrolion yn meddwl o ddifrif sut mae plesio ein gilydd fel teuluoedd a sut mae cofio'n gilydd fel ffrindiau. Pa anrhegion i'w prynu i'w rhoi i'n hanwyliaid er mwyn iddynt lawenhau yn y goleuni. Cofio pobl sydd yn ein gwasanaethu'n ffyddlon o ddydd i ddydd. Rydym yn cyflwyno bwyd i'r anghenus. Prynu anrhegion i blant amddifad, gwasgar gobaith i blant bach, a chanu carolau o lawenydd i bobl sy'n unig ac yn wan o galon.

Fe ddaw 25 Rhagfyr bob blwyddyn os ydym yn barod ai peidio, a phob tro fe gawn gyfle i ystyried ein bendithion a derbyn y 'goleuni sy'n goleuo pob person a enir i'r byd.' Ac yna trannoeth, Gŵyl San Steffan, rydym yn ailgydio yn rhythm ein bywydau eto. Y siopau yn ailagor gan ddiolch bod y mwyafrif mawr ar gau ar ddydd y Goleuni, y gemau pêl-droed yn cael eu cynnal, ac yna fe ddaw y seithfed dydd ar hugain ac ati. Clywsom y cenhadon yn yr Adfent yn dweud bod angen i ni gael ysbryd y Nadolig trwy'r flwyddyn gyfan, a dewch i ni weld, ffrindiau, a fedrwn ni ailfeddiannu Ysbryd Gŵyl y Geni a chofio mai'r dynol a ddaeth yn dduwdod mewn cnawd yn y crud.

Bu Iesu fyw o fewn fframwaith y teulu. Rhieni dynol oedd Mair a Joseff. Ac am i Iesu fyw mewn siwt o gnawd mi fedrwn ni ddeall ei bererindod, ond yn fwy pwysig na dim, mi fedr ef ein deall ni a chydymdeimlo â ni. Gosododd Duw Iesu o dan dreialon a phrofedigaethau, aeddfedodd yn ŵr ifanc yn Nasareth, a medrwn ni fentro arno am ein hachubiaeth.

Mae'n ddyn i gydymdeimlo
Â'th holl wendidau i gyd.
Mae'n Dduw i gario'r orsedd
Ar ddiafol, cnawd a byd.

Ef a gyhoeddodd y newyddion da. Nid oes raid i ni gyflawni hyn a hyn o weithredoedd daionus o fewn y flwyddyn i ddod o hyd i'w gyfrinach. Nid oes dim byd y gallwn ni ei gyflawni'n derfynol i ennill cymeradwyaeth Duw. Mae Iesu wedi ennill brwydrau'r ffydd a thalu dyled yr afradlon yn llawn.

Pan euthum i ddarlithio yn Idaho, roeddwn yn dal yr awyren yn Salt Lake City, Utica, ac roedd gen i ddigon o amser i alw yn Eglwys Fawr y Mormoniaid, y Tabernacl. Roeddwn yn gwybod am arwriaeth y Mormoniaid, am nifer o Gymry a fu'n arloeswyr, ac am y Côr enwog. Ond cefais fy nadrithio mewn awr o amser. Os nad oeddwn yn perthyn i'r Sect, roedd yna adeiladau nad oedd modd cael mynediad iddynt, na ffeindio dim byd allan ac na allai dyn da byth fynd i mewn i'r cysegr sancteiddiolaf. Mae ysbryd yr Hen Destament yn drwm arnynt. Felly yr oedd hi yn oes Iesu. Ond gwasgarodd Iesu y Goleuni Dwyfol i bob gwlad a chymuned. Daeth cariad Duw i'n calonnau ni drigolion y gwledydd. Mae ei addewid i bob un ohonom, ac i'n plant, a phlant ein plant. Dyma oleuni gwerth ei wasgar yn feunyddiol a gwirionedd i'w goleddu ym mhob man, lle bynnag yr ydym. Fel y dywedodd Pantycelyn yn ei emyn:

Rwy'n dewis Iesu a'i farwol glwy'
yn Frawd a Phriod imi mwy;
ef yn Arweinydd, ef yn Ben,
i'm dwyn o'r byd i'r nefoedd wen.

Ni allwn wneud gwell dewis.

D. Ben Rees

❖ DEWRDER Y SÊR-DDEWINIAID

Wrth ddathlu'r Nadolig, y dymuniad yng nghyfarchion cynnes pobl i'w gilydd dros yr ŵyl yw fod y Nadolig yn un llawen, heddychlon a thangnefeddus. I fwynhau'r bendithion ysbrydol hyn, llawenydd a thangnefedd, y gyfrinach yw rhoi ein ffydd yn yr Arglwydd Iesu Grist, tywysog Tangnefedd a Gwaredwr y Byd, yr un sy'n dwyn i ddynion a merched ar y ddaear iachawdwriaeth trwy eu gwaredu a'u hachub oddi wrth eu pechodau (Mathew 1:21).

Mae llawer o ddeongliadau gwahanol ar arwyddocâd y waredigaeth ysbrydol trwy Iesu Grist, ac un o'r rhai mwyaf ystyrlon i ninnau yw mai iachawdwriaeth ac achubiaeth oddi wrth yr hyn sy'n ein bygwth a olygir, a bod dilyn Iesu yn golygu mynd i'r afael â'r hyn sy'n ein bygwth. Un o'r bygythion yn hanes ein byd yw ffordd rhyfela a lladd, a'r pwysau cynyddol o gyfeiriad propaganda'r awdurdodau gwleidyddol i gael pawb i gydymffurfio â phenderfyniadau'r llywodraethau, y rhai sydd bob amser yn ceisio cyfiawnhau eu gweithrediadau milwrol yng ngolwg y cyhoedd. Pawb felly i wisgo'r pabi coch, ac i ymuno yn yr orymdaith wrth dalu gwrogaeth i'r meirw ar strydoedd Wootton Bassett!

Yn hanes y sêr-ddewiniaid, wedi iddynt ganfod Iesu a'i addoli, a chyflwyno iddo eu trysorau, fe ddywedir iddynt, ar ôl cael eu rhybuddio mewn breuddwyd am y bygythiad o gyfeiriad Herod, iddynt beidio â dychwelyd ato, ac iddynt ddychwelyd i'w gwlad ar hyd ffordd arall. Roedd cymryd y ffordd honno yn weithred ddewr ar eu rhan. Bwriad Herod oedd lladd y baban Iesu, ac felly os oedd y gobaith Meseianaidd i'w wireddu yn nyfodiad a gweinidogaeth Iesu, gwyddent fod yn rhaid iddynt anufuddhau i ddymuniad Herod Frenin gan weithredu yn groes i'w ewyllys. Yn hynny o beth roeddynt yn anghydffurfio â dymuniad Herod, gan roi eu ffydd a'u gobaith yn yr hyn fyddai'n cael ei wireddu trwy fywyd a gwaith y baban Iesu wedi iddo dyfu'n ddyn.

Gwyddom bellach oddi wrth y datguddiad Beiblaidd sydd gennym yn yr Efengylau mai ffordd y Gwas Dioddefus yw ffordd Iesu o weithredu. Nid ffordd y poblogaidd oedd y ffordd honno. Ni chredai mewn goruchafiaeth trwy rym na thrwy drais, ac yn y pen draw, gwyddai mai awr ei fuddugoliaeth fyddai awr ei farw ar y groes a'r atgyfodiad fyddai'n dilyn. Felly yn yr hanes am enedigaeth Iesu, gyda phob gwesty ym Methlehem yn nacáu lle cysurus i Mair a Joseff noson ei eni, gwelwn yn y crud gysgod o'i wrthodiad yn ddiweddarach ar y groes. Nid llwybr grym a thrais felly yw ffordd Iesu o weithredu. Yn hytrach mae'n teyrnasu trwy garu, trwy ei uniaethu ei hun â'r cystuddiol, y dioddefus a'r gwrthodedig, gan ddewis achub trwy ei aberthu ei hun.

Ond faint ohonom sy'n fodlon sefyll i fyny heddiw, gan roi ein ffydd yn ffordd Iesu'r Galilead o weithredu? Faint o Gristnogion sy'n fodlon dweud 'NA' i ymgais yr awdurdodau gwleidyddol i'w militareiddio, gan anufuddhau yn ddewr, a mynd yn erbyn y llif, fel y sêr-ddewiniaid a anufuddhaodd i fwriadau trachwantus a milwriaethus Herod ac a ddychwelasant i'w gwlad a mynd o gwmpas eu gwaith ar hyd ffordd arall a gwahanol. Onid dyna ystyr datganiad yr angylion noson geni Iesu – 'Gogoniant yn y goruchaf i Dduw, ac ar y ddaear tangnefedd ymhlith y rhai sydd wrth ei fodd'? Beth am i ni geisio gweld fel y mae Duw a'r tangnefeddwyr yn ein byd yn gweld.

O na fyddai mwy a mwy o Gristnogion ac eglwysi Cristnogol yn barod i fabwysiadu gweledigaeth anghydffurfiol y sêr-ddewiniaid. Gwawr dyfodiad felly o feddwl fyddai'n wirioneddol gynnig gobaith a ffordd ymlaen yn hanes dynoliaeth a'r byd. Wrth feddwl am seren Bethlehem, a gwawr genedigaeth Iesu, gweddïwn gyda'r bardd Dewi Emrys:

I'r seren a fu'n gennad – iddo Ef,
Rho Dduw, ailenyniad,
A dyged hon, dirion Dad,
Y cedyrn at y Ceidwad.

Emyr Gwyn Evans

❖ AWN I FETHLEHEM

Dyna ddyhead pob pererin a fu yng ngwlad Iesu: cael mynd yn ôl yno ar y Nadolig a'r Pasg a'r Pentecost. Gwir y dyhead, fel y dywedodd Wil Ifan:

Tua Bethlem dref
awn yn fintai gref
ac addolwn Ef.

Bu i Fethlehem wynebu cyfnodau o enbydrwydd, ac ni fu'n hawdd bob amser meddwl am fynd yno. Cofiwn yr hyn a fynegodd Llion Ellis Jones yn ei englyn:

Er bod seren y geni – yn aros
Mor daer ei goleuni,
Yn araf iawn y trof i
Am lôn Bethlehem eleni.

Cofiaf yn dda hefyd englyn Ieuan Wyn:

Rachel sy'n wylo'i helynt – a chysur
Ni chais am nad ydynt:
Heno yng nghri'r dwyreinwynt
Mae gwae fil yn Rama gynt.

Hoffwn ddechrau ar y daith i Fethlehem yng ngharol hyfryd W. R. P. George. Yr hyn sy'n mynd â'i fryd ef yw wyneb Iesu Grist, ac yn ddiwinyddol mae hynny'n neges arbennig, oherwydd yn wyneb Iesu Grist y gwelwn ni wyneb Duw. Mae'r byd yn falch o'r seren a thrysorau'r doethion, ond mae'r bardd am i ni gofio:

Mae'r gogoniant ar ei ŵyneb,
ŵyneb Iesu, ŵyneb Iesu, Brenin nef.

Un o'n ffefrynnau pennaf ni'r Cymry yw carol W. Nantlais Williams ar dôn Haydn Morris, 'Hwiangerdd Mair'. Darlun o fam a'r Baban Dwyfol a gawn ni, ac mae'r darlun yn un cyfarwydd ym mhob cenhedlaeth. Mair yn anwylo ei baban tlws; ac mae'r garol yn wych iawn am fod y bardd wedi llwyddo mewn dwy linell i'w harbed rhag mynd yn garol seciwlar, ac y mae llu o'r rheini gennym erbyn hyn. Yn y pennill cyntaf cawn y llinell, 'Gwasgai Waredwr y Byd at ei bron'. Dyna mewn byr eiriau yw Iesu. Gwaredwr Byd yw ein cyfaill cu. Yn yr ail bennill cawn y llinell, 'Cwsg cyn daw Herod â'i gledd ar ei glun'. Mae Herod gyda ni o hyd, a dywed Dic Jones galon y gwir:

Os wyt ti'n Affganistan – ac ym mwg
Y meirw ym Manhatan
A rhu'r gynnau ar Ganaan
Ai ti yw Crist y Koran?

Carol hyfryd arall a anweswn yw un o garolau W. Rhys Nicholas wedi ei seilio ar bererindod Mair a Joseff o Nasareth i Fethlehem:

A welaist ti'r ddau a ddaeth gyda'r hwyr
o Nasareth draw, wedi blino'n llwyr?
Bu raid imi ddweud bod y llety'n llawn
a chlywais hwy'n sibrwd, "Pa beth a wnawn?"

Nid oedd dim dewis gan ŵr y llety. Roedd yr awel yn finiog ac nid oedd modd cysgodi rhag y dymestl ond yn llety'r anifail, lle digon cysgodol o'i gymharu â'r teuluoedd ynghanol eira mynyddoedd Cashmir. Yn ystod oriau'r nos daeth y newydd da o lawenydd mawr i strydoedd Effrata. Gwyrth y Geni, a gwir y dywedodd John Glyn Jones:

Fe wyddom am holl ryfeddod yr ŵyl;
A rhywle rhwng smaldod
Mae un bach, y mwya'n bod.

I gloi'r myfyrdod cyflwynaf englyn gwych arall o eiddo J. Eirian Davies, A Hwy a Gawsant y Dyn Bach:

Ni wyddom am ddim rhyfeddach – Crëwr
Yn crio mewn cadach,
Yn faban heb ei wannach,
Duw yn y Byd fel dyn bach.

D. Ben Rees

❖ Y Tawelwch Hir

Rhown glod i'r Mab bychan ar liniau Mair wiwlan –
Daeth Duwdod mewn Baban i'n byd!

Cafwyd erthygl gan A. T. L. Armstrong yn y cylchgrawn *The Christian Athlete* dan y pennawd 'Y Tawelwch Hir':

Ar ddiwedd amser, roedd biliynau o bobl wedi'u gwasgaru ar wastadedd eang gerbron gorsedd Duw. Ciliai'r mwyafrif yn ôl oddi wrth ddisgleirdeb y golau llachar o'u blaenau, ond roedd rhai a safai mewn grwpiau yn y blaen yn siarad yn danbaid – nid â chywilydd gwasaidd ond mewn modd ymosodol.

'All Duw ein barnu ni? Sut y gall E wybod beth yw diodde?' arthiodd merch ifanc, gan rwygo ei llawes yn agored i ddatgelu rhif tatŵ o wersyll-garchar Natsïaidd. 'Bu i ni ddioddef arswyd... crasfeydd... artaith... marwolaeth!'

Mewn grŵp arall dyma ŵr ifanc yn gostwng ei goler. 'Beth am hwn?' hawliodd, gan ddangos craith hyll cortyn. 'Cael fy lynsio... am ddim trosedd ond bod yn groenddu!'

Ymysg criw arall syllai merch ysgol, a oedd yn feichiog, â llygaid sarrug. 'Pam dylwn i ddiodde?' murmurodd. 'Nid fy mai i oedd e.'

Draw ymhell dros y gwastadedd roedd cannoedd o grwpiau tebyg. Roedd gan bob un gŵyn yn erbyn Duw am y drwg a'r dioddefaint roedd yn eu caniatáu yn ei fyd. O, mor lwcus oedd Duw i gael byw yn y nefoedd lle roedd popeth yn felys a golau, lle nad oedd neb yn wylo a lle nad oedd yno nac ofn na newyn na chasineb. Beth wyddai Duw am y cyfan y bu i ddyn orfod ei ddioddef yn y byd hwn? Achos mae Duw yn mwynhau bywyd eitha cysgodol, meddent.

Felly, dyma bob un o'r grwpiau hyn yn anfon eu harweinyddion ymlaen, wedi'u dewis oherwydd mai nhw oedd wedi dioddef fwyaf: Iddew, dyn ifanc croenddu, gwraig o Hiroshima, hynafgwr ag anabledd corfforol dwys, merch ifanc oedd yn blentyn siawns.

Ar ganol y gwastadedd gwelwyd hwy yn ymgynghori â'i gilydd. Ymhen amser roedden nhw'n barod i gyflwyno'u hachos. Roedd yn reit syml. Cyn y gallai Duw fod yn gymwys i fod yn farnwr arnynt, byddai'n ofynnol iddo ddioddef yr hyn a ddioddefon nhw. Eu penderfyniad oedd y dylai Duw gael ei ddedfrydu i fyw ar y ddaear – fel dyn!

'Gadewch iddo gael ei eni'n Iddew a boed i ddilysrwydd ei enedigaeth gael ei amau fel na fydd neb yn gwybod i sicrwydd pwy yw ei dad. Rhowch iddo waith mor anodd i'w wneud fel y bydd hyd yn oed ei deulu yn credu ei fod yn wallgo wrth iddo geisio'i gyflawni. Gadewch iddo gael ei fradychu gan ei ffrindiau agosaf. Boed iddo wynebu cyhuddiadau celwyddog, sefyll ei brawf o flaen rheithgor rhagfarnllyd, a'i ddyfarnu'n euog gan farnwr llwfr. Gadewch iddo gael ei arteithio. Yn y diwedd, gadewch iddo brofi'r arswyd o fod yn gyfan gwbl ar ei ben ei hun – pawb wedi cefnu arno. Yna gadewch iddo farw. Boed iddo farw mewn modd na fydd yna unrhyw amheuaeth ei fod wedi marw. Bydded yna laweroedd o dystion i gadarnhau hynny.'

Wrth i bob arweinydd gyhoeddi ei ran o'r ddedfryd, clywyd murmuron uchel o gymeradwyaeth yn codi o'r dorf. Pan orffennodd yr olaf gyhoeddi ei ddedfryd, cafwyd tawelwch hir. Nid ynganodd unrhyw un air pellach. Ni symudodd neb. Yn sydyn, gwyddai pawb fod Duw, yn Iesu Grist, eisoes wedi bwrw'i dymor fel carcharor ac wedi cyflawni'r ddedfryd.

Mae gwybod am ddioddefaint yr Arglwydd Iesu Grist wedi symud o'r neilltu yr hyn y mae Jürgen Moltmann yn ei alw'n 'dioddef mewn dioddefaint'. Nid ydym ar ein pennau ein hunain yn ein poen. Pan fyddwn ni'n dioddef, mae ein Gwaredwr yn dioddef gyda ni. Fel y dywedodd Elfed yn ei emyn:

Caed baban bach mewn preseb
  drosom ni,
a golau Duw'n ei ŵyneb
  drosom ni...
mae'r dirmyg a ddioddefodd
  drosom ni:
mae gwerth y Cyfiawn hwnnw,
a'r groes a'r hoelion garw,
a'r cwpan chwerw, chwerw
  drosom ni;
mae gwaed yr Oen fu farw
  drosom ni.

Daeth Duw yn gnawd yn ei Fab i amlygu ei gariad a'i dosturi, i uniaethu ei hun â dyn yn ei angen a'i drueni.

Fel y dywedodd Hiraethog yn ei emyn:

Daeth, er mwyn ein cyfoethogi,
o uchelder gwlad goleuni
yma i ddyfnder gwarth a thlodi,
O ryfedd ras!

'Ond pan ddaeth cyflawniad yr amser, anfonodd Duw ei Fab, wedi ei eni o wraig, wedi ei eni dan y Gyfraith... er mwyn i ni gael braint mabwysiad.' (Galatiaid 4:4, 5)

Anfonodd Duw ei Fab i'r byd i'n prynu a'n mabwysiadu. 'The purpose of the Incarnation was to convert the slaves of sin into the sons of God.' (W. L. Watkinson)

Myfyriwch ar y gwirioneddau mawr hyn dros ŵyl y Nadolig, er mwyn i ni allu rhyfeddu fwyfwy at gariad Duw ein Tad.

Andrew Lenny

❖ YN DILYN Y NADOLIG

Gweddi agoriadol:
Cofiwn a moliannwn dy enw
am saint a merthyron ein hoes a phob oes
y bu i'w bywydau, fel had, ddisgyn i'r ddaear,
ond y bu i'w tystiolaeth ein hysbrydoli a dwyn ffrwyth.
Amen. *John L. Bell*

Darllen: 2 Corinthiaid 11:21–28 a 12:7–10

Gweddi:
Dros yr holl saint
sy'n byw wrth ein hymyl
sydd â'u gwendidau a'u cryfderau
wedi eu gwau gyda'n rhai ni,
moliannwn di, O Dduw.

Dros yr holl saint
sy'n byw y tu hwnt i ni
sy'n ein herio
i newid y byd gyda hwy,
moliannwn di, O Dduw. Amen.

Myfyrdod:
Tra'n dilyn y wedd gynt, moment bwysig fyddai honno pan gyrhaeddid pen y dalar. Beth bynnag a wneid yno, un ohonynt fyddai edrych yn ôl i weld pa mor syth oedd y gwys. Nid ar ganol cwys yr oedd adolygu ond ar ben y dalar.

Dyma hi'n ben talar eto. Sawl gwyriad a fydd yng nghwys y flwyddyn nesaf tybed? Priodol yw edrych yn ôl fan hyn er mwyn ceisio torri cwys well i'r dyfodol, os rhoddir cyfle i ni. Hawdd yw adnabod nyrs a phlismon, offeiriad a dyn ambiwlans – mae'r wisg yn gymorth. Y cwestiwn rŷm am ei ofyn ar ben y dalar eleni yw hwn: Oes yna rywbeth o'n cwmpas ni, ddilynwyr Crist, sy'n ein marcio ni fel rhai'n perthyn iddo Ef? Meddai Paul wrth y Galatiaid: 'Yr wyf yn dwyn nodau Iesu yn fy nghorff.' (6:17)

Bydd bugail yn gofalu rhoi nod ar ei ddefaid, a marc ychwanegol ar eu cnu. Y cwestiwn clir yw: Oes yna rywbeth sy'n dangos i bwy rydym ni'n perthyn? Roedd rhai'n tybio nad oedd Paul yn wir apostol, ac mae'n dechrau ei gymharu ei hun â hwy: a oes ganddynt farciau'r Arglwydd arnynt? Beth yw'r prawf o'n hymlyniad? Ystyriwn ddau beth am funud, sef:

1. Ystyr llythrennol y gosodiad hwn

Arferid marcio caethweision â haearn poeth i ddangos i bwy y perthynent. Roedd marciau Paul yntau, meddai, yn ei ddynodi fel caethwas Crist: 'Yr wyf wedi mynd yn bob peth i bawb, er mwyn... achub rhai.' Roedd marciau'r milwr da arno, a dyna'r disgrifiad yn ein darlleniad o'i ddioddefiadau corfforol enbyd.

Rydym eisiau bod yn Gristnogion esmwyth, heb wybod fawr am ddioddef er mwyn Crist. Cofiwn am y rhai sy'n dioddef drosto heddiw mewn rhai mannau.

A elwir eto ar Gristnogion ym Mhrydain i ddioddef gwaradwydd a phoen er mwyn ei enw Ef? Cofiwn nad yw hyn yn amhosibl yn ein hansawdd gymdeithasol gyfoes. Darllenwn hanes William Pritchard, Clwchdernog, Môn a rhai tebyg iddo: 'Aethant ar eu taith o ŵydd y Sanhedrin, yn llawen am iddynt gael eu cyfrif yn deilwng i dderbyn amarch er mwyn yr Enw.'

2. Ystyr ysbrydol y gosodiad

Anodd cymhwyso ystyr llythrennol y testun i ni, ond gellir cymhwyso'r ystyr ysbrydol. Pa farciau a ddylai nodweddu'r Cristion? Nid oes raid mynd allan o'r llythyr hwn am ateb: 'llawenydd, tangnefedd, goddefgarwch, caredigrwydd, daioni, ffyddlondeb, addfwynder, hunan-ddisgyblaeth... Dygwch feichiau eich gilydd...'

Pa bethau a aeth â'n bryd yn ystod y flwyddyn a aeth heibio? Yn ôl yn 1995, bu cyfarfod yn Edern, Llŷn i ddathlu canmlwyddiant geni Tom Nefyn Williams. Siaradwyd yn afaelgar a bendithiol gan gyfeillion a'i hadwaenai, ac roedd yno lond capel eang o bob cwr o Ogledd Cymru wedi dod i gofio'r gwas da hwnnw i Grist, bron ddeugain mlynedd wedi iddo huno yn yr Iesu ar nos Sul yn Rhydyclafdy. Roedd pobl wedi canfod yr arwyddion yn ystod ei fywyd, ac nid aiff peth felly yn angof gan werin gwlad. Awydd mawr y Gwaredwr trwy ei weinidogaeth oedd gwneud ewyllys Duw, ac fe ddylai'r awydd hwnnw fod yn llosgi ym mynwes pob un ohonom.

Cyn dechrau ar gwys arall, os Duw a'i myn i ni, gofynnwn iddo ein anrhydeddu trwy roi arnom 'nodau Iesu' fel y gwelo cymdeithas eiddo pwy ydym a phwy a wasanaethwn. Amen.

Gweddïwn:

'Dysg ni, Arglwydd, i'th wasanaethu Di yn ôl dy haeddiant:
i roddi heb gyfri'r gost;
i frwydro heb ystyried y clwyfau;
i ymdrechu heb chwilio am orffwystra;
i lafurio heb ofyn am wobr ond trwy wybod y cyflawnir dy ewyllys;
trwy Iesu Grist ein Harglwydd. Amen.'

(Gweddi Sant Ignatiws Loyola)

Y Fendith:

Gras ein Harglwydd Iesu Grist, a chariad Duw, a chymdeithas yr Ysbryd Glân a fyddo gyda chwi oll. Amen.

Tudur Rowlands

❖ Darlleniad a Gweddi Nadolig

Darlleniad 1: 2 Samuel 23:14-17

Darlleniad 2: Eseia 9:1-7

Ein Tad, yr hwn wyt yn y nefoedd, diolch am dy rodd amhrisiadwy i'th blant y Nadolig hwn, sef Iesu Grist ein Harglwydd. Diolchwn am y gofal tymhorol a fu drosom. Dymunwn ddiolch i ti am y modd y 'daeth y Gair yn gnawd a phreswylio yn ein plith, yn llawn gras a gwirionedd'. Gweddïwn yn arbennig dros holl blant y byd; dyhëwn am eu gweld yn eiddo i ti dy hun. Dyro iddynt dy ras a'th burdeb i fod yn ufudd a ffyddlon i ti. Boed i holl lafur a chariad yr Ysgol Sul ddwyn ffrwyth fel y byddont yn prydferthu dy winllan di ac yn perarogli. Bendithia gartrefi dy blant fel y byddant yn ffynnu yng nghariad Iesu Grist ac yn cysegru eu bywyd i'th wasanaeth di. Arwain blant a'u rhieni ar hyd llwybrau bywyd a boed iddynt adnabod Iesu Grist yn Arglwydd ac yn Waredwr eu bywyd.

Y Nadolig hwn, bydded i'r holl fyd, O! Dad, amgyffred o'r newydd dy gariad dwyfol a welwyd gynt mewn preseb. Dangos i ni dy oleuni megis i'r bugeiliaid gynt ac arwain ninnau hefyd ar hyd y llwybr fel y gallwn ninnau ddwyn rhodd i'r baban Iesu. Rho i ni'r llawenydd gynt, cynnal di ein bywyd bregus a brysied y dydd pan fydd ein heneidiau'n teimlo grym dy iachawdwriaeth. Cyffeswn fod Crist fel Goleuni a Gwaredwr yn y byd; rho inni brofi'r heddwch hwnnw na all dim ei ddinistrio; datguddia dy hun o'r newydd inni'r Nadolig hwn yn dy gariad mawr a ddatguddiaist yn Iesu Grist. Maddau bob hunanoldeb a phechod sydd wedi llygru'r ddelwedd ac wedi ein pellhau ni oddi wrth dy ewyllys yma ar y ddaear.
'Bydded ymadroddion fy ngenau, a myfyrdod fy nghalon, yn gymeradwy ger dy fron, O Arglwydd, fy nghraig a'm prynwr.' (*BWM*)

> 'O codwn ninnau lef
> Ar ei Nadolig ef,
> Yn ddiolch i Fab Duw
> Am ddod i'n byd i fyw.'

Cofia holl bobloedd y byd, yn arbennig y rhai na fydd yn dathlu'r Nadolig fel y rhan fwyaf. Cofiwn am y difreintiedig, a'r rhai a orthrymir yn fynych am eu bod yn anwybodus. Cofia dy Eglwys yn ei hamcan i fod yn gyfrwng i'th Ysbryd di weithio yn y byd, ac i ddysgu dy feddwl i ddynion gan wneud pawb yn ddeiliaid teilwng o deyrnas yr Arglwydd Iesu Grist. Cofia hi hefyd yn ei rhaniadau. Cofiwn am lawer fydd yn dod at ei gilydd dros y Nadolig yn enw Iesu Grist i geisio arweiniad, pe na baent ond dau neu dri. Dyro iddynt deimlo mor hyfryd yw i frodyr drigo ynghyd, ac mai i'r cyfryw rai y daw'r fendith a ddyfarnodd yr Arglwydd y fendith fwyaf, sef Bywyd Tragwyddol. Una ni ynot ti, ein Tad. Sancteiddia ni trwy dy wirionedd. Arwain ni i oleuni dy wyneb fel y gorfoleddo pawb yn dy iachawdwriaeth.

Dyro inni'r nerth a'r awydd dros gyfnod y Nadolig, O! Arglwydd, i wneud rhyw ddaioni yn ein cylch ein hunain, yn ein cartref neu yn ein heglwys. Cynorthwya ni i wneud rhywbeth drosot wrth wneud dy waith. Gwna ni'n gryf a gwrol i weithio yn erbyn pechod, ac i ddweud yn hyderus ein bod yn perthyn i ti.

> 'Dysg im weddïo'n iawn,
> A dysg fi'r ffordd i fyw,
> Gwna fi yn well, yn well bob dydd,
> Fy mywyd, d'eiddo yw.'

Erfyniwn arnat, drugarog Dad, i'n tywys a'n harwain ninnau, fel bod ein bywyd yn fendith i eraill ac yn ogoniant i ti. Yng nghanol ein mwyniant dros y Nadolig na foed i'r un ohonom anghofio pwrpas ein dathlu, sef bod Iesu Grist wedi dyfod i'n byd. Dyro i ninnau galon y bydd Iesu Grist yn trigo ynddi, a dyro nerth inni ailgydio o'r newydd dros y Nadolig yn ein brwdfrydedd i'th wasanaethu di fel Arglwydd a Gwaredwr. Dyro inni brydferthwch y galon lân sy'n eiddo i Iesu. Dymunwn gofio am anogaeth gyson yr Apostol Paul ar i ni 'wisgo amdanom yr Arglwydd Iesu Grist'. Ef yw'r wisg harddaf y gallwn ei gwisgo. Gwna ni'n barod i wisgo cyfrifoldeb arweinwyr, os gelwir ni i hynny. Cadw ein hysbryd yn ostyngedig, ein cariad at ddynion yn gynnes a'n camre yn dy ddeddfau. 'Wele ni, anfon ni.' Amen.

Carys Ann

❖ Darlleniad a Gweddi y Nadolig

Darlleniad 1: Ioan 1,14; 3:16-21

Darlleniad 2: Philipiaid 2:5-11

Diolchwn i ti, O! Dduw ein Tad, dy fod ti'n Dduw sy'n caru, yn Dduw sydd o'n plaid ni. Ac wrth i ni ddathlu Gŵyl y Nadolig eto eleni, cynorthwya ni i sylweddoli o'r newydd mai'r hyn a welwn wrth edrych i gyfeiriad y baban bychan yn y preseb ym Methlehem yw rhyfeddod dy gariad tuag atom, a hynny yn wyneb ein hannheilyngdod mawr ni.

Fe'n creaist yn berffaith ac yn dda a'n gosod mewn byd perffaith a da, ond fe lwyddon ni i ddifetha'r cyfan a chreu pellter rhyngom, a'r pellter yn angau i ni. Ond yn dy gariad daethost drwy'r pellter i'n plith ym mherson yr Arglwydd Iesu, a thrwy'i waith mae'r pellter yn cau.

Diolch i ti, O! Dduw, am dy gariad rhyfeddol sy'n pontio'r gagendor rhyngom ac yn ein dwyn yn ôl i berthynas lawn â thi, y pell bellach wedi'i ddwyn yn agos.

Bendithia'n dathliadau. Mae hon yn ŵyl i'w dathlu, mae'r dyddiau yn ddyddiau o lawenydd a diolchgarwch, ond cynorthwya ni i gofio, drwy'r cyfan, y rheswm dros y dathlu, a thrwy hynny gwna'n gweithgarwch yn deilwng. Yn y dwyster a geir mewn ysbaid o weddi neu fyfyrdod, yn y chwerthin a'r hwyl a geir wrth wrando plant yn mynd trwy'u gwaith neu mewn parti Ysgol Sul, yn y diddanwch a'r mwynhad a geir wrth groesawu ffrindiau neu ymweld â'r teulu, neu yn yr hapusrwydd a welir yn llygaid plentyn wrth agor rhoddion fore'r Nadolig, llefara wrthym am brydferthwch dy gariad sydd, trwy dy Fab Iesu Grist, yn cynnig tragwyddoldeb i ni.

Ac os yw'n hamgylchiadau'n ein rhwystro rhag medru gwneud yr hyn yr hoffem ei wneud, gofynnwn ar i ti aros gyda ni yn dy gariad ac yn dy ddiddanwch, gan ein hatgoffa'n gyson bod llawenydd a gobaith y Nadolig yn aros hyd yn oed pan rwystrir y gweithgarwch.

Cynorthwya ni hefyd i osgoi gwneud yr ŵyl yn un hunanol a thrachwantus, a bod yn barod i roi o'n hamser a'n hadnoddau i fod o gymorth a diddanwch i bwy bynnag sydd mewn trafferth, unigrwydd neu brinder. Hanfod y Nadolig yw gwyrth yr ymgnawdoliad, ti dy hun yn dy roi dy hun i ni. Gwna ni'n barod felly i ymateb i anghenion eraill, a thrwy'n gweithgarwch i lefaru am ryfeddod dy gariad di, y cariad a barodd i ti wacáu dy hun er ein mwyn – y rhoi mwyaf a welwyd erioed.

O! Dduw ein Tad, bendithia'r Nadolig hwn eto. Maddau yr holl feiau a weli ynom, a thrwy dy Ysbryd Glân defnyddia ni i gyhoeddi'r newydd da am dy ddyfodiad i'n plith. Yn enw Iesu Grist ein Harglwydd, Amen.

Trefor Jones Morris

❖ DARLLENIAD A GWEDDI Y NADOLIG

Darlleniad: Mathew 1–2

Ein Tad, plygwn yn wylaidd ac yn ddiolchgar ger dy fron yn awr i ddiolch am gael dathlu'r Nadolig. Diolch am y fath destun ar gyfer diolchgarwch a dathlu – bod dy Fab, Iesu Grist, wedi dod i'n plith. Ganwyd Imaniwel – Duw gyda ni. Y Mab, Ail Berson y Drindod, wedi dod i'n byd yn berson o gig a gwaed fel ninnau. Y mae pob geni'n wyrthiol mewn rhyw ystyr, ond dyma wyrth lawer mwy – geni Duw yn ddyn. A'i eni mewn preseb o bobman, yn dlawd a chyffredin iawn. Gallasai fod wedi ei eni mewn palas, fel y disgwyliai'r doethion, yn gyfoethog a chlyd. Ond ni ddewisodd hynny. Yn hytrach, fe'i huniaethodd ei hun â'r ddynoliaeth ar ei thlotaf. Daeth i ganol bywyd a'i hagrwch, ei dlodi a'i anghenion.

> 'Daeth Brenin yr hollfyd i oedfa ein hadfyd
>   er symud ein penyd a'n pwn;
> heb le yn y llety, heb aelwyd, heb wely,
>   Nadolig fel hynny gadd hwn.'

Wrth inni ddathlu'r Nadolig eleni, gofynnwn am i ti gadw ein llygaid ar Iesu, a'n ffydd yn gadarn ynddo. Cawn ein hudo i golli golwg arno er ein gwaethaf rywsut yng nghanol yr holl seciwlareiddio a'r masnacheiddio sydd wedi dod i nodweddu dathliadau ein hoes ni. Er ein bod yn edrych ymlaen at gael rhoi a derbyn anrhegion eto eleni, helpa ni i beidio colli golwg ar dy rodd di i ni, sef dy Fab. Wrth inni werthfawrogi cariad a charedigrwydd pobl drwy gyfrwng eu hanrhegion a'u cyfarchion i ni, helpa ni i weld dy gariad di yn Iesu. Gwared ni rhag i duedd ein hoes ein gwneud ni yn ddall, yn ddi-hid, yn fud ac yn anniolchgar am dy rodd anhraethol i ni. Wrth wirioni ar roddion pobl mor hawdd yw colli golwg ar wyrth a gwerth dy rodd di i ni yn Iesu Grist.

Pan fyddwn ni'n rhoi anrhegion Nadolig fe fyddwn yn eu rhoi i bobl yr ydym yn eu caru; pobl annwyl a charedig sy'n ein caru ni, teulu a chyfeillion. Rhoi anrhegion i'r rhai sydd, yn ein tyb ni, yn haeddu ein rhoddion. O! Dad, mor wahanol yr wyt ti'n rhoi – anfon dy Fab yn rhodd i bechaduriaid, i rai a gefnodd arnat ac a ddiystyrodd dy ewyllys, ac yn wir a fu mewn llawer o bethau yn elynion i ti. Ein Tad, cyffeswn yn awr nad ydym yn haeddu dim o'th law ond dy gondemniad a'th farn. Eto, yn Iesu yr wyt yn dangos ac yn estyn dy gariad tuag atom. Daeth i'r byd yn ddyn – Duw gyda ni – ond eto'n wahanol gan ei fod yn ddibechod – 'Ni wnaeth ef bechod, ac ni chafwyd twyll yn ei enau'. Ac ar y Groes bu Iesu farw dros ein pechod ni. Derbyniodd ef y gosb am ein pechod er mwyn i ni gael maddeuant a dod yn blant i ti, a chael etifeddu bywyd tragwyddol. Wrth inni ddathlu'r Nadolig, helpa ni nid yn unig i weld ac i ddiolch bod Iesu'n Dduw a ddaeth atom, ond ei fod hefyd yn Dduw trosom yn ei aberth. Gad inni weld a phrofi rhodd dy ras yn Iesu Grist.

> 'Oherwydd yr ydych yn gwybod am ras ein Harglwydd Iesu Grist, fel y bu iddo, ac yntau'n gyfoethog, ddod yn dlawd drosoch chwi, er mwyn i chwi ddod yn gyfoethog trwy ei dlodi ef.'

Diolch i ti am yr ŵyl hon sy'n ŵyl mor bwysig i'r teulu. Cofiwn am y baban, a'i deulu o gwmpas ei breseb. A diolchwn fod teulu dyn yn gallu dod yn deulu Duw drwyddo ef. Diolch am y modd y mae'r ŵyl yn dod â theuluoedd at ei gilydd. A diolch ei bod yn ŵyl a ddethlir gan deulu'r Eglwys ledled y ddaear. Gweddïwn dros deuluoedd ein heglwys a'n hardal; dros deulu dyn yn ei holl amgylchiadau; a thros deulu'r Eglwys Gristnogol ymhob man. Cofiwn bod yna bobl wahanol iawn eu hamgylchiadau i ni. Rhai y mae'n anodd iddynt ddathlu'r ŵyl oherwydd gwaeledd a phrofedigaeth, gwendid a henaint; neu oherwydd tlodi, newyn, rhyfel, gormes a thrais, diffyg cartrefi, unigrwydd a dadrithiad. Cofiwn am bawb na chlywodd y newyddion da am eni Iesu'n Waredwr a chyfaill iddynt, ac am y rhai a glywodd ond na chânt ryddid i'w addoli. Yng nghanol ein llawnder a'n digon, helpa ni, O! Dad, nid yn unig i weddïo dros yr anghenus ond i estyn llaw a chymorth ym mha fodd bynnag y gallwn.

Cyflwynwn yr ŵyl i'th ofal a'th fendith eleni, O! Dad, gan ddiolch am bob caredigrwydd ac ewyllys da a brofwn. Ond diolchwn yn arbennig am Iesu y baban, Iesu y dyn perffaith a groeshoeliwyd drosom ond a gyfodwyd y trydydd dydd, ac sy'n Grist byw gyda ni heddiw a phob amser. Clyw ein gweddi a gwrando ni, O! Dad, a ninnau yn ei hoffrymu yn enw ac yn haeddiant ein Harglwydd a'n Gwaredwr Iesu Grist. Amen.

Dafydd Roberts

❖ Gweddi Dydd Nadolig

Diolchwn am y Nadolig – gŵyl i gofio Rhodd Duw i'n byd. Boed i'r digwyddiad cyffredin hwn o eni baban mewn beudy llwm ein hargyhoeddi o'r newydd mai Duw i bawb yw ein Duw ni, ac mai yn ein naturioldeb y deuwn agosaf ato Ef. Boed i'r neges fythol i Iesu gael ei eni yn y côr elfennol ymhlith clydwch yr anifeiliaid ein hiselhau ni yn ein rhwysg aml.

Mawrygwn ddiniweidrwydd a glendid y plant ar eu bore mawr, a chofiwn ddiogelu'r 'plentyn' ynom ni – yn arbennig y gallu i ryfeddu o'r newydd. Ym mha le bynnag yr ydym wrth ymgasglu'n deuluoedd ar aelwydydd y Nadolig, gwna ni'n werthfawrogol o'r cariad a'r gofal sy'n cronni yno.

Nertha ni yn ystod y flwyddyn sydd i ddod, yn ein bywydau personol ac wrth ddylanwadu ar faterion ehangach, i ddilyn llwybr Tywysog Tangnefedd, y gwerinwr arbennig hwn a fu'n ddyn yn ein plith ac eto'n Arglwydd yr Atgyfodiad. Dychwelodd eilwaith at werinwyr ei famwlad i dystio mai cariad sy'n trechu.

Diolch am y bobl hynny a ymatebodd i neges fawr Duw heb amau dros y canrifoedd. Diolch am y seren ryfeddol honno a arweiniodd groestoriad o gymdeithas i blygu ger y crud lle unwyd Dwyrain a Gorllewin ynghyd.

Diolch am gardiau Nadolig sy'n ein hysbrydoli, ac am y cadw cysylltiad blynyddol hwn â chyfeillion ym mhedwar ban byd. Rho olwg newydd i ni eleni ar ddyfnder Gŵyl y Nadolig, gan weld heibio lluniau'r cardiau delfrydol at rai o'r cardiau sydd er budd rhai ar ddibyn bywyd ar hyn o bryd.

Y Nadolig hwn ailbwysleisia yn ein bywydau bwysigrwydd y pethau cyffredin a rydd flas ar fyw. Rho bwrpas a chyfeiriad i'n cydfwyta, ein haddurno a'n hanrhegu er mwyn i ni dy roi Di yn y canol a chofio pen blwydd pwy rydym yn ei ddathlu. Pâr i ni ddathlu'n llawen a gorfoleddu yng ngenedigaeth Arglwydd Bywyd ac Arglwydd y Ddawns.

Amen.

❖ Gweddi dros Sbri-Yfwyr y Nadolig

Arglwydd pob tosturi,
wrth i ni weddïo dros yr holl ddynoliaeth y Nadolig hwn,
boed i ni weddïo dros y rhai sy'n wynebu salwch ac angen cefnogaeth,
gan gynnwys y rhai sy'n gaeth i alcohol a chyffuriau eraill.
Yn enwedig felly, gweddïwn dros y rhai sy'n goryfed heb ots am y canlyniadau.
Arglwydd, rwyt ti'n gweld dyfnderoedd eu hangen,
a gofynnwn i ti ymestyn i ganol eu dryswch a'u hunigrwydd,
i'w hofn a'u gwacter,
i'w dioddefaint a'u digalondid,
a llenwi'r bwlch yn eu bywydau.
Arglwydd, clyw ein gweddi,
a rhyddha hwy o gyffion eu caethiwed.

Arglwydd pob deall,
wrth i ni weddïo dros rai sy'n gaeth i alcohol a chyffuriau
y mae eu hymddygiad a'u gwerthoedd yn newid mor syfrdanol,
gweddïwn arnat i wella briwiau eu corff a'u meddwl a'u hysbryd,
ac i'w dwyn i adnabod cyffyrddiad adferol Crist.
Cynorthwya nhw i adnabod ei bresenoldeb a chlywed ei lais,
fel y bydd dy gwmni'n gefn iddynt yn eu gofid
ac yn eu cymell at fywyd gwell.
Dduw Dad, maddau i'r rhai o fewn yr eglwysi a thu allan
am fethu cydnabod difrifoldeb y clefyd hwn,
ac am unrhyw droi cefn hunangyfiawn.
Arglwydd, clyw ein gweddi,
a rhyddha hwy o gyffion eu caethiwed.

Arglwydd y cymod,
gweddïwn dros deulu a ffrindiau pob adyn caeth,
y cânt fodd i weld eu câr colledig mewn golau newydd.
Bendithia hwy, Arglwydd, ag ewyllys i oresgyn stormydd eu perthynas
â'r rhai a brofant fall alcohol a chyffuriau
ac i bwyso eto ar nerth teulu a chymdeithas
gyda gobaith Crist yn eu calonnau.

Gweddïwn y cânt hwy a'u câr lawenydd y Nadolig hwn yng nghwmni ei gilydd,
heb ddibyniaeth ar alcohol neu gyffur,
ac y gallant edrych ymlaen at flwyddyn newydd yn llawn cytgord a hapusrwydd.
Arglwydd, clyw ein gweddi,
a rhyddha hwy o gyffion eu caethiwed.

Cyngor Cymru ar Alcohol a Chyffuriau Eraill

❖ GWEDDI AR GYFER TYMOR Y NADOLIG

gan Gyngor Cymru ar Alcohol a Chyffuriau Eraill

Arglwydd pob goleuni a gobaith,
clyw ein gweddi o fawl ac addoliad
yn nhymor yr Adfent,
wrth i ni agosáu at yr ŵyl
sy'n dathlu genedigaeth Iesu.
Cydnabyddwn y bydd y Nadolig i lawer
yn adeg o unigedd a gofid creulon,
pan fydd y tywyll yn dywyllach
a'r tymheredd rhewllyd yn gafael yn galetach,
oherwydd nad oes ganddynt gymdeithas i'w rhannu,
unman i'w alw'n gartref,
dim gwely i gysgu ynddo
yn y byd oerllyd hwn.

Gweddïwn y bydd y Nadolig eleni
yn gyfnod o ddechrau newydd i'r truenus,
yn awyrgylch cynhesach i'r sawl sy'n rhynnu
ac yn ganfyddiad o deulu i'r unig.
Arglwydd Dduw, tynn ni oll yn agosach atat,
fel y gallwn fod yn un yng Nghrist.

Cofiwn y sawl sy'n gymysg ei wedd
oherwydd y gwrth-ddweud sydd mewn bywyd,
ac annhegwch y profiadau dynol –
y cyfoethog a'r tlawd,
yr iach a'r claf,
yr abl a'r llai abl,
y grymus a'r gwan.

Gweddïwn y bydd y Nadolig eleni
yn amser i bob person
ddarganfod yr angen sy'n gyffredin i bawb,
a gwerthfawrogi digonedd yr adnoddau byd-eang
a'r ewyllys i rannu'r rhoddion hyn er lles trigolion daear.

Arglwydd Dduw, tynn ni oll yn agosach atat,
fel y gallwn fod yn un yng Nghrist.

Rydym yn ymwybodol o'r sawl sy'n glaf,
ac yn ddibynnol ar ddarpariaethau meddygol
i gynnal eu cyrff, eu meddyliau a'u hwyliau,
gan fethu byw hebddynt.
Arglwydd, cofiwn am y sawl sy'n camddefnyddio alcohol a chyffuriau
ac yn methu ymryddhau o hualau eu poen.
Nefol Dad, clyw ein gweddi dros y sawl sy'n niweidio eu hunain
a'r sawl sy'n niweidio eraill ac yn methu ymatal.

Gweddïwn y bydd y Nadolig eleni yn amser
i anadlu awyr iach bryniau Bethlehem,
i blygu wrth grud yr ymgnawdoliad
ac i ryfeddu wrth weld wyneb Iesu yn disgleirio arnynt
wên y cariad dwyfol sy'n llawn trugaredd.
Arglwydd Dduw, tynn ni oll yn agosach atat,
fel y gallwn fod yn un yng Nghrist.

Denzil I. John

❖ Gweddi Nadolig

gan Gyngor Cymru ar Alcohol a Chyffuriau Eraill

Dduw pob gras ac Arglwydd pob gobaith –
ymdawelwn ger dy fron o ganol sŵn a sylw'r byd,
gan geisio dy dangnefedd.
Gwyddost am ein dyheadau a'n pryderon,
ein llawenydd a'n tristwch, a'n hawydd i foli dy enw di.
Ti yw'r hwn sy'n oleuni mewn byd tywyll
a gwirionedd mewn cymdeithas dwyllodrus.
Weithiau byddwn yn gweld bywyd fel cylchdro o anobaith,
a ninnau heb syniad yn y byd o'r cyfeiriad sy'n briodol i ni.
Byddwn yn wynebu dewisiadau anodd
ac yn cloffi wrth ystyried yr opsiynau.
Gwyddom hefyd am brofiadau heb ddewis o gwbl.
Helpa ni i fod yn gadarnhaol ac i beidio digalonni.
Diolch am deulu a chyfeillion sy'n gynhaliaeth ac yn gwmni,
A gweddïwn am y modd i fod yn ffrindiau da i eraill.
Cydymdeimlwn â'r sawl sy'n ddi-waith
ac yn ddibynnol ar y wladwriaeth am eu cynhaliaeth.
Bydd eraill yn gorfod brwydro yn erbyn afiechyd
heb fodd na nerth i ymdopi â'u swydd.
Gwerthfawrogwn mai ffin denau sydd rhwng hapusrwydd a thristwch,
bodlonrwydd neu anfodlonrwydd mewn bywyd,
yn hunan-gynhaliol neu'n ddibynnol ar rywbeth neu rywun arall.
Arglwydd, eiriolwn drostynt ger dy fron.
Diolchwn am warineb mewn perthynas a chymdeithas sefydlog,
am aelwyd ddiogel mewn cymdogaeth beryglus.
Diolchwn, Arglwydd, am bob ystafell fyw, sy'n gynnes a chroesawgar,
ac yn arbennig am yr Ystafell Fyw yng Nghaerdydd
sy'n croesawu'r unig a'r bregus.
Gweddïwn y bydd y sawl sy'n gaeth i grafangau pob chwant a blys
yn darganfod drws gobaith yr Ystafell Fyw,
ac yn medru ymddiried yn y cyfeillion yno
fel eu bod yn profi cymdeithas ffydd a thrugaredd nad yw'n barnu eraill.
Diolch am neges y Nadolig sy'n croesawu pawb at ymyl preseb y lloches ddwyfol

heb osod amodau, ac sy'n rhannu cymdeithas trugaredd.
Deuwn Arglwydd i'th addoli di, drwy weld gwerth ym mhawb
ac i'th garu di drwy garu eraill.
Gwrando arnom, yn enw Iesu'r crud a Iesu'r groes.
Amen.

Denzil I. John

❖ MYFYRDOD AR GYFER DYDD NADOLIG

Yr ydym yn cynnau'r gannwyll hon yn y tywyllwch gan lawenhau am ddyfodiad Iesu, y goleuni na all y tywyllwch ei drechu. Gweddïwn, wrth i'r tywyllwch symud ymaith a'r goleuni dorri trwyddo, y bydd dy air ymgnawdoledig yn rhoi'r nerth i ni i fyw mewn gobaith a chyda disgwyliadau fod cyfiawnder ar fin dod.

Darllen – Ioan 1:1–4

Wrth i'r hen stori gael ei hadrodd,
mae'r byd dioddefus yn llawenhau,
a gwyrth bywyd yn cael ei eni.
Dyma'r awr i obeithio
am gariad mor rymus
na all tywyllwch ddiffodd ei addewid.
Mae'r efengyl yn datgan yn glir
mai'r rhai sydd ar gyrion eithaf cymdeithas
gaiff dystio i ddyfodiad y Crist.
Helpa ni i sefyll gyda'r tlawd,
y newynog a phobl y cyrion heddiw;
ysbrydola ni i weithio
er mwyn llawenhau gyda hwy
wrth i ni gyd-dystio i'th gariad bregus
yn ymlid y cysgodion.
Ti, sydd yn wir oleuni'r byd.

Gweddïau Cymorth Cristnogol

❖ Disgleiried dy Oleuni

'Y mae'r goleuni yn llewyrchu yn y tywyllwch,
ac nid yw'r tywyllwch wedi ei drechu ef.'

Yng ngenedigaeth ein Gwaredwr, llewyrcha oleuni Duw yn ein byd. Arglwydd Iesu Grist, bendithiwn di am ddod i'n plith mewn gostyngeiddrwydd a chariad. Dengys i ni galon gariadus y Tad: dengys i ni y ffordd y dylem fyw.

Mewn byd o dywyllwch, Arglwydd
Disgleiried dy oleuni.

Cyffeswn ein bod yn rhy aml yn dewis anwybyddu'r goleuni a roddwyd i ni, oherwydd bod yn well gennym y tywyllwch. Rho i ni, O Dduw, y gras o wir edifeirwch, fel y gallwn brofi dy faddeuant ac fel y cawn fyw yn fwy fel plant y goleuni.

Mewn byd o dywyllwch, Arglwydd
Disgleiried dy oleuni.

Mae'r goleuni yn llewyrchu yn y tywyllwch. Diolchwn i ti, O Dad, am y modd yr wyt ti'n treiddio pob tristwch, gan gynnig gobaith i'r gwangalon, gorfoledd mewn galar a bywyd lle mae angau.

Mewn byd o dywyllwch, Arglwydd
Disgleiried dy oleuni.

Ac nid yw'r tywyllwch wedi ei drechu ef. Dros fywydau pob un sydd wedi goleuo Dy ffordd mewn mannau tywyll, pob un sydd wedi parhau yn ffyddlon drwy ddioddefant mawr ac erledigaeth, ac am y sicrwydd y bydd Dy wironedd yn para byth, bendithiwn Di.

Mewn byd o dywyllwch, Arglwydd
Disgleiried dy oleuni.

Cofiwn y rhai hynny sy'n gyfrifol am artaith, y rhai sy'n ei orchymyn, yn ei gefnogi neu sy'n ei anwybyddu. Llewyrcha i'w calonnau, O

Arglwydd, fel y gwelant di yn wynebau eu dioddefwyr, ac y cânt y dewrder i droi o'u drygioni.

Mewn byd o dywyllwch, Arglwydd
Disgleiried dy oleuni.

Gweddïwn ar ran newyddiadurwyr a darlledwyr sy'n dylanwadu ar lawer gyda'u geiriau a'u lluniau: fel y byddant yn ymroddedig i'r gwaith o ddarganfod y gwir, gan drin y cryf a'r gwan yn anrhydeddus, a chan wrthod y pwysau i ddweud yn unig yr hyn sy'n dderbyniol i'r rhai mwyaf grymus.

Mewn byd o dywyllwch, Arglwydd
Disgleiried dy oleuni.

Gweddïwn ar ran Cristnogion yn Erbyn Poenydio, Amnest Rhyngwladol, y Sefydliad Meddygol Dros Ofal Dioddefwyr Artaith, a phob mudiad arall sy'n gweithio er mwyn gwaredu'r byd o artaith ac sy'n rhoi cymorth i rai sydd wedi dioddef.

Mewn byd o dywyllwch, Arglwydd
Disgleiried dy oleuni.

Gweddïwn ar ran dynion a menywod sy'n cael eu harteithio ar hyn o bryd, yn feddyliol neu yn gorfforol, yn ysu am ryddhad, yn ofnus rhag iddynt fradychu ffrindiau. Esmwytha eu poen, O Arglwydd. Rho nerth iddynt i ddal ati, a hyd yn oed yng nghanol eu dioddfaint, caniatâ iddynt gael cipolwg o oleuni dy gariad.

Mewn byd o dywyllwch, Arglwydd
Disgleiried dy oleuni.

Cristnogion yn erbyn Poenydio

❖ Gweddi Nadolig

Cyflwynwn i ti, Arglwydd, ein moliant a'n diolch
am ystyr a llawenydd yr ŵyl ryfeddol hon.

Diolch i ti am genadwri'r Nadolig:
am dduwdod yn plygu at ein gwendid ni;
am fawredd yn amlygu ei hun mewn gostyngeiddrwydd;
am rym achubol mewn baban diymadferth.

Diolch i ti am lawenydd y Nadolig:
am newyddion da i'w dathlu;
am garol a chân i seinio'n clod;
am bob mwynhad a gawn yng nghwmni'n gilydd.

Diolch i ti am ysbryd y Nadolig:
am garedigrwydd a sirioldeb;
am y boddhad o roi a derbyn;
am haelioni a hwyl, am gwmni a gwledd.

Diolch i ti am her y Nadolig,
am y geni mewn tlodi sy'n herio'n bywyd goludog;
am y gwyleidd-dra sy'n cywilyddio'n balchder;
am y tangnefedd sy'n ceisio lle yn ein calonnau.

Cyflwynwn i ti, O Dduw, ofidiau a helyntion dy blant
a phawb sydd mewn angen y Nadolig hwn.
Gwared ni rhag anghofio ynghanol ein digonedd
y cleifion a'r cystuddiol,
y tlawd a'r newynog,
yr unig a'r trallodus.

Tywys hwy at y Crist a ddaeth i'r byd
i weini ar y llesg a'r gwan.
Cymorth ni i wrando ar gân yr angylion
ac i geisio tangnefedd ar y ddaear:
tangnefedd rhwng cenhedloedd a phobloedd;
tangnefedd yn ein perthynas â'n gilydd;
tangnefedd yn ein cartrefi ac yn ein calonnau.

Amddiffyn y rhai sy'n annwyl gennym
a'r rhai sydd ymhell oddi cartref,
a dyro inni oll y Nadolig hwn
ddedwyddwch a llawenydd dy bresenoldeb;
trwy Iesu Grist ein Harglwydd. Amen.

❖ Diolch am Anfon Iesu i'n Byd

Diolch i Ti, ein Tad,
am dymor y Nadolig a Gŵyl y Geni
pan gofiwn ac y diolchwn am y baban Iesu.
Er nad oedd ond llety'r anifail yn gysgod
i Mair a Joseff;
Diolch i Ti am anfon Iesu i'n byd.

Er nad oedd i'r baban ond preseb anifail yn grud;
Diolch i Ti, O Dad, am anfon Iesu i'n byd.

Am gân yr angylion uwch meysydd Bethlehem:
'Gogoniant yn y goruchaf i Dduw, ac ar y ddaear tangnefedd.'
Derbyn ein diolch, nefol Dad.

Am y bugeiliaid yn gwylio eu praidd liw nos
ac a aethant ar frys i weld y baban:
Derbyn ein diolch, nefol Dad.

Am y doethion a ddaethant o'r dwyrain
a'u hanrhegion o aur a thus a myrr:
Derbyn ein diolch, nefol Dad.

Am y seren ddisglair a dywynnodd yn y ffurfafen
ac a arhosodd uwchlaw'r lle'r oedd y baban Iesu:
Derbyn ein diolch, nefol Dad.

Plygwn ninnau, gyda'r doethion o'r dwyrain,
gyda'r bugeiliaid o'r meysydd, yn sŵn cân yr angylion,
ac yng ngoleuni'r seren lachar
ac addolwn ninnau Grist o'r nef.

Derbyn Di, O Dduw, ein bywydau,
ein talentau, ein hamser;
y cyfan a feddwn,
fel y gallwn heddiw dystiolaethu amdano
a'i addoli, nid yn unig ar adeg y Nadolig
ond drwy bob dydd o'r flwyddyn. Amen.

❖ GAIR EIN DUW NI

Yn y dechreuad yr oedd y Gair,
a'r Gair oedd gyda Duw,
a Duw oedd y Gair.
Am hynny, Gair ein Duw ni a saif byth.

Dyddiau dyn sydd fel glaswelltyn:
gwywa y gwelltyn, syrth y blodeuyn.
Ond Gair ein Duw ni a saif byth.

Nef a daear a ânt heibio.
Ond Gair ein Duw ni a saif byth.

A'r Gair a wnaethpwyd yn gnawd,
ac a drigodd yn ein plith ni.
Iesu yw, gwir Fab Duw,
Ffrind a Phrynwr dynol-ryw.

Duw, wedi iddo lefaru lawer gwaith
a llawer modd…
yn y dyddiau diwethaf hyn
a lefarodd wrthym ni yn ei Fab.
Iesu yw, gwir Fab Duw,
Ffrind a Phrynwr dynol-ryw.

Canys ganwyd i chwi heddiw
Geidwad yn ninas Dafydd.
Iesu yw, gwir Fab Duw,
Ffrind a Phrynwr dynol-ryw.

Ni ddaeth Mab y dyn i'w wasanaethu,
ond i wasanaethu
ac i roi ei einioes yn bridwerth dros lawer.
O deuwch ac addolwn Grist o'r nef!

Canys chwi a adwaenoch
ras ein Harglwydd Iesu Grist,
iddo ef, ac yntau'n gyfoethog,
fyned er eich mwyn chwi yn dlawd.
O deuwch ac addolwn Grist o'r nef!

Canys Mab y dyn a ddaeth i geisio
ac i gadw yr hyn a gollasid.
O deuwch ac addolwn Grist o'r nef! Amen.

❖ Oleuni Pob Goleuni

Gogoneddwn di, O Feistr, carwr pawb,
hollalluog, cyn-dragwyddol Frenin,
fe'th ogoneddwn, Greawdwr a Gwneuthurwr pob peth.
Oleuni pob goleuni, fe'th ogoneddwn.

Gogoneddwn di, O unig-anedig Fab Duw,
a anwyd heb dad o'th fam,
a anwyd heb fam o'th Dad.
Oleuni pob goleuni, fe'th ogoneddwn.

Fel y bu i ras yr Ysbryd Glân ar ffurf
colomen ddisgyn ar y dyfroedd;
felly fe gododd yr Haul nad yw fyth yn machlud
a llanwyd y byd ag ysblander goleuni'r Arglwydd.
Oleuni pob goleuni, gogoneddwn di.

Heddiw llewyrcha'r lloer ar y byd
gyda gloywder ei belydrau.
Heddiw mae'r sêr disglair yn tecáu
y ddaear gyda llewyrch eu goleuni.
Oleuni pob goleuni, gogoneddwn di.

O Ti y bu i'r Iorddonen droi'n ei hôl iddo,
gweld yr Anweledig yn y gweledig,
y Creawdwr a wnaed yn gnawd,
y Meistr ar ffurf gwas.
Oleuni pob goleuni, gogoneddwn di.

O Ti y bu i'r Iorddonen droi'n ei hôl iddo
ac y llamodd y mynyddoedd o'i blegid
wrth edrych ar Dduw yn y cnawd; a'r cymylau
a godasant eu llais, gan ryfeddu at yr hwn oedd i ddod,
Goleuni y Goleuni, gwir Dduw o'r gwir Dduw.
Oleuni pob goleuni, gogoneddwn di.

Litwrgi'r Eglwys Uniongred

❖ Y Nadolig

Darlleniad: Eseia 9:2–7; 11:1–6

Ein Tad, moliannwn Di am anfon ohonot dy unig-anedig Fab i'r byd.

'Daeth Gwaredwr gwiw i ddynion,
O newydd da.'

Diolchwn i Ti am newydd da mewn oes a oedd yn llwythog o newyddion drwg – dyddiau Herod Frenin. A llawenhawn wrth gofio bod y baban a anwyd gynt ym Methlehem yn Waredwr i bob oes.

Diolchwn am gymorth chwedl a chân i'n dwyn at y preseb, ond diolchwn hefyd nad chwedl ond ffaith oedd geni Iesu:

'A'r Gair a wnaethpwyd yn gnawd.'

Ffaith a wna inni ryfeddu o'r newydd ar adeg Gŵyl ei eni Ef.

'Rhyfeddu 'rwyf, O Dduw,
dy ddyfod yn y cnawd.'

Cynorthwya ni i barhau i ryfeddu a chyhoeddi'r hyn a welsom ac a glywsom, fel y bugeiliaid gynt.

Deisyfwn arnat eneinio ein clyw i glywed carol yr angylion, a rhoddi inni'r fraint o fynd gyda'r bugeiliaid mewn dychymyg a defosiwn i weld y 'peth hwn a wnaethpwyd'. Bydd cyflawni'r bererindod yn sicr o ddeffro'r addolwr ynom, a llanw ein genau â'th glod.

Wedi'r daith yng nghwmni'r bugeiliaid, a phlygu ac addoli wrth y crud, gad inni fynd eilwaith yng nghwmni'r doethion. Bydd angen dy ras arnom eto i ganfod ei seren Ef. Bydd angen i Ti loywi ein golygon, er mwyn inni adnabod ac addoli Crist y Brenin.

Daliwn i ryfeddu nid yn unig am i Ti ddyfod i'r byd i'n gwaredu, ond am i Ti ddewis ffordd mor annisgwyl ac mor isel a gostyngedig i ddyfod atom. Rydym mor barod i ofyn pam y preseb isel, gwael. Pam Nasareth? Ond, 'nid fy meddyliau i yw eich meddyliau chwi ac nid eich ffyrdd chwi yw fy ffyrdd i, medd yr Arglwydd.' Prawf o'th athrylith yw llwybr y crud a'r groes a'r bedd gwag. Prawf o'th gariad angerddol yw'r Gair a wisgodd gnawd, a thrigo yn ein plith, a'r dirgelwch mawr inni yw mai trwy ei gleisiau Ef y'n hiacheir ninnau.

Erfyniwn am dy gymorth i ddathlu'r ŵyl mewn modd gweddus a theilwng, nid yn drist ond yn llawen, nid mewn maswedd ond mewn moliant, nid yn grintachlyd ond yn garedig, nid yn rhagfarnllyd ond mewn rhadlonrwydd. Rho inni ysbryd yr ŵyl, sy'n ysbryd cymod ac ewyllys da.

Gweddïwn ar ran plant ein gwlad a'n byd. Maddau fod cynifer yn cael eu cam-drin gan oedolion, yn cael eu gwrthod gan eu rhieni. O Arglwydd, yn enw'r baban Iesu, gweddïwn am fyd gwell i fabanod a phlant. Gweddïwn ar ran cartrefi Cymru a chartrefi'r byd. Boed i neges yr ŵyl dyneru calonnau, ennyn cariad ar aelwydydd, a gwneud cartrefi yn gysegrleoedd am fod dy wenau Di arnynt.

Gweddïwn ar yr ŵyl, ynghanol ein prysurdeb a'n gwleddoedd, dros dyrfa fawr nas gallwn eu rhifo a fydd yn wynebu ing a loes. Llawer ohonynt yn teimlo na feddant achos i ddathlu, na thestun diolch. Os bu farw Herod frenin, mae ei ysbryd yn rhodio'n rhydd o hyd. Amddiffyn yr ifanc heddiw rhag cleddyf pob teyrn, O Frenin nef.

Cyflwynwn i'th sylw y rhai sydd oddi cartref dros yr ŵyl ac yn hiraethu am fod gyda'u hanwyliaid. Ond gwaeth na bod oddi cartref yw bod yn ddigartref. Cofia am y rhai sydd heb gysgod a chysur aelwyd, a'r miloedd sydd heb wlad i fyw ynddi. Y ffoaduriaid sy'n heidio mewn gwersylloedd, yn wrthodedig, yn cael eu newynu neu eu lladd. Boed i neges yr ŵyl beri i lywodraeth bwyllo a thosturio wrth drueiniaid ein byd. Boed i ninnau, Nefol Dad, feithrin cariad yn lle cas, maddeuant yn lle dialedd, a thriged dy dangnefedd yn ein calonnau.

Deisyfwn hyn oll yn enw Iesu Grist, Amen.

❖ PAN DDAETH YR AWR

Ti, O Dduw, yw Creawdwr y bydoedd:
ti a roddaist fflam i'r haul,
llewyrch i'r lloer
a sirioldeb i'r sêr;
ti a greaist ddyn ar dy ddelw
a'i osod ynghanol amrywiaeth y cread,
ei dir a'i fôr,
ei ddydd a'i nos,
ei fryniau a'i ddyffrynnoedd,
ei goed a'i blanhigion,
ei adar a'i anifeiliaid oll.
Er hynny, crwydrodd dyn ymhell oddi wrthyt ti;
ond pan ddaeth yr awr
trefnaist ffordd i'w ddwyn yn ôl:
anfonaist dy Fab dy hun
ar y Nadolig cyntaf
yn faban gwynfydedig;
daeth y Gair bywiol i wisg o gnawd,
daeth tragwyddoldeb i breseb bach,
a daeth Mair yn fam fendigaid
i Geidwad y byd.
Diolchwn i ti am y newyddion da
a lanwodd wacter y byd;
am glod yr angylion
a ddeffrôdd y gân
yng nghalonnau meibion a merched dynion.
Diolch i ti am y bugeiliaid
a ddaeth o dawelwch y meysydd
i bentre Bethlehem
i geisio'r Oen di-fai;
ac am ddoethion a ddaeth o bellter byd
i roi eu rhoddion drud
i Arglwydd pob doethineb.
Cynorthwya ni i ddathlu'r Nadolig hwn
dan gymhelliad yr Ysbryd Glân:
cadw'n llawenydd yn bur,

ac ym mhob rhoi a derbyn
gwna ni'n gyfryngau dy gariad di.
Uwchlaw pob peth
cynorthwya bobloedd y byd
i faddau i'w gilydd
fel yr wyt ti yn maddau i ni,
fel y daw Tywysog Tangnefedd
i'w deyrnas yn ein calonnau oll,
ac fel y byddo gogoniant yn y goruchaf i Dduw
a thangnefedd ar y ddaear
i bawb sy'n ei dderbyn ef.

W. Rhys Nicholas

❖ Diolch am Anfon Iesu i'n Byd

Diolch i ti, ein Tad, am dymor y Nadolig a Gŵyl y Geni,
pan gofiwn ac y diolchwn am y Baban Iesu:
er nad oedd ond llety'r anifail yn gysgod i Mair a Joseff;
er nad oedd i'r Baban ond preseb anifail yn grud;
diolch i ti am anfon Iesu i'n byd:
Derbyn ein diolch, nefol Dad.

Am gân yr angylion uwch meysydd Bethlehem:
'Gogoniant yn y goruchaf i Dduw,
ac ar y ddaear tangnefedd';
am y bugeiliaid yn gwylio eu praidd liw nos,
a aethant ar frys i weld y Baban:
Derbyn ein diolch, nefol Dad.

Am y doethion a ddaeth o'r dwyrain
â'u hanrhegion o aur a thus a myrr;
am y seren ddisglair a dywynnodd yn y ffurfafen,
ac a arhosodd uwchlaw'r lle'r oedd y Baban Iesu:
Derbyn ein diolch, nefol Dad.

Plygwn ninnau gyda'r doethion o'r dwyrain,
gyda'r bugeiliaid o'r meysydd,
yn sŵn cân yr angylion,
ac yng ngoleuni'r seren lachar,
i addoli Crist o'r nef:
Derbyn ein diolch, nefol Dad.

Derbyn di, O Dduw,
ein bywydau, ein talentau, ein hamser,
y cyfan a feddwn, fel y gallwn heddiw
dystiolaethu amdano a'i addoli,
nid ar ŵyl y Nadolig yn unig,
ond bob dydd o'r flwyddyn.

Gwyneth Davies

❖ Dathlu'r Ŵyl

Arglwydd, erfyniwn am dy gymorth
i ddathlu'r ŵyl mewn modd gweddus a theilwng:
nid yn drist ond yn llawen,
nid mewn maswedd ond mewn moliant,
nid yn grintachlyd ond yn garedig,
nid yn rhagfarnllyd ond mewn rhadlonrwydd.

Arglwydd, yn enw'r Baban Iesu,
gweddïwn am fyd gwell i fabanod a phlant;
gweddïwn ar ran cartrefi Cymru a chartrefi'r byd:
boed i neges yr ŵyl dyneru calonnau,
ennyn cariad ar aelwydydd,
a gwneud cartrefi yn gysegrleoedd,
am fod dy wenau di arnynt.

Cofiwn am y rhai sydd heb gysgod a chysur aelwyd,
a'r miloedd sydd heb wlad i fyw ynddi:
y ffoaduriaid sy'n heidio mewn gwersylloedd,
yn wrthodedig, yn cael eu newynu neu'u lladd;
boed i neges yr ŵyl beri i lywodraeth bwyllo
a thosturio wrth drueiniaid ein byd.

Boed i ninnau, nefol Dad,
feithrin cariad yn lle cas,
maddeuant yn lle dialedd,
a thriged dy dangnefedd yn ein calonnau. Amen.

❖ Gogoniant Iesu

Arglwydd annwyl, helpa fi i gadw fy ngolwg arnat ti:
ti yw'r ymgnawdoliad o gariad dwyfol,
y mynegiant o dosturi anfeidrol Duw,
yr amlygiad gweladwy o sancteiddrwydd y Tad.
Ti wyt brydferthwch, daioni, tynerwch,
maddeuant a thrugaredd;
ynot ti y mae pob perffeithrwydd:
pa ddiben edrych i gyfeiriad arall,
a mynd i unman arall, ond atat ti?
Gennyt ti y mae geiriau bywyd tragwyddol,
gennyt ti y mae bwyd a diod i'n heneidiau,
ti yw'r ffordd, y gwirionedd a'r bywyd,
ti yw'r goleuni sy'n llewyrchu yn y tywyllwch,
y llusern sy'n goleuo'n llwybr,
y tŷ ar fryn na ellir ei guddio;
ti yw'r eicon perffaith o Dduw;
ynot ti a thrwot ti y canfyddaf y ffordd at y Tad nefol.
O Sanctaidd Un,
O brydferth a gogoneddus un,
ti yw fy Ngwaredwr, fy Arglwydd,
fy arweinydd, fy niddanydd,
fy ngobaith, fy llawenydd, fy nhangnefedd.
I ti y dymunaf fy rhoi fy hun yn gwbl oll:
gad i mi fod yn hael ac yn eiddgar,
nid yn hwyrfrydig nac yn anfoddog,
ond yn barod i roi fy mhopeth i ti –
popeth a feddaf, a feddyliaf ac a deimlaf –
ti biau'r cyfan, O Arglwydd,
i'w derbyn a'u sancteiddio,
a'u gwneud yn eiddo llwyr i ti dy hun.

Henri Nouwen

❖ Rhoddion Duw

Arglwydd, diolchwn iti
am bob rhodd a bendith a ddaeth i ni
ar adeg y Nadolig yn nyfodiad dy Fab, Iesu Grist.
Daeth *cariad* i lawr ar adeg y Nadolig,
a gwelwyd y cariad hwnnw yn Iesu:
bydded i'w gariad ef ein clymu ynghyd
a dyfnhau ein perthynas â'n gilydd.
Daeth *heddwch* i lawr ar adeg y Nadolig,
a gwelwyd yr heddwch hwnnw yn Iesu:
bydded i'w heddwch ef lenwi'n calonnau
a'n gwneud yn dangnefeddwyr.
Daeth *llawenydd* i lawr ar adeg y Nadolig,
a gwelwyd y llawenydd hwnnw yn Iesu:
bydded i'w lawenydd ef lifo trwom
tuag at bawb sy'n unig ac yn drist.
Daeth *goleuni* i lawr ar adeg y Nadolig,
a gwelwyd y goleuni hwnnw yn Iesu:
bydded i'w oleuni ef lewyrchu arnom
a gwasgaru pob tywyllwch sydd ynom.
Bydded i gariad, heddwch, llawenydd a goleuni
feddiannu'n calonnau wrth i ni, y Nadolig hwn,
ddathlu dyfodiad Duw i blith ei bobl,
yn enw Iesu Grist ein Harglwydd.

Donald Hilton

❖ Ymestyn fy Nghalon

O Dduw, ymestyn fy nghalon
fel y bydd yn ddigon llydan
i dderbyn mawredd dy gariad di.
Ymestyn fy nghalon
er mwyn i mi fedru derbyn iddi bawb drwy'r byd
sy'n credu yn Iesu Grist.
Ymestyn fy nghalon
er mwyn i mi dderbyn y rhai nad ydynt yn ei adnabod,
gan fy mod, o'i adnabod ef, yn gyfrifol amdanynt.
Ymestyn fy nghalon
er mwyn i mi dderbyn iddi
y rhai nad ydynt yn ddymunol yn fy ngolwg,
a'r rhai nad wyf am gyffwrdd â'u dwylo;
yn enw Iesu, fy Ngwaredwr,
a ddaeth i garu a chyffwrdd â phawb.

❖ Yn Bobl Barod Iddo

Diolchwn i ti, O Arglwydd, am roi i ni dy Fab Iesu Grist,
a ddaeth atom yn ostyngedig yn nhlodi Bethlehem.
Wrth i ni baratoi i ddathlu ei eni,
glanha ein calonnau a'n bywydau
er mwyn i ni allu ei groesawu'n llawen
yn Waredwr ein bywyd,
a phan ddaw mewn gogoniant
y byddwn yn bobl barod iddo ef,
sy'n byw ac yn teyrnasu gyda thi a'r Ysbryd Glân
byth heb ddiwedd.

Enid Morgan

❖ Tyrd i Lawr

Tyrd i lawr, O Arglwydd, a gwna dy enw'n hysbys i'th elynion:
tyrd i lawr, Arglwydd, a rho'r byd yn ei le;
tyrd i lawr a dangos dy hun i'r rhai sy'n dy wrthod;
tyrd i lawr a gwna i'r cenhedloedd grynu:
ond daethost i lawr, Arglwydd,
ac nid adnabuom di.
Tyrd i lawr, O Arglwydd, er mwyn i ni gael ein hachub:
tyrd i lawr, er mwyn i ni weld dy wyneb
yn llewyrchu arnom ac yn ein hadfer;
tyrd i lawr, ac yna ni thrown ni oddi wrthyt mwyach:
ond daethost i lawr, Arglwydd,
a chefnasom arnat.
Tyrd eto, O Arglwydd, i'n hadfer ni:
yn dy amser dy hun, tyrd eto
er mwyn galw dy bobl ynghyd
i gyflawni dy ewyllys dragwyddol
a dod â buddugoliaeth derfynol dy deyrnas sanctaidd i'r amlwg:
ond cydnabyddwn, Arglwydd,
fod angen i ni ein paratoi ein hunain
at y dydd mawr hwnnw.
Felly, tyrd eto, Arglwydd:
yn nhymor yr Adfent, tyrd i'n calonnau,
er mwyn i ni, fel tanwydd, gael ein tanio gan angerdd,
ac fel dŵr berwedig fyrlymu o lawenydd;
ac wrth i ni daer ddisgwyl dy ailddyfodiad,
na ad i ni gefnu arnat,
ond gad i ni gael ein hadfer,
a'th gyffesu di yn Arglwydd, Creawdwr,
a'n Tad cariadlon a maddeugar.

***o Gweddïo* 2002–03**

❖ Tyrd i Achub a Rhyddhau

Arglwydd Iesu, daethost i achub pobl rhag ofn,
i'w rhyddhau o ffolineb ac anwybodaeth,
ac i ddangos iddynt sut i garu:
tyrd eto i'n bywydau ni,
i'n hachub rhag yr hyn sy'n gwneud bywyd
yn ddiflas a brawychus,
a helpa ni i fyw er mwyn eraill,
fel y gwanethost ti.
Tyrd i'n bywydau, O Iesu,
i'n troi yn ôl at Dduw,
i ddileu yr hyn sy'n annheilwng ynom,
ac i'n cymhwyso i fod yn rhan o'th deyrnas ar y ddaear.

Trefor Lewis

❖ Hiraethwn am dy Gyfarfod

Dduw y tlodion,
hiraethwn am dy gyfarfod,
ond bron â'th golli wnawn;
ymdrechwn i roi cymorth i ti,
ond darganfod ein hangen a wnawn.
Tarfa ar ein cysur
â'th noethni;
cyffwrdd ein hunanoldeb
â'th dlodi,
tor ar draws ein heuogrwydd
â gras dy groeso,
yn Iesu Grist.

Jeff Williams

❖ TYRD, FY LLAWENYDD A'M GOGONIANT

Tyrd, wir oleuni,
Tyrd, fywyd tragwyddol.
Tyrd, ddirgelwch cuddiedig.
Tyrd, drysor heb enw.
Tyrd, realrwydd tu hwnt i eiriau.
Tyrd, berson tu hwnt i bob deall.
Tyrd, lawenydd diddarfod.
Tyrd, obaith di-sigl y gwaredigion.
Tyrd, yr atgyfodiad a'r bywyd.
Tyrd, yr hollalluog, oherwydd yr wyt ti'n creu,
  yn ail-lunio ac yn gweddnewid popeth yn ôl dy ewyllys.
Tyrd, yr anweledig un na all neb dy gyffwrdd.
Tyrd, oherwydd y mae dy enw yn wastad ar ein geneuau
  ac yn llenwi'n calonnau â hiraeth amdanat.
Tyrd, oherwydd ti dy hun yw'r dyhead o'm mewn.
Tyrd, fy anadl a'm heinioes.
Tyrd, gysur fy enaid gwan.
Tyrd, fy llawenydd, fy ngobaith,
  fy niddanwch tragwyddol.

Simeon y Diwinydd Newydd

❖ GWEDDI NADOLIG

Diolchwn i Ti O Dduw Ein Tad am y Nadolig unwaith yn rhagor – am y cynhesrwydd a ddaeth i ddod â lliw i fochau'r byd unwaith eto, a hynny ar ffurf diniweidrwydd plentyn. Diolchwn ynghanol yr hirlwm a brath y rhew fod yna le i feirioli a chynhesrwydd yng nghalonnau dynoliaeth o hyd.

Cofia am y newynog y Nadolig hwn – y rhai na allant greu Nadolig y cerdyn iddynt eu hunain. Ac wrth i ni wledda a phartïa:

'Heddiw nac anghofiwn
Waedd y lleill am weddill hwn.'

Cofia yr unig a'r digartref y Nadolig hwn, sydd heb gysgod teulu na lle i roi eu pen i lawr.

'Gad i ni weld dy wyneb Di
Ym mhob cardotyn gwael
A dysgu'r wers i wneuthur hyn
Er mwyn Dy Gariad hael.'

Gofala fod lle yn y llety, ac wedi i ni agor drysau ein personoliaethau a'n heneidiau ein bod ni'n eu cadw ar agor gydol y flwyddyn. Cofia bawb sy'n wynebu colled neu anawsterau dyrys.

'Pan oeddem ni mewn carchar tywyll, du
rhoist in oleuni nefol.
Halelwia! Amen.'

Gwna ni yn bobl y drysau agored sy'n fodlon rhannu y Nadolig yr wyt Ti wedi rhoi y fraint i ni ei sylweddoli a'i deimlo.

'Daeth Gŵyl y Baban
â gwên nôl i'r byd.
Deuwch, cenwch, clodforwch.
Dewch at eich gilydd
a bloeddiwch ynghyd
fel un, Hale-liwia.'

Er mwyn Dy Enw, Amen.

❖ Rhoddion

Ni allaf fel y doethion
Roi iti roddion drud,
Na phlygu'n ostyngedig
Gerbron dy isel grud.

Ond yn lle'r thus persawrus
I Archoffeiriad nef,
O derbyn di fy moliant
A'm hedifeiriol lef.

Ac yn lle'r myrr i nodi
Dy farw creulon di,
O derbyn yn dosturiol
Fy nagrau chwerw i.

Yn lle yr aur i'r Brenin,
Y trysor mwyaf un,
O derbyn di fy nghalon
Yn rhodd i Ti dy hun.

Ond er na'th welais, Arglwydd,
Ar lin y forwyn wen,
Mi wn mai Ti dy hunan
Yw dwyfol rodd y nen.

Morgan D. Jones

❖ GWEDDI NADOLIG

Tôn: M.20 neu ‘Troyte’

Gynlluniwr y seren fu’n gwenu dros dir
Jwdea un noson yn dyner a chlir,
Tyrd eto i’n harwain dros lwybrau dy fyd
Fel t’wysaist Ti gamre’r tri doeth at y crud.

Greawdwr yr engyl fu’n canu un nos
I’r gwŷr a fugeiliai eu praidd ar y rhos,
Dwg atom genhadu y nef yn barhaus
I sôn am dy gariad mewn dyddiau trahaus.

Gynhaliwr ’r Un bychan ddaeth atom mewn cnawd,
Rho inni faddeuant am wrthod ein Brawd;
Anghofiwn am Fethlem yn nwndwr ein hoes,
A sen rown i’r Ceidwad aeth drosom i’r groes.

Gyfrannwr bendithion, rho ynom y ddawn
I dderbyn awdurdod ein Prynwr yn llawn,
A gweld ein hymddygiad ymffrostgar, di-ras,
Yn ymyl gwyleidd-dra a chariad y Gwas.

Glustfeiniwr gweddïau, rho ddyfnder i’n ffydd,
Ehanga ein cariad at Iesu bob dydd,
A boed i’w dangnefedd wyrdroi dynol-ryw
Gan lanw pob calon â gras wrth gyd-fyw.

Alice Evans

❖ Emyn ar gyfer y Nadolig

Ti Grist, Gwaredwr euog blant y llawr,
Rho ras yn ein calonnau ni yn awr
I blygu ger dy grud ac ufuddhau
Rhag i ti eto ddod a'r drws ynghau.
Nid oedd ond beudy yr anifail tlawd
Yn gartref ar dy gyfer Di, ein brawd.

Bu Moses gynt a'r holl broffwydi cu
Yn sôn amdanat cyn it ddod i'r bri;
Trwy ffydd, bu iddynt arddu cwysau lu –
Eu cenadwri fu'n braenaru'r tir.
Roedd arfaeth fawr y Nef yn ras i gyd
Yn trefnu dy fod Di yn geidwad byd.

Boed i mi yma ger dy fron yn awr
Wrth gofio'r wyrth am rodd y Cariad Mawr
Ymgrymu'n isel wrth dy breseb gwael
Ac addunedu roi i Ti yn hael
Yr aur, y thus a'r myrr a feddwn ni
Yn fechan rodd am dy haelioni di.

W. J. Lewis

❖ Neges y Nadolig

Fwriad Duw i adfer dyn
O'r raen wael, er yn elyn,
Ia, newydd da, dyma'r dydd
Yn ddiau wna'n ddyn newydd.
Bachgen glân yn gân i gyd,
Yn foddion, yn gelfyddyd,
Nefol gân y Baban bach
O'i garu, yn gywirach.

Y dyffryn heno'n deffro
A llorio brad llawer bro,
Mangre hedd o ryfedd rin
Y Bryniau lle mae'n Brenin.
Duw a'i rad, yn Dŵr o hedd
Yn y gwair hir yn gorwedd,
A'i hyfryd wedd geinwedd gu
O'i wylied yn ei wely.

Sgubor lawn a gawn i gyd
A chyd-fyw goruwch adfyd,
Tonnau seintiau yno sydd
Yn gwlwm gyda'i gilydd,
Dyna fel mae dyn i fod
Yn lluniaidd mewn lle hynod.
Iesu ddaeth yn bennaeth Byd
A chafodd bob parch hefyd.

Tomos Richards

❖ Draw tua Bethlem

Draw uwch y ddaear mae cysgod y nos,
Ond yno mae golau un Seren dlos;
Draw uwch y ddaear mae lluoedd y Nef
Yn llawen gyhoeddi ei ddyfod Ef.

Draw yn y ddinas mor llawn ydyw'r tai,
Yn llety'r anifail mae'r addfwyn rai;
Draw yn y ddinas mae Joseff a Mair
A'u baban bach, Iesu, mewn gwely gwair.

Draw ar y bryniau mae'r noson yn fwyn
Ar dawel ffriddoedd y defaid a'r ŵyn;
Draw ar y bryniau mae'r gwylwyr yn syn
Wrth glywed newyddion yr angel gwyn.

Draw dros y twyni mae cwmni ar daith
Yn dilyn y Seren ar siwrnai faith;
Draw dros y twyni brenhinoedd sy'n dod
Ar araf gamelod i ganu ei glod.

Draw tua Bethlem mae toriad y wawr
Ac yno mae'r bore yn foliant yn awr;
Draw tua Bethlem daw'r lluoedd ynghyd
I weld ac addoli Ceidwad y byd.

W. Rhys Nicholas

❖ Carol Nadolig

Mae'r Baban 'anwyd yn y crud
Heddiw yn Geidwad yr holl fyd,
Fe wawriodd y goleuni mawr
'R ôl dyfod Crist o'r nef i lawr.

Ni chafodd Ef ond crud o wair
Yn wely iddo Ef a Mair,
Y llety'n llawn, a seren dlos
Yn taflu'i llewych dros y rhos.

Roedd côr y Wynfa yn gytûn
Yn seinio clod i Fab y Dyn,
Ar waetha'r nos a'r awel lem
Fe dorrodd gwawr ym Methlehem.

Y tri gŵr doeth o'r Dwyrain draw
Ddygodd anrhegion yn eu llaw,
A gweld wrth blygu Geidwad hedd
A thragwyddoldeb yn ei wedd.

Moliannwn mwy ein Ceidwad ni,
Mae'n haeddu clod a pharch a bri;
Ni raid in bellach fod yn drist,
Ein Tad a'n Brawd yw Iesu Grist.

Glyn o Faldwyn

❖ Nadolig

Mae stori y Nadolig yn dal o hyd mewn bri,
A hi yw'r un hyfryta a'r orau gennym ni.

Cyfriniaeth Gŵyl y Geni sy'n destun cân i'r byd,
A hud y Seren Fore yn swyno dyn o hyd.

Mae ateb y bugeiliaid i gais yr engyl glân
A hynod ffydd y doethion yn hyfryd euro'r gân.

Mae'r stabl a'i hamgylchedd a llonydd trwm y nos
Yn troi yn obaith newydd ym mhorth y wawrddydd dlos.

Mae'r alwad eto'n aros i nesu at Ei grud
A chyfle i adnabod y Trysor gwerthfawr drud.

Meurig Jones

❖ Cân y Noswyl

Mae'r stabal heddiw'n adfail
A'r to yn llwch ar lawr,
A'r rhastal lle bu'r gwenith
Yn ddim ond rhwd yn awr.

A thros y Seren lachar
Mae cwmwl yn y nen,
A hud Nadolig Bethlem
Yn awr yn dod i ben.

Ac nid oes praidd yn pori
Ar lechwedd ac ar fryn,
A dim ond sŵn bwledi
I'w glywed erbyn hyn.

A phan ddaw eto'r Noswyl
I Fethlem megis cynt,
A ddaw yr hen hen hanes
I ganu yn y gwynt?

Tudur Dylan Jones

❖ Ganwyd Baban

Daeth y Seren ac fe safodd
Uwch y llety yn y nos;
A'r bugeiliaid syn a welodd
Olau gwyn dros fryn a rhos.
Llawen ganai yr angylion
Am ogoniant yn y nef,
A goleuach y gorwelion
Wedi gwyrth Ei eni Ef.

Mair a Joseff wrth y preseb,
Deigryn cariad ar eu grudd, –
Roedd y gwair yn cuddio wyneb
Mab y Wawr cyn toriad dydd.
Ŷch, heb iau, yn cysgu'n dawel;
Asyn rhydd yn effro'i drem;
Ac yn un â chân yr awel
Canai clychau Bethlehem.

Hon oedd noson wen y geni,
Nos oleua'r byd erioed;
Iesu'n dod a dangos inni
Flodau'r Nef yn ôl Ei droed.
Ganwyd Baban, disglair Faban,
Yn Feseia dynol-ryw;
Ganwyd Baban, ganwyd Baban –
Haleliwia i Fab Duw.

Eirian Davies

❖ Yr Amlenni Coch

Deufis cyn y Nadolig
anfonwyd amlen ac arni eiriau coch
i filoedd lawer drwy'r wlad –
neges Gŵyl yr Adfent:
'Credwn mewn byw cyn marw.'
Nid digon dweud wrth blant y Trydydd Byd
bod bywyd yn eu haros sy'n llawer gwell
y tu hwnt i'r bedd.
Ni chafodd y newynog a dioddefwyr Aids
y fraint o fywyd llawn
cyn ymadael â'r byd hwn.
Diben yr Adfent yw ein paratoi
i gofio geni Crist,
yr Emanŵel –
Duw gyda ni.
Pa fodd y medrwn ni fod gyda Duw
os anwybyddwn
'un o'r rhain ei frodyr lleiaf'
sydd eisiau'r hawl i fyw cyn mynd o'r byd?

❖ Ar Noson fel Heno

Ar noson fel heno
Yng ngwlad Iwdea gynt,
A'r sêr yn llond yr awyr
A'r gaeaf yn y gwynt,
Fe aned yno i'r Forwyn Fair
Ei baban bach ar wely gwair.

Ar noson fel heno,
A'r dref yn cysgu'n drwm,
Fe ddaeth bugeiliaid ofnus
At ddôr y llety llwm;
Ac oddi yno syllu'n daer
Ar wyneb annwyl baban Mair.

Ar noson fel heno,
Dros erwau'r tywod poeth,
O'r dwyrain pell i Fethlem
Fe ddaeth tri brenin doeth
I blygu'n wylaidd yn y gwair
I roddi mawl i faban Mair.

Ar noson fel heno
Cawn ninnau gofio 'nghyd
Am eni, yn Iwdea,
Waredwr mwyn y byd,
A chanwn gân i faban Mair
A aned gynt ar wely gwair.

T. Llew Jones

❖ Ai Gwir yw'r Gair

(Seiliedig ar gerdd gan John Betjeman)

Ai gwir yw'r gair? Ai gwir yw'r gair?
Y stori fwyaf yn y byd,
Y darlun yn y ffenestr liw
O'r Baban yn ei isel grud,
Creawdwr mawr y sêr a'r lli
Yma yn blentyn erom ni?

Ai gwir yw'r gair? Cans os yw'n wir,
Beth yw ein holl brysurdeb ffôl,
A holl rialtwch gwag yr ŵyl,
Y rhoi a'r rhoi er cael yn ôl,
Y paratoi â'r bysedd cu,
Y rhoddion oll a'r cardiau lu?

Beth ydyw cariad teulu hoff,
Neu garol yn yr eira gwyn?
Beth ydyw sain y clychau pêr
Gerbron yr un gwirionedd syn,
Creawdwr mawr y sêr a'r lli
Yn blentyn yma erom ni?

Morgan D. Jones

❖ Cadwn Ŵyl

Cadwn ŵyl i gofio'r Baban
  Yn ei grud ym Methlem dref,
A'r Fendigaid Fam yn gwylio'i
  Phlentyn o dan wenau'r nef;
Cyd-nesawn yng ngolau'r Seren
  Fel y doethion llon eu gwedd,
Ac ymgrymu mewn rhyfeddod
  I addoli T'wysog Hedd.

Cyd-wrandawn ar gôr yr engyl
  Yn rhoi clod uwch bryn a dôl,
Hithau Mair yn suo-ganu
  I'r un bychan yn ei chôl;
Gwyliwn newydd wawr yn ymlid
  Hirnos, i ddatgloi y pyrth
Yn Effrata, fel y gallo'r
  Syn fugeiliaid weld y wyrth.

Awn yng nghwmni'r pererinion,
  Nid yw siwrnai serch yn faith:
Caiff y gweiniaid nerth a nodded
  I gyrhaeddyd pen y daith.
Yno'n llety yr anifail
  Gwelwn anfonedig Duw –
Iesu annwyl, ein Gwaredwr,
  Unig obaith dynol ryw.

T. Elfyn Jones

❖ Y Geni

Mor ddieithr, coeliaf i, fuasai i Fair
A Joseff ein hanesion disglair ni
Am gôr angylion ac am seren, am dair
Anrheg y doethion dan ei phelydr hi.
Ni bu ond geni dyn bach, a breintio'r byd
I sefyll dan ei draed, a geni'r gwynt
Drachefn yn anadl iddo, a'r nos yn grud,
A dydd yn gae i'w gampau a heol i'w hynt.
Dim mwy na phopeth deuddyn – onid oes
I bryder sanctaidd ryw ymglywed siŵr,
A hwythau, heb ddyfalu am ffordd y Groes,
Yn rhag-amgyffred tosturiaethau'r Gŵr,
A'u cipio ysbaid i'r llawenydd glân
Tu hwnt i ardderchowgrwydd chwedl a chân.

Waldo Williams

❖ Dydd Nadolig

Er gwaethaf sŵn y ffair a blys y dyrfa,
Mae'r hen addewid yn parhau yn wir,
A'r 'Mab a roddwyd inni' ar ei yrfa,
A neges y Newyddion Da yn glir;
Os bu Meseia Moses a'r proffwydi
Yn wrthodedig pan yn Faban Mair,
Gwawriodd y bore i weithwyr adael rhwydi
A throi'n bysgotwyr dynion ar ei air:
Mae'n dal i wneud pob diwrnod yn Nadolig,
A throi y nos a'i niwl yn olau dydd,
Gan ddryllio delwau ffôl ein byd canolig,
A'i roddion Ef yw cariad, gobaith, ffydd.
Mae gwefr yr ŵyl yn fyw i brofiad sant,
A gŵyr nad coel flynyddol yw i blant.

D. J. Thomas

❖ Emyn Nadolig

Hwn yw'r dydd i gofio'r geni,
Geni gwyrthiol Crist Mab Duw
Draw ym Methlem o Fair Forwyn
Er mwyn achub dynol-ryw.
Rhown yn awr, deulu'r llawr
Groeso i'n Gwaredwr mawr.

Dydd i wrando'r pêr newyddion
Daenwyd gan angylaidd gôr,
Dydd i ddilyn golau'r seren
Ato Ef dros dir a môr.
Rhown yn awr, deulu'r llawr
Groeso i'n Gwaredwr mawr.

Dydd i uno mewn gorfoledd
Â'r Bugeiliaid wrth Ei grud,
Dydd offrymu gyda'r Doethion
I Fab Mair ein rhoddion drud.
Rhown yn awr, deulu'r llawr
Groeso i'n Gwaredwr mawr.

Dydd a rydd in gyfle newydd
I gartrefu Gair y nef,
Dydd i brofi holl ogoniant
Ei raslonrwydd dwyfol Ef.
Rhown yn awr, deulu'r llawr
Groeso i'n Gwaredwr mawr.

S. Idris Evans

❖ Y Geni

Daeth Gŵyl y Geni yn ei thro,
Fe ganwn ninnau yn ein bro –
Seinio ein mawl â charol lân,
Rhown foliant iddo Ef ar gân.

Ei eni ga'dd yn faban tlawd
Yn ôl y Gair, daeth inni'n Frawd;
Y preseb gwael roed iddo'n grud
A gwisg ei fam i'w gadw'n glyd.

Y tri gŵr doeth a ddaeth o bell
Gan gyfarch Un oedd llawer gwell
Na dim a roddent iddo'n rhodd,
Ei dad a'i fam oedd wrth eu bodd!

Fe gysgai'r baban bach di-nam
Yng nghesail glyd ei annwyl fam;
A'i dad a'i gwyliai na châi gam
Tra chwiliai Herod am y fan.

Yr engyl ganai fawl i'r Iôr,
Carolau pêr dros dir a môr;
Fe ganwn ninnau ar ein taith
I Fethlem dref i ddechrau'r daith.

Canwn garol fach iddo Ef
Am iddo ddod o lendid Nef,
Gan roi ei gariad drud i bawb
Wrth achub rhan y gwan a'r tlawd.

Auronwen P. Williams

❖ Ymson Joseff

Neithiwr, a'r angylion yn nythu
yn y llwydrew ar frigau'r olewydd
gan daenu eu gwyn adenydd
yn wawl hud dros Fethlehem,
yr oedd y baban a aned
i Fair ddiwair, fy nyweddi,
yn fwndel o ddirgelwch.

Canys etifedd daear a nef oedd y mab yn y stabal,
un a gyfunai eithafion byd yn ei berson bach.
Wele'r Iesu yng ngwely'r asyn,
ac ar ei wedd dangnefedd ei Dad
a gwên fwyn egwan ei fam.

Pwy a ŵyr rym y pwerau
yn y bachgen anghenog, cyfoethog hwn,
y cawr yn y preseb cerrig,
y tywysog dan y to isel,
y pendefig gwan a ergydia'r anwir
â gwialen ei enau,
yr un tirion y tawdd y bryniau
ar arch ei wefusau Ef?

Hwn a aned i'r byd y Gwaredwr
yn y dydd gwydn nad ydoedd gydnaws
ag anian baban bach.

A heno mor anodd yw dirnad
bwriadau yr Un a'i hanfonodd:
i fyd a llofrudd ynddo yn disgwyl amdano y daeth.
Mae holl allu'r tywyllwch
yn udo eisoes am waed Iesu.

Y mae milwyr Rhufain ym Methlehem heno
yn strytio drwy'r stryd,
eryrod y Cesar yn erlid colomen y nef;

y mae Rahel hefyd a'i mawr wylofain
yn fraw yn yr awel,
a Herod, y cadno, gan lid yn wallgo'n ei wâl.

A Cheidwad y byd yn ffoadur bach
ar ei ffordd i'r Aifft.

O, ryfedd anrhydedd ac ymddiriedaeth
a ddaeth i Mair ac i mi:
cael meithrin ar ein gliniau y Gair,
ei wylio ar ein haelwyd,
a chael lapio'n cariad daearol yn dynn amdano
rhag ei niweidio gan neb.
O, ddirfawr ryfeddod oedd ein penodi
i'r Un mawr yn rhieni maeth.

Ond wrth deithio heno ar ein siwrnai unig
ar hyd yr uchelder i'r Aifft,
yr ydym yn nerfus gynhyrfus i gyd
ac yn llawn o gynlluniau.
Y mae'r baban hwn i dyfu i fyny,
i fyw.

Ni lwydda yr un offeryn a lunier i'w erbyn ef.
Ni a ddodwn am esgyrn ei dduwdod
raen gofal rhieni,
a'i warchod rhag Herod a'i wŷr;
ni bydd gwewyr na gwae
a drecho Foses y preseb,
y Brenin a feithrinir
ar adain y nef a'n synnwyr cyffredin ni.

Gwynn ap Gwilym

❖ Ysbryd y Nadolig

Tôn: 'Wele Gwawriodd' (Trefniant Alun Davies)

Pan fydd ysbryd y Nadolig
Yn ymledu dros y tir,
Clywir clychau eto'n canu
Ac yn seinio neges glir
Am y geni yn y preseb
Draw yn ninas Bethlehem,
Mair yn suo'r Baban annwyl
Oedd â'r dwyfol yn ei drem.

Cofir am y llu angylion
Â Newyddion Da y nos
Yn ymweled â'r bugeiliaid
Wrth y gorlan ar y rhos;
Hwythau'n mynd at wyrth yr oesau
Yn y beudy yn y dref,
Cyn dychwelyd at y preiddiau
Â llawenydd yn eu llef.

Cofir am y seren ryfedd,
A'i goleuni'n arwain tri
O frenhinoedd at y Brenin
Sy'n rhoi hedd i'n daear ni;
Daethant ato ef â rhoddion,
Aur a thus a myrr yn rhad,
Yna troi ar hyd ffordd arall
I genhadu yn eu gwlad.

Mae yr ŵyl o hyd yn dangos
Y Goleuni gwir i'r byd,
Gan ein tywys o'r tywyllwch
At y Baban yn ei grud;
Yno ganwyd ein Gwaredwr
Yn ôl hen addewid Duw;
Rhoddwn iddo y gogoniant
Am ei ddod i'n plith i fyw.

D. J. Thomas

❖ Na, ni Fum ym Methlem

Ni fûm yng ngwlad Jwdea,
Ni fûm ym Methlem dref,
Ni welais lety'r ychen
Na'r crud lle ganwyd Ef.
Ni welais Mair na Joseff
Na'r baban Iesu ei hun,
Ond 'nôl yr hyn a glywais,
Hwn oedd y tlysaf un.

Ni welais y bugeiliaid
Na'u diadelloedd mud,
Na'r doethion dri o'r Dwyrain
Na'r fintai ddaeth ynghyd.
Ond gwn am stori'r geni,
Mae yn y llyfr mawr,
Mae'n hen gyfarwydd i ni
A'i hadrodd wnaf yn awr.

Tra'n gwylio'u preiddiau llonydd
Rhwng nos a thoriad gwawr,
Daeth engyl ar gymylau –
O'r nefoedd fry i lawr.
Gogoniant i'r goruchaf
Oedd cân yr engyl lu,
'Draw 'mhell yn ninas Dafydd
Mae gweld y baban cu.'
Cewch weld y doethion yno
Yn plygu ar y gwair –
Yn rhoddi eu hanrhegion,
Y myrr, y thus, a'r aur.

Ni fûm yng ngwlad Jwdea,
Ni fûm ym Methlem dref,
Ond gwn yn ôl yr hanes
Mai yno y ganwyd Ef.
Na allem oll fynd yno
A phlygu wrth ei grud,
A diolch o un galon
Am eni Crist i'r byd.

J. Meirion Evans

❖ Carol y Nadolig

Wele fintai o fugeiliaid
  Ar ei ffordd i Fethlehem dref;
Clywsant gân y llu angylion
  Yn ymledu dros y nef.
Maith fu'r disgwyl am ryw frenin
  I fugeilio praidd yr Iôr;
Gwelsant faban tlws mewn preseb
  Wedi nesu at y côr.

Wele driawd o frenhinoedd
  Ar eu rhawd o wledydd pell;
Gwelsant seren yn y dwyrain
  Yn argoeli teyrnas well.
Yr addewid am frenhiniaeth
  Unol oedd yn llawn eu bryd.
Daethant hwythau at y preseb,
  A gweld brenin yr holl fyd.

O na ddeuai eto'n ebrwydd
  Liaws o fugeiliaid syn,
I ymuno â'r brenhinoedd
  I dramwyo'r llwybrau hyn.
Doed y miloedd mwy i ddathlu
  Geni ceidwad aer y nef,
Wedi cyrraedd byd mor dywyll
  O breswylfa lân y nef.

Iolo

❖ Byd Oer Fyddai Byd Heb Iesu

Byd oer fyddai hwn, Iesu,
oni bai i ti ddod iddo gynt
a chynhesu ei stafelloedd digroeso â gwres dy gariad,
yn gartref i blant Duw
ac i blant eu plant:
mae yma chwa gynnes yn aros o hyd
wedi i ti ddod yma.
Byd tywyll iawn fyddai hwn, O Grist,
oni bai i ti osod dy ffenestri ynddo
i dderbyn goleuni dydd,
a rhoi dy lampau yn ei stafelloedd ar gyfer y nos;
yn d'oleuni di y gwelwn pwy ydym,
ac o ble y daethom,
a sut mae byw yma,
ac i ble yr awn ar ôl hyn:
a'r neb a'th welodd di a welodd y Tad.
A thrist o fyd fyddai hwn, Waredwr,
heb dy ddyfodiad llawen di:
gwahoddaist gredinwyr i wledd briodas,
i fod yn llawen gyda'r Priodfab
ar ddydd o lawen chwedl;
maddau inni'n fynych golli'r llawenydd,
fel pe baem heb glywed yr Efengyl,
na chlywed am ei gorfoledd.
Cadw ni, y Brenin Iesu,
rhag i'r barrug ddisgyn ar ein calonnau,
rhag i'r nos dywyllu ein meddyliau,
a dyfod tristwch i'r enaid.
Ble byddi di mae'n gynnes,
mae'n olau, mae'n orfoleddus.
'Yn wir, tyred, Arglwydd Iesu.'

R. Gwilym Hughes

❖ Brenhinoedd o'r Dwyrain

Ni, dri doeth o'r Dwyrain dir,
Gyda rhoddion teithiwn yn hir
Faes a gweunydd, ffrwd a mynydd,
Gan ddilyn seren glir.

Cytgan – *O! seren hynod, seren nos,*
Seren sy'n frenhinol dlos,
Cawn dy ddilyn i'r Gorllewin,
At y Gwir Oleuni, dos.

Melchior:
Ganwyd Crist ym Methl'em i ni,
Dygaf aur i'w goron o fri, –
Fyth yn Arglwydd yn dragywydd,
Brenin ein bywyd ni. *Cytgan*

Caspar:
Rhoddaf thus yn offrwm byw,
Tarth y sanctaidd Dduwdod yw;
Gweddi, moliant, pawb a ganant
Wrth ei addoli'n Dduw. *Cytgan*

Balthasar:
Cymer fyrr; ei arogl sur
Dd'wed am fywyd llawn o gur,
Tristwch garw, gwaedu, marw,
Caethwied bedd mewn mur. *Cytgan*

Cododd i'w Ogoniant o'r byd, –
Brenin, Duw ac Aberth mor ddrud.
'Haleliwia' medd y nefoedd,
'Haleliwia' medd byd. *Cytgan*

J. Henry Hopkins, cyf. Carey Jones

❖ Nadolig

Ein Prifwyl annwyl yw hi
A ddeil yn ŵyl addoli;
Daw â'i galwad a'i golau
A'i llu nef i'n llawenhau.

Fe ddaeth rhestr o wŷr estron
O ryw wlad ar yr ŵyl hon:
Doethion syn ar fryn, ar frig,
Yn efrydwyr chwilfrydig.

Cu ŵyl yw yn cynnau clod
Y diddanol dyddynnod:
Di-ail naws, dawel noson,
Ddaw â'r gras i'r ddaear gron.

Y Mab yw, Gem y byd,
Daw â hedd a dedwyddyd!
Lle nad oedd ond celloedd cudd
Yr Haul ddaeth i'r heolydd!

Ble ceir bachgen amgenach
Yn y byd na'r Baban bach, –
Un bach o fewn cadachau
A gwiw Ffydd yn ei goffáu.

Tomos Richards

❖ Carol Nadolig

Brysiwch bawb i Fethlehem,
Dewch i weld rhyfeddod,
Baban bach mewn gwely gwael,
Unig Fab y Duwdod.

D'wedodd y proffwydi gynt
Ei fod Ef ar ddyfod,
Wele'r anfonedig rodd,
Unig Fab y Duwdod.

Ymgnawdoliad yw o'i Dad,
Ganddo fe gawn wybod
Mai Gwaredwr ydyw ef,
Unig Fab y Duwdod.

Gorffwys ar y Sanctaidd Un
Ysbryd gras a chymod,
Llawn doethineb nefol yw
Unig Fab y Duwdod.

Plygu i'w addoli wnawn,
Gan gyffesu'n pechod,
Yn y crud mae Ceidwad Byd,
Unig Fab y Duwdod.

Carey Jones

❖ IESU Y SEREN

(Carol; Tôn: 'Schubert')

Ar draws yr anialwch yn rymus o draw
Ymdeithiai plant Israel, a llwydd ar bob llaw;
A Balaam, Weledydd, o'i wlad gafodd wŷs
I ddod a melltithio'u minteioedd ar frys:
Ond gwelai yn codi ryw ddydd Seren wiw
A methodd roi melltith ar ben pobl Dduw.

Ymdeithio wnâi doethion ymlaen dros y paith
Gan wybod bod Seren ar derfyn eu taith;
Brenhinoedd o'r dwyrain yn teithio mewn brys
 golud cenhedloedd, yn aur ac yn thus,
I'r baban mewn preseb, y Seren wen dlos,
A'r golau'n ei wyneb yn ymlid y nos.

Yr Arglwydd i'w deml yn faban a ddaeth,
Cyffroi holl feddyliau'r lle sanctaidd a wnaeth:
Simeon a welodd ddydd mawr ei ryddhad,
Ac Anna, broffwydes, a daenai'i fawrhad.
Y duwdod yn wyneb y baban ei Hun
A Seren y Bore yn rhodd i bob un.

Ac yntau'n y deml yn fab deuddeg oed,
Fe wyddai mai hon oedd ei gartref erioed.
Er tybied ei golli, a'i geisio cyhyd,
Fu neb 'rioed yn sicrach o'i rawd yn y byd:
Fe dyfodd mewn maint a doethineb a ffydd, –
Y Seren ddisgleiriai yn loywach bob dydd.

Er weithiau ei golli yn nüwch y byd,
Mae'n aros, heb gilio, yn ei unfan o hyd:
Mae'n aros uwchben llety llwm teulu'r nos
Yn Seren Dynolryw, oleulon a thlos.
Gan edrych ar Iesu ymdeithiwn mewn ffydd,
Nes codi'n ein calon y Glaer Seren Ddydd.

Haydn Davies

❖ Wedi'r Ŵyl

Am ennyd fer bu cân angylion Duw,
Mor bêr eu clod, yn torri ar ein clyw,
Ond eisoes mygwyd cri'r goleulon lu
Gan grawc aflafar cerddi'r ddaear ddu.

Am ennyd fer bu golau'i seren Ef
Yn gwahodd eto draw i Fethlem dref,
Ond toc ymledodd cwmwl pechod hyll
I dduo'r nen a'n gadael yn y gwyll.

Am ennyd fer bu'r Baban yn ei grud,
Y Duw-ddyn bach, yn ben rhyfeddod byd,
Ond buan wedi dathlu'r geni glân
Y troesom eto at ein delwau mân.

O maddau, Arglwydd, ein hysbeidiol ffydd,
Yn glasu ac yn gwywo yr un dydd,
A rho i ni trwy gydol blwyddyn gron
Feunyddiol brawf o'th ddyfod dan ein bron.

Morgan D. Jones

❖ Ein Nadolig

Seiniwn y clychau o'r newydd
　I gofio ei ddyfod Ef,
Bloeddiwn ystori'r Geni
　Ar draws eangderau'r nef.

Dyblwn y gân a'r cytganau
　I adfer hyder a gwên,
Mae'r grymoedd a grynodd gread
　O hyd yn ein Dolig hen.

Ond heno ynghanol y miri,
　Ffwndwr marchnad a ffair,
Rhowch i mi allor a channwyll
　I'w chynnau heb dorri gair.

O. T. Evans

❖ Carol Nadolig

Ti, Dduw yr holl genhedloedd,
Sy'n edrych arnom 'nawr
Yn nüwch yr erchylltra
Sy'n bygwth daear lawr;
Rho ymwybyddiaeth newydd
I bawb, o bob rhyw dras,
Mai cariad at ein cyd-ddyn
Yw gwir ffynhonnell gras.

Ti, Dduw yr holl genhedloedd,
Sy'n ein gwylio ni a'n poen,
Ar adeg geni'n Ceidwad,
Rho eto i ni hoen,
Ac ymwybyddiaeth newydd
Mai ti sydd wrth y llyw,
A rhaid i ninnau blygu
I'r gwir a'r bywiol Dduw.

Ti, Dduw yr holl genhedloedd,
Gwna ni yng Nghymru'n UN,
Boed i ni weld yn gwawrio
Y 'Gymru ar dy lun';
Ar ddiwrnod geni'r Ceidwad,
A ddaeth yn faban gwiw,
Boed atsain cân a moliant
Yn beraidd yn ein clyw.

Ti, Dduw yr holl wareiddiad,
A'th rodd o ryddid pur,
Maddeua ein camddefnydd,
A'n hanufudd-dod sur;
Ar ddiwrnod geni'r Ceidwad,
Rho i ni newydd wedd,
A chalon lân agored
I dderbyn balm dy hedd.

Nia Rhosier

❖ Carol y Nadolig

Llewyrched y dwyfol oleuni
I ymlid cysgodion yr hwyr
Fel cynt ar hyd maes y corlannau,
A chilied ein hofnau yn llwyr
Wrth wrando'r newyddion gan luoedd y nef
Am Fab y Goruchaf ym Methlehem dref.

Rhyfeddod a lanwo ein calon,
Boed moliant fel ymchwydd y môr
I'r neges o'r nefol drigfannau
Am ras gwaredigol yr Iôr;
Ein Dyddiwr mewn preseb, y Duwdod yn ddyn
I adfer dynolryw i'w ddelw ei Hun.

Cynydder y mawl i'r Gwaredwr
A llafar fo'n genau i'w glod,
Gadawodd ei Orsedd dragwyddol
A'i eni mewn annedd ddi-nod;
Trwy rym ei awdurdod a rhinwedd ei waed
Daw dydd rhoi coronau y byd wrth ei draed.

T. Elfyn Jones

❖ GWROGAETH A DALWN

Gwrogaeth a dalwn i Grëwr ein byd,
Ac Awdur ei frith greaduriaid i gyd;
Uchafbwynt a champwaith ei gread yw Dyn
A luniwyd gan Dduw ar ei ddelw a'i lun;
Darganfu yn Eden baradwys wir hardd,
Ac yna ei cholli yng nghodwm yr ardd,
Can's torrwyd y cwlwm rhwng dynion a Duw,
Pan lygrwyd dynolryw gan bechod a'i friw.

Cyfamod o'r newydd, medd proffwyd, a wneir,
O bren crin y boncyff blaguryn a geir,
A changen addawol a gyfyd o'r gwraidd:
Cyff Jesse rydd eto Ben-bugail i'r praidd,
A hen ddinas Dafydd, er lleied ei maint,
Yn ddinas frenhinol drachefn – y fath fraint!
Can's yno y genir Gwaredwr y byd,
Crist Iesu, cyflawnder yr oesau i gyd.

Mor amrwd ei breseb ac isel ei stad,
A Herod yn unben ar fywyd y wlad;
Er hynny, fe gafodd ar fynwes ei fam
Lochesu rhag dichell a'i gadw rhag cam;
I'r stabal daeth atynt o'r meysydd gerllaw
Y gwylaidd fugeiliaid mewn arswyd a braw,
A hwythau'r seryddion, gan ddwyn offrwm drud
Yn deyrnged haeddiannol o amgylch ei grud.

Prif fyrdwn ei neges pan dyfodd yn ddyn
Oedd Duw yn teyrnasu ar fywyd pob un,
Boed bonedd neu werin, boed satyr neu sant,
Yr un oedd ei bwyslais, gan daro'r un tant;
Estynnai drugaredd i'r truan a'r gwan,
A cherydd yn llym i'r trahaus ymhob man,
Heb flewyn ar dafod fe heriodd bob drwg,
Heb geisio gwên dynion nac ofni eu gwg.

Nid dedfryd gan Peilat na Chaiaffas ’chwaith
A bennodd ei dynged ar ddiwedd y daith,
Ond dwyfol ragluniaeth a drefnodd mai’r groes
A ddwg fuddugoliaeth ar bechod pob oes;
Mor flin fu’i ddioddefaint ar drostan o bren,
Mor bigog y ddraenen yn bleth ar ei ben;
Ond coron y cyfan, a sylfaen ein hedd,
Yw gwyrth atgyfodiad Crist Iesu o’r bedd.

Maurice Loader

❖ Rhosyn y Nadolig

Ganwyd Baban yn y preseb
Pan oedd sêr y nos ar dân
A’r bugeiliaid ar y moelydd
Dan gyfaredd nefol gân.
Rhosyn Saron oedd ei enw,
Gwridog oedd, a theg o bryd,
Ef yw Rhosyn y Nadolig
A blannodd Duw yng ngardd ein byd.

Ond dwylo dynion a’i hysigodd,
Sarnwyd harddwch brau y rhos,
Gwreiddyn Jesse a erlidiwyd,
A chanol dydd fel hanner nos.
Hoelio’r rhosyn gyda’r ddraenen
I wywo’n swp ar frest y Groes;
Gwyn betalau, o dan felltith,
Yn ddiferion gwaed a droes.

Taflu’r tegwch bach toredig
I bridd y bedd mewn dieithr ardd;
Ond bywhau a wnaeth y blodyn
A blaguro eto’n hardd.
Codi ei ben at haul y Nefoedd,
Ac edrych fry â siriol wedd;
Rhosyn y Nadolig ydyw,
Y Rhosyn byw sy’ n fwy na’r bedd!

❖ Gwaith y Nadolig

Y mae gwaith y Nadolig yn dechre
pan ddaw dydd Nadolig i ben,
pan fydd Santa 'di throi hi am adre
a'r goeden yn ddim byd ond pren;

Pan fo'r tinsel yn saff yn yr atic
yn angof mewn dau neu dri blwch,
y cyfarchion a'r cardie 'di llosgi
ac ysbryd yr ŵyl yn hel llwch.

Bryd hynny y mae angen angylion
i dorchi'u hadenydd go iawn,
a bryd hynny mae angen lletywyr
all 'neud lle er bo'r llety yn llawn.

Yr un pryd mae galw am Fugail
i warchod y defaid i gyd,
fel mae galw am ddoethion a seren
i egluro tywyllwch y byd.

Mae 'na alw am gast drama'r geni
drwy'r flwyddyn i weithio yn gudd,
am fod gwaith y Nadolig yn anodd –
yn ormod o waith i un dydd.

Mererid Hopwood

❖ Canlyn y Golau

'Rôl oedfa'r hwyr ym Methlehem
A golau'r Gair yn gry',
Mor groes oedd cael fy hunan
Yn ddall ym mhorth y Tŷ:
Ond yna, wele gyngor
I beidio edrych lawr,
Ond canolbwyntio golwg
Ar olau – i'r Ffordd Fawr.

A hyn heb oedi wneuthum
Yn ostyngedig-hy,
A chael fod golau Bethlem
Yn treiddio'r gaeaf du:
A dyna'n anad undim
'Roes im Nadolig gwyn,
Cael haul y Dydd yn esgyn
A'r Seren Fore 'nghyn.

D. Gerald Jones

❖ Atgofion Hen Fugeiliaid

Y mae'n dal i fod yn destun rhyfeddod
fod rhai fel ni wedi cael rhan yn y stori,
Ni, yn ddim mwy na gwerinwyr bach cyffredin,
Bugeiliaid yn meindio'n busnes
ac yn gwarchod yr ychydig ddefaid,
fel ein tadau a'u tadau hwythau.
Digon hawdd deall fod lle i'r doethion,
am mai nhw gafodd weld y seren –
wedi'r cwbl, y nhw oedd y sêr-ddewiniaid,
yr ysgolheigion, a chyfoethogion at hynny.
O ble y daeth yr aur a'r thus a'r myrr?
Dyma drysorau tu hwnt i boced llanc o fugail,
pethau nad oedd i'w cael am geiniog a dimai
ar stondinau Bethlehem ar ddiwrnod ffair.

Na, ddangoswyd mo'r seren i ni.
Ond fe welsom ni rywbeth mwy llachar fyth –
Angel o'r nef yn disgleirio nes goleuo'r nos
am dri o'r gloch y bore.
Yr oedd ambell fellten yn bethau digon cyfarwydd,
Ond yr oedd hwn yn rhywbeth cwbl ddiarth,
digon â chodi'r cryd ar fugeiliaid gwydn,
heb sôn am darfu'r defaid.
Roeddem yn ddigon cyfarwydd â'r cadno
yn glafoerio ger y gorlan wrth arogleuo oen ffres,
ac wedi hen arfer â'r eryr yn llygadu'r mamogiaid.

Ond peth arall oedd angel.
A does ryfedd yn y byd
i ni feddwl yn hir cyn dilyn hwn
a'n hudo gan ei gôr.
Y defaid hyn oedd ein bywoliaeth,
ein bara menyn beunyddiol,
a gwae i ni esgeuluso hynny;
Ac ni fyddai yn iawn i'w gadael ar drugaredd
y cadno a'r eryr a'r cynrhon.

A pheth arall, os oedd brenin wedi ei eni
yna braint brenhinoedd a doethion
yn eu sidanau a'u peraroglau
oedd talu gwrogaeth i'r aer bach newydd.
Nid dyna'r lle i lanc o fugail yn ei ddillad gwaith
yn drewi o gaglau defaid a bishwel.

Do, bu inni feddwl ddwywaith
cyn i gân yr angel ein llorio
ac inni ymuno yn y côr a chanu'r holl ffordd at y crud,
a chael ein hunain yn y beudy
yn ôl yn arogleuon cyfarwydd y bishwel a'r caglau,
A llawenhau fod hwn yn lle i fugail wedi'r cyfan,
Yn enwedig o gofio inni weled Oen newydd anedig Duw
yn y gwellt.

A daeth y noson honno'n fyw i'r cof
y prynhawn Gwener hwnnw
wrth inni weld hen gwmwl du draw i gyfeiriad Jerwsalem;
Ac erbyn tri o'r gloch aeth canol dydd megis canol nos.
Nid oedd rhaid wrth olau seren na chân angel
inni ddeall fod yr Oen wedi ei ddallu
gan yr eryr oedd â'i nyth mor bell,
a'i ysglyfio gan y cadno oedd â'i ffau mor agos.

Meirion Evans

❖ Galw mae'r Clychau

Mae clychau y Nadolig
 Yn galw pawb ynghyd
I ddathlu genedigaeth
 Meseia mawr y byd;
Unigryw oedd y seren
 Lewyrchodd uwch ei grud;
Gwahanol oedd yr anthem
 Wrth sôn am drysor drud.

Diolchwn am ei gariad
 Sydd beunydd yn parhau,
Tra pery sain y clychau
 Rhown ddiolch yn ddiau.
Y gân am wyrth Y Geni
 Ymledo ar ei rhawd
Fel y canfyddo pobloedd
 Fod dyn i ddyn yn frawd.

Ar alwad y pêr glychau
 I Fethlem awn yn llon
Gan gynnig ein calonnau
 I Grist y flwyddyn hon.
O boed i naws Nadolig
 Ledaenu drwy'r holl fyd,
Gwir heddwch fo'n teyrnasu
 Yn rymus iawn o hyd.

Helen Trisant

❖ Bore Nadolig

Ar fore fel hyn y daeth Iesu i'r byd,
Ar fore fel hyn daeth yn faban i'w grud;
Bugeiliaid a doethion benlinient yn syn
Wrth weld y rhyfeddod ar fore fel hyn.

Dros rywun fel fi yr aeth Iesu i'w groes,
A thros rywun fel fi mor fer fu ei oes,
Yn ieuanc ddiniwed ar fryn Calfarî
Dioddefodd fy Iesu dros rywun fel fi.

Fe ddyrchafaf ei glod – fy Arglwydd a'm Duw,
Fe ddyrchafaf ei glod tra byddaf fi byw,
Wrth geisio cyflawni holl reswm fy mod
Gyda'r lluoedd angylion dyrchafaf ei glod.

Tecwyn Owen

❖ Mae Gwell

Da ar ŵyl y Geni
cael pobl yn ceisio Duw.
Rhagorach
cael Immanuel, Duw gyda ni.

Aur, thus a myrr –
Anrhegion ger y preseb.
Gwerthfawrocach
y trysor yn y crud.

Bugeiliaid gyda gofal
yn gwarchod eu praidd liw nos.
Tynerach
gafael Mair o'i phlentyn yn ei chôl.

Disgleirdeb gogoniant llu'r nef
yn goleuo bryniau Bethlehem.
Goleuach
fflam egwan llusern llety'r anifail.

Rhyfeddod neges yr angylion –
*'Gogoniant yn y goruchaf i Dduw,
ac ar y ddaear tangnefedd ymhlith
dynion sydd wrth ei fodd.'*

Rhyfeddach
cri'r baban yn cymodi'r byd.

Grym casineb yn cythruddo Herod
a holl Jerwsalem gydag ef.
Grymusach
cariad yr un bychan a ddaeth i'n plith.

Da ar ŵyl y Geni
cael pobl yn ceisio Duw.
Rhagorach
cael Immanuel, Duw gyda ni.

❖ Ymladd ym Methlehem

Nid y bugeiliaid wrth eu meysydd
yn dilyn seren
at frenin heddwch heddiw,
ond bomiau a thanciau
yn gwarchod cyrion Bethlehem.

Teuluoedd heb ddim
yn gaeth yn eu cartrefi nid ar daith,
dan warchae rhag cael eu saethu
ar y strydoedd.

A Christ
yr hen deithiwr
ar hyd y meysydd hyn
yno yn amlwg yn ei breseb drachefn,
gan fod hwn eto
yn ddydd pan nad oes lle yn y llety,
a gwarchae ar y gwir.

❖ Cysurwch, Cysurwch fy Mhobol

Carol Plygain

Cysurwch, cysurwch fy mhobol, a bloeddiwch:
    Fe dorrodd y wawr, wedi oedi mor hir;
I werin dan orchudd y fagddu fe roddwyd
    Cipolwg ar lewyrch o Fethlehem dir:
Y forwyn feichiogodd, ar faban esgorodd,
    Imanwel a anwyd, 'mae Duw gyda ni';
Cynghorwr rhyfeddol y'i gelwir, Tad bythol,
    Tywysog heddychlon, Duw cadarn o fri.

'Mawrygaf yr Arglwydd,' medd Mair wynfydedig,
    'Am wneuthur ohono fawr bethau i mi,
Gwasgarodd wŷr talog a'r beilchion eu calon
    A diosg t'wysogion o'u gorsedd a'u bri.
Grymuster ei freichiau sy'n cynnal ein beichiau,
    Dyrchafodd Duw Iôr y rhai isel eu stad,
Gan yrru'r cyfoethog o'i ŵydd yn anghenog
    A llwytho'r newynog â'i roddion yn rhad.'

Ym Methlem cyflawnwyd addewid yr oesau:
    Daeth Iesu i lwyfan helbulus ein byd;
Er gwaetha'r bygythiad gan Herod a'i giwed
    Y Baban a orfu, er ised ei grud.
Daeth gwerin cymdogaeth i dalu gwrogaeth,
    A doethion o hirbell â'u haur, thus a myrr;
Addewid Duw graslon sydd ddiogel a chyson,
    Ei air nid yw wamal, ei amod ni thyr.

'Er cwymp a chyfodiad i lawer yn Israel'
    Aeth Iesu â'i neges o bentref i dref;
Fe gwympodd rhagrithwyr dan fflangell ei gerydd,
    A chodwyd trueiniaid o'r ffos gan ei lef.
Ei air oedd angerddol, ei wyrthiau yn nerthol,
    Ac ildiodd disgyblion i gri'r alwad fawr;
Roedd yntau'n synhwyro fod rhywrai'n cynllwynio,
    Fod croes ar y gorwel, a dyfod ei awr.

Dwy deyrnas fu'n brwydro ar ben Bryn Calfaria:
  Llu Cesar yn herio holl rym teyrnas nef;
Fe hoeliwyd y Gwas Dioddefus ar groesbren,
  Ond un a orchfygodd, a Iesu oedd ef!
I'r Arglwydd rhown foliant, a seiniwn ei haeddiant,
  Mewn carol o fawl i arloeswr ein ffydd;
Y gelyn a drechwyd, can's Iesu a godwyd
  O'r bedd a'i dywyllwch i wawr Trydydd Dydd.

Maurice Loader

❖ Y Nadolig

Beth yw ystyr y Nadolig
I'r newynog ar ei rawd?
Glywir carol yn yr Affrig,
Seinir tant ar fant y tlawd?

Beth yw ystyr y Nadolig
Pan arlwyir gloddest lawn,
Wrth anghofio'r difreintiedig
Llwm ei faes 'rôl colli'r grawn?

Beth yw ystyr y Nadolig
Heddiw'n sŵn y brwydrau lu,
Troi'r rudd arall yn hwyrfrydig,
Ffrwydro bomiau erch eu rhu?

Collwyd ystyr y Nadolig,
Diffodd wnaeth y seren wen,
Am fod Iesu'n wrthodedig,
Am fod Herod yma'n ben.

D. Hughes Jones

❖ Y Pethau Prin

Y Nadolig hwn, rhown ddiolch
am y pethau prin, disglair, tawel
fel sêr main yn cuddio'n swil mewn
canghennau gwyrddion
yn codi chwant am lonyddwch ynghanol y
trwst traddodiadol tinselog.

Y pethau prin hynny sy'n synnu bob tro
yn ein cymell i gredu mewn dyddiau gwell,
llythyr a ddaw o bell â newyddion da,
gwên ddigymell o wyneb gwg ar stryd wlyb
yn llond ei hafflau o barseli diflas y gorfod
prynu gwyllt.

Y pethau prin hynny sy'n gwneud i ni gofio
am heulwen a phethau ffôl felly yn nwfn
hirlwm gaeafol,
y disgwyliad pur ar wyneb un bach,
wrth gyfri'r dyddiau
a chofio mai gwynt nerthol sanctaidd
hollalluog
gipiodd ei ddeisyfiadau taer
at dad y Nadolig yn chwerthin i'w farf.

Elinor Wyn Reynolds

❖ SIOPA NADOLIG

Ardal yn llawn prysurdeb
Miri nawr, ni siomir neb
Yn fan hyn, caiff pawb fwynhau
Yr ŵyl yn sŵn carolau.

Y mae'r plastig yn ddigon
Yn eu llaw i'w gwneud yn llon,
Nadolig yn eu dwylo
Ac mae'r byd i gyd o'i go'.

O ganol eu digonedd,
Nid yw hyn yn dod â hedd,
Nid yw iaith creu braw a dig
Yn deilwng o'i Nadolig.

Er i'r plant a'u presantau
Yn llawn hwyl ein llawenhau,
Mae Anrheg yr anrhegion
Heb wely'n y llety llon.

Beti-Wyn James

❖ Gŵyl Nadolig Crist

Tôn: 'Wele'n gwawrio'

Gŵyl Nadolig y Mab unig,
anfonedig gan Dduw Dad,
awn hyd Fethlem, canwn anthem,
diolch 'ddylem uwch pob brad;
daeth y Crewr a'r Cynhaliwr
yn Waredwr i'r holl fyd:
awn mewn hyder gyda gwylder
at Ryfeddod Nêr mewn crud.

Gŵyl y Geni 'ddaeth i'n llonni,
ac i'n codi'n blant i Dduw;
er ein pechod a phob gwrthod,
trwy'i gyfamod byddwn byw;
i'r Mab annwyl ar ei Ddygwyl
rhoddwn breswyl iddo 'nawr; –
croeso calon, nid croes greulon
ddwg acenion Nef i lawr.

Gŵyl y Gobaith i'r ddynoliaeth:
genedigaeth Iesu glân,
fe ddaeth atom, marw drosom
i fyw ynom: – seinier cân
fry i'r nefoedd yn oes oesoedd,
doed cenhedloedd ag un llef;
ni bydd tristwch na thywyllwch,
daw brawdgarwch lle bydd Ef.

Tudor Davies

❖ Carol Nadolig

Na foed telyn ar yr helyg
Nac un tafod heddiw'n fud
Rhag clodfori enw'r Iesu
Ddaeth yn faban bach i'r byd;
Ym mhreswylfa'r gwaredigion
Sant a seraff sydd yn un
Yn cyhoeddi newydd eni
Ar y ddaear, Geidwad dyn.

Bu proffwydi a salmyddion
Yn hiraethu am y dydd, –
Dydd cyflawni addewidion,
Dydd o ras i'r caeth a'r rhydd;
Ac ym Methlehem Effrata,
Yng nghyflawnder amser Duw,
Trwy ufudd-dod Mair y Forwyn
Daeth Gwaredwr dynol-ryw.

Doed minteioedd yn ddiorffwys
I gael gweld y wyrth a wnaed,
Gan ddyrchafu enw'r Arglwydd
Ac ymostwng wrth ei draed;
Tuag yno teithiwn ninnau
Ar yr ŵyl dan wŷs y Nef,
Nid yw'r ffordd ymhell o unman
Yng ngoleuni'i Seren Ef.

T. Elfyn Jones

❖ Carol y Geni

Mae angylion yn y bryniau,
Peraidd gân ar awel nos,
Arswyd ddaeth i fron bugeiliaid, –
Dieithr heno erwau'r rhos.

Yn y preseb draw ym Methlem,
Baban bach, Gwaredwr byd;
Twrw stwrllyd yn y llety,
Gwartheg tawel wrth y crud.

Yn y dwyrain pell bu seren
Ddenodd fryd y doethion, dri:
Llachar lwybrau a'u tywysodd, –
Heno, safodd uwch y tŷ.

Carem ninnau gyrchu yno,
Wrth ei draed, ei foli Ef:
Uno gyda'r holl finteioedd,
Llwythau'r ddaear, engyl nef.

Cyril Williams

❖ Carol Nadolig

Tôn: 'Hereford'

Mae'r clychau'n canu eto'n glir
Ar adeg y Nadolig;
Fe anwyd inni Geidwad pur,
Yr Iesu bendigedig.
Anfeidrol Dduwdod yn y cnawd,
Cyflawnder y cyfamod,
Ac yntau yn ei breseb tlawd
A'r wyryf yn ei warchod.

Angylion ganodd neges ddrud
Yn dyner ar yr awel;
Bugeiliaid aethant at y crud
I blygu yno'n dawel.
Rhyfeddol oedd y nefol wyrth,
Digymar oedd eu syndod
I weld yr Oen a aeth yn fud
I'r lladdfa dros ein pechod.

Yng ngolau'r seren gyda'r hwyr
Daeth doethion â'u hanrhegion
I foli'r baban tlws a ŵyr
Yn llwyr ein holl anghenion.
Doethineb Duw mewn rhychwant bach,
Difesur yn ei fawredd,
A thros ei gawell cysgod croes
O'r dechrau fu yn gorwedd.

Nid bellach ar ei wely gwair
Ond ar ei gadarn orsedd
Y gwelir dwyfol Faban Mair,
Yn haeddu pob anrhydedd.
Mae'r clychau'n canu eto'n glir
Ar adeg y Nadolig;
Gogoniant, clod a moliant gwir
I'r Iesu bendigedig.

Pat Turner

❖ Daeth Iesu'n Waredwr i'r Byd

Cenir ar 'Cân yr Adfywiad Newydd'

Y mae'r clychau yn canu yn glir ym mhob man,
Daeth Iesu'n Waredwr i'r byd;
Daw doethineb i'r ffôl a daw cryfder i'r gwan,
Daeth Iesu'n Waredwr i'r byd.

Byrdwn:
Daeth Iesu'n Waredwr i'r byd,
Daeth Iesu'n Waredwr i'r byd,
Gwrandewch gân yr angylion, rhowch glod iddo Ef,
Daeth Iesu'n Waredwr i'r byd.

Wele ddoethion yn dod ar gamelod yn awr,
Daeth Iesu'n Waredwr i'r byd,
Daw'r bugeiliaid i Fethlehem a'u gobaith yn fawr,
Daeth Iesu'n Waredwr i'r byd.

Ac fe ledodd y newydd, atseiniodd y gân,
Daeth Iesu'n Waredwr i'r byd,
Achubwyd llaweroedd, daeth eu bywyd yn lân,
Daeth Iesu'n Waredwr i'r byd.

A chyhoedder y newydd, mae'n wir fel erioed,
Daeth Iesu'n Waredwr i'r byd;
Gogoneddus yw'r gobaith yn awr i bob oed,
Daeth Iesu'n Waredwr i'r byd.

W. Rhys Nicholas

❖ Seren y Geni

Y mae'r Mab eto'n faban,
mae ei air yn nhonnau'r môr.
Mae seren arall allan,
ac mae'r byd i gyd yn gôr.

Yng ngolau'r llu angylion,
hyd yr eitha, dawnsia di;
yna dos yr un noson
i ti weld ei siarad hi.

Dos yn nes at ei breseb,
dyro gân i'r bychan byw.
Heno, sbïa'n ei wyneb
ac fe gei di wyneb Duw.

Os ei di i gôr y stori
at yr ŷch, i fwrw trem,
fe fydd seren y geni'n
fythol wyn dros Fethlehem.

Mari Lisa

❖ Canwn yn Llon

Bu disgwyl amdano, a'r disgwyl yn hir,
A phatriarch a phroffwyd yn gweled yn glir
Y gwreiddyn o Jesse, Mab Dafydd i'n byd;
Yr Oen a gymerodd ein gwendid i gyd.

Cytgan
O! canwn yn llon,
Fe gafwyd y Tlws;
Mae bore'r Nadolig
Yn awr wrth y drws.

Aeth Ioan o amgylch â'i fedydd o ddŵr,
Blew camel yn hongian am lwynau y gŵr;
Ar fêl a locustiaid, mewn anial, bu'n byw,
A'i bregeth yn addo Gwaredwr o Dduw.

Fe ddaeth y Gwaredwr a cherddodd trwy'r wlad
I sôn am y Deyrnas sy'n eiddo i'w Dad.
Gwasgarai amheuon, fe leddfai bob loes
Ac wedyn fe'i hoeliwyd un dydd ar y Groes.

Ond er iddo farw, mae'r Iesu yn fyw,
A'i sedd ar ddeheulaw Jehofa ein Duw,
Ac er iddo esgyn o'n golwg i gyd,
Mae'i ysbryd yn rhodio ymhobman o hyd.

❖ Bethlehem

Y mae Ceidwad wedi'i eni;
Gwared mae
Euog rai, –
Dyma Air i'n llonni.

Mwyn fugeiliaid Bethlem glywsant
Nefol gôr
Engyl Iôr,
Yno'n dweud 'Gogoniant!'

Y mae Seren yn goleuo
Bethlem dref
Iddo Ef
Yn ei breseb heno.

Wrth ei golau fe ddaw doethion
At ei grud:
Aur mor ddrud,
Thus a myrr yn rhoddion.

Nef a daear sydd yn moli
Duw mewn cnawd!
Iesu'n Frawd!
Plygwn i addoli.

Dewi Evans

❖ Gyda'r Doethion

Awn at Iesu gyda'r doethion
I ryfeddu wrth y crud;
Ein heneidiau a ystwythwn
A chawn awel arall fyd.
Deued arnom
Wrid ei iachawdwriaeth Ef.

Awn at Iesu gyda'r doethion
I offrymu wrth y crud;
Rhown o'n gorau, rhown yn brydlon,
Rhown o'n calon yno 'nghyd.
Ein huchelgais
Fo ymdreulio yn ei waith.

Awn at Iesu gyda'r doethion
I ddeisyfu wrth y crud
Am y nerth i rodio'n wrol
Briffordd cariad ar ei hyd.
Ei Efengyl
A'n gwefreiddio ni bob un.

Edward Williams

❖ Hen Stori

Er gwaetha'r byd, mae hi'n hen, hen stori:
  Tiwn gron sy'n cyniwair trwy'r greadigaeth faith;
Y stori am griw o fugeiliaid rhynllyd
  Yn gwrando ar eu defaid ryw hen noson laith.

Roedd Duwdod ar fin dod i'r byd mewn stabal,
  A'i fam yn ei hartaith ar dipyn o wely gwair;
Pan ddaeth o, fe'i rhwymwyd yn dynn mewn cadachau,
  A'i roi yn y mansiar wnaeth y wyrthiol Fair.

Roedd angylion Iddewig yn ymuno'n y dathlu,
  Gan fflio'n sgwadronnau yn entrych nen,
A chlamp o seren fawr ar eu hadenydd,
  I'w lansio i derfysg yr awyr uwchben.

Rhoddodd un angel waedd o berfeddion y ffurfafen,
  Gan fethu dal heb ddweud y newydd mawr,
A phwy oedd yn clywed, ond y bugeiliaid
  A ddychrynodd drwy'u crwyn a chwympo ar y llawr.

A draw yn y dwyrain, dyma'r doethion yn sbïo
  I gyfri'r sêr yn y rhan honno o'r byd;
A dyma nhw'n sylwi ar un oedd yn symud,
  A'i dilyn nes dod at stabal y baban mud.

A 'welodd y byd 'rioed rotsiwn bresantau:
  Aur, thus a myrr rownd pen y babi gwyn,
A Mair yn ofni iddo fo gael ei sbwylio
  Cyn ffoi i'r diffeithwch dros bob dôl a bryn.

A 'wnaeth y babi dyfu i fyny i fod yn Waredwr
  Ac yn Rhosyn Saron ac yn Oen Duw,
I ddangos i bobol sut i fyw mewn cariad
  Yn lle rhyw hen gecru bob munud byw.

Ac er ei bod yn stori ryfedd i'w choelio,
  Ac yn corddi'n y meddwl fel rhyw hen diwn gron,
Mae'r byd o hyd yn barod i gymryd Gwaredwr,
  A fuo fo 'rioed yn aeddfetach na'r ennyd hon.

T. Glynne Davies

❖ Mae Angen y Nadolig

Yn y dechreuad...
ymhell bell yn ôl,
yn rhy bell i'w amgyffred
cyn bod nos a dydd,
goleuni a thywyllwch,
cyn bod ffurfafen a dyfroedd –
nid oedd angen Nadolig.
Nid oedd angen Duw i ddod i'n byd
i'w gymodi ag ef ei hun.
Nid oedd dyn yn bodoli o gwbl.
Ond roedd Duw yn bod ymhell bell yn ôl
yn y dechreuad hwnnw.

Yn y dechreuad yr oedd y Gair
a'r gair gyda Duw
a Duw oedd y Gair.
Yr oedd ef yn y dechreuad gyda Duw
a daeth y Gair yn gnawd.

Bellach roedd angen Nadolig
ar fyd a wyddai am dywyllwch a nos;
ar fyd a wyddai am drais Herod
a gormes Rhufain.

Preswyliodd y Gair yn ein plith
yn llawn gras a gwirionedd.

Mac angen gras a gwirionedd
Ar fyd sy'n mynnu llygad am lygad
A dant am ddant.

Oes, mae angen y Nadolig arnom o hyd.

❖ Meddwl am y Nadolig

Meddyliwn am y pethau
nad ânt heibio
pan fo'r gelynion wrth y pyrth
a Herod o hyd ar dramp.

Am y bugeiliaid syml
ar fryniau Galilea,
a glywsant y proclamasiwn
a berthyn i'r oesoedd.

Am y doethion
a gawsant eu bodloni
wedi 'nabod yr Eneiniog
unwaith ac am byth.

Am wirionedd
yng nghadw gyda Duw:
Goleuni yn ymlid tywyllwch,
Tywysog tangnefedd mewn stabal
heb orfod cloi'r un drws.

❖ Gŵyl y Nadolig

Gŵyl yr Iôr a'r rhialtwch
Gŵyl y gannwyll a'r gynnau
Gŵyl digonedd a dagrau.

Gŵyl angylion ac ingoedd
Gŵyl y gorau a'r gwaelaf
Gŵyl gaeaf a droes yn haf.

Gŵyl y gwerthoedd a'r gwastraff
Gŵyl o ganu, o gwyno
Gŵyl perthyn a dieithrio.

Gŵyl y rhoi a'r hiraethu
Gŵyl gloddesta a chardod
Gŵyl addewid ei ddyfod.

Euron Walters

❖ 'Iddo Ef'

Datguddiad 5

Mae'r Hwn a anwyd inni
Nadolig cynta'r ŵyl
O hyd yn Frenin Iesu,
A'i deyrnas wâr yn hwyl –
Am hynny dowch i ddathlu
Y bywyd newydd sydd
Yn fwrlwm o orfoledd
I blant y Trydydd Dydd.

Cytgan:
Ein cân a rown i'r Brenin –
Ar orsedd Duw a'r Dydd,
A seiniwn fry'n 'Hosanna'
I'r Hwn a'n rhoes yn rhydd –
Pob baner yn cyhwfan,
Pob llun yn foliant byw,
A'r teulu'n ymddolennu
Ynghyd yng nghariad Duw.

Mae'r Hwn a roes Ei hunan
Yn aberth drosom oll
O hyd ar rawd tosturi
Er adfer byd ar goll –
Am hynny, rhoed Y Cyfiawn
Ei gymod yn ein gwaed,
Fel byddwn i'r Gwaredwr
Yn ddwylo ac yn draed.

Mae'r Hwn a ddaeth o'i angau
I rodio ffordd Emaus
O hyd yn dwyn y sicrwydd
Taw Duw ei hun yw'r 'Llais',
Am hynny, rhown ein croeso
I'r Iesu'n ddiwahân,

A phrofi trwy'r cymundeb
Win ffrwyth yr Ysbryd Glân.

Mae'r Hwn a draethodd ddameg –
'Cynhaea'r Medi llawn',
O hyd wrth lyw'r tymhorau,
A'i allu yn y grawn –
Am hynny heuwn ninnau
Y Gair, i'r pridd di-frad,
Gan wybod, er pob gelyn,
Fod ynddo gnwd i'r Tad.

❖ RHYFEDDOD

Rhyfeddod a fu'r geni
I Mair a Joseff gynt,
Ar ffo rhag llid y brenin
Ar daith drwy'r glaw a'r gwynt,
Rhyfeddod Iesu yn ei grud
Yn fwy na rhyfeddodau'r byd.

Rhyfeddod Duw mewn gwendid
Ym mhresenoldeb Baban Mair,
Taerineb diniweidrwydd,
Eiddilwch lond y gwair
Heb glo ar ddrws y beudy tlawd
A milwyr Herod ar eu rhawd.

Rhyfeddod Duw mewn gallu
Ym Methlem gynt a fu,
Tragwyddol rym y cariad
Yn tystio – 'nid trwy lu',
Rhyfeddod pob rhyfeddod yw
Ddyfod gwaredwr dynol-ryw.

O. T. Evans

❖ Pwy ond Tydi, O Dduw?

Pwy ond Tydi, O Dduw,
fyddai'n dewis y gwan i gario'r cryf?
Ni'n ymddiried mewn byddin,
Ti'n ymddiried mewn baban.
Mor syml, mor syfrdanol dy weledigaeth:
'Canys bachgen a aned i ni,
mab a roddwyd i ni,
a bydd yr awdurdod ar ei ysgwydd.'
Bachgen bychan yn arwain
fel bo'r blaidd yn trigo gyda'r oen,
y llo a'r llew yn cyd-bori,
a'r fuwch a'r arth yn gyfeillion.

Baban mewn preseb ail-law,
ac uwch ei ben yn plygu
y tlawd a'r cyfoethog,
gwerin a bonedd,
bugeiliaid a doethion.

Pwy ond Tydi, O Dduw
ddefnyddiai blentyn sugno
i ddwyn y pell yn agos,
i droi'r hunanol yn hael
fel bo'r barus yn barod i rannu.
Deuwn at ei breseb,
plygwn i'w addoli,
rhown iddo offrwm ein calon
fel yr awn o'ma
o stabl Bethlem i strydoedd y byd,
a cherdded ffordd tangnefedd, tosturi a thrugaredd;
rhodio llwybrau cyfiawnder a chariad
drwy ddilyn ôl ei droed.

❖ Yn Faban o'r Ne

Yn Faban o'r Ne, yn Faban o'r Ne
Y daeth Mab Duw i Fethlehem dre;
Yn wan ei gri mewn gwely gwair,
Yn Dduw, yn Ddyn, yn Fab i Mair,
Yn Faban o'r Ne, yn Faban o'r Ne.

Yn Faban o'r Ne, yn Faban o'r Ne
Y daeth Mab Duw i Fethlehem dre;
Y fuwch a'r ŷch a'r seren syn
Yn dod i gyd i'w weld fel hyn
Yn Faban o'r Ne, yn Faban o'r Ne.

Yn Faban o'r Ne, yn Faban o'r Ne
Y daeth Mab Duw i Fethlehem dre;
Yn awr ynghyd rhown lafar glod
Yn rhwydd i Dduw am iddo ddod
Yn Faban o'r Ne, yn Faban o'r Ne.

❖ Yr Agwedd Meddwl oedd yng Nghrist

Cyduned pawb i gyfarch baban Mair,
rhyfeddol un yn cysgu yn y gwair,
gogoniant Duw y Tad a'i nerthol Air:
Halelwia!
Amlygwn ninnau beunydd ar ein rhawd
yr agwedd meddwl ostyngedig, dlawd,
sy'n eiddo pawb yn Iesu Grist, ein Brawd:
Halelwia!
Ni fynnodd gydraddoldeb dwyfol un
ond agwedd gwas, gan ei wacáu ei hun,
ac ufuddhau hyd angau ar y bryn:
Halelwia!
Am hynny, tra dyrchafodd Duw ein rhi,
a rhoddodd arno enw Iesu cu,
enw goruwch pob enw arall sy:
Halelwia!
Yn enw Iesu plygai glin a phen,
cyffesai tafod pawb is nefoedd wen
mai'n Harglwydd Iesu biau daer a nen:
Halelwia!

John H. Tudor

❖ Goleuni a Chân y Nadolig

Yng nghanol oerni'r gaeaf,
pan yw'r dydd mor fyr ac oriau'r tywyllwch mor hir,
diolch i ti am obaith a hapusrwydd y Nadolig.
Diolch am Iesu Grist:
am iddo ddod yn faban syml i'r stabl;
gad i ninnau brofi llawenydd y bugeiliaid,
hapusrwydd Mair,
a ffydd y doethion y Nadolig hwn.
Mae Iesu yng ngwres tân ein haelwydydd;
mae ef yng nghyffro goleuadau ein coeden Nadolig,
ac yn nhinsel ein haddurniadau;
ef yw'r seren ddisglair ar noson dywyll;
Iesu yw fflam y gannwyll sy'n goleuo'r tŷ.
Gad i oleuni a chân y Nadolig
fod yn ein calonnau ar hyd y flwyddyn gron.

Rhiannon Ifan

❖ Gwelsom ei Oleuni

Y bobl oedd yn rhodio mewn tywyllwch a welodd oleuni mawr:
Y rhai fu'n byw mewn gwlad o gaddug dudew
a gafodd lewyrch golau.
Rhoddodd yr Arglwydd i ni oleuni'r haul:
I lawenhau yng ngogoniant ei gread.
Rhoddodd yr Arglwydd i ni oleuni ei air:
Yn llusern i'n traed ac yn llewyrch i'n llwybr.
Rhoddodd yr Arglwydd i ni ei Fab Iesu Grist:
Goleuni i oleuo'r cenhedloedd a gogoniant i'w bobl Israel.
Rhoddodd yr Arglwydd i ni loywder ei Ysbryd:
I'n harwain i bob gwirionedd ac i roi i ni fywyd.
Y mae gogoniant yr Arglwydd yn llewyrchu ar y cyfiawn:
A'i lawenydd ar y rhai uniawn o galon.
Arglwydd, tyrd atom yn dy gariad gloyw,
a rho i ni o lawnder y bywyd sydd ynot ti.

Susan Sayers

❖ Tyrd i'n Plith

O Arglwydd Iesu Grist,
fel y daethost gynt i ddwyn gobaith a goleuni i'n byd,
tyrd at bawb sydd mewn angen amdanat heddiw.
Tyrd i'r mannau hynny sydd yng ngafael rhyfel a gormes,
a thywys bobl i ganfod heddwch a chyfiawnder.
Tyrd i blith y tlawd, y newynog a'r difreintiedig,
a symud bopeth sy'n diraddio ac yn llethu dy blant.
Tyrd i blith y gwan, yr unig a'r trallodus,
a rho iddynt nerth a diddanwch dy bresenoldeb.
Tyrd i blith y rhai nad ydynt yn dy adnabod,
a datguddia iddynt dy gariad a'th drugaredd.
Tyrd i ganol dy Eglwys ac i blith dy bobl ym mhobman
i'w bywhau i gyflawni dy waith ac i estyn dy deyrnas.
Tyrd, O Grist, i'n calonnau ninnau;
maddau i ni bopeth sy'n llesteirio'n tystiolaeth,
a gwna ni'n wir ddisgyblion i ti.

Elfed ap Nefydd Roberts

❖ Gwna ni'n Hydreus a Disgwylgar

Ti yw'r Duw a ddaethost;
ti yw'r Duw sy'n dyfod;
ti yw'r Duw a ddaw.
Daethost yn Iesu Grist
yn llawn gras a gwirionedd.
Ti yw'r Ysbryd sy'n dod i roi eli i'n llygaid;
deui mewn trugaredd
i godi'r cyrten lliw ar derfyn yr oesau.
Gwna ni'n ddiolchgar am i ti ddod;
gwna ni'n ddisgwylgar a chroesawgar
tuag atat ar dy ffordd;
gwna ni'n hyderus y deui eto mewn gogoniant,
trwy Iesu Grist
sydd yr un ddoe, heddiw
ac yn dragywydd.

John H. Tudor

❖ CROESO A CHLOD I TI

Croeso a chlod i ti, Iesu, Fab Duw,
am i ti ddatguddio i ni gariad y Tad.
Croeso a chlod i ti, Iesu, Fab y Dyn,
am i ti gymryd arnat ein cnawd a'n natur ddynol ni.
Croeso a chlod i ti, Iesu, Gynghorwr rhyfeddol,
am i ti ein harwain o dywyllwch i oleuni.
Croeso a chlod i ti, Iesu, Dad tragwyddoldeb,
am i ti ein dwyn i mewn i deulu Duw.
Croeso a chlod i ti, Iesu, Dywysog Tangnefedd,
am i ti sefydlu teyrnas tangnefedd yn ein plith.
Croeso, clod ac addoliad i ti,
Iesu, ein Gwaredwr a'n Harglwydd.

Elfed ap Nefydd Roberts

❖ AUR, THUS A MYRR

Dduw aur,
ceisiwn dy ogoniant:
y cyfoeth sy'n trawsnewid ein hundonedd â lliw,
yn sirioli'n llwydni â goleuni nwyfus,
ac yn hydreiddio popeth byw â'th ryfeddod a'th lawenydd.
Dduw thus,
offrymwn i ti ein gweddi:
ein dyheadau llafar a distaw,
ein hymbalfalu am y gwirionedd,
a'n hymchwil am dy ddirgelwch di yn eigion ein bod.
Dduw myrr,
llefwn arnat yn ein dioddefiadau:
ym mhoen ein hergydion a'n profedigaethau,
yn nryswch ein hanobaith yn wyneb annhegwch y byd
ac yn ein dicter dwfn yn wyneb anghyfiawnder diddiwedd;
a chofleidiwn di, Dduw-gyda-ni,
yn ein cyfoeth, yn ein dyhead, yn ein dicter a'n colled.

Jan Berry

…eddi Dydd Nadolig

…gor y parselau,
cyn datod y rhubanau,
y gras, O Arglwydd, dyro im
i gofio'r rhai na chawsant ddim.

Cyn edrych ar y cardiau
a chofio am ein ffrindiau,
O dwg i'm cof trwy'r cofio i gyd
fod rhai heb gyfaill yn y byd.

Cyn eistedd wrth y byrddau
a gwledda ar dy ddoniau,
rho i mi gofio, Arglwydd Dduw,
y rhai heb fwyd i'w cadw'n fyw.

Yng nghanol fy nghyfeillion
a miri'r cwmni rhadlon,
gad i mi gofio am ambell un
fydd heddiw ar ei ben ei hun.

Wrth ganu ein carolau
a gwrando ar y clychau,
rho ras im gofio, dirion Dad,
y mud a'r byddar yn ein gwlad.

A minnau eto eleni
yn llon ar ŵyl y Geni,
gad i mi gofio'r rheini sy
y diwrnod hwn mewn galar du.

Wrth ddawnsio rownd y goeden
a'r lliwiau ar bob cangen,
gad i mi gofio, Iesu hoff,
fod rhai yn ddall a rhai yn gloff.

Cyn mynd i'r gwely heno,
O Arglwydd, gad im gofio
y rhai na chawsant ddim o'r hwyl
a gefais i ar Ddydd yr Ŵyl.

Selyf Roberts

❖ Dydd Gŵyl ei Eni

Arglwydd, mor debyg i ti dy hun yw Dydd Gŵyl dy eni,
yn dwyn llawenydd i'r holl ddynoliaeth.
Y mae plant a henoed fel ei gilydd yn mwynhau dy ddydd di,
ac fe'i dethlir o genhedlaeth i genhedlaeth.
Bydd brenhinoedd a thywysogion yn mynd a dod
a'u dyddiau gŵyl yn darfod a mynd yn angof,
ond dethlir dy ŵyl di hyd ddiwedd amser.
Arwydd ac addewid o dangnefedd yw dy ddydd di:
y dydd y cymodwyd nef a daear,
y dydd y daethost o'r nef i'r byd hwn,
i faddau i ni ein pechodau ac i symud ymaith ein heuogrwydd.
Ar dy ben blwydd rhoddaist i ni gymaint o roddion hael:
trysorfa o feddyginiaethau ysbrydol i gleifion;
goleuni ysbrydol i ddeillion;
cwpan iachawdwriaeth i'r sychedig,
a bara'r bywyd i'r newynog.
Yn y gaeaf noethlwm pan yw'r coed heb ddail
yr wyt ti'n rhoi ffrwythau ysbrydol blasus.
Yn y llwydrew pan yw'r ddaear yn ddiffrwyth,
yr wyt yn dod â gobaith newydd i'n heneidiau.
Ym moelni Rhagfyr pan yw'r hadau'n ymguddio yn y pridd,
fe dyf Pren y Bywyd o groth y Forwyn.

Effraim y Syriad

❖ DUW YN Y BYD

Dduw, y dieithryn,
helpa ni i'th groesawu
i'n gwlad, i'n bro, i'n cartref, i'n heglwys.
Dduw, yr anhysbys,
helpa ni i'th adnabod
ym mywydau ein cyd-ddynion
y cyffyrddwn â hwy bob dydd.
Dduw, y diymadferth,
helpa ni i'th weld
yn y plentyn bach ym mreichiau'i fam.
Dduw, hollbresennol,
helpa ni i'th ganfod ynghanol dy fyd –
mewn cariad, mewn cyd-ddyn, mewn celfyddyd –
ac o'th ganfod, dy garu a'th wasanaethu.
Dduw, ymgnawdoledig,
o'th adnabod yn dy Fab Iesu Grist,
helpa ni i'th ganfod a'th adnabod
ym mhob man.

Llawlyfr Gweddi CWM

❖ DECHRAU'R GWAITH

Wedi i gân yr angylion ddistewi,
wedi i'r seren gilio o'r ffurfafen,
wedi i'r brenhinoedd a'r tywysogion ddychwelyd adref,
wedi i'r bugeiliaid ddychwelyd at eu praidd,
yna, bydd gwaith y Nadolig yn cychwyn:
canfod y colledig,
iacháu'r clwyfedig,
bwydo'r newynog,
rhyddhau'r carcharor,
ailadeiladu cenhedloedd,
dwyn heddwch i blith y bobl,
creu cerddoriaeth yn y galon.

Howard Thurman

❖ PLENTYN BETHLEHEM

Blentyn Sanctaidd Bethlehem,
cofiwn i'th rieni fethu cael lle yn y llety:
gweddïwn dros bawb sy'n ddigartref.
Blentyn Sanctaidd Bethlehem,
a aned mewn stabl:
gweddïwn dros bawb sy'n byw mewn tlodi.
Blentyn Sanctaidd Bethlehem,
a wrthodwyd fel dieithryn:
gweddïwn dros bawb sydd yn unig ac ar goll,
a phawb sy'n llefain am eu hanwyliaid.
Blentyn Sanctaidd Bethlehem,
y ceisiodd Herod dy ladd:
gweddïwn dros bawb sydd mewn perygl
a phawb sy'n cael eu herlid.
Blentyn Sanctaidd Bethlehem,
a fuost yn ffoadur yn yr Aifft:
gweddïwn dros bawb sydd ymhell oddi cartref.
Blentyn Sanctaidd Bethlehem,
ynot ti y mae'r Tragwyddol yn trigo:
erfyniwn arnat ein cynorthwyo
i weld y ddelw ddwyfol mewn pobl
ym mhob man.

David Blanchflower

❖ Y DOETHION YN YMHOLI

Ai dyma'r ffordd i Fethlehem?
O! pa mor bell yw'r daith?
Mae'r nos yn hir a'r awel lem
Yn chwipio dros y paith.

Ai dyna'r seren ddisglair, glir,
A welsom ddyddiau'n ôl?
Mae'i golau'n llifo dros y tir,
Rhaid dilyn ar ei hôl.

Ai dyma wlad Jwdea dlos
A henfro Dafydd gynt?
Mae rhyw dangnefedd lond y nos
A gobaith lond y gwynt.

A welwch olau llusern draw
Uwch drws y llety llwm?
Mae miwsig rhyfedd ar bob llaw
A'r mawl yn llanw'r cwm.

Ai dyma'r baban bach a roed
Yn Geidwad i'r holl fyd?
Ni welsom neb fel Hwn erioed,
O! plygwn ger ei grud.

W. Rhys Nicholas

❖ Y Doethion

(ar y gôr-gân 'Troyte')

Roedd rhywrai yn dweud mai ffôl oeddem ni
Yn dod o'r pellteroedd i'th geisio Di;
Ond mentro a wnaethom dros diroedd maith,
Nadolig y Brenin oedd pen y daith.

Dywedent mai ffôl oedd syllu i'r nen
A dilyn y seren a befriai uwchben,
Ond rhaid ydoedd dilyn drwy'r siwrnai hir,
Roedd golau y Seren mor glir, mor glir.

'Mor araf,' medd rhai, 'yw'r camelod hyn,
Ni'ch cludant ymhell tu arall i'r bryn.'
Ni wyddent mai araf bob amser yw
Y daith sy'n dwyn doethion at drysor Duw.

Mae rhywrai'n synnu'n fawr inni ddod
O'n plasau moethus at lety di-nod,
Mae'n wir mai hardd yw ein plasau i ni,
Ond coron pob harddwch mwy fyddi Di.

O! cymer ein rhoddion, aur, thus a myrr,
Cans eiddot bellach bob gwawrddydd a dyr,
Yfory rhaid dweud wrth bawb yn y byd
Mai Ti yw'r Doethaf o'r doethion i gyd.

W. Rhys Nicholas

❖ 'Yn Gorwedd yn y Preseb'

O Faban bach, fy Ngheidwad mawr,
Mae 'nghalon iti'n grud yn awr;
Ei siglo fydd fy ngorchwyl i,
Heb 'mado mwy oddi wrthyt Ti.

Mi ganaf glod i'th Enw glân, –
Ac ni bydd diwedd ar fy nghân;
Ond canaf ar fy ngliniau'n awr
Rhyw garol fach i'r Ceidwad mawr.

J. T. Jones

❖ Pan Ddistawa Cân yr Angylion

Pan ddistawa cân yr angylion,
Pan ddiflanna'r seren o'r ffurfafen,
Pan fydd y brenhinoedd a'r tywysogion wedi mynd adref,
Pan fydd y bugeiliaid 'nôl gyda'u praidd,
y mae gwaith y Nadolig yn dechrau:
i geisio'r colledig,
i iacháu'r clwyfedig,
i fwydo'r newynog,
i ryddhau'r carcharor,
i ailadeiladu cenhedloedd,
i ddwyn heddwch i'r bobloedd,
i ddwyn cân i'r galon.

Howard Thurman, cyf. Noel A. Davies

❖ GRYM DY GARIAD

O Dduw diymadferth, fel baban ac wedi dy groeshoelio,
yn gorwedd mewn crud ac wedi dy grudo ar groes;
gad inni ganfod yn dy ymostyngiad,
nid gwendid, ond grym dy gariad ar waith.
Dywedi di wrthym mai ti yw'r tlawd ymhob oes:
yn noeth, yn newynog a digartref.

Helpa ni yn dy grud llwm heddiw
i weld beth sydd ohonot ti ac nad sydd ohonot:
nad yw dioddefaint yn achub yn aml
ac nad yw bod yn ddiymadferth yn medru achub ein bywydau truenus.
Felly, gwahardd ni rhag pyncio cân pryd y dylem wylo.

Er hynny, tyrd atom ac at bawb sydd eiddom,
O! blentyn Mair a Duw,
trwy'r tlodion a'th welodd gyntaf,
ac a fu'n chwerthin yn dy gwmni ac a glywsant yn gywir iawn.
Ac sydd yn awr yn rhedeg yn ôl o nunlle, gyda'u newyddion,
i blannu eu hadau o obaith yn ein tir sych ni.

Herbert Hughes

❖ DRAMA'R NADOLIG

Defod, ar y Nadolig, yw fod
Plant y festri, y bychain,
Yn cyflwyno yn ein capel ni
Ddrama y geni.

Bydd rhai oedolion wedi bod wrthi
Yn pwytho'r Nadolig i hen grysau,
Hen gynfasau, hen lenni
I ddilladu y lleng actorion.

Pethau cyffredin, hefyd, fydd yr 'anrhegion':
Bydd hen dun bisgedi,
O'i oreuro, yn flwch 'myrr';
Bocs te go grand fydd yn dal y 'thus';
A daw lwmp o rywbeth wedi'i lapio,
Wedi'i liwio, yn 'aur'.
Bydd yno, yn wastad, seren letrig.

Bydd oedolion eraill wedi bod yn hyfforddi angylion,
Yn ceisio rhoi'r doethion ar ben ffordd,
Yn ymdrechu i bwnio i rai afradlon
Ymarweddiad bugeiliaid,
Ac yn ymlafnio i gadw Herod a'i filwyr
Rhag mynd dros ben llestri –
Oblegid rhyw natur felly sy ym mhlant y festri.
Bydd Mair a bydd Joseff rywfaint yn hŷn
Na'r lleill, ac o'r herwydd yn haws i'w hyweddu.
Doli, yn ddi-ffael, fydd y Baban Iesu.

O bryd i'w gilydd, yn yr ymarferion,
Bydd cega go hyll rhwng bugeiliaid a doethion,
A dadlau croch, weithiau, ymysg angylion,
A bydd waldio pennau'n demtasiwn wrthnysig
I Herod a'i griw efo'u cleddyfau plastig.
A phan dorrir dwyster rhoddi'r anrhegion
Wrth i un o'r doethion ollwng, yn glatj, y tun bisgedi
Bydd eisiau gras i gadw'r gweinidog rhag rhegi.

Ond yn y cariad fydd rhwng y muriau hynny
Ar noson y ddrama, bydd pawb yn deulu;
Bydd diniweidrwydd gwyn yr actorion
Yn troi'r pethau cyffredin, yn wyrthiol, yn eni,
A bydd yn ein nos, yn ein tywyllwch, y seren letrig
Yn cyfeirio'n ôl at y gwir Nadolig,
At y goleuni hwnnw na ellir mo'i gladdu.
Ac yng nghanol dirni ac enbydrwydd byd sy'n gaeth dan rym Herod
Fe ddywedir eto nad yw Duw ddim yn darfod.

Gwyn Thomas

❖ Un Seren o'r Diwedd

Craffwch, o'r diwedd, ar Un seren,
Unrhyw seren yn y lluwchwynt cylchol o sêr.
Fe'ch dygir gan y seren honno
Sut ble bynnag
At Angau a Geni a Chariad.
Mae'r Golomen ymhlyg yn awr.
Ynghau, wedi ei lapio gan y sêr,
Syrth y glaw du,
Cwyd y llifogydd chwerw o hyd.
Pa law a gymer y gainc o big y Golomen?
Safwn, tri chrwydryn wrth y drws olaf.
Erys dwrn du,
Seren ar bren crin.
Seren.

Herbert Hughes

❖ Y Nadolig

Llefarydd
Nadolig eto ddaeth i'r tir
A dathlu wnawn mewn tref a sir,
Gan ganu carol, darllen Gair
A stori brydferth baban Mair.

Dychwelyd wnawn flynyddoedd maith,
Ar fwrdd dychymyg gwnawn y daith
I 'stafell fach yn Israel
A chwmni Mair a Gabriel.

Gabriel
Paid ofni Mair fy ngweled i,
Rwy'n dod â neges atat ti;
Mae Duw am iti gael ei Fab,
A'r Ysbryd Glân fydd iddo'n dad.

Mair
Wel caton pawb, rwyf i yn syn,
Beth ddwed fy nghariad i am hyn?
Fe gred na fûm yn ffyddlon ferch
A cholli wnaf bob dafn o'i sech.

Gabriel
Nac ofna Mair, gad hyn i fi,
Fe welaf Joseff yn y tŷ,
Esboniaf am yr hyn sy' fod,
A mwy, nid llai, a fydd dy glod.

Mair
Wel dyna fe – gadawaf i
Y broblem yna'n llwyr i ti;
Af draw i weled un o'r teulu,
Mae Lisabeth yn erfyn babi.

Llefarydd
A dyna fel y bu, fy ffrind,
I Mair at Lisabeth i fynd,
A Joseff wedi cael esboniad
A aeth ymlaen i briodi'i gariad.

Ond draw yn Rhufain, dinas fawr
Oedd yn rheoli ar y llawr,
Fe basiwyd deddf i gyfrif pen
Pob copa walltog is y nen.
Rhaid oedd i bawb i fynd i'w le;
Joseff a Mair i Fethlem dre.

Nid oedd y daith yn hawdd i'w gwneud,
Roedd cefen Mair yn flin, rhaid dweud,
Nid oedd yr asyn yn rhy gyfforddus,
Roedd Joseff yntau'n wir ofidus.
'Rôl cyrraedd Bethlem yn y bore
Rhaid chwilio llety i Mair ac ynte.

Joseff
Oes lle i ddau i aros tipyn,
Mae amser hir ers gadd Mair napyn?

Gofalwr 1
Mae'r lle 'ma'n llawn – ie, gwêl yr arwydd,
Diolcha wir mai sych yw'r tywydd.

Joseff
Oes gobaith, syr, am le i gysgu,
Dyw Mair a fi ddim yn rhy ffysi?

Gofalwr 2
Dim lle o gwbwl, mae'n rhaid cael dweud,
Ond dyna fe, 'sdim byd i'w wneud;
Mae'r sensws hwn yn llanw'r ddinas,
Mae gwrthod lle yn itha diflas.

Joseff
Oes cwt, shed lo, neu gysgod gen ti?
Mae bron yn bryd i Mair gael babi.

Gofalwr 3
Mae stabal allan yn y cefen,
Mae'n itha neis, ond angen trefen!

Llefarydd
Ac felly lle'r oedd ych yn cysgu,
Fe gafwyd lle i Mair i eni.

Y bobl gynta i gael clywed
Oedd bechgyn wrthi'n gwylio'r defed.
Daeth côr angylion i ganu'r stori,
A peri braw a stop ar bori.

Ifan
Hei, bois, rwy'n clywed rhywbeth rhyfedd,
Mae canu ar nefolaidd donfedd.

Dai
Ti'n iawn, rwy inne'n clywed canu,
Sy'n well na Callas a Pafroti!

Twm
Co nhw fan draw lan yn yr awyr,
Sdim mynydd yna na dim llwybr,
Mae'n rhaid'u bod nhw i gyd yn hedeg,
Hei bois! Rwy inne'n mynd i redeg.

Angylion
Nac ofnwch fechgyn ar y llawr,
Dod ydym ni â neges fawr,
A ddaw â gwên a chwerthin iach
O eni'm Methlem grwtyn bach.

Ifan
Beth y'ch chi 'te, angylion ffel?
Mae'ch hedfan, canu, chi yn swel.

Dai
Be sy' mor sbesial geni babi,
Ma dau neu dri gan anti Gerti.

Twm
Mae'n rhaid yn wir fod hwn yn rhyfedd
I rhain ddod lawr o'r nef bob modfedd!

Angylion
Mae'n itha reit, mae hwn yn sbesial,
Bydd hwn yn rhoi y diawl ar dreial.
Ond nawr heb wasto amser bellach
Ewch i weld y bach mewn cadach.
Mae'n gorwedd, yr un bach di-nam,
Mewn preseb gyda Mair ei fam.

Llefarydd
Ar frys fe aeth y tri bugeiliaid
I weld ai gwir oedd yr holl siarad.
Aeth Twm ag anrheg yn ei freichiau,
Oenig bach i Grist y meichiau.

Dai
Diaich dyma nhw y teulu dethol,
Ni welais delach glanach pobol.

Ifan
Mae'r bobl yna, on'd yw'n brydferth?
Ai hwn fydd i ni oll yn bridwerth?

Twm
Wel dyna chi olygfa hardd,
Yn wir fe ysbrydola fardd
I ganu cerddi llawn o swyn
Am ofal mam am blentyn mwyn.

Mair
Ar ran fy mab fe fentra' i
Ddiolch yn fawr am eich rhodd i ni.

Joseff
Wel ie! Annisgwyl iawn yn wir
A ni'n ddieithriaid yn y tir.

Llefarydd
Ac yna wedi gweld y baban
Aeth y bechgyn tua thre dan chwiban.

Ym Mhersia bell fe welwyd doethion
Yn craffu yn yr uwch berfeddion
A gweled seren yno'n gwenu,
I'w chanlyn hi yr oedd 'n eu denu.

Belthasar
Mae hon yn seren wir unigryw,
Un sydd â neges i ddynolryw.

Caspar
Mae 'mhen i'n dost ar ôl ei watsho,
Fe gaf gwpaned a dwy aspro!

Melchior
Edrych; edrych, mae hi'n symud
O leia lathed bob rhyw funud.

Belthasar
At y camelod, dowch, ie brysiwch,
Ei chanlyn wnawn bob cam drwy'r t'wyllwch.

Llefarydd
Ac felly bu i'r dynion clyfar
Fynd i'r gorllewin yn eu cyfer,
Nes cyrraedd dinas fawr Caersalem,
Yn swps a chwys ac angen halen.

Caspar
Gwell i ni alw i weld Herod
I'n hachub rhag mynd ar ddisberod,
Fe ddyle fe o bawb fo'n gwybod
Os oes tywysog wedi dyfod.

Llefarydd
Ond nid oedd Herod yn rhy hapus,
Rhodd glipsen i rhyw was anffodus,
Ond gwenodd ar y tri o'i flaen o,
Y math o wên gaiff iâr gan gadno!

Herod
Wel! annwyl ffrindie, mi a holaf
Ymhlith yr arbenigwyr danaf,
Efallai fod 'na air yn rhywle,
Yn cuddio yn yr ysgrythure.

Arbenigwr
Syr; dwed fan hyn yn ôl yr adnod
Mai i Fethlem fydd e'n dyfod!

Herod
Dyna chi, ymlaen â'r chwilio,
Ac o'i flaen dof i benlinio.

Llefarydd
Gan adael Herod gyda'i lys
Ailgychwyn wnaethant gyda brys,
A chanlyn eto'r seren dlos
Yn dal i'w harwain drwy y nos.

Belthasar
Rwy'n credu'i bod hi yn arafu,
Efallai dyna lle mae'r babi?

Caspar
Gobeithio wir, rwyf wan fy ngafel,
A da fydd dod oddi ar gefn 'rhen gamel!

Melchior
Oes bosibl? Y fath dwll yw'r lle
Y ganwyd eneiniedig ne'!

Llefarydd
Ie, dyna'r lle, a dyna'r fan
Daeth Duw i'r byd mewn bychan gwan,
Heb dŵr, na mur, na gwaywffon,
Cariad oedd yn gwarchod hon.

Arhosodd nawr y seren wen
A'i golau tyner fry uwchben,
Ac yn ei llewyrch plygodd tri
Wrth breseb ein gwaredwr ni.

Caspar
Cymer, Arglwydd, felyn aur,
Brenin wyt, nid mab i saer.

Melchior
Thus yn perarogli rof,
Bydd sawr dy fywyd ar ein cof.

Belthasar
Ar ddiwedd gyrfa gwelaf groes
A swydd y myrr fydd lleddfu'r loes.

Mair
Ar ran fy mab derbyniaf i
Eich hael garedig roddion chi.

Joseff
Cymerwch rywbeth bach i'w fwyta
Cyn troi eich wyneb tuag adra'?

Caspar
Na, fe awn yn awr ar frys,
Mae drwg yn crawnu yn y llys.

Llefarydd
A ffwrdd â'r tri i Bersia 'nôl
Gan adael pryder ar eu hôl.

A Mair fyfyriodd ar y Gair,
Y bach diniwed yn y gwair.

Pawb
Dowch, canwn, plygwn wrth ei draed,
Nadolig yw a dathlu raid:
Mewn Capel, llan a phalas gwych,
Neu fwthyn tlawd, neu feudy'r ŷch;
Fe ddaeth y Crist, cyhoeddodd Duw
Drwy sêr ac engyl – MAE YN FYW.

E. L. Rees

❖ Mae'n Gyflawn Awr Nadolig

Mae'n gyflawn awr Nadolig
A'r seren em ar daen,
A chysgod mud y doethion
Yn mudo dros y waun:
A chyda hwy awn ninnau
Hyd lety'r wyryf dlawd
I rythu mewn rhyfeddod
Ar Dduw mewn gwisg o gnawd.

Dros fryniau dinas Dafydd
Mae nef oleuni gwyn,
A'r twr bugeiliaid ofnus
Dan gryndod neges syn:
Ond dringo wnawn ni atynt
Er brysio tua'r dre
I foli'r Oen a anwyd
I farw yn ein lle.

Yn Llys penllanw hanes
Ceir teyrn ar orsedd braw
A dicter hunanoldeb
Yn fwrdwr yn ei law:
Ond ato awn er hynny
I herio'r unben bras
Yng ngrym yr oruchafiaeth
Sy'n nemocratiaeth gras.

Mewn llety oer ym Methle'm
Mae llysdad yn hundroi,
A'r angel yn ei ddeffro
Â hergwd frys i ffoi:
Awn ninnau ato heno
I warchod baban Mair
Gan wybod mor ddi-allu
Yw'r Hollalluog Air.

D. Gerald Jones

❖ Daeth Bachgen Bach i Fethle'm

Daeth bachgen bach i Fethle'm
Â Duwdod yn ei wedd,
Ac uwch ei lety alltud
Disgleiriodd golau hedd.
A dyna'r unig olau
All achub daear Duw
Rhag rhyfel sêr y gofod
A thranc y ddynol ryw.

Daeth bachgen bach i Fethle'm
Â mwynder yn ei lais,
Ac er holl ddicter Herod
Agorodd ffordd ddi-drais.
A hon yw traffordd cymod
A chytgord, er mor ddrud.
'Ewyllys da i ddynion,
Tangnefedd i'r holl fyd.'

Daeth bachgen bach i Fethle'm
A thegwch yn ei law,
Ac nid oedd ynddi undim
A allai beri braw.
A hon yw'r llaw allweddol
Os y'm am wneud ein rhan
I ymlid anghyfiawnder
Ac ymgeleddu'r gwan.

Daeth bachgen bach i Fethle'm
A theyrnas wrth ei droed,
Ac ynddi ceir gelynion
Ynghyd yn cadw oed.
Mae'r llewpart brith a'r afar
Yn gorwedd yn gytûn
A'r llew a'r oen diniwed
Yn pori megis un.

Daeth bachgen bach i Fethle'm
A dedfryd yn ei drem,
Ac yng nghyflawnder amser
Llewyrchodd seren lem.
A chyda'i llafnau miniog
Aeth hanes dyn yn ddau,
Ac nid oes dewis mwyach
Ond rhwng y gwir a'r gau.

Daeth bachgen bach i Fethle'm
I breseb llety tlawd,
Ac ato daeth bugeiliaid
A doethion ar eu rhawd.
Bydd rhaid i ninnau blygu
I'r Iesu, os am fyw
A 'goryd ein trysorau
A'i dderbyn ef yn llyw.

D. Gerald Jones

❖ SEINIAU'R NADOLIG

Y byd fel terfysglyd fôr, – a ninnau
Yn wan a diangor;
Uwch ein tynged caned côr
Eto emyn y tymor.

B. T. Hopkins

❖ CYFARCHIAD NADOLIG

Bendithion, rhoddion heb ri' – a hir hwyl
Fo'ch rhan eto 'leni;
Doed llawen ŵyl y Geni
Eto â chân atoch chwi.

R. E. Jones

❖ Crist

Er gwynned awr y Geni, – er dued
Fu'r dial a'r cosbi,
Er syndod, atgyfodi,
A'i waed Ef yw 'mywyd i.

W. J. Williams

❖ Nadolig

Ein dyled pob Nadolig – yw diolch
Yn dawel a diddig
Dan y Seren arbennig,
Addoli Duw heb ddal dig.

Rhian y Ddôl

❖ Dathlu

Nadolig yr holl deulu – dylai pawb
Dalu parch i Iesu
Heddiw, y mae'n ei haeddu,
Teg yw'r cof fod Duw o'n tu.

Gruffydd Owen

❖ Iesu'n Dod

I lety na fu ei dlotach – daeth ef
Ar daith hir ddirwgnach,
I boen byd yn faban bach
I gynnig byd amgenach.

Willie Griffith

❖ Llety'r Crist

Y Mab Iesu ym maw a biswail – yr ych,
Yr Oll mewn hen adfail;
Llyw'r nef yn lle'r anifail,
A Duw yn y domen dail.

Alan Llwyd

❖ Geni Crist

Clyw o Fethlehem emyn – cariad gwyn
Uwch crud gwellt y plentyn;
Eneiniog Dywysog dyn
Yn ei lety yn dlotyn.

S. B. Jones

❖ Awr y Geni

Dyma awr o wir fawredd, – awr y gân,
Awr geni Etifedd;
Awr o fawl a gorfoledd
A saib hir wrth breseb hedd.

Ffynhonfab

❖ Nadolig

Rhoed urddas ar dŷ'r asyn – y dydd hwn,
Duw a ddaeth yn blentyn;
Yma caed cordiau emyn –
Cerddoriaeth brawdoliaeth dyn.

J. H. Roberts

❖ Er dy Fwyn

Er dy fwyn rhoed Ef ennyd – yn ddyn bach
I ddwyn beichiau bywyd;
Yn ifanc erot hefyd
Rhoed i'r bedd Waredwr byd.

Eirian Davies

❖ 'A Hwy a Gawsant y Dyn Bach…'

Ni wyddom am ddim rhyfeddach, – Crëwr
Yn crio mewn cadach,
Yn Faban heb ei wannach,
Duw yn y byd fel Dyn Bach.

Eirian Davies

❖ Seren

Yn dyner arweiniodd seren – y byd
i'r beudy, ond hoelen
ein dathlu yw naddu'r nen
a'i gadael ar y goeden.

Huw Edwards

❖ Nadolig

Heddiw boed holl liwiau'r goeden yn fyw
am fod yr Un seren
yn Frenin Nef fry'n y nen
yn gloywi uwch Gŵyl lawen.

Tudur Dylan Jones

❖ Oedfa'r Adfent

Awr oedi am Waredwr – yw Oedfa
Yr Adfent i'r Credwr;
Awr i ti fod ar y tŵr
Ar ddeulin yr addolwr.

❖ Y Goleuni sy'n Llweyrchu yn y Tywyllwch

O brysiwn tua'r preseb – i weled
Gwir olau gwarineb;
Er y nos, mae'n wawr i'r neb
A ildia'i hunanoldeb.

❖ Y Nadolig

Nid elw yw'r Nadolig – nid trimins,
Nid tramwy sychedig,
Nid blys coeg, nid blas y cig
Ond Gŵyl y Duw gweledig.
D. Gerald Jones

❖ MYFYRDOD AR YR ŴYL

Teyrnged i'r Anfonedig – a roddaf
Yn rhydd y Nadolig, –
Aer a Brawd sy'n haeddu'r brig
O hyd, ond gwrthodedig.

Diwallu angen enaid – yw ei reddf,
Hyn o'i ras wna'n ddibaid:
Mae yn nhrwch y llwch a'r llaid,
Yno'n trin y trueiniaid.

Dy fai yn nyfnder dy fod – a nithia,
A dinoethi'r pechod;
Yn ddiau, o gredu'i ddod
Dilea Hwn d'eilunod.

Di-os pe na chredaswn – ynddo Ef
A'i ddawn, diffygaswn;
O rymuso'r emosiwn
Daeth gorffwys o'r pwys a'r pwn.

Â chân, neu ag ochenaid – edifar,
Fel Dafydd fendigaid,
O ŵydd y byw tro'n ddi-baid
At yr Un sy'n troi enaid.

Yn ei Air y myfyriaf, – ei werthoedd
A'i wyrthiau a garaf:
Rhannu'r her yn awr a wnaf,
A'i fawredd a glodforaf.

I'r Eneiniog rhown ninnau, – dros yr ŵyl,
Drysor rhwydd ganiadau;
Yn fud na fo'n tafodau
Iddo Ef am ein rhyddhau.

R. Glyn Jones

❖ Y Nadolig Cyntaf

Ganwyd Tywysog inni – Iôr ei Hun
sy'n mawrhau y geni.
Daeth Hwn o'i fodd i roddi
bywyd y Nef i'n byd ni.

Mor annwyl oedd Mair yno – a Joseff,
a'r Iesu'n disgleirio.
Ernes y Nef oedd arno,
Duw ei Hun oedd ei Dad O.

Ym Methlehem caed emyn – yng ngolau'r
angylion i'r Duwddyn
a yrrwyd yn flaguryn
byw o'i Dad, er achub dyn.

O noeth gaban daeth gobaith – i weiniaid
un serennog noswaith.
Caed amod mai cydymaith
ydyw Hwn hyd ben y daith.

I'n byd oer daeth Mab y Dyn – yn ddifalch
ac yn Ddwyfol blentyn.
Yr Iesu yn nhrigfa'r asyn
yn wir oedd yr Iôn Ei Hun.

Heb wely mewn gwych balas – heb glydwch,
harddwch, na dim urddas.
Ond Aer oedd o uchel dras,
na anwyd yn 'run ddinas.

R. J. Jones

❖ Y Doethion

Daethant dri brenin doethion – yn araf
o'r Dwyrain a'u rhoddion.
Rhoddwyd o'r Nef arwyddion
i'w bro hwy am Fab yr Iôn.

❖ Y Nadolig Heddiw

I fab Duw'r Nef y byd ry'n awr – eiliad
o sylw pur gostfawr.
Ond unwaith y daw Ionawr,
ei holl hwyl fydd pethau'r llawr.

Digonedd o deganau – llawenydd
mewn llawnion dafarnau.
Ond Tŷ'r Iôr a'i allorau
'n oer a gwag, a'i ddrws ar gau.

R. J. Jones

❖ Myfyrdod 'Wele Cawsom y Meseia'

'Be' gest ti Dolig?' Dyna fydd cwestiwn amryw ohonom yn dilyn Gŵyl y Geni, yn enwedig pan welwn ni blant bach. Teimlwn yn aml ein bod yn gofyn y cwestiwn am nad oes gennym ni ddim byd gwell i'w ofyn! Ar y materol y mae ein pwyslais bron yn ddi-feth, ac ar yr hyn a gafwyd – nid yr hyn a roddwyd. Rydym yn cynnig pob math o sothach i'n plant, gan feddwl mai pethau felly maen nhw'n dyheu amdanyn nhw.

Yn ddiweddar, dois ar draws adroddiad bach syml i blant gan Selwyn Griffith. Ynddo mae'r fam yn holi: 'Be' hoffet ti gael Nadolig 'ma, John?' Mae'n cynnig pob math o bethau gwych i John bach, digon i godi blys ar unrhyw un! Ond ateb John i'w fam ydy:

Diolch i chi Mami
Am gynnig llond sach,
Llawn gwell fasa' gen-i
Gael ci, neu frawd bach.

Gan siarad o brofiad, does dim byd yn hawlio mwy o amser a gofal rhywun na chael ci – neu fabi bach! Ac mae'n siŵr gen i fod John bach yn go agos i'w le yn gwrthod yr holl drugareddau, a'r rheiny'n cael eu cynnig iddo, o bosibl, am fod y fam druan yn ceisio gwneud yn iawn am yr amser yr oedd hi wedi ei golli gyda'i phlentyn yn ystod y flwyddyn. Yn y bôn, nid pethau mae plant eu hangen, ond amser a chwmni a chariad.

Soniodd Dafydd Jones yn yr hen garol hon, 'Wele cawsom y Meseia', a ymddangosodd gyntaf ym 1764, am yr anrheg orau, fwyaf gwerthfawr a gafodd yr un ohonom erioed. Am yr anrheg y bu yna ddyheu mawr amdani ers cenedlaethau a chanrifoedd lawer yn Israel. Un a ddaeth yn faban bychan i dreulio amser yn ein plith, i rannu ei gariad a'i gwmni yn hael â ni, ond yn fwy na hynny hefyd: i'w roi ei hun drosom yn 'Ffrind a Phrynwr dynol-ryw'.

Fe gafodd y Meseia hirddisgwyliedig hwn anrhegion ei hun hefyd. Er nad oes sôn yn yr hanes yn Luc am y bugeiliaid yn anrhegu Iesu, gallwn feddwl, os oedd hi'n dymor wyna arnyn nhw, eu bod nhw wedi mynd ag oen gyda nhw. Mae'n gwbl bosibl bod dyfodiad 'Prynwr dynol-ryw', yr un a aeth fel 'Oen, ar ben Calfaria . . . i'r lladdfa yn ein lle', wedi cyd-fynd â genedigaeth yr ŵyn ym Methlehem, y byddid yn eu defnyddio erbyn y Pasg fel aberthau i gofio am eu gwaredigaeth o'r Aifft.

Fe ŵyr Dafydd Jones beth yw'r anrheg orau y gallwn ninnau ei chyflwyno i'r 'cyfaill' hwn a ddaeth atom. Os talodd hwn ein dyledion i gyd 'trwy ei waed', a pheri nad ydy'n dyled ni yn ein rhwystro rhag dod at Dduw pan 'groesodd filiau'r ne'', yna fe ddylai gael yr anrheg orau a mwyaf y gallwn ni fforddio ei rhoi iddo. Efallai y cawn ni lawer o anrhegion y Nadolig hwn eto, ond dim un a haedda'n cariad ni i gyd a'n diolch, byth heb dewi. Wnaiff dim llai y tro i'r 'cyfaill gwerthfawroca' 'rioed'.

Gweddi

O Dad nefol, fe anfonaist ti dy Fab i'n hanrhegu â 'bythol heddwch a rhyddhad'. Ni allaf ond cynnig fy nghalon iddo 'a'i glodfori'n fwy nag un'. Amen.

Huw Powell Davies

❖ Myfyrdod 'Rhyfedd Rhyfedd gan Angylion'

Dyma glamp o emyn gan Ann Griffiths! Fe welwyd penillion ohono yma ac acw hyd ein llyfrau emynau, ond yn *Caneuon Ffydd* fe fentrwyd mynd ati i'w gosod i gyd gyda'i gilydd yn saith pennill fel y cafwyd nhw yn ysgriflyfr John Hughes, Pontrobert, a oedd yn aelod o'r seiat a gyfarfyddai ym Mhontrobert gydag Ann. Lletyai am gyfnod yn Nolwar Fach, a daeth Ruth y forwyn yn wraig iddo ymhen amser. Iddo ef mae'n diolch ni am gadw llythyrau ac emynau Ann Thomas, Dolwar Fach, ar ein cyfer ni.

Y pennill cyntaf mewn gwirionedd sydd yn rhoi'r cysylltiad ag adran yr Adfent a'r Geni ac mae llawn cymaint o sôn am y croeshoelio a'r Pasg yma hefyd. Dyma un o gryfderau Ann yn sicr, sef ei golwg cyflawn ar Iesu Grist, yr un y bu rhagfynegi amdano, y gosodwyd rhagluniau ohono hefyd drwy'r Hen Destament, a ddaeth i'n plith: 'yn ddyn bach, yn wan, yn ddinerth', a oedd 'yn fy natur wedi'i demtio', a 'fu farw ac sy nawr yn fyw', ac a fydd i'w fwynhau yn llawn mewn gogoniant 'heb ddychymyg, llen na gorchudd' arno.

'Pethau yw'r rhain y mae angylion yn chwenychu edrych arnynt' (1 Pedr 1:12), meddai Pedr am yr iachawdwriaeth a drefnodd Duw ar gyfer pobl ar y ddaear. Mae rhyfeddod angylion yn cael lle pur amlwg gan Ann yma; ni allan nhw ddim ond rhyfeddu at y 'Rhoddwr bod, Cynhaliwr helaeth' yn cael ei roi mewn lle mor wael â phreseb yr anifail. Dyma eu 'rhyfeddod mwya'' – 'gweld Duw mewn cnawd' a pharhau fel angylion i'w addoli yn ei ddarostyngiad oherwydd mai dyna eu swyddogaeth fel angylion.

Fel y canodd Ann o'r blaen (Rhif 337) am 'gladdu'r Atgyfodiad mawr', y paradocs gwyrthiol hwnnw, mae hi'n sôn yma eto am 'y greadigaeth ynddo'n symud, yntau'n farw yn y bedd'. Mae'r delweddu cyferbyniol hwn yn dreiddgar ac yn athronyddol ac yn cael ei gynnal trwy waith Ann, er mwyn mynegi ei rhyfeddod ei hun bod yr hwn 'y mae pob peth yn cydsefyll' ynddo (Colosiaid 1:17) yn gallu, ac wedi dewis o'i fodd amlygu ei gariad tuag atom ni yn y cnawd. 'Mae'n syndod im feddwl pwy oedd ar y groes,' meddai Ann wrth fyfyrio ar fawredd Person Crist mewn llythyr at John Hughes. Cofiwn fod y llythyrau hyn yn cynnwys yr un profiadau ag a fynegir yn yr emynau ac yn rhoi llawer o gefndir i rediad ei meddwl wrth ffurfio ei hemynau. Fe esbonia hefyd yn yr un llythyr fel y mae myfyrio ar ei berson yn mynnu ei bod yn aros yn agos mewn cymundeb ag ef bob amser – 'Cusenwch y Mab, rhag iddo ddigio' (Salm 2:12, *BWM*) yw ei hysgrythur i egluro ei meddwl. Dyma'r ddelwedd hefyd ar ddiwedd ein hemyn: 'cusanu'r Mab i dragwyddoldeb heb im gefnu arno mwy'.

O sylweddoli pwy yw Iesu a myfyrio ar ei berson, mae cariad Ann yn ennyn fwyfwy tuag ato, a daw i weld na all hi gefnu arno byth.

Gweddi

O Dad, mae cymaint imi ryfeddu ato ym mherson Iesu Grist; bydded fy rhyfeddod yn fwy na rhyfeddod angylion hyd yn oed, oherwydd mai er fy mwyn i y daeth i'n plith a gwneud cymod drwy'i offrymu'i hun. Paid â gadael imi gefnu arno, ond aros yn ei gymundeb byth mwy. Er mwyn y Mab. Amen.

Huw Powell Davies

MYFYRDOD 'O DEUWCH FFYDDLONIAID'

Bu'r ffyddloniaid yn canu'r garol 'Adeste fideles' ers dechrau'r ddeunawfed ganrif, yn Lladin i ddechrau, ond mewn amryw o ieithoedd bellach ar hyd a lled ein daear. Gwahoddiad sydd ynddi i orfoleddu, i ganu ac i addoli. Ond mae yna wahoddiad inni ddod ynghyd i le arbennig hefyd: 'O deuwch i Fethlehem dref.' Beth welem ni ym Methlehem heddiw pe derbyniem ni'r gwahoddiad taer hwn yn llythrennol?

Bellach does fawr neb yn teithio i Fethlehem. Yn y gorffennol, gwelwyd tref Bethlehem dan warchae a'i thrigolion yn gorfod aros yn eu tai wedi'r nos oherwydd tensiynau rhwng y Palestiniaid a'r Israeliaid. Bychan iawn yw'r dystiolaeth Gristnogol yno bellach ac olion bwledi hyd adeilad Eglwys y Geni. Er gwaethaf hyn, fe bery llawer i dderbyn y gwahoddiad i ymweld â Bethlehem oherwydd yr hyn a ddigwyddodd yno tua 2,000 o flynyddoedd yn ôl.

Roedd hi'n brysur iawn yno bryd hynny hefyd, a'r wlad dan orthrwm y Rhufeiniaid. Nid gwahoddiad a gafodd Joseff i fynd â'i deulu i Fethlehem, ond gorchymyn, oherwydd bod Cesar Awgwstus eisiau cofrestru pawb trwy ei holl ymerodraeth. Yno y ganwyd plentyn i Joseff a Mair; yr ydym yn gyfarwydd â'r hanes. Ond oherwydd y geni hwnnw fe wahoddwyd llawer yn rhagor i ddod i Fethlehem. Hwn oedd 'Brenin yr angylion' yn 'Grist o'r nef', 'Gair y tragwyddol', yn dragwyddol ei genhedliad, ond yn cael ei eni trwy broses o enedigaeth boenus, naturiol er mwyn ei ymgnawdoli yn ein plith. Canodd yr angylion 'Gogoniant i Dduw yn y goruchaf', ac fe wahoddwyd y bugeiliaid. Pobl oedd y rheiny a oedd yn ymwybodol o bwysigrwydd eu tref fechan yn Jwda, a wyddai'r hanes am Dafydd a fu'n fugail ar yr un bryniau â nhw, ac a ddaeth yn frenin ar Israel. Fe wydden nhw hefyd fod Micha wedi proffwydo ganrifoedd ynghynt mewn proffwydoliaeth odidog am yr un a fyddai'n cael ei eni yno i fod 'yn llywodraethwr yn Israel' ac 'yn fawr hyd derfynau'r ddaear' (Micha 5:2–5). Brysient i'w gyfarfod.

Daeth eraill hefyd yn y man, dan wahoddiad seren newydd a ymddangosodd yn yr awyr. Teithiodd y doethion 2,000 o filltiroedd i Fethlehem er mwyn addoli'r brenin newydd oedd wedi ei eni yno. Ond golygodd eu hymweliad fod eraill wedi dod yn eu sgil, yn ddiwahoddiad. Gyrrodd Herod filwyr i Fethlehem i ladd y plant dan ddwyflwydd oed a gaed yno, a bu'n rhaid i Joseff a'i deulu ffoi i'r Aifft am eu bywydau. Roedd trais a lladd yno bryd hynny hefyd.

Mae hanes ei fywyd oddi ar hynny yn rhyfeddol. Pregethodd y Newyddion Da am dair blynedd. Ni sgrifennodd lyfr na chodi eglwys i'w enw, eto ef yw'r cymeriad canolog yn hanes dynoliaeth o hyd, a 'gogoniant' yn cael ei seinio i'w 'enw drwy'r ddaear a'r nef'. Dewch i ninnau dderbyn y gwahoddiad, nid yn gymaint i Fethlehem ei hun, ond i'w addoli ef. 'O deuwch ac addolwn Grist o'r nef!'

Gweddi

Mae'r gwahoddiad yn un taer, Arglwydd. Yr wyt ti'n parhau i estyn dy wahoddiad i mi ac i'r byd yn gyfan ddod a'th addoli. Gad i'n haddoliad ddwyn gogoniant i enw Iesu trwy'r ddaear a'r nef. Amen.

Huw Powell Davies

❖ Myfyrdod 'Rhown Foliant o'r Newydd'

Poenai Rhys Prichard yn arw bod y Nadolig yn cael ei ddathlu yn ofer yn ei gyfnod ef, sef yr ail ganrif ar bymtheg. Erbyn ein cyfnod ninnau, bedair canrif yn ddiweddarach, fe aeth y rheswm am y dathlu yn ddibwys iawn, a masnachwyr yn ceisio ein denu o hyd i wneud mwy a mwy o sbloets o'r ŵyl. Doedd dim yn well na phennill er mwyn argraffu rhyw wirionedd yn gofiadwy ar feddyliau gwerin anllythrennog y cyfnod. Camp yr Hen Ficer, fel y'i gelwid, oedd ysgrifennu toreth o benillion syml yn iaith y bobl er mwyn eu haddysgu am hanfodion Cristnogaeth. Cyfansoddodd lawer o'i benillion ar destun y Nadolig, oherwydd ei fod yn awyddus i ddwyn y bobl gyffredin at lawenydd gwirioneddol yr ŵyl, a'u defnyddio er mwyn ystyried eu dyletswydd i foli Duw 'am roi'i Fab anwylaf yn blentyn i Fair'.

Dau emyn yn unig, a'r rheiny'n garolau, a gynhwysir o'i waith yn *Caneuon Ffydd* (gweler 436 – 'Awn i Fethlem'). Maen nhw'n ein harwain ni heddiw, fel yn ei gyfnod ef, i ddathlu'r hyn oll a gyflawnodd Crist drosom pan ddaeth 'i gymryd ein natur a'n dyled a'n dolur i'n gwared o'n gwewyr anniwair'. Pe byddai mwy o bobl ei gyfnod wedi gwrando ar ei gynghorion gwerthfawr, efallai na fyddai'r Senedd Biwritanaidd o dan arweiniad Oliver Cromwell wedi gorfod pasio deddf i atal y bobl rhag dathlu'r Nadolig oherwydd ei oferedd, a hynny ym mlwyddyn marw'r Ficer, sef 1644. Beth fyddai'r ymateb heddiw, tybed, pe beiddiai'r llywodraeth wahardd yr ŵyl oherwydd ein camddefnydd ni ohoni?

'Gwaredodd ni allan o feddiant y tywyllwch, ac a'n symudodd i deyrnas ei annwyl Fab', yw un o ddisgrifiadau Paul o waith Iesu drosom (Colosiaid 1:13 *BWM*). Profiad cymysg yn aml yw gorfod symud cartref a newid aelwyd. Sonia'r Hen Ficer am y profiad o gael ein symud i fod ar aelwyd newydd nefolaidd 'i fyw yn ei feddiant', wrth i Iesu gynnig inni'r hawl a'n gwahodd i ddod yn feibion ac yn ferched, yn etifeddion yn wir, i Dduw. Profiad na all ond dwyn llawenydd a gorfoledd digymysg inni.

Nid yw'n dathliadau Nadoligaidd ni a'n gwledda ond cysgod o'r wledd nefolaidd y cawsom ni wahoddiad i'w chadw wrth dderbyn Iesu fel Meseia ac Arglwydd dros ein bywyd. Fe noda'r Ficer Prichard hynny yn ei bennill olaf yma, a hefyd mai rhywbeth i'w rannu ydy'r Nadolig: 'Gwahoddwch y tlodion a'r clwyfus a'r cleifion a'r gweiniaid a'r gweddwon â chroeso i'ch gwledd.' Cofiwn am y dyn hwnnw a gymhellodd bawb i ddod i'w wledd fawr yn nameg Iesu (Luc 14:15–24). Fel hwnnw, nid ydym i gadw ein dathliadau i ni ein hunain, nid ydym chwaith i gadw ein bendithion yng Nghrist i ni ein hunain, ond rhannu'r llawenydd ymhlith pawb o'n cwmpas. Rhannu wnaeth yr angylion gyda'r bugeiliaid y Nadolig cyntaf hwnnw: 'newydd da am lawenydd mawr a ddaw i'r holl bobl' (Luc 2:10). Mae cenedlaethau wedi rhannu byth oddi ar hynny, ac wedi eu dwyn 'i'w deyrnas i gadw gŵyl addas heb ddiwedd' i fod yn rhan o'r wledd fwyaf a wêl neb byth – gwledd briodas yr Oen (Datguddiad 19:5–9).

Gweddi

O Dad, rhown foliant o'r mwyaf a'n diolch iti am y bendithion a ddaeth inni yng Nghrist – dy 'Fab anwylaf a roddaist i Fair'. Wnei di ein helpu ni i gofio'r bendithion hynny; cael heddwch rhyngom a byw yn dy feddiant yn etifeddion o'th deyrnas, wrth inni ddathlu'r Nadolig eto eleni. Helpa ni i rannu'r bendithion ag eraill gan wahodd pawb i'r wledd, i fod yn rhan o'r dathlu ar y ddaear ac yn y nef. Yn enw Iesu. Amen.

Huw Powell Davies

❖ Myfyrdod 'O Deued pob Cristion'

Clywais amryw yn dweud, wrth baratoi ar gyfer y Nadolig, bod yna ormod o ffŷs o lawer yn cael ei wneud o'r ŵyl; rhai eraill yn dweud y byddai'n gwneud mwy o les ei ddathlu yn llai aml! Gall y rhan fwyaf ohonom ni gydymdeimlo â'r safbwyntiau hynny, yn enwedig gan fod pobl yn sôn bod y blynyddoedd yn mynd heibio'n gynt wrth fynd yn hŷn a'i bod yn ymddangos fel byr o dro yn unig er pan oeddem ni'n dathlu'r Nadolig y tro diwethaf.

Efallai'n wir fod gormod o ffŷs, ond sut mae mynd ati i gadw ysbryd syml yr ŵyl a'i dathlu fel y dylem ni? Cofiwn i'r ŵyl gael ei diddymu am gyfnod o 1644 ymlaen oherwydd bod gormod o ffŷs yn cael ei wneud ohoni a dim digon o gofio ei gwir ystyr. A ddylem ni fynd mor bell â mynnu hynny eto? Efallai ddim! Ond mae pob Nadolig yn cynnig cyfleon inni gyhoeddi 'y newydd da am lawenydd mawr a ddaw i'r holl bobl', fel y gwnaeth yr angylion wrth y bugeiliaid hynny uwch Bethlehem (Luc 2:10).

Gorchmynnwyd i'r bugeiliaid beidio ag ofni, ac mewn byd sy'n ymddangos fel petai'n mynd yn lle peryclach i fyw ynddo o hyd, a phobl yn gaeth i lawer o ofnau, mae gennym ni le i rannu'r newydd da hwn sy'n dwyn llawenydd i bobl. Y newydd da hwnnw fod un wedi dod i mewn i'n byd ni o'r tu allan iddo er mwyn ein hachub rhagddo a rhagom ni ein hunain: 'daeth Brenin yr hollfyd i oedfa ein hadfyd er symud ein penyd a'n pwn', ydy'r ffordd mae'r garol hon yn rhoi mynegiant i'r gwirionedd syfrdanol hwn. Mae yma grynhoad diguro o'r Efengyl sydd yn Newyddion Da ar gyfer dynoliaeth yn gyfan. Duw ei hun yn dod yn un ohonom yn Iesu Grist; yn dioddef adfyd yn ystod ei fywyd; dienyddiad anghyfiawn dan law llywodraethwyr estron a phenboethiaid crefyddol; marwolaeth a oedd yn farwolaeth mewn gwirionedd, a'r cwbl er mwyn symud cosb pechod, sef marwolaeth, oddi arnom a rhoi inni ei faddeuant a'i fywyd ei hun. Dyma'n wir 'Efengyl Gogoniant y Bendigedig Dduw'.

Gadewch inni annog ein gilydd i wneud yn fawr o'r cyfleon mae'r Nadolig yn eu cynnig inni bob blwyddyn. Y cyfleon a gawn wrth wahodd pobl, a bod ynglŷn â dramâu Nadolig yn yr ysgol a'r capel; yn y partïon; wrth rannu cardiau ac anrhegion, i enwi ond ychydig. Gwnawn yn siŵr ein bod yn manteisio ar ein cyfleon i rannu llawenydd gwir ystyr y Nadolig. Byddwn yn gwneud ein rhan wedyn gyda'r 'Tywysog tangnefedd' i wneud ein 'daear o'r diwedd yn aelwyd gyfannedd i fyw'. Bydded, yn wir, 'i'ch goleuni chwithau lewyrchu gerbron eraill' (Mathew 5:16). Mae holl adnoddau'r nef ar gael inni yng Nghrist i'n cynorthwyo (Effesiaid1:3). Os yw'r newydd da hwn y bu inni ei dderbyn yng Nghrist i fod o unrhyw fudd i ni, yna mae'n rhaid inni rannu ei lawenydd a dwyn eraill i 'weled mor dirion yw'n Duw'. Mae ein gwaith wedi ei osod allan ar ddiwedd y ddau bennill yma o'r garol gan Jane Ellis:

'Rhown glod i'r Mab bychan, ar liniau Mair wiwlan,
daeth Duwdod mewn baban i'n byd:
ei ras O derbyniwn, ei haeddiant cyhoeddwn
a throsto ef gweithiwn i gyd.'

Gweddi

O Dad, diolchwn am dy fendithion inni eto ar ŵyl y Geni. Helpa ni i rannu o'n bendithion a'n llawenydd yng Nghrist a gwneud ein 'daear o'r diwedd yn aelwyd gyfannedd i fyw'. Yn enw'r Mab bychan sy'n dywysog tangnefedd. Amen.

Huw Powell Davies

❖ Myfyrdod 'Emaniŵel, Emaniŵel'

Wrth gofnodi'n fanwl union amgylchiadau genedigaeth Iesu Grist mae Mathew yn cyfeirio darllenwyr ei Efengyl at broffwydoliaeth o eiddo Eseia: "Wele ferch ifanc yn feichiog, a phan esgor ar fab, fe'i geilw'n Immanuel" (Eseia 7:14). Wrth i Mathew ddyfynnu'r proffwyd fe ychwanega air neu ddau sy'n egluro ystyr enw'r plentyn a anwyd ym Methlehem: 'hynny yw, o'i gyfieithu, "Y mae Duw gyda ni"' (Mathew 1:23). Bu'r enw a'r ystyr sydd ymhlyg ynddo yn gysur mawr i genedlaethau o gredinwyr o dan bob math o amgylchiadau. Plygu mewn addoliad o flaen yr Emanŵel a wna'r emynydd ym mhennill cyntaf yr emyn hwn.

Ioan yn y bedwaredd efengyl sy'n cofnodi'r geiriau cyfarwydd o eiddo Iesu, "Myfi yw'r bugail da" (Ioan 10:11). Ar ôl gwneud y fath gyhoeddiad ysgytwol fe eglura Iesu, "Y mae'r bugail da yn rhoi ei einioes dros y defaid." Yna, yn ddiweddarach yn yr un bennod, cyhoedda drachefn mai ef yw'r "bugail da" (Ioan 10:14), gan ychwanegu, "yr wyf yn adnabod fy nefaid, a'm defaid yn f'adnabod i, yn union fel y mae'r Tad yn f'adnabod i, a minnau'n adnabod y Tad. Ac yr wyf yn rhoi fy einioes dros y defaid." Gorfoleddu yn y ffaith fod yr Un sy'n "Dduw gyda ni" hefyd yn "fugail da" a wna'r emynydd y tro hwn.

Ioan, awdur y bedwaredd efengyl, sy'n rhoi sylfaen i'r hyn a fynegir yn glir ac yn syml ym mhennill tri: 'Yna llefarodd Iesu wrthynt eto. "Myfi yw goleuni'r byd," meddai. "Ni bydd neb sy'n fy nghanlyn i byth yn rhodio yn y tywyllwch, ond bydd ganddo oleuni'r bywyd" ' (Ioan 8:12). Mor sobr o dywyll fyddai'r rhagolygon i'r ddynoliaeth syrthiedig oni bai am yr Un sy'n "Oleuni'r byd".

Mae'r emyn syml hwn yn cyrraedd ei binacl wrth i'r emynydd blygu mewn addoliad o flaen "Meseia Duw", sef "Eneiniog Duw". Mae'r pedwar teitl ysgrythurol a ddefnyddir yn yr emyn yn cyhoeddi gwahanol rinweddau'r unig gyfryngwr "rhwng Duw a dynion, y dyn Crist Iesu". Mae'n weddus, felly, ein bod ninnau wrth fyfyrio ar amrywiol rinweddau ei berson a'i waith yn ymgrymu o'i flaen mewn addoliad teilwng.

Gweddi

Ti'r Emanŵel unigryw ac anghymharol,
plygwn o'th flaen mewn addoliad.
Ti'r Bugail da a roddaist dy einioes drosom,

ymgrymwn ger dy fron.
Ti'r hwn sy'n Oleuni'r byd,
ymguddiwn rhag dy ysblander.
Ti, Feseia Duw – yr Eneiniog –
tyred yn nes atom ac amlyga i ni dy ogoniant.
Hyn a ddeisyfwn yn dy Enw. Amen.

Wayne Hughes

❖ MYFYRDOD 'STILLE NACHT'

Stille Nacht! Heilige Nacht!
Alles schläft, einsam wacht
Nur das traute hochheilige Paar.
Holder Knabe im lockigen Haar,
Schlaf in himmlischer Ruh.

Dyma bennill cyntaf y garol fwyaf adnabyddus erioed. Joseph Mohr ysgrifennodd y geiriau (saith pennill, yn wreiddiol). Ganwyd ef ar 11 Rhagfyr 1792 yn Salzburg. Gweuwraig oedd ei fam a milwr wedi ffoi oedd y tad. Roedd gan ei fam dri phlentyn siawns arall. Roedd y bachgen yn dalentog iawn; aeth i'r Ysgol Ramadeg ac wedyn i'r Lyzeum yn Kremsmünster, lle astudiodd athroniaeth. Ym 1811 aeth i goleg diwinyddol ac ym 1815 ordeiniwyd ef yn offeiriad. Am gyfnod byr roedd ef yn Lungau, lle ysgrifennodd ym 1816 eiriau'r garol. Ym 1817 daeth fel offeiriad cynorthwyol i Oberndorf, ond roedd tyndra rhyngddo ef a'r offeiriad. Hwn a'i cyhuddodd o esgeuluso ei ddyletswyddau, mynychu tafarndai, fflyrtian â menywod a chanu caneuon 'anddyrchafol'. Ond cafodd yr awdurdodau eglwysig y cyhuddiadau hyn yn anwir.

Yma, yn Oberndorf, y daeth Mohr i adnabod Franz Gruber. Ganwyd hwn ar 25 Tachwedd 1787 yn Hochburg, yn un o chwech o blant. Gwehydd oedd ei dad a dyna fu ei waith yntau tan oedd yn 18 oed. Yna hyfforddwyd ef yn athro a daeth ym 1807 i Arnsdorf fel athro yn yr ysgol gynradd ac organydd yn yr eglwys leol, ac ym 1816 daeth yn organydd yn yr eglwys newydd yn Oberndorf yn ogystal.

Ni wyddys yn union pam y gofynnodd Mohr i Gruber gyfansoddi tôn i'w eiriau. Mae ambell chwedl wedi tyfu. Yn ôl un, roedd llygoden wedi cnoi twll ym megin yr organ. Gan fod yr eira mor drwchus, nid oedd modd cael y dyn fyddai'n tiwnio'r organ i ddod i fyny'r cwm i'w thrwsio. Felly, bu raid gwneud trefniadau eraill.

Sicr yw y canwyd y garol yn ystod yr offeren yn eglwys Sant Nikolaus noswyl y Nadolig 1818. Trefniant ar gyfer deuawd ydoedd gyda Gruber yn canu'r bas a Mohr yn canu'r tenor ac yn cyfeilio ar y gitâr.

Mae'n debyg i diwniwr yr organ, a ddaeth y gwanwyn canlynol, glywed am y garol a mynd â hi i'r Zillertal, lle mabwysiadwyd hi gan ddau grŵp canu gwerin a fyddai'n teithio o gwmpas Ewrop yn perfformio mewn cyngherddau. Dyna sut y daeth y garol mor boblogaidd ac, ar ôl iddi gael ei hargraffu ym 1832, ymledodd dros y byd i gyd, wedi'i chyfieithu i lawer o ieithoedd. Ceir enghreifftiau o sawl un ar y We, ac yno y ceir y casgliad mwyaf cynhwysfawr. Dyma ddwy enghraifft:

Noite feliz, noite feliz!
O Senhor, Deus de Amor,
Pobrezinho, nasceu em Belém
Eis na lapa Jesus, nosso Bem.
Dorme em paz, ó Jesus!
(Portiwgaleg)

Po la'i e, po kamaha'o,
Maluhia, malamalama
Ka makuahine aloha e
Me ke keiki hemolele e
Moe me ka maluhia lani.
(Hawäieg)

Marcus Wells

❖ Myfyrdod 'Pan oedd Bugeiliaid'

Cofleidiodd Diwygwyr Protestannaidd Prydain y gred Galfinaidd mai'r Salmau, llyfr emynau Gair Duw, oedd y cyfrwng mwyaf priodol ar gyfer canu mawl yn yr eglwys, ac, am rai canrifoedd wedi hynny, mydryddiadau o'r salmau fu prif ddeunydd canu cynulleidfaol yr Eglwys Wladol a'r Hen Ymneilltuwyr yng Nghymru a Lloegr.

Yn 1696 cyhoeddwyd *A New Version of the Psalms of David*, mydryddiad o'r Salmau gan ddau Wyddel, Nahum Tate a Nicholas Brady, a awdurdodwyd gan y Brenin William III i'w ddefnyddio yng ngwasanaethau Eglwys Loegr. Nid esgymunwyd emynau yn llwyr o wasanaethau'r eglwys, a chynhwyswyd 16 emyn mewn atodiad i'r *New Version* a gyhoeddwyd yn 1700. Aeth 15 o'r rheini i ebargofiant llwyr. Ond nid felly'r llall, sef emyn Nadolig gan Tate yn dechrau 'While shepherds watched their flocks by night'.

Mydryddiad o ddarn o'r Ysgrythur yw'r emyn hwn hefyd, mewn gwirionedd, sef hanes ymweliad yr angel â'r bugeiliaid yn Luc 2:8–14. Dyma fugeiliaid yn clywed am ddyfodiad y Bugail Mawr ei hun (Mathew 2:4–6; Ioan 10:11). Y tebyg yw nad bugeiliaid cyffredin mo'r rhain ychwaith, ond bugeiliaid y preiddiau a fagwyd gerllaw Bethlehem ar gyfer aberthau'r Deml chwe milltir i'r gogledd yn Jerwsalem. Dyma fugeiliaid ŵyn y Deml, felly, yn mynd i dalu gwrogaeth i'r Oen a fyddai'n cael ei arwain i'r lladdfa er eu mwyn (Eseia 53:7).

Lluniwyd y cyfieithiad Cymraeg isod gan D. Gwyn Jones, golygydd yr enseiclopidia i blant, *Chwilota*. Fe'i lluniwyd ar gyfer *Llyfr Gweddi a Mawl i Ysgolion*, casgliad a gyhoeddwyd dan nawdd pwyllgorau addysg siroedd Caernarfon, Meirionnydd a Cheredigion yn 1958, a chasgliad y bu ef yn un o'i olygyddion.

Pan oedd bugeiliaid gyda'u praidd
  Yn gorwedd ar y bryn,
Daeth angel Duw o'r t'wyllwch du
  Fel golau disglair gwyn.

Wrth weld eu braw a'u dychryn hwy,
  'Nac ofnwch,' meddai ef,
'Cans dwyn yr wyf lawenydd mawr –
  Newyddion da o'r nef.

‘Ym Methlem ganwyd Ceidwad dyn,
Sef Crist yr Arglwydd Dduw,
O dylwyth Dafydd Frenin gynt,
I achub dynol-ryw.

‘A dyma’r arwydd fydd i chwi:
Cewch faban yn ei grud
Mewn preseb llwm yn llety’r ych
A’r gwellt amdano’n glyd!’

Yn sydyn gyda’r seraff roedd
Llu mawr o engyl glân
Yn llenwi’r nef mewn moliant pur
I Dduw, ar lafar gân:

‘Gogoniant i’r Goruchaf Dduw,
Tangnefedd is y nef;
I ddynion bydd ewyllys da
Byth mwy, o’i eni Ef.’

Nahum Tate, cyf. D. Gwyn Jones

E. Wyn James

❖ MYFYRDOD 'AWN I FETHLEM'

Gair o fyd y ddawns yw 'carol' yn wreiddiol, heb unrhyw gyswllt penodol â'r Nadolig. 'Dawns gylch' oedd ei ystyr ar un adeg, ond wedyn aeth i olygu cân y dawnswyr hefyd. Llaciwyd yr ystyr ymhellach nes ei ddefnyddio fel enw ar bob math ar ganu rhydd, ond yn arbennig cerddi yn gysylltiedig â gwyliau a thymhorau'r flwyddyn. Yn eu plith caed llawer a luniwyd ar gyfer gwyliau'r Nadolig, a chân lawen i ddathlu'r Nadolig yw ystyr 'carol' fel arfer erbyn heddiw.

Mae lle amlwg i'r Nadolig yng ngwaith y Ficer Prichard, gŵr a gysegrodd ei ddawn brydyddol i hyfforddi'r werin yng ngwirioneddau'r ffydd Gristnogol. Yn ei gerddi, mae'n annog y bobl i ymwrthod â'r oferedd a oedd yn gymaint rhan o wyliau Nadolig ei ddydd ac a arweiniodd, ym mlwyddyn marw'r Ficer, i'r senedd Biwritanaidd ddiddymu'r ŵyl.

Ond nid annog y bobl i dristwch a phruddglwyf a wna'r Ficer ond i lawenydd gwell, i dreulio'r ŵyl 'mewn nefol hyfrydwch a duwiol ddifyrrwch'. Ac wrth sôn am y Nadolig daw sioncrwydd a llonder i'w ganu, sŵn dawnsio a gorfoleddu, sŵn dathlu pen blwydd, fel yn ei gân hyfryd sy'n ein cymell i fynd i Fethlem. (Dylid egluro, efallai, mai 'preseb' yw ystyr 'craits' ym mhennill olaf y detholiad ohoni a gyhoeddir yma.)

A Mair yn agos at esgor, bu raid iddi hi a Joseff wynebu'r daith hir o Nasareth i Fethlehem ar orchymyn y brenin. Gadewch i ninnau, ar wahoddiad y Brenin Mawr, fynd at grud ei Fab mewn ffydd ac edifeirwch a diolchgarwch.

Awn i Fethlem bawb dan ganu,
Neidio, dawnsio a difyrru,
I gael gweld ein Prynwr c'redig
Aned heddiw, ddydd Nadolig.

Yn lle aur, rhown lwyrgred ynddo,
Yn lle thus, rhown foliant iddo,
Yn lle myrr, rhown wir 'difeirwch,
Ac fe'u cymer drwy hyfrydwch.

Awn i Fethlem i gael gweled
Y rhyfeddod mwya' wnaethped,
Gwneuthur Duw yn ddyn naturiol
I gael marw dros ei bobol.

Awn i weld yr Hen Ddihenydd,
A wnaeth y nef a'r môr a'r mynydd,
Alffa oediog, Tad goleuni,
Yn ddyn bychan, newydd eni.

Awn i weled Duw y Gair,
Brenin nef, ar arffed Mair,
Wedi cymryd cnawd dyn arno,
Yn fab bach yn dechrau sugno.

Awn i Fethlem i gael gweled
Mair a Mab Duw ar ei harffed;
Mair yn dala rhwng ei dwylo
Y Mab sy'n cadw'r byd rhag cwympo.

Awn i weld concwerwr angau
Wedi'i rwymo mewn cadachau,
A'r Mab a rwyga deyrnas Satan
Yn y craits, heb allu cripian.

Rhys Prichard

E. Wyn James

❖ Myfyrdod 'Ganol Gaeaf Noethlwm'

Nid Nadolig yr eira a'r robin yw un y Wladfa. Yno, yn hemisffer deheuol y byd, ar ganol haf y daw'r Nadolig, a chael bwyd a chwaraeon yn yr awyr agored yw'r drefn. Llongwr oedd S. B. Jones cyn mynd yn weinidog, ac mae'n siŵr i awdur pryddest boblogaidd 'Rownd yr Horn' brofi sawl Nadolig twym tra wrth ei alwedigaeth gyntaf. Ond y 'Nadolig gwyn' traddodiadol, darlun y garden Nadolig, a gawn ym mhennill cyntaf ei drosiad celfydd o rai o benillion y garol Saesneg hyfryd 'In the bleak midwinter'.

Dyfodiad diweddar i blith dathliadau'r ŵyl yw'r garden Nadolig. Datblygodd yn Lloegr yn yr 1840au fel dyfais i rwyddhau'r arfer o ysgrifennu at gyfeillion a pherthnasau i gyflwyno iddynt gyfarchion y tymor. Dechreuasant fynd yn boblogaiodd o tua 1870 ymlaen, yn sgil costau postio ac argraffu rhatach, ac erbyn hyn anfonir miliynau lawer ohonynt o bob lliw a llun, gyda chyfartaledd uchel o'r rhai Cymraeg yn cael eu gwerthu er budd achosion da.

Prin iawn oedd y cardiau Nadolig Cymraeg cyn y Rhyfel Byd Cyntaf, ac roedd anfon cardiau yn arfer dieithr i T. Llew Jones pan oedd yntau'n grwt yn Nyffryn Teifi yn y blynyddoedd wedi'r rhyfel hwnnw. Ond sonia ef fel y daeth yn ffasiwn ymhlith beirdd enwog y Cilie yng ngodre Ceredigion anfon englynion i gyfarch ei gilydd adeg y Nadolig. Un o deulu'r Cilie oedd S. B. Jones, wrth gwrs, ac ni bu neb yn fwy cyson nag ef yn llunio englynion o'r fath.

Ganol gaeaf noethlwm
  Cwynai'r rhewynt oer,
Ffridd a ffrwd mewn cloeon
  Llonydd dan y lloer.
Eira'n drwm o fryn i dref,
  Eira ar dwyn a dôl,
Ganol gaeaf noethlwm
  Oes bell yn ôl.

Metha nef a daear
   Gynnwys ein Duw;
Ciliant hwy a darfod
   Pan fydd Ef yn llyw.
Ganol gaeaf noethlwm
   Digon beudy trist
I'r Arglwydd Hollalluog
   Iesu Grist.

Beth a roddaf iddo,
   Llwm a thlawd fy myd?
Pe bawn fugail, rhoddwn
   Orau'r praidd i gyd;
Pe bawn un o'r doethion,
   Gwnawn fy rhan ddi-goll;
Ond pa beth a roddaf?
   Fy mywyd oll.

Christina Georgina Rossetti (1830–94)
cyf. Simon B. Jones (1894–1964)

E. Wyn James

❖ MYFYRDOD 'GANOL GAEAF NOETHLWM'

Ym 1904 y cyhoeddwyd yr emyn Nadoligaidd traddodiadol 'In the bleak midwinter' yn *Poetical Works*, sef casgliad o waith yr awdures Christina Georgina Rossetti (1830–1894). Roedd hynny ddeng mlynedd ar ôl iddi farw, a William Michael Rossetti, ei brawd, a olygodd y gyfrol. Mae'n debyg i Christina ysgrifennu'r darn ym 1872 mewn ymateb i gais gan y cylchgrawn *Scribner's Monthly* am gerdd Nadoligaidd. Fe'i defnyddiwyd am y tro cyntaf fel emyn yn *The English Hymnal* (1906).

Hanai Christina o deulu llengar. Yn ferch i Gabriele Rossetti, ffoadur o'r Eidal a ddaeth yn Athro'r Eidaleg yng Ngholeg y Brenin, Llundain, roedd o argyhoeddiad crefyddol Anglo-Gatholig dwfn iawn. Cyhoeddodd lyfrau barddoniaeth – grefyddol yn bennaf – a llyfrau defosiwn. Roedd ei brodyr Dante Gabriel, arlunydd a bardd, a William Michael, llenor a beirniad, ymhlith sylfaenwyr y Frawdoliaeth Gyn-Raffaëlaidd, sef grŵp o arlunwyr a sefydlodd gymdeithas ym 1848 i geisio adennill harddwch a symlrwydd y byd canoloesol. Enw cylchgrawn byrhoedlog y Frawdoliaeth oedd *The Germ*, ac ysgrifennodd Rossetti gerddi ynddo dan y ffugenw Ellen Alleyne.

Gwrthododd ddau gynnig i'w phriodi yn ystod ei bywyd a hynny am resymau crefyddol. Yn y 1870au bu'n gweithio dros y Gymdeithas er Hyrwyddo Gwybodaeth Gristnogol (SPCK). Yn anffodus, ni chafodd yr iechyd gorau yn ystod ei bywyd. Bu farw o'r cancr ar 29 Rhagfyr 1894.

Cenir ei hemyn ar y dôn 'Cranham' o eiddo Gustav Theodore (von) Holst (1874–1934). Roedd Holst o dras Seisnig ar ochr ei fam a Swedaidd ar ochr ei dad. Hyd y Rhyfel Byd Cyntaf roedd yr enw teuluol yn cynnwys y 'von'. Wedi'i hyfforddi yn organydd a thrombonydd, roedd yn ffigwr o bwys ym myd cerddoriaeth ysgolion uwchradd ac addysg uwch yn Llundain.

Cyfieithwyd yr emyn i'r Gymraeg gan Simon Bartholomeus Jones (1894–1964). Mae pum pennill yn emyn gwreiddiol Rossetti a thri yn y fersiwn Gymraeg yn *Caneuon Ffydd* (Rhif 466). Bardd a golygydd a mab ieuengaf ond un teulu'r 'Cilie' oedd Simon Jones. Bu'n forwr yn ŵr ifanc ond ar ôl damwain ar fwrdd llong yn Buenos Aires, dychwelodd i Gymru a'i fryd ar y Weinidogaeth gyda'r Annibynwyr. Bu'n weinidog yn Lerpwl, Carno a Pheniel, Caerfyrddin. Roedd yn fardd coronog a chadeiriol a bu'n olygydd *Y Genhinen*. Golygwyd detholiad o'i gerddi a'i ysgrifau gan ei nai Gerallt Jones (tad Dafydd Iwan) a'i gyhoeddi ym 1966.

Mae rhythm rhydd y geiriau (Cymraeg a Saesneg) yn gofyn am addasiad o dôn Holst. Gwell trefniant yw un Harold Darke a gyhoeddwyd ym 1911.

o *Papur Priordy*

❖ MYFYRDOD 'DAETH LLYWYDD NEF A LLAWR'

Daeth Llywydd nef a llawr
I wisgo dynol gnawd;
Wel, henffych, Arglwydd mawr,
A henffych, dirion Frawd;
Henffych i'n Duw a'n Ceidwad hael
A welwyd yn y preseb gwael.

Nid Edward Jones, Maes-y-plwm, yw emynydd mwyaf Dyffryn Clwyd ond Thomas Jones o Ddinbych, un o'r meddylwyr Cristnogol mwyaf a gafodd Cymru. Yn yr emyn hwn o dri phennill, nid rhyw dri phwynt pregethwrol a gawn, ond mae'r meddwl yn ffrydio y tu mewn i'r penillion yn ogystal ag o un pennill i'r llall.

Mae'r emyn yn dechrau gyda berf, a honno'n ferf yn yr amser gorffennol: 'daeth'. A dyna ni'n syth yn iaith yr efengyl. Mae berf yn yr amser gorffennol yn dweud am rywbeth sydd wedi'i wneud, wedi gorffen cael ei wneud a chaiff o byth ei ail-wneud. Ar hyn y mae Cristnogaeth yn sefyll. Mae hi'n ffydd hanesyddol, a dyma'r Person mwyaf arwyddocaol a ddaeth i'r byd erioed. Fe rwygodd y canrifoedd, a bellach, ar draws rhan helaeth o'r byd, rydym yn mesur y blynyddoedd a'r canrifoedd oddi wrth ei ddyfodiad ef yma. Dyna'r peth cyntaf sydd yn ein papur newydd ni bob dydd, ar ben y tudalen cyntaf, a dyna'r newydd mwyaf sydd ynddo, sef y dyddiad – yn dweud faint sydd er pan ddaeth ef i'r byd.

❖ 'Y Bobl oedd yn Rhodio mewn Tywyllwch'

Un o Drigolion Jerwsalem

Darllen: Eseia 9:2, 6–7

Myfyrdod
'Y bobl oedd yn rhodio mewn tywyllwch a welodd oleuni mawr.'
Ydych chi'n cofio'r geiriau yna?
Mae'n anodd peidio cofio.
Ond beth yw eu hystyr tybed?
A ydych chi wir yn credu y bydd pethau'n newid,
y daw'r Meseia
ac o'r diwedd sefydlu ei deyrnas?
Credais hynny fy hun unwaith.
Roedd yn arfer gennyf ddarllen yr adran hon yn aml,
cynhesodd fy nghalon,
teimlais iasau disgwyliadau mawr,
wrth feddwl y byddai Duw yn trawsnewid ein byd.
Fydd hi ddim yn hir eto,
daw, fe ddaw y dydd.
Ond aeth diwrnod arall heibio,
mis arall,
blwyddyn arall yn dod ac yn mynd,
a gyda threigl y blynyddoedd collodd ffydd ei sglein,
a doedd dim ar ôl bellach
ond caddug yn cuddio ffynhonnell cysur.
Beth ddigwyddodd?
A oeddwn wedi camddeall rhywbeth,
a wnaeth y proffwyd gamgymeriad,
a'i weledigaeth yn ddim byd mwy na breuddwyd gwag?
Credwch fi, nid dyna'r hyn rwyf am ei gredu,
ond, er mwyn popeth, edrychwch o'ch cwmpas –
y pechod,
y dioddefaint,
y galar,
yr aflendid –
a dywedwch wrthyf yn onest,

lle mae Duw yn hyn i gyd?
Allwch chi weld y goleuni a addawodd?
Ni allaf fi.
Disgwyliais fel llawer un o'm blaen,
dywedais wrthyf fy hun na chaiff drygioni'r gair olaf,
fod yn rhaid i ddaioni goncro,
ond does dim arwydd yn unman,
dim i godi calon.
Er hynny, rhaid i mi ddal i obeithio;
rhywsut, rhywfodd, rhaid cadw'r ffydd.
Os nad oes dim mwy na'r hyn a welwn,
yna Duw a'n helpo!
Mae gennyf fy amheuon,
nid yw'n hawdd,
ond tra bo llygedyn o ffydd ar ôl,
rwyf am barhau i obeithio,
a dal ati i weddïo:
tyred, Arglwydd,
tyred!

Gweddi
O! Dduw grasol,
mae'n anodd gweld goleuni yn llewyrchu yn y tywyllwch.
Mae cymaint o anghyfiawnder a gorthrwm yn ein byd,
cymaint o drachwant ac eiddigedd,
balchder, rhagfarn a drygioni.
Er cymaint y ceisiwn ymddiried ynot,
y mae cymaint sy'n tanseilio'n ffydd.
Estyn di dy law i'r tywyllwch,
gan ddwyn cymorth a iachâd, gobaith ac adferiad.
Tyred, O! Arglwydd, i'n byd,
a boed i oleuni dy gariad ddisgleirio yn ein calonnau,
ac yng nghalonnau pawb,
er gogoniant i'th enw.

Nick Fawcett, cyf. Olaf Davies

❖ Y Meseia - Ddim yn Dod?

Selot

Darllen: Salm 24:7–10

Myfyrdod
Y Meseia – ddim yn dod?
Peidiwch â gwneud i mi chwerthin!
Wrth gwrs ei fod yn dod,
a fydd hi ddim yn hir, credwch chi fi.
Sut y gwn i?
Wel, mae'n amlwg!
Edrychwch o'ch cwmpas ar gyflwr ein byd –
cyflwr ein cymdeithas,
y llygredd,
y trachwant,
yr hunanoldeb;
y cwbl yn groes i ewyllys Duw –
ydych chi'n credu ei fod am ganiatáu i hyn barhau?
Ni allaf fi gredu hynny.
Na, efallai fod yr oedi yn anodd ei ddeall,
ond yn hwyr neu'n hwyrach
daw dydd yr Arglwydd;
a dyna ddydd fydd hwnnw,
dydd bythgofiadwy i bawb!
Byddwn yn rhydd o'r diwedd,
yn oleuni yn hytrach na thestun gwawd i'r cenhedloedd,
yn bobl fydd yn teyrnasu yn hytrach na thaeogion,
oherwydd pan ddaw,
daw'r alwad i godi arfau,
clywir sain utgyrn yn ein galw i'r frwydr
ac ymlaen i fuddugoliaeth.
Onid dyna ei addewid? –
teyrnas newydd,
dechreuad newydd,
gwaredigaeth o gaethiwed –
yn wir, rwy'n cyfrif yr oriau.
Dychmygwch yr olygfa os medrwch:
Iesu a Pheilat benben â'i gilydd,
llywodraethwr Rhufeinig yn erbyn Brenin yr Iddewon –

bydd hynny'n werth ei weld!
Oni bai fy mod yn ei gasáu gymaint,
buaswn yn tosturio wrth Peilat o dan yr amgylchiadau;
fydd ganddo ddim syniad beth fydd wedi ei daro,
ei fyddinoedd yn ddi -rym yn erbyn llaw yr Arglwydd.
Beth wnaiff e tybed?
Troi a gwingo, mae'n siŵr,
a hyd yn oed ceisio golchi ei ddwylo o'r cyfrifoldeb,
ond ni fydd dianc y tro hwn,
dim ffordd i osgoi'r farn derfynol.
Cofiwch, sôn yr ydym am Eneiniog Duw,
yr un a ddaw i sefydlu cyfiawnder a heddwch.
Ni bu'r disgwyl yn hawdd,
ond addawodd Duw ei waredigaeth,
ac y mae ef bob amser yn ffyddlon i'w air.
Felly, peidiwch â dweud wrthyf nad yw'n dod.
Dim ond mater o amser ydyw bellach;
y mae gwawr y deyrnas newydd ar dorri.
Does ond gobeithio y byddaf o gwmpas pan ddigwydd;
bydd yn werth disgwyl, does dim amheuaeth –
ni fydd o'r byd hwn!

Gweddi

Arglwydd Iesu Grist,
er i ni honni dy wasanaethu,
ofnwn fod gennym fwy o ddiddordeb gwasanaethu ein hunain.
Yn hytrach na gwrando arnat ti,
yr ydym yn barotach i wrando ar ein mympwyon ein hunain.
Yn hytrach na cheisio dy ewyllys di,
dilynwn ein llwybrau ein hunain,
gan ddisgwyl i ti gydymffurfio â'n disgwyliadau.
Maddau i ni, O! Arglwydd,
am gau ein llygaid i'th bresenoldeb bywiol.
Maddau ein gweledigaeth gyfyng
a helpa ni i'th gyfarfod fel yr wyt mewn gwirionedd.
Boed i ni d'adnabod,
dy garu a'th wasanaethu
heddiw a phob amser,
er gogoniant dy enw.

Nick Fawcett, cyf. Olaf Davies

❖ 'LLE BU'R DECHRAU?'

Ioan yr Apostol

Darllen: Ioan 1:1–5, 10–14

Myfyrdod
'Lle bu'r dechrau?' Dyna a ofynnant.
'Dywed y stori eto.'
Ac mi wn beth maent yn dymuno ei glywed –
stori'r gwesty a'r stabl,
y baban yn gorwedd yn y preseb,
bugeiliaid yn gwylio'u praidd
a'r doethion yn teithio o'r dwyrain.
Gwn hefyd pam eu bod yn gofyn,
oherwydd pwy ohonom na wefreiddiwyd gan y digwyddiadau hynny,
y dydd hwnnw pan ddaeth y Gair yn gnawd
a byw yma yn ein plith ni?
Ond er mor hyfryd yw'r hanes, nid yno bu dechrau'r daith;
dydy'r hanes hwnnw ond rhan fechan o'r darlun.
Rhaid mynd yn ôl lawer iawn pellach –
cyn Bethlehem,
cyn y proffwydi,
cyn y Ddeddf,
cyn bod amser, hyd yn oed,
oherwydd yn y fan honno bu'r cychwyn:
yn llythrennol 'yn y dechreuad'.
Yno yr oedd pwrpas Duw ar waith,
ei Air creadigol a gwaredigol
yn dwyn goleuni a chariad i'r byd,
yn ffurfio nid yn unig y nefoedd a'r ddaear
ond bywydau pawb,
pob gŵr, gwraig a phlentyn.
Y rhyfeddod fod Duw,
nid yn unig wedi'n creu,
ond drwy Grist yn benderfynol o'r dechrau
i rannu ein bywyd,
i ymgnawdoli,
i uniaethu ei hunan yn llwyr

â'n llawenydd a'n tristwch,
â phrydferthwch a hagrwch y ddynoliaeth.
Mae'r peth yn anghredadwy!
Duw yn dymuno i ni ei adnabod,
nid fel ei greaduriaid
ond fel ei blant,
nid fel pypedau
ond fel pobl yn ymateb yn rhydd i'w gariad,
gan ddatguddio'n raddol ei bwrpas,
rhoi cip i ni ar ei deyrnas,
ac yn goron ar y cyfan,
yng nghyflawnder yr amser,
daeth y Gair yn gnawd a byw yn ein plith,
yn llawn gras a gwirionedd.
Nid gweithred o banig oedd yr ymgnawdoliad
ond rhywbeth a gynlluniwyd
cyn llunio'r byd,
cyn lledu'r nefoedd wen.
Felly, y tro nesaf y clywch chi'r hanes am y stabl a'r preseb,
y bugeiliaid yn rhyfeddu
a'r doethion yn talu gwrogaeth,
oedwch am eiliad
a myfyriwch ar yr hyn a wnaeth y cyfan yn bosibl,
y pwrpas tragwyddol a fu'n paratoi'r ffordd i Grist,
ac yna gofynnwch i chi eich hunan:
a ydych chi'n barod i ymateb i'w ddyfodiad?

Gweddi
O! Dduw grasol,
ar waetha'n hanufudd-dod
y mae dy gariad di'n parhau.
Felly yn awr ac felly y bu o'r dechrau,
dy natur di yw trugarhau.
Helpa ni i sylweddoli ehangder dy ffyddlondeb,
ac i ddefnyddio'r tymor hwn
i agor ein calonnau i'th ras,
drwy Iesu Grist ein Harglwydd.

Nick Fawcett, cyf. Olaf Davies

❖ DYNA'R FREUDDWYD RYFEDDAF

Joseff

Darllen: Mathew 1:18–25

Myfyrdod
Dyna'r freuddwyd ryfeddaf,
chwerthinllyd mewn gwirionedd,
ac eto ni allaf ei hanghofio.
Breuddwydiais fod Duw yn siarad â mi.
Nid wyneb yn wyneb,
ond drwy ei angel,
yn honni bod yn negesydd i Dduw.
A wyddoch chi beth ddywedodd yr angel?
Cymer Mair yn wraig i ti!
A minnau wedi penderfynu'n dawel fach
i'w rhoi o'r neilltu,
a cheisio osgoi'r gwarth, gorau gallwn,
dyma'r creadur hwn yn fy annog i ailfeddwl.
Pam?
Oherwydd 'mae'n debyg' doedd gan y busnes
ddim byd i'w wneud â hi;
roedd y baban wedi ei feichiogi drwy'r Ysbryd Glân,
wedi ei ordeinio gan Dduw.
Wel, mi glywais ambell esgus yn ei dro
ond hwn yw'r gorau eto!
Wedi'r cyfan, pwy oedd y creadur hwn yn meddwl oeddwn i?
Roedd y peth yn chwerthinllyd,
ac fel arfer byddwn wedi anghofio'r peth yn y fan a'r lle.
Ond nid y tro hwn –
nid y pryd hwnnw ac ni allaf yn awr.
Breuddwyd ydoedd efallai,
ond mae'n fyw ynof hyd heddiw.
Pam? – mae nifer o resymau, mae'n siŵr.
Dyna i chi Mair i ddechrau,
y modd yr edrychodd arnaf wrth iddi ddweud y newydd –
mor ddiniwed,

yn union fel petai wedi cyfarfod â Duw ei hunan
ac yn gwbl hyderus y byddwn i'n deall.
Yna roedd Elisabeth a Sechareia –
Duw a ŵyr beth ddigwyddodd iddynt hwy,
ond yr oeddent wedi gwirioni,
dim arlliw o amheuaeth,
heb sôn am warth o'u rhan nhw.
Ond yr hyn wnaeth y gwahaniaeth i mi yn fwy na dim
oedd yr ymdeimlad fod Duw wedi fy nghyffwrdd,
a'm bywyd wedi newid am byth.
Onid oeddwn yn iawn yn hynny o beth? –
oherwydd wrth i mi siarad
rydym ar ein ffordd i Fethlehem,
a'm gwraig yn gwingo mewn poen,
ac yn gweddïo am ben y daith.
A wnes i'n iawn, tybed?
A wnes i'n iawn i sefyll gyda hi?
Rwy'n cael fy amheuon o hyd,
oherwydd mae'n anodd cynefino â phlentyn
nad oedd gen i ddim byd i'w wneud ag ef.
Ond, ar waetha'r cwestiynau, rwyf wedi gwneud fy rhan:
cymerais hi yn wraig.
Ond tro Duw yw hi'n awr.
Ai breuddwyd ydoedd, ffrwyth fy nychymyg?
Cawn weld yn ddigon buan!

Gweddi
O! Dduw grasol,
y mae dy weithredoedd mor annisgwyl,
mae'n anodd dy ddeall weithiau pan fyddi'n siarad â ni.
Fe ddeui atom mewn ffyrdd ac mewn lleoedd cwbl annisgwyl,
ac yn aml methwn dy adnabod pan fyddi'n sefyll yn ein plith.
Dysg i ni fod yn effro i'th bresenoldeb,
a helpa ni i ymateb pan fyddi'n galw,
er na wyddom i ble mae'r ffordd yn arwain.
Galluoga ni i gerdded mewn ffydd,
drwy Iesu Grist ein Harglwydd.

Nick Fawcett, cyf. Olaf Davies

❖ 'Fe Wnest Gamgymeriad'

Mair

Darllen: Luc 1:26–34

Myfyrdod
'Fe wnest gamgymeriad,' meddwn wrtho.
'Nid fi, dim byth!
Rhywun arall efallai,
yn deilyngach,
yn bwysicach,
ond nid fi!'
Yn wir, beth oedd gennyf fi i'm cymeradwyo?
Dim cysylltiadau na doniau arbennig,
dim – dim ond merch gyffredin o Nasareth,
felly beth allai Duw weld ynof fi?
Beth bynnag, doeddwn i ddim yn briod eto,
a doedd dim gobaith fy mherswadio
i gysgu gyda Joseff cyn i ni briodi.
Felly dyma ddweud yn blwmp ac yn blaen,
'Mae'n ddrwg gennyf, ond fe wnest gamgymeriad!'
Ond nid atebodd.
Dim ond sefyll yno yn gwenu,
heb gynnwrf,
a chyn i mi gael cyfle dyma fe'n dechrau eto –
a'r neges y tro hwn yn fwy syfrdanol na chynt:
plentyn wedi ei eni o'r Ysbryd Glân,
Mab Duw!
Roedd hyn braidd yn ormod,
a dylwn fod wedi dweud hynny yn y fan a'r lle,
ond roeddwn wedi fy syfrdanu gormod i ymateb.
Hyd yn oed wedi i mi gael hyd i'm tafod
nid oedd fawr o ddefnydd i mi –
roedd fy meddwl mor llawn o gwestiynau
ni allwn ond dweud
'Wele fi, wasanaethferch yr Arglwydd,
bydded i mi yn ôl dy air.'
O! oedd, roedd yn swnio'n dda,

yn enghraifft wych o wyleidd-dra –
ond pe byddech ond yn gwybod beth oedd ar fy meddwl,
byddai'r darlun sydd gennych ohonof yn wahanol wedyn.
Felly, beth a ddigwyddodd i mi?
Sut allwn fod mor dyner ac ufudd?
Wel, pa ddewis oedd gennyf?
Oherwydd, fel y dywedodd yr angel,
'Y mae popeth yn bosibl gyda Duw.'
Sut gallwn i ddadlau gyda hynny?
Doedd dim dianc i fod.
Ond un peth yw derbyn yr egwyddor,
peth arall yw pan fydd yr egwyddor
yn troi eich bywyd wyneb i waered.
A ydw i'n credu?
Doeddwn i ddim ar y pryd,
ond rwy'n credu'n awr,
oherwydd rwyf newydd ddeall fy mod yn feichiog,
a rwy'n dweud hyn gyda'r parch mwyaf,
Duw a ŵyr sut!
Y mae'n rhyfeddol ac yn ddychrynllyd,
yn gyffrous ac yn ddirgelwch;
mae fy meddwl ar chwâl, heb wybod beth i feddwl mwyach.
Ond mae un peth yn glir,
y tu hwnt i bob cwestiwn –
gyda Duw, mae'n amlwg,
does *dim* yn amhosibl!

Gweddi
O! Dduw grasol,
yr wyt ti yn ein herio bob dydd,
yn ein galw i feysydd na allem ddychmygu'n bosibl.
Pwy bynnag ydym, y mae rhan i ni yn dy gynlluniau di.
Gwared ni rhag i ni amau dy allu.
Rho i ni'r gostyngeiddrwydd angenrheidiol i glywed dy lais,
a rho i ni ffydd i ymateb.
Boed i ni ymateb fel yr ymatebodd Mair:
'Wele fi, Arglwydd;
bydded i mi yn ôl dy air.'
Gofynnwn hyn, yn enw Iesu Grist ein Harglwydd.

Nick Fawcett, cyf. Olaf Davies

❖ Ai Breuddwyd oedd y Cyfan?

Mair

Darllen: Luc 1:26–38

Myfyrdod
Ai breuddwyd oedd y cyfan,
a ffrwyth fy nychymyg?
Mae'n rhaid cyfaddef mai felly rwy'n teimlo'n awr,
ond ar y pryd yr oedd mor fyw
mor gyffrous,
ac eto mor ddychrynllyd.
'Henffych well, tydi, yr un y rhoddodd Duw ei ffafr iddi!'
Llamodd fy nghalon pan glywais y geiriau –
myfi, Mair, o bawb,
wedi fy newis gan Dduw ei hun.
Ond yna llefarodd yr angel eto,
'Byddi'n beichiogi yn dy groth ac yn esgor ar fab, a gelwi ef Iesu.'
Dyna'r peth olaf a ddisgwyliais!
Er hynny, yn rhyfedd iawn,
ni wneuthum fawr ddim
i wrthwynebu'r syniad –
dim ond un cwestiwn bach: 'Sut y digwydd hyn?'
Rwy'n rhyfeddu'n awr, wrth edrych yn ôl,
ond ar y pryd yr oedd yn ymateb cwbl naturiol.
Pam?
Wel, ar y pryd, cystal cyfaddef nad oeddwn i'n credu'r peth.
Ystyriais y mater yn ddwys,
ond pe byddech wedi 'ngorfodi i fynegi fy nheimladau,
byddai gormod o gwestiynau i'w hanwybyddu –
a oeddwn wedi camddehongli'r arwyddion,
a oeddwn wedi dychmygu'r holl beth,
neu wedi gwrando ar ormod o chwedlau?
Ond nid dyna'r rheswm pennaf,
oherwydd fy ngwir ddymuniad oedd credu, ar waetha'r cwbl.
Oni fyddech chithau yn rhannu fy nymuniad
pe byddech wedi derbyn yr un addewid:

'Bydd hwn yn fawr, a Mab y Goruchaf y gelwir ef;
rhydd yr Arglwydd Dduw iddo orsedd Dafydd ei dad,
ac fe deyrnasa ar dŷ Jacob am byth.'
A oes angen dweud mwy?
Roedd y ffaith fod y plentyn yn annisgwyl yn syfrdanol i mi –
ond teyrnasu ar Israel,
Gwaredwr,
cnawd o'm cnawd fy hun,
roedd hynny yn ormod i rywun fel fi ei ddychmygu,
ac eto yn rhy aruthrol i'w ddiystyru'n gyfan gwbl.
Ai breuddwyd oedd y cyfan?
Ni allaf gredu hynny mwyach,
oherwydd wrth lefaru'r geiriau hyn
rwy'n eistedd mewn stabl,
yn syllu ar breseb,
ac yno'n gorwedd mae fy mhlentyn bach,
Iesu.
Digwyddodd,
yn union yn ôl yr addewid,
yn union fel y dywedodd yr angel,
ac os oedd Duw yn iawn yn y cyswllt hwn,
pam nad y gweddill hefyd?
Sut gallaf i beidio â chredu?

Gweddi
Arglwydd,
yn Iesu Grist yr wyt wedi ymestyn
i gyrrau'r ddaear.
Addewaist dy waredigaeth i'th bobl,
ac yng nghyflawnder yr amser cyflawnaist dy addewid.
Buost yn Dduw ffyddlon o'r dechreuadau,
cyflawnaist dy holl addewidion.
Boed i'th ffyddlondeb ein hysbrydoli
i ymddiried ynot yn well,
gan wybod pa beth bynnag a ddaw
ni phalla dy air.

Nick Fawcett, cyf. Olaf Davies

❖ UN BYCHAN YDOEDD

Mair

Darllen: Luc 2:1–7

Myfyrdod
Un bychan ydoedd yn gorwedd yno,
mor fregus,
mor ddiniwed –
a'm hunig ddymuniad oedd ei gofleidio
a'i amddiffyn rhag y byd mawr.
Ai hwn oedd Mab Duw,
yr un oedd i fod yn fawr,
Tywysog Tangnefedd?
Does bosib!
Bu'n anodd credu ar y cychwyn,
pan dorrodd yr angel y newydd –
meddwl y byddwn i, Mair, wedi fy newis o flaen neb arall
i esgor ar y Meseia –
ond nawr, wrth syllu i'r preseb
a gweld y breichiau bach yn chwifio
a'r wyneb diniwed yn crychu mewn cwsg,
y mae'n anos credu,
amhosibl,
dychymyg os bu dychymyg erioed.
Bydd yn synhwyrol, dywedais wrthyf fy hun,
fyddai Duw byth yn mentro gwneud y fath beth,
byth yn mentro'r cyfan ar blentyn diymadferth,
a hwnnw wedi ei eni mewn stabl o bob man!
Ac ar y gair dihunodd Iesu,
dagrau'n llenwi ei lygaid,
gwaedd o brotest ar ei wefusau,
a sylweddolais ei fod eisiau ei fwydo.
Gwawriodd arnaf y pryd hwnnw oblygiadau dychrynllyd y cyfan –
roedd ar y plentyn hwn fy angen,
nid yn unig am fwyd, gwres ac amddiffyn,
ond am bopeth;

yr oedd ei ddyfodol yn fy nwylo.
A fyddai Duw yn caniatáu hynny?
A fyddai ef ein hangen ni
cymaint ag y byddem ni ei angen ef?
Na, mae'n rhaid bod rhywun wedi gwneud camgymeriad –
ni allai hyn fod yn bosibl.
Neu a allai hyn fod yn bosibl?

Gweddi

O! Dduw,
daethost i'n byd yng nghyflawnder yr amser,
ymgnawdolodd dy air mewn plentyn yn gorwedd mewn preseb.
Cymaint oedd dy gariad tuag atom,
mentraist y cyfan
i chwalu'r gwahanfuriau rhyngom.
Rhennaist ein dynoliaeth o'r crud i'r groes,
fel y gallem brofi bywyd yn ei holl gyflawnder.
Daethost yn Dduw gyda ni,
fel y gallwn ni fod yn un â thi.
Dysg i ni sylweddoli
fod yn rhaid i ninnau fel Mair
dderbyn dy drugaredd
a phrofi'r bendithion yr wyt am eu cyfrannu i ni.
Tyrd eto i'n calonnau,
fel y gallwn dy garu'n well
a'th wasanaethu'n deilwng,
drwy Iesu Grist ein Harglwydd.

Nick Fawcett, cyf. Olaf Davies

❖ PEIDIWCH Â SIARAD EFO DYNION DIARTH

Bugail

Darllen: Luc 2:8–14

Myfyrdod
Peidiwch â siarad gyda dynion diarth.
Glywsoch chi honna o'r blaen?
Clywais hi droeon,
yn amlach nag y gallaf gofio.
Pam dweud hynny?
Oherwydd fi, gan amlaf, yw'r dyn diarth
y bydd pobl yn sôn amdano.
'Blant, cadwch yn ddigon pell o'r dyn yna,
chewch chi ddim byd ond trwbl os ewch chi'n agos ato.'
Ie, felly mae pobl yn ein gweld –
nid fel bugeiliaid,
ond gwehilion, baw gwaelod y domen.
A'r hyn sy'n waeth,
ymhen amser mae'n anodd peidio â'i gredu,
pob arlliw o urddas a hunan barch wedi ei erydu
gan gleber gwenwynig
ac ensyniadau tan din.
Dyna wnaeth y noson o'r blaen mor arbennig –
y noson y gwelsom angylion,
a chlywed y newyddion da,
a mynd i Fethlehem i weld drosom ein hunain.
Nid y ffaith fod y Meseia wedi ei eni
oedd y peth mawr i ni ar y pryd,
ond mai *ni* a ddewiswyd i dderbyn y newydd,
cael y flaenoriaeth ar bawb arall!
Peidiwch â chamddeall, fe fyddem wedi llawenhau
pwy bynnag fyddai'r cyntaf,
oherwydd beth bynnag a ddywed pobl amdanom,
yr ydym mor dduwiol â neb,
ac yr oeddem wedi dyheu am ddyfodiad y Meseia,
gan weddïo y digwyddai yn ystod ein hoes ni.

Ond cael bod y cyntaf i glywed,
cael gwahoddiad personol
i weld y Gwaredwr newydd-anedig,
yr oedd hynny y tu hwnt i bob dychymyg,
a golygodd fwy i ni nag y gall neb arall ei ddychmygu.
Yn sydyn rhoddwyd gwerth arnom unwaith eto,
a chael ein hadnabod fel unigolion.
Yn sydyn gallem ddal ein pennau'n uchel,
gan wybod fod gennym yr un hawl â phawb i rodio'r ddaear yma.
Yn sydyn nid oedd barn eraill amdanom yn ein blino;
os nad oeddent hwy yn ein hoffi,
yr oeddem yn bwysig yng ngolwg Duw,
a doedd dim yn bwysicach na hynny i ni.
Yn ddiau, bydd rhai yn parhau i farnu,
parhau i'n diystyru
gyda'u hedrychiadau hunangyfiawn.
Ond nid wyf yn poeni mwyach,
oherwydd y mae dywediad arall
sydd i mi yn dweud y cyfan:
'Gwell hynawsedd na phryd'.
Mae Duw wedi dangos i mi
ei fod yn edrych o dan yr wyneb,
ac yn gweld y person am yr hyn ydyw,
a hwnnw'n berson mwy gwerthfawr yn ei olwg
nag y byddech yn meiddio ei ddychmygu.

Gweddi
O! Dduw grasol,
yr ydym yn euog o farnu wrth olwg.
Er ein bwriadau da
methwn â threchu'n rhagfarnau.
Maddau i ni
am y troeon y bu i ni ddelio yn annheg â phobl,
am y boen a'r gofid a achoswyd
ac am bob cyfle sydd wedi ei warafun.
Dysg i ni weld drwy dy lygaid di,
a sylweddoli'r gwerth ym mhawb.

Nick Fawcett, cyf. Olaf Davies

❖ ROEDD GENNYF DEIMLADAU CYMYSG

Mair

Darllen: Luc 2:15–20

Myfyrdod
Roedd gennyf deimladau cymysg,
cyn ac ar ôl y geni.
A yw hynny yn eich synnu?
Fe'm synnwyd i.
Credais y byddwn wedi gwirioni ar enedigaeth y plentyn;
onid felly y mae pob mam yn teimlo,
felly pam nad oeddwn i'n byrlymu o lawenydd?
Yr oeddwn yn hapus iawn wrth gwrs,
rhan ohonof, beth bynnag,
ond yr oedd cymaint o bethau nad oeddwn yn eu deall.
Dyna i chi Joseff yn un peth.
Nid fy mod yn cwyno ond yr oedd mor gefnogol –
unwaith y daeth i ddygymod â'm beichiogrwydd,
ni allai neb weld bai arno am gymryd amser i ddod ato'i hun.
Ond, er hynny, yr oeddwn yn teimlo fod rhyw gysgod yn ei lygaid
wrth iddo edrych ar Iesu,
fel petai'n gofyn,
'Beth ddigwyddodd *mewn gwirionedd?'*
Yna fe gafwyd yr ymweliadau ar ôl y geni –
y bugeiliaid, a'r dieithriaid o'r dwyrain a'u hanrhegion drudfawr.
Rwy'n gwerthfawrogi, wedi'r cyfan, nad yw pob plentyn
yn cael y sylw a gafodd fy mhlentyn i.
Ond beth barodd iddynt ddod? – dyna sy'n fy mlino i.
Beth oedd ystyr eu gwrogaeth?
Peidiwch â chredu fy mod yn anniolchgar,
ond fe fyddai'n hyfryd weithiau
pe bai Iesu wedi cael bod yn blentyn cyffredin,
a'r tri ohonom yn cael llonydd i fwynhau ein dyddiau –
dim ffwdan,
dim angylion,
dim addewidion,

dim ond y llawenydd o gael bod gyda'n gilydd.
Ond wedi clywed geiriau'r hen Simeon diflannodd pob gobaith am hynny,
y rhybudd rhyfedd hwnnw ynglŷn â'r dyfodol.
Rwyf wedi ceisio anghofio,
ond yn wir i chi ni allaf;
mae'r pryder am drychineb ar y gorwel yno o hyd.
Felly, roedd gennyf deimladau cymysg,
cymysg iawn,
ac y mae'r teimladau hynny yn parhau.
Rwyf am orfoleddu,
a mwynhau fy mhlentyn tra gallaf.
Rwyf am gyfrif fy mendithion a diolch i Dduw am bopeth.
Ond roedd pris i'w dalu eisoes,
ac ym mherfeddion fy mod,
roedd gennyf ryw deimlad
fod y busnes yma o wasanaethferch yr Arglwydd,
o dderbyn ei ewyllys a gwasanaethu ei deyrnas,
yn golygu mwy o gost nag a ddychmygais erioed,
pris y byddai'n llawer iawn gwell gennyf beidio â'i dalu.

Gweddi
Arglwydd,
ochr yn ochr â bendithion disgybl
y mae pris i'w dalu –
aberthau,
galwadau,
cyfrifoldebau y mae'n rhaid eu derbyn.
Er mor anodd deall bob amser,
nid oes llawenydd heb dristwch,
nid oes pleser heb boen,
nid oes bywyd heb angau.
Ond er cymaint y draul
y mae'r wobr yn fwy.
Helpa ni, felly, i roi heb ystyried y pris,
a rho i ni lawenhau yn y cyfan sydd gennyt ti yn stôr
i ni ac i'th bobl ym mhob man,
drwy Iesu Grist ein Harglwydd.

Nick Fawcett, cyf. Olaf Davies

❖ ROEDDENT WEDI DAL FY SYLW

Offeiriad

Darllen: Luc 2:21–24, 39–40

Myfyrdod
Roeddent wedi dal fy sylw,
o'r eiliad cyntaf y gwelais hwy.
Mae'n debyg mai eu llawenydd
a'u hapusrwydd o rannu baban newydd.
Ond yr oedd yn fwy na hynny hefyd,
oherwydd gwelais lawer o rieni dros y blynyddoedd
yn llamu o lawenydd;
ond yr oedd rhywbeth yn wahanol ynglŷn â'r rhain.
Cefais yr argraff fod eu plentyn hwy yn wahanol i bob plentyn arall,
yn rhodd arbennig i'w warchod yn ofalus,
a'i drysori y tu hwnt i bopeth.
Gwn fod pob rhiant yn teimlo felly am ei blentyn ei hun –
gwyn y gwêl yw hi bob amser –
ond gyda'r ddeuddyn hyn yr oedd pethau'n wahanol.
Teimlais eu bod, er yn rhyfeddu ato,
yn arswydo o ystyried eu cyfrifoldeb.
Mae'n bosibl eich bod yn credu fy mod yn dychmygu,
ac yn darllen gormod rhwng y llinellau.
Mae hynny'n bosibl.
Wedi'r cyfan yr oedd hi'n ifanc iawn,
a dyma'u plentyn cyntaf –
popeth yn newydd,
yn ddiarth,
yn gyffrous.
Er hynny, rwy'n dal i daeru na welais erioed edrychiad
fel eu hedrychiad hwy.
Mae'n debyg y pery'r cyfan yn ddirgelwch,
oherwydd er y byddant yn sicr o ddychwelyd ar gyfer y gwyliau,
ni fyddaf yn siŵr o'u hadnabod y pryd hwnnw.
Ac eto i gyd hwyrach y daw'r ateb wedi'r cyfan,
oherwydd pan estynnodd ei fam y plentyn ataf

a chyhoeddi ei enw – Iesu –
fe wnaeth mewn ffordd a ddylai fod wedi golygu rhywbeth i mi,
mewn ffordd y byddwn yn deall yn syth
pam fod y plentyn mor bwysig,
fel petai hwn yn rhodd nid yn unig iddynt *hwy*,
ond i *mi*,
i *chi*,
ac i *bawb*.

Gweddi
O! Dduw trugarog,
cofiwn heddiw am y llawenydd a brofodd
y rhai y cyffyrddodd genedigaeth Iesu eu bywydau –
Mair, Joseff, bugeiliaid, doethion, Simeon ac Anna –
bywydau'n gorlifo o lawenydd a diolchgarwch.
Maddau i ni fod cynefindra
wedi pylu'r llawenydd
ac wedi dod rhyngom â'r fendith.
Llefara'r newydd da wrthym drachefn
a thyrd i'n calonnau o'r newydd.
Gwrando ni yn dy drugaredd,
yn enw Iesu.

Nick Fawcett, cyf. Olaf Davies

❖ Amgylchynwyd Fi gan Don o Dangnefedd

Simeon

Darllen: Luc 2:25–35

Myfyrdod
Amgylchynwyd fi gan don o dangnefedd,
ymchwydd o heddwch yn llenwi fy enaid,
tangnefedd y tu hwnt i bob deall –
yno, yn fy mreichiau,
y Meseia,
yno, yn wyneb crychiog
y plentyn bregus,
yr oedd cyflawniad addewid Duw i'w bobl.
Ni allaf lawn fynegi gwefr yr eiliad honno i mi,
oherwydd bu cyfnodau yn fy mywyd
pan fu fflam y ffydd yn llosgi'n isel.
Nid amau a welwn y Meseia â'm llygaid fy hun,
ond rhywbeth dyfnach a mwy difrifol na hynny;
rhywbeth a âi yn ôl i eiriau'r proffwyd
ynglŷn â bod yn oleuni i'r cenhedloedd,
a dwyn gogoniant i Dduw drwy ein bywyd a'n tystiolaeth.
Yr oeddwn wedi credu erioed;
bu'r weledigaeth yn tanio fy nychymyg a'm ffydd,
ond yn ddiweddar llosgodd y fflam yn isel
gan gymaint y gwirioneddau creulon o'm cwmpas.
Y gwir amdani oedd ein bod wedi dirywio'n hen genedl fewnblyg,
yn poeni mwy amdanom ein hunain nag am y byd mawr y tu allan;
yn wir yr oedd ein gorwelion yn cyfyngu fwyfwy bob dydd.
Yr oedd yn hawdd deall hyn
o gofio'r gorthrwm a ddioddefwyd dros y canrifoedd,
ond nid oedd gwerthfawrogi hynny yn gwneud pethau'n haws
nac yn ffynhonnell gobaith i'r dyfodol.
A allai pethau newid, tybed?
A oedd gobaith aildanio'r brwdfrydedd,
a'r syniad o fod yn rhan o bwrpas dwyfol,
yn tystio i'w ogoniant,

neu ynteu breuddwyd oedd y cyfan?
Ond y diwrnod hwnnw, yn y deml, newidiodd y cyfan –
cyfiawnhawyd y ffydd,
gwireddwyd y gobeithion –
oherwydd gwyddwn bellach y tu hwnt i bob amheuaeth
fod Duw wedi cadw ei addewid:
roedd ei was yno yn fy mreichiau,
yr un oedd i ddod â goleuni i'r byd
a iachawdwriaeth i bawb.
Gwelais ef â'm llygaid fy hun,
cyffyrddais ef â'm dwylo fy hun,
ac wedi hynny gallwn farw'n hapus,
fy llawenydd yn gyflawn,
fy ffydd wedi ei adfer,
heddwch dan fy mron.

Gweddi
Arglwydd grasol,
addewaist y deuai dy deyrnas
yng nghyflawnder yr amser;
teyrnas heb ryfel a thrais,
heb gasineb ac anghyfiawnder,
heb ddioddefaint a phoen,
a phawb yn byw mewn heddwch.
Diolch am y weledigaeth sy'n ysbrydoliaeth i ni,
a hiraethwn am y dydd
y gwireddir y freuddwyd.
Ond, Arglwydd, cyfaddefwn ein hamheuon,
a hynny yn wyneb pechod a dioddefaint ein byw,
y llygredd,
y gorthrwm a'r trais.
Dysg i ni ddal i gredu.
Helpa ni i ymddiried yn dy addewid
y cyflawnir dy ewyllys
ac y daw dy deyrnas.
Yn enw Iesu Grist.

Nick Fawcett, cyf. Olaf Davies

❖ O'r Diwedd

Y Sêr-ddewiniaid

Darllen: Mathew 2:1–12

Myfyrdod
O'r diwedd, dyma gyrraedd.
Wedi'r holl rwystrau,
a'r holl rwystredigaethau,
dyma ddod o hyd i un yr oeddem yn ei geisio –
daeth y daith i ben,
yr ymchwil wedi ei gwblhau.
Dyna i chi ryddhad oedd hynny.
Roeddem wedi dechrau amau ein bod yn rhy hwyr,
ac amser y dathlu wedi hen fynd heibio.
Yr hen fusnes yna yn Jerwsalem oedd achos yr oedi –
Herod a'i griw yn chwilota'n ddiddiwedd am wybodaeth.
Doedden nhw ddim yn gysurus am ryw reswm,
wedi eu syfrdanu gan y newyddion
fod brenin wedi ei eni yn eu plith.
Her newydd i'w hawdurdod–
pwy a ŵyr pa drafferth allai hwn ei achosi iddynt?
Er iddynt ein cyfeirio ni i Fethlehem,
roedd amser gwerthfawr wedi ei wastraffu
ac aethom â'n gwynt yn ein dyrnau i gyrraedd mewn pryd.
Ond yr oedd hi'n ddistaw,
fel yr oeddem wedi ofni –
dim tyrfaoedd,
dim teulu o gwmpas yn cynnig eu llongyfarchion,
dim ond tŷ cyffredin,
mor gyffredin nes peri i ni amau ein bod yn y lle anghywir.
Ond i mewn yr aethom, beth bynnag,
a'r eiliad y gwelsom y plentyn gwyddem mai hwn oedd yr un –
nid yn unig Brenin yr Iddewon,
ond Arglwydd yr Arglwyddi,
Brenin y Brenhinoedd!
Roeddem yn hwyr,

llawer iawn hwyrach nag oeddem wedi ei fwriadu,
y daith yn llawer mwy blinedig na'r disgwyl,
ond bu'n werth yr ymdrech,
gwerth y frwydr,
oherwydd fel dywed yr hen air,
'Gwell hwyr na hwyrach!'

Gweddi
Arglwydd,
y mae dy gariad yn parhau i alw,
er ein bod mor gyndyn i ymateb;
rwyt ti'n parhau i arwain
er mor arw a blinedig yw pererindod ffydd.
Er i ni ohirio penderfynu,
a'th gadw hyd braich,
yr wyt ti yno o hyd i arwain,
ac yn ymdrechu i'n tynnu atat dy hun.
Dysg i ni sylweddoli y bydd dy gariad
yn parhau i'n harwain i ddiwedd y daith,
drwy Iesu Grist ein Harglwydd.

Nick Fawcett, cyf. Olaf Davies

❖ WYDDOCH CHI BETH ROESOM IDDO?

Un o'r Sêr-ddewiniaid

Darllen: Mathew 2:10–11

Myfyrdod
Wyddoch chi beth roesom iddo?
Dewch, dyfalwch!
Ratl?
Tegan?
Na, dim byd o'r fath!
Yn wir, dim byd y byddech yn ei gysylltu â phlentyn o gwbl,
hyd yn oed os ydoedd i fod yn frenin.
Aur, dyna a roddais i!
A'm cyfeillion?
Wel, arhoswch amdani!
Ie, thus a myrr!
Yr oeddwn yn meddwl y byddai hynny yn eich synnu;
a dweud y gwir, wrth edrych yn ôl,
mae'n anodd gwybod beth ddaeth trosom
yn dewis y fath anrhegion anghyffredin.
Nid y ffaith eu bod mor ddrudfawr –
doedd y gost ond yn newid mân
i ddynion o'n modd ni.
Nid eu gwerth a'n blinai
ond eu harwyddocâd,
yr ystyr y gwelai ei rieni ynddynt wedi i ni ymadael.
Doedd dim problem gyda'r aur –
rhodd i frenin, roedd hynny'n amlwg.
Ond thus?
Mae'n debyg mai rhywbeth a ddefnyddid
i felysu eu haberthau
ac i dywallt ar eu hoffrymau oedd hwn,
fel bo'r persawr yn dderbyniol gan Dduw.
Go brin fod hynny'n anrheg priodol i blentyn.
Ond doedd hyn yn ddim i'w gymharu â myrr!

Peidiwch â dweud nad oeddech yn gwybod?
Cyffur ydoedd i leddfu poen,
neu i'w ddefnyddio i eneinio corff –
yn gweddu mwy i angladd na genedigaeth,
yn gweddu mwy i ddioddefaint a marwolaeth na dathlu!
Beth ddaeth trosom, tybed, yn meddwl am y fath bethau?
Pa arwyddocâd fyddai i'r anrhegion hyn
yng nghyd-destun bywyd plentyn bach?
Does gennyf ddim syniad.
Ond ar y pryd ymddangosai'r dewis yn amlwg i ni,
mor amlwg â dilyn seren,
y cyfan yn rhan o bwrpas
a ddeuai'n glir i bawb yn y man.
A oedden ni'n iawn?
Wel, does ond gobeithio nad oeddem.
Oherwydd os ganwyd y brenin hwn i farw,
i'w aberthu yn hytrach na'i orseddu,
yna mae'n rhaid mai brenhiniaeth ryfedd yw hon,
gwahanol iawn i'r cyffredin –
bron na ddywedwn
brenhiniaeth nad yw o'r byd hwn!

Gweddi
Arglwydd Iesu Grist,
fe'th ganwyd i farw.
Cymeraist arnat dy hun ein dynoliaeth
er mwyn profi ein meidroldeb.
Dangosaist i ni lwybr cariad,
ac fe'i dilynaist hyd y diwedd.
Cyhoeddaist faddeuant,
a bu i ti dalu'r pris i'w sicrhau.
Gwared ni, wrth i ni ddathlu dy eni,
rhag anghofio mai dechrau'r stori'n unig yw hyn.
Wrth i ni dy gyfarch fel baban Bethlehem,
rho i ni hefyd dy gyfarch fel Gwaredwr Croeshoeliedig
ac Arglwydd atgyfodedig.

Nick Fawcett, cyf. Olaf Davies

❖ Roedd hi'n Uffern ar y Ddaear

Mam ym Methlehem

Darllen: Mathew 2:13–18

Myfyrdod

Roedd hi'n uffern ar y ddaear,
y diwrnod gwaethaf yn fy mywyd.
Milwyr! – oer, creulon, didostur –
yn cipio ein plant oddi wrthym,
yn anwybyddu ein cri am drugaredd
a sgrechiadau arswydus y plant,
a'u difa mewn gwaed oer o flaen ein llygaid.
Does dim geiriau all ddisgrifio'n teimladau –
yr ofn, yr arswyd,
y gwacter, y dicter,
a mwy na dim y diymadferthedd –
ein hanallu i wneud dim
wrth i'n byd ddadfeilio.
Un funud yr oedd ein bywyd yn llawn addewid,
y funud nesaf yn gwbl amddifad.
Un funud yr oeddem yn chwerthin gyda'r plant,
a'r funud nesaf yn wylo wrth eu claddu.
Pam bu'n rhaid i hyn ddigwydd?
Beth a feddiannodd Herod i wneud y fath beth?
A mwy na dim, sut gallai Duw ganiatáu'r gyflafan?
Ni allaf weld fy hun yn deall hynny tra byddaf byw!
Taflwyd cwmwl dros y cwbl, hyd yn oed fy ffydd,
oherwydd ni allaf lai na meddwl
am un cyfnod digon tebyg yn hanes ein cenedl,
ganrifoedd yn ôl,
pan fu i Pharo,
ar ôl marwolaeth eu cyntaf anedig
ollwng ein pobl yn rhydd.
Pennod ogoneddus yn ein hanes, medden nhw,
a hwyrach mai gwir oedd hynny,
ond ni allaf beidio â meddwl am yr holl famau,

eu gwewyr a'u poen,
wrth i ni gerdded ar ein taith i ryddid.
Fe'n harbedwyd y pryd hynny,
ond nid y tro hwn –
y tro hwn gorfu i ni wynebu holl rym diawlineb y byd,
y diafol wedi'i ymgorffori,
dynoliaeth ar ei gwaethaf –
a'r cyfan oherwydd fod Herod wedi clywed sibrydion
fod Meseia wedi ei eni
yma ym Methlehem.
Am ba hyd eto?
Am ba hyd, yr holl ddioddefaint,
cyn i Dduw ymyrryd?
Y mae'n ymddangos i mi,
os yw'n caru'r byd fel y dywed ei fod,
yna mae'n bryd iddo ddarparu
aberth arall,
a'r tro hwn i'n hachub i gyd,
nid yn unig yr etholedig rai.

Gweddi
Arglwydd,
mae'n anodd dal ati i gredu weithiau.
Daw bywyd â'i lawenydd a'i harddwch,
daw hefyd â'i boen a'i alar.
Ni allwn weld synnwyr mewn dim
ac ni allwn ddeall pam dy fod yn caniatáu'r fath ddiflastod.
Ond yn Iesu Grist
dangosaist i ni mai
nid difater gennyt ein poen a'n hangen.
Yr wyt ti yn rhannu ein gofid
ac yn teimlo ein poen
ac yn cyd-ddioddef â'n gwendid.
Rho i ni olwg newydd
ar y galon sy'n gwaedu trosom
a'r dwylo briwedig sy'n trin ein clwyfau.

Nick Fawcett, cyf. Olaf Davies

❖ NADOLIG DRWY LYGAID… Y GYMDOGES

Wyddoch chi beth sy'n boen beunyddiol yn y dre yma? Ar ein stryd ni beth bynnag. Pobl haerllug yn parcio'u camelod tu allan i'ch tŷ chi heb ganiatâd. Mae'r peth wedi mynd yn rhemp yma ym Methlehem. Pan oeddwn i'n blentyn roedd hon yn dre fach dawel neis. Roeddwn i'n nabod pawb yma a phawb yn fy nabod i. Roedd pawb mor gymdogol ac yn parchu ei gilydd.

Rwy'n beio'r hen fasnachu mawr yma sydd wedi gafael yn y lle bellach. Mae yna farchnad ddefaid yma byth a hefyd. Sut allwch chi obeithio cael cymdeithas barchus a chynifer o'r bugeiliaid comon yma o gwmpas y lle ym mhob man? Fe glywais i nhw y noson o'r blaen yn bloeddio rhyw hen ganu maswedd allan ar y meysydd 'na, ac yn dod i weiddi hyd y stryd yma wedyn yn y tywyllwch. Wn i ddim sut mae gobaith i unrhyw ffermwr ymddiried ei ddefaid i'r fath griw o anwariaid. Allwch chi ddim rhesymu gyda nhw. Petai angel o'r nef yn dod lawr i geisio rhoi rhywfaint o synnwyr yn eu pennau nhw, fyddai hwnnw druan ddim yn cael briwsionyn o lwyddiant.

Yna pan fydd yr ŵyl yn Jerwsalem, bydd yr hufen yn cael aros yn y tai crand yna yng nghyffiniau'r palas. A phwy meddech chi fydd yn cael eu gwthio i drefi cefn gwlad Jwdea fel Bethania a Bethlehem ond yr hen bethau Galilea 'na, sy'n honni bod ganddyn nhw hawl i'w galw'n ddinasyddion Israel. Dinasyddion uffern, debycach. Jwdea i'r Jwdeaid ddweda i. Dylai'r ddeddf gael ei newid i'w cadw nhw yn eu gwlad eu hunain.

Ond fe aeth pethau dros ben llestri gyda'r hen Gyfrifiad felltith yma. Rhyw orchymyn gwirion gan Awgwstws Cesar yn codi'r dreth ar bawb ohonom ni. Canlyniad y llanast yna oedd fod pob creadur gwirion oedd yn hawlio ei fod yn perthyn i'r Brenin Dafydd yn heidio yma o bob cyfeiriad. Mi glywais i eu bod nhw wedi eu gwasgu i mewn i bob twll a chornel mewn gwestai, a rhai dibriod medden nhw yn cysgu gyda'i gilydd mewn beudai. Roedd y cwbwl yn warthus.

Ond y peth gwirioneddol gywilyddus oedd y tri yna o gyfeiriad y Dwyrain a landiodd drws nesa fan hyn ganol nos. Dihuno Benjamin a minnau gyda'u gweiddi am ryw seren wedi sefyll. Glywoch chi'r fath ffwlbri erioed! Clindarddach eu hen gadwyni wedyn wrth ddatod eu portmantos. A chredech chi ddim, y tri ohonyn nhw yn mynd mewn i'r beudy! "Pa ddrygioni sy ar y gweill fanna?" gofynnodd

Benjamin wedi codi i'r ffenestr. "Ddylwn i alw'r heddlu, dwed?" Ond yr arswyd fawr! Roedden nhw wedi clymu eu camelod yn union o flaen ein tŷ ni! Allwn i ddim â chredu fy llygaid. "Maen nhw yn yr union fan lle bydd Wncwl Josh yn gadael ei gamelod ar ddiwrnod mart," meddwn i, "ac mae'n ddiwrnod mart ddydd Gwener yma. Fe ddylet ti fod wedi paentio'r arwydd yna ar y ffordd ddoe: 'Parcio i drigolion a'u perthnasau yn unig'."

Dyna'r problemau mawr yr ydym ni ddinasyddion Dinas Dafydd yn gorfod eu dioddef. Rwy'n ofni bod Bethlehem wedi cyrraedd y gwaelod y dyddiau diwethaf yma. Ond yr unig beth y gallai Benjamin ei ddweud cyn ailddechrau chwyrnu ar ei obennydd oedd "Dere'n ôl i'r gwely, Haselelponi fach, does ond gobeithio y bydd pawb wedi anghofio popeth a ddigwyddodd yma erbyn y mis nesa."

John Gwilym Jones

Nadolig drwy Lygaid... Swyddog y Cyfrifiad

Petawn i wedi siarad â chi flynyddoedd yn ôl fe fuaswn i wedi dweud yn ddigon ysgafn imi gael ychydig o drafferth tua Bethlehem unwaith. Wedi'r cwbwl, rydych chi'n siŵr o gael un creadur od ymhob pentre. Ac mi ges i un yno. Roeddwn i'n un o glercod y Cyfrifiad, wedi fy newis i'r swydd am fy mod i'n medru Aramaeg. Rown i'n meddwl mod i'n ddigon diogel ynghanol deheuwyr Jwdea. Iaith y gogledd sy'n fy nrysu i. Ond fe ges i ryw frawd o Nasareth yng Ngalilea wedi dod bob cam o'r Gogledd lawr i Fethlehem am ei fod, mynte fe, o dŷ a thylwyth Dafydd.

'Defnyddiwch eich synnwyr, gyfaill,' myntwn i wrtho fe. 'Mae'n siŵr mai eich hen gyndeidiau chi oedd yn byw fan hyn, nid eich tad a'ch mam. Dim ond disgwyl i bobl fynd yn ôl i'w tre enedigol oedden ni.'

Os do fe, dyma fe'n dechrau pregethu wrtha i am bwysigrwydd gwreiddiau a pherthynas.

'Gwrandwch,' myntwn i wedyn wrtho fe, 'rwy i wedi colli adnabod hyd yn oed ar fy mrodyr, heb sôn am fy nhatcu a 'nghyndeidiau.'

'Eich colled chi ydi hynny, frawd,' meddai. Drwy gornel fy llygaid gwelwn y ciw a oedd yn disgwyl wrth y drws i gael eu cofrestru yn tyfu bob munud.

'Enw?' myntwn i yn fy llais ymherodrol.

'Joseff fab Jacob,' atebodd yntau gyda llond ei frest o falchder.

'Tir?' gofynnais.

'Dim o werth,' meddai, 'crefft yw fy nhir i.'

'Pa grefft?'

'Saer' oedd yr ateb, a dyna gafodd fynd i lawr yn y Cyfrifiad.

'Diolch,' myntwn i, gan weiddi 'Nesa!'

'Ara deg rwan, frawd,' meddai, 'dw i ddim wedi gorffen.'

'Ie?' gofynnais.

'Mae gen i fab,' meddai, 'a rwy am i'r mab fod yn y Cyfrifiad.'

Atebais ar ei ben: 'Dyw hwnnw ddim yn cyfri.'

'Be 'dach chi'n feddwl "ddim yn cyfri"?'

'Enw penteulu yn unig sy'n mynd mewn i'r Cyfrifiad,' meddwn i.

Ar hynny dyma fe'n dechrau taflu adnodau o'r Proffwydi ata i, fel yr un yn Eseia'r hen lyfrau, 'Dirmygedig oedd, ac ni wnaethom gyfrif ohono.'

'Peth peryglus yw peidio â chyfri yr un fydd yn y diwedd yn cyfri. Y mab biau yfory, frawd, a bydd yntau'n saer yn Nasareth ar fy ôl i. Felly mae'n rheitiach ichi gael ei enw fo na fy enw i.'

Ac er mwyn cael gwared arno a chael mynd ymlaen â 'ngwaith fe ofynnais i am enw'r mab.

'Iesu fab Joseff o Nasareth yng Ngalilea,' meddai.

Fe gymerais arnaf mod i'n cofnodi'r enw.

'Ychydig oriau yn ôl y'i ganed o, wyddoch chi.' Fe gymerais arnaf mod i'n cofnodi hynny hefyd.

Fe aeth y Joseff hwnnw ar ei ffordd yn llawen, a chydag ochenaid o ryddhad y trois innau wedyn at bobl haws eu gosod mewn rhestr. Mae yna ddeng mlynedd ar hugain a mwy ers hynny. Ond am ryw reswm roedd yr enw, 'Iesu fab Joseff o Nasareth', wedi bod yn canu yn fy nghof i ar hyd y blynyddoedd. Fe ddechreuais glywed pobl yn sôn amdano.

Y llynedd fe welais yr Iesu hwnnw yn cael ei ddirmygu yn Jerwsalem, ac yn cael ei lusgo i gyferiad Golgotha. Wrth iddo fynd heibio'r fan lle roeddwn i'n sefyll ar y stryd, roeddwn i'n siŵr iddo edrych i'm llygaid. Roedd fel petai'n gofyn imi, 'A ydw i'n cyfri yn dy fywyd di bellach?' Os na wnes i roi ei enw yn llyfr y Cyfrifiad y diwrnod hwnnw ym Methlehem, fe aeth i lyfr fy nghalon i ddydd Gwener y Groes yn Jerwsalem.

John Gwilym Jones

❖ YMATEB RHAI O'R TYSTION I'R NEWYDDION AM ENI RHYFEDDOL IESU

❖ BUGEILIAID

Roeddem yn gwylio ein praidd
fyny ar y bryniau.
Roedd hi'n noson fwyn
ac roedd yr awyr yn ddisglair â sêr.
Cofiaf ein bod yn siarad am y cyfrifiad
a'r dorf o ddieithriaid a ddenodd i'r dref.
Yn sydyn roedd ffagl o olau –
na welwyd mo'i debyg o'r blaen.
Yna, gwelsom yr angel yn sefyll yn ei ganol!
Meddyliais fod y diwedd wedi dod
ac y byddai Duw yn fy meirniadu
am fy mhechodau.
Siaradodd yr angel
â llais addfwyn a phwerus:
'Peidiwch ag ofni!
Rydw i wedi dod â newyddion da i chi,
a ddaw â llawenydd mawr i'r holl bobl.
Y diwrnod hwn yn nhref Dafydd
Ganwyd eich Gwaredwr –
Yr Arglwydd Crist!'
Roedd mwy –
pethau nad oeddwn yn eu deall –
am stribedi o liain
a baban mewn preseb.
Ac roedd cerddoriaeth.
Nid sain denau ffliwt bugail
ond twrw gogoneddus côr nefolaidd
fel byddin fawr o angylion y nefoedd
yn canu mawl i Dduw:
'Mawl i Dduw yn y nef uchaf,
a heddwch ar y ddaear i'r rhai hynny
sydd wedi plesio Duw!'

Mor sydyn ag yr ymddangosodd
yr angel cyntaf –
diflannodd y côr mawr
ac roeddem ar ein pen ein hunain
gyda'r defaid a'r sêr disglair.
Dyma ni'n edrych ar ein gilydd
mewn syndod.
Breuddwyd oedd y cyfan?
Neu, ai gwir noson ein
hiachawdwriaeth
oedd hon?
'Beth am fynd i Fethlehem?'
dywedais o'r diwedd.

❖ Joseff

Dydw i ddim yn meddwl y gwna i fyth
ddeall yr hyn sydd wedi digwydd i mi
yn ystod y misoedd diwethaf.
Yn ifanc a diofal,
roeddwn yn edrych ymlaen at briodi Mair,
fy nywedddi.
Ac yna, dywedodd hi wrtha i
ei bod hi'n feichiog!
Chwalodd fy mywyd o'm cwmpas
oherwydd cywilydd y peth
a'r siom enfawr.
Roedd ganddi stori wallgo'
am yr Ysbryd Glân!
Oedd hi'n meddwl fy mod i'n ffŵl?
Rwy'n gobeithio ei **bod** hi'n dweud y gwir...
Ond rwy'n ddyn anrhydeddus.
Ddim am ei gwaradwyddo'n gyhoeddus.
Tra roeddwn i'n meddwl,
yn ystyried beth i'w wneud,
daeth angel ataf mewn breuddwyd
a fy sicrhau bod Mair yn dweud y gwir!
Byddai ei mab, y baban,

yn cael ei enwi'n Iesu
a byddai'n achub ei bobl o'u pechodau.
Felly, dyma ni'n priodi
ac yn aros am yr enedigaeth
gydag awch a pharchedig ofn...
Roedd yr amser yn agos
pan alwyd y cyfrifiad.
Bethlehem oedd man fy hynafiaid,
ac roedd rhaid mynd yno.
Gweddïais y byddai'r baban yn aros
nes i ni gyrraedd y dref...
Ac yna, nes i ni ganfod lle...
'Dim ystafell' oedd yr ateb
ble bynnag yr euthum –
dim lle – ac amser yn prinhau.
Ac yna, stabl,
man gostyngedig
ond cynnes a sych,
a gwaedd gyntaf y plentyn
yn deffro'r adar yn y bondo.

❖ GŴR Y LLETY

Fedrwch chi ddim fy meio i –
er bod llawer wedi gwneud.
Roedd hi'n gyfnod anodd
a daeth y cyfrifiad
i ddatrys ein problemau:
cyfle i adennill colledion
a chynilo rhywfaint
ar gyfer y dyfodol.
Wrth gwrs,
roeddwn i'n teimlo drostynt –
Galilead pryderus a'i briod ifanc
yn feichiog iawn.
Ond beth allwn i ei wneud?
Roedd y llety'n llawn;
doedd gwesteion a oedd wedi talu

ddim am ildio'u hystafelloedd iddyn nhw.
Fe wnes i'r hyn a allwn.
Roedd y stabl yno
i'w derbyn neu ei gwrthod.
Dyma nhw'n derbyn, yn ddiolchgar
hyd yn oed am ddarn o wellt.
Sut oeddwn i i wybod y byddai
hanes yn cael ei greu yn y tŷ allan
hwnnw?

❖ Mair

Mae fy nghalon yn moli'r Arglwydd.
Mae fy enaid yn falch
oherwydd bod Duw wedi cofio
amdanaf,
ei forwyn ostyngedig!
Roedd hi'n rhyfedd
nad oedd gen i amheuon
wedi ymweliad yr angel.
Roedd Duw wedi fy newis i
i eni ei fab.
Joseff druan!
Yn flin i ddechrau
yna'n ddryslyd
yna'n rhannu fy syndod a'm hyder...
Nid wyf yn cofio llawer am y daith i
Fethlehem.
Diolch byth –
mae'r hyn rwy'n ei gofio'n boenus
gydag ysgytiad pob cam araf
ar y ffordd lychlyd.
Rwy'n cofio anobaith Joseff
wrth iddo fynd o ddrws i ddrws
a'r un ateb o hyd:
'Dim lle.
Dydych chi ddim yn gwybod
bod yna gyfrifiad?'

Croesawodd cynhesrwydd
y stabl ni.
Yn cynnig gorffwysiad o'r diwedd.
Yna, ganwyd Iesu
ac edrychais mewn rhyfeddod
ar fab Duw
yn bwydo ar fy mron...
Disgynnodd cysgod
ar draws y drws
a daeth y bugeiliaid
i wylio mewn syndod
ac adrodd eu hanes
am gân yr angylion.
Nid amheuais i nhw.
Dyma nhw'n gadael,
gan foli Duw
am yr hyn a welsant ac a glywsant.
A chofiais bopeth
a myfyrio'n ddwfn...